国家出版基金项目
NATIONAL PUBLICATION FOUNDATION

「十三五」国家重点出版物出版规划项目

中国中药资源大典

资源大典

河北卷

3

黄璐琦 / 总主编

郑玉光　王　洪 / 主　编

北京科学技术出版社

图书在版编目（CIP）数据

中国中药资源大典．河北卷．3 / 郑玉光，王洪主编
．— 北京：北京科学技术出版社，2023.9
ISBN 978-7-5714-2812-9

Ⅰ．①中… Ⅱ．①郑… ②王… Ⅲ．①中药资源－资
源调查－河北 Ⅳ．①R281.4

中国版本图书馆 CIP 数据核字（2022）第 253394 号

责任编辑：侍　伟　李兆弟　吕　慧　庞璐璐
责任校对：贾　荣
图文制作：樊润琴
责任印制：李　茗
出 版 人：曾庆宇
出版发行：北京科学技术出版社
社　　　址：北京西直门南大街16号
邮政编码：100035
电　　　话：0086-10-66135495（总编室）　　0086-10-66113227（发行部）
网　　　址：www.bkydw.cn
印　　　刷：北京博海升彩色印刷有限公司
开　　　本：889 mm×1 194 mm　　　1/16
字　　　数：909千字
印　　　张：41
版　　　次：2023年9月第1版
印　　　次：2023年9月第1次印刷
审 图 号：GS京（2023）1758号
ISBN 978-7-5714-2812-9

定　　价：490.00元

《中国中药资源大典·河北卷3》

编写人员

总 主 编　黄璐琦

主　　编　郑玉光　王 洪

副 主 编　王 乾　张 丹　张一昕

编　　委　（按姓氏笔画排序）

马云凤　王 茜　王 洪　王 乾　王非凡　王歆彤　牛伟涛　古军霞

田春雨　刘 璇　孙丽丛　孙宝惠　孙洪生　严玉平　李 兰　李 磊

李佳瑛　李朋月　李继安　吴兰芳　何 培　谷 仙　沈正先　张 丹

张一昕　张丹参　张钰炜　张瑞娟　陈 玺　武延生　金 姗　郑开颜

郑玉光　房慧勇　赵云生　荣冬青　胡贝贝　袁鑫茹　郭秋红　郭增瑞

黄璐琦　韩 雪　喇孝瑾　景永帅　谢爱华　靳国印　薛紫鲸　魏会平

资料收集　（按姓氏笔画排序）

于淑玲　朱艳苹　孙玉娟　李中秋　邱梦宇　张晓丽　蒋沅岐　程文境

摄　　影　（按姓氏笔画排序）

王瑞龙　张鹏飞　陈 光　郝长敏　荣冬青　彪雅宁　崔凤侠

主编简介

>> 郑玉光

　　教授，博士生导师，河北化工医药职业技术学院党委副书记、院长，全国中药炮制技术传承基地（河北省）负责人，孙宝惠全国名老中医药专家传承工作室负责人，国家级一流课程（中药鉴定学）负责人，河北省中药炮制技术创新中心负责人，河北省中药材产业技术研究体系岗位专家。兼任国家科学技术奖励评审专家，国家中医药管理局项目评审专家，中华中医药学会中药鉴定分会委员，《中国中药杂志》特约审稿人，《中国现代中药》编委。担任河北省第四次中药资源普查工作专家组主任委员，指导开展了河北省第四次中药资源普查工作。作为河北省中药材产业技术研究体系岗位专家，他主要负责河北省道地中药材产地无硫加工的指导及加工规范的制订，为河北省中药材产业的发展提供了技术支撑。

　　他毕业于黑龙江中医学院（现黑龙江中医药大学）中药资源专业，多年来一直从事中药鉴定及中药资源学领域的教学、科研工作，主要研究方向为中药材规格等级质量标准研究、道地中药材生产区划研究、中药材产地采收及无硫加工技术研究。主持国家级及省部级课题 11 项，发表学术论文 60 余篇，主编、副主编学术专著 6 部及规划教材 5 部，获得专利 9 项，制定国家级中药材商品规格标准 28 项。

主编简介

>> **王洪**

医学博士，主任医师，教授，博士生导师，历任河北大学附属医院院长、党委副书记，河北大学党委常委、副校长、医学部主任，河北医科大学党委副书记、副校长，河北中医学院（现河北中医药大学）党委书记。河北省有突出贡献中青年专家，河北省省管优秀专家，享受国务院政府特殊津贴专家，河北省人大代表，河北省劳动模范。任职期间获全国卫生系统先进工作者、全国百姓放心示范医院优秀管理者、中国优秀医院院长等荣誉称号。

第四次全国中药资源普查试点（河北省）项目工作负责人之一，曾任原卫生部医疗服务监管司内镜临床诊疗质量评价专家委员会副主任委员、神经科内镜专业委员会副主任，中国神经科学学会神经损伤与修复分会常务委员，河北省继续医学教育委员会副主任委员，河北环保联合会副会长，河北省医学会神经外科学分会副主任委员，河北省中西医结合学会副会长。应邀担任《河北医药》杂志副主任委员，《医学研究与教育》杂志副主编。

他主要从事神经系统肿瘤基础与诊疗研究及神经内镜应用研究。承担国家级及省厅级课题20余项，其中国家"863"高技术重点项目1项，科学技术部国际合作项目1项，河北省中医药部门公共卫生服务项目1项，第四次全国中药资源普查专项1项；荣获国家级及省级科学技术进步奖3项，其中河北省科学技术进步奖一等奖1项，恩德思医学科学技术奖一等奖2项；获发明专利2项；发表学术论文40余篇，出版学术专著9部，主审学术专著4部。

被子植物

董菜科 Violaceae 董菜属 Viola

白花董菜 *Viola lactiflora* Nakai

| 植物别名 | 宽叶白花董菜。

| 药 材 名 | 白花董菜（药用部位：全草）。

| 形态特征 | 多年生草本，无地上茎，高 10 ～ 18 cm。根茎稍粗，垂直或斜生，上部具短而密的节，散生数条淡褐色长根。叶多数，均基生；叶片长三角形或长圆形，下部者长 2 ～ 3 cm，宽 1.5 ～ 2.5 cm，上部者长 4 ～ 5 cm，宽 1.5 ～ 2.5 cm，先端钝，基部明显呈浅心形或截形，有时稍呈戟形，边缘具钝圆齿，两面无毛，下面叶脉明显隆起；叶柄长 1 ～ 6 cm，无翅，下部者较短，上部者较长；托叶明显，淡绿色或略呈褐色，近膜质，中部以上与叶柄合生，合生部分宽约 4 mm，离生部分线状披针形，边缘疏生细齿或全缘。花白色，中等

大小，长 1.5 ~ 1.9 cm；花梗不超出或稍超出于叶，在中部或中部以上有 2 线形小苞片；萼片披针形或宽披针形，长 5 ~ 7 mm，先端渐尖，基部附属物短而明显，末端截形，具钝齿或全缘，边缘狭膜质，具 3 脉；花瓣倒卵形，侧方花瓣里面有明显的须毛，下方花瓣较宽，先端无微缺，末端具明显的筒状距；距长 4 ~ 5 mm，直径约 3 mm，末端圆；花药长约 2 mm，与药隔先端附属物近等长，下方 2 雄蕊背部的距呈短角状，长约 2.5 mm，末端渐细；子房无毛，花柱棍棒状，基部细，稍向前膝曲，向上渐增粗，柱头两侧及后方稍增厚成狭的缘边，前方具短喙，喙端有较细的柱头孔。蒴果椭圆形，长 6 ~ 9 mm，无毛，先端常有宿存的花柱；种子卵球形，长约 1.5 mm，呈淡褐色。

| **生境分布** | 生于草地或草坡。分布于河北阜平、武安等。

| **资源情况** | 野生资源丰富。药材主要来源于野生。

| **采收加工** | 春、秋季采收，除去杂质，晒干。

| **功能主治** | 苦、辛，寒。除风火，散瘀血，通经，消肿，解毒。用于红肿疮毒，疔疮，淋浊等。

| **用法用量** | 内服煎汤，25 ~ 50 g。外用适量，捣敷。

菫菜科 Violaceae 菫菜属 Viola

斑叶菫菜
Viola variegata Fisch ex Link

| 药 材 名 | 斑叶菫菜（药用部位：全草。别名：天蹄）。

| 形态特征 | 多年生草本，无地上茎，高 3 ~ 12 cm。根茎通常较短而细，长 4 ~ 15 mm，节密生，具数条淡褐色或近白色长根。叶均基生，呈莲座状，叶片圆形或圆卵形，长 1.2 ~ 5 cm，宽 1 ~ 4.5 cm，先端圆形或钝，基部明显呈心形，边缘具平而圆的钝齿，上面暗绿色或绿色，沿叶脉有明显的白色斑纹，下面通常稍带紫红色，两面通常密被短粗毛，有时毛较稀疏或近无毛；叶柄长短不一，长 1 ~ 7 cm，上部有极狭的翅或无翅，被短粗毛或近无毛；托叶淡绿色或苍白色，近膜质，2/3 与叶柄合生，离生部分披针形，先端渐尖，边缘疏生流苏状腺齿。花红紫色或暗紫色，下部通常色较淡，长 1.2 ~ 2.2 cm；花梗长短不等，超出于叶或较叶稍短，通常带紫红色，有短毛或近

无毛，在中部有 2 线形的小苞片；萼片通常带紫色，长圆状披针形或卵状披针形，长 5 ~ 6 mm，先端尖，具狭膜质边缘并被缘毛，具 3 脉，基部附属物较短，长 1 ~ 1.5 mm，末端截形或疏生浅齿，上面被粗短毛或无毛；花瓣倒卵形，长 7 ~ 14 mm，侧方花瓣里面基部有须毛，下方花瓣基部白色并有董色条纹，连距长 1.2 ~ 2.2 cm；距筒状，长 3 ~ 8 mm，粗或较细，末端钝，直或稍向上弯；雄蕊的花药及药隔先端附属物均长约 2 mm，下方 2 雄蕊的距细而长，长可达 4 mm，直径约 0.3 mm；子房近球形，通常有粗短毛，或近无毛，花柱棍棒状，基部稍膝曲，向上渐增粗，柱头两侧及后方明显增厚成直伸的缘边，前方有明显的短喙，喙端具向上开口的柱头孔。蒴果椭圆形，长约 7 mm，无毛或疏生短毛；幼果球形，通常被短粗毛；种子淡褐色，小形，长约 1.5 mm，附属物短。花期 4 月下旬至 8 月，果期 6 ~ 9 月。

| **生境分布** | 生于山坡草地、林下、灌丛中或阴处岩石缝隙中。分布于河北赤城、抚宁、阜平等。

| **资源情况** | 野生资源一般。药材主要来源于野生。

| **采收加工** | 夏、秋季采收，洗净，鲜用或晒干。

| **药材性状** | 本品多皱缩成团。湿润展开后，叶基生，宽卵形，基部下延至叶柄，边缘有圆锯齿，绿色或枯绿色，叶脉有类白色斑纹，基部有披针状托叶。花茎长于叶，淡棕紫色。气微，味微苦。

| **功能主治** | 甘，凉。清热解毒，凉血止血。用于痈疮肿毒，创伤出血。

| **用法用量** | 内服煎汤，9 ~ 15 g。外用适量，捣敷。

| **附　注** | 本种为低矮无茎的多年生小草本。叶片通常呈圆形，上面绿色并沿叶脉有明显的白色斑状条带，下面常带紫红色，但有时呈绿色，在自然生长状态下极易识别。但在果期或干标本上，叶下面的紫红色常变为绿色。

菫菜科 Violaceae 菫菜属 Viola

北京菫菜
Viola pekinensis (Regel) W. Beck.

| 植物别名 | 拟弱距菫菜。

| 药 材 名 | 北京菫菜（药用部位：全草）。

| 形态特征 | 多年生草本，无地上茎，高达 6 ~ 8 cm。根茎稍粗壮，短缩，长
0.5 ~ 1 cm，直径约 0.5 cm，绿色，无毛。叶基生，莲座状；叶片
圆形或卵状心形，长 2 ~ 3 cm，宽与长几相等，先端钝圆，基部
心形，边缘具钝锯齿，两面无毛或沿叶脉被疏柔毛；叶柄细长，长
1.5 ~ 4.5 cm，无毛；托叶外方者较宽，白色，膜质，约 3/4 与叶柄
合生，内部者较窄，绿色，约 1/2 与叶柄合生，离生部分狭披针形，
先端渐尖，边缘具稀疏的流苏状细齿。花淡紫色，有时近白色；花
梗细弱，通常稍高出于叶丛，近中部有 2 线形小苞片；萼片披针形

或卵状披针形，长 7 ～ 9 mm，宽 1.5 ～ 2 mm，先端急尖，边缘狭膜质，具 3 脉，基部具明显伸长的附属物，附属物长 2 ～ 3 cm，末端浅裂；花瓣宽倒卵形，上瓣长约 1.1 cm，宽约 7 mm，侧瓣长约 1.1 cm，宽约 6 mm，里面近基部有明显的须毛，下瓣连距长 1.5 ～ 1.8 cm；距圆筒状，稍粗壮，长 6 ～ 9 mm，直伸，末端钝圆；花药长约 2 mm，药隔先端附属物与花药近等长，下方雄蕊背部之距线形，长约 5 mm；子房无毛，花柱棍棒状，基部通常直且较细，向上渐增粗，顶部平坦，两侧及后方具明显的缘边，前方具短喙，喙端具较宽的柱头孔。蒴果无毛。花期 4 ～ 5 月，果期 5 ～ 7 月。

| 生境分布 | 生于海拔 500 ～ 1 500 m 的阔叶林林下或林缘草地。分布于河北磁县、行唐、迁西等。

| 资源情况 | 野生资源丰富。药材主要来源于野生。

| 采收加工 | 夏、秋季采收，洗净，鲜用或晒干。

| 功能主治 | 清热解毒。用于疗疮肿毒等。

| 用法用量 | 内服煎汤，适量。

菫菜科 Violaceae 菫菜属 Viola

东北菫菜
Viola mandshurica W. Beck.

| 植物别名 | 董董菜。

| 药 材 名 | 东北菫菜（药用部位：全草）。

| 形态特征 | 多年生草本，无地上茎，高 6 ～ 18 cm。根茎缩短，垂直，长 5 ～ 12 mm，节密生，呈暗褐色，常自一处发出数条较粗壮的褐色长根，根通常平滑，向下斜伸或有时稍横生。叶 3 或 5 至多数，皆基生；叶片长圆形、舌形、卵状披针形，下部者花期前通常较小，呈狭卵形，长 2 ～ 6 cm，宽 0.5 ～ 1.5 cm，花期后叶片渐增大，呈长三角形、椭圆状披针形或稍呈戟形，长可超过 10 cm，宽达 5 cm，最宽处位于叶的最下部，先端钝或圆，基部截形或宽楔形，下延于叶柄，边缘疏生波状浅圆齿，有时下部近全缘，两面无毛或被疏柔毛，下

面有明显隆起的中脉；叶柄较长，长 2.5 ~ 8 cm，上部具狭翅，花期后翅显著增宽，被短毛或无毛；托叶膜质，下部者呈鳞片状，褐色，上部者淡褐色、淡紫色或苍白色，2/3 以上与叶柄合生，离生部分线状披针形，先端渐尖，边缘疏生细齿或近全缘；花紫堇色或淡紫色，较大，直径约 2 cm；花梗细长，通常超出于叶，无毛或被短毛，通常在中部以下或近中部处具 2 线形苞片；萼片卵状披针形或披针形，长 5 ~ 7 mm，先端渐尖，基部附属物短（长 1.5 ~ 2 mm）而较宽，末端圆或截形，通常无齿，具狭膜质边缘，具 3 脉；上方花瓣倒卵形，长 11 ~ 13 mm，宽 5 ~ 8 mm，侧方花瓣长圆状倒卵形，长 11 ~ 15 mm，宽 4 ~ 6 mm，里面基部有长须毛，下方花瓣连距长 15 ~ 23 mm，距圆筒形，粗而长，长 5 ~ 10 mm，末端圆，向上弯或直；雄蕊的药隔先端附属物长约 1.5 mm，花药长约 2 mm，下方 2 雄蕊的距长 4 ~ 6 mm；子房卵球形，长约 2.5 mm，无毛，花柱棍棒状，基部细而向前方膝曲，上部较粗，柱头两侧及后方稍增厚成薄而直立的缘边，前方具明显向上斜升的短喙，喙端具较粗的柱头孔。蒴果长圆形，长 1 ~ 1.5 cm，无毛，先端尖；种子多数，卵球形，长 1.5 mm，无毛，淡棕红色。花果期 4 月下旬至 9 月。

| 生境分布 | 生于草地、草坡、灌丛、林缘、疏林下、田野荒地及河岸沙地等处。分布于河北邢台及青龙等。

| 资源情况 | 野生资源丰富。药材来源于野生。

| 采收加工 | 夏、秋季采收，洗净，鲜用或晒干。

| 药材性状 | 本品多皱缩成团。湿润展开后，根细长，深褐色或灰白色。基生叶卵状披针形或条形，先端钝圆，边缘波状，基部下延至叶柄。质脆，易碎。气微，味微苦。

| 功能主治 | 苦，寒。清热解毒，消肿排脓。用于痈疽疔毒，目赤肿痛，咽喉肿痛，乳痈，黄疸，各种脓肿，淋巴结结核，泄泻，痢疾。

| 用法用量 | 内服煎汤，15 ~ 30 g。外用适量，捣敷。

| 附　注 | 白花东北堇菜（变型）*Viola mandshurica* f. *albiflora* P. Y. Fu et Y. C. Teng 的主要特征是花白色，花瓣有紫色脉纹。

菫菜科 Violaceae 菫菜属 Viola

鸡腿菫菜
Viola acuminata Ledeb.

| 植物别名 | 鸡腿菜、胡森菫菜、红铧头草。

| 药 材 名 | 红铧头草（药用部位：全草）。

| 形态特征 | 多年生草本，通常无基生叶。根茎较粗，垂直或倾斜，密生多条淡褐色根。茎直立，通常 2 ~ 4 丛生，高 10 ~ 40 cm，无毛或上部被白色柔毛。叶片心形、卵状心形或卵形，长 1.5 ~ 5.5 cm，宽 1.5 ~ 4.5 cm，先端锐尖、短渐尖至长渐尖，基部通常心形（狭或宽心形，变异幅度较大），稀截形，边缘具钝锯齿及短缘毛，两面密生褐色腺点，沿叶脉被疏柔毛；叶柄下部者长达 6 cm，上部者较短，长 1.5 ~ 2.5 cm，无毛或被疏柔毛；托叶草质，叶状，长 1 ~ 3.5 cm，宽 2 ~ 8 mm，通常羽状深裂成流苏状，或浅裂成牙齿状，边缘被缘

毛，两面有褐色腺点，沿脉疏生柔毛。花淡紫色或近白色，具长梗；花梗细，被细柔毛，通常均超出于叶，中部以上或在花附近具 2 线形小苞片。蒴果椭圆形，长约 1 cm，无毛，通常有黄褐色腺点，先端渐尖。花果期 5 ～ 9 月。

| **生境分布** | 生于杂木林林下、林缘、灌丛、山坡草地或溪谷湿地等处。分布于河北赤城、磁县、丰宁等。

| **资源情况** | 野生资源丰富。药材来源于野生。

| **采收加工** | 夏、秋季采收，鲜用或晒干。

| **药材性状** | 本品多皱缩成团。根数条，棕褐色。茎数枝丛生，托叶羽状深裂，多卷缩成条状，叶片心形。有时可见椭圆形蒴果。气微，味微苦。

| **功能主治** | 淡，寒。清热解毒，消肿止痛。用于肺热咳嗽，急性病毒性肝炎，疮疖肿毒，跌打损伤。

| **用法用量** | 内服煎汤，9 ～ 15 g，鲜品 30 ～ 60 g；或捣汁服。外用适量，捣敷。

| **附　注** | 毛花鸡腿堇菜（变种）*Viola acuminata* Ledeb. var. *pilifera* C. J. Wang 与本种的区别在于花较大，距长而粗，长 4.5 ～ 5 mm，直径 2 ～ 3 mm；上方花瓣里面近基部处有须毛；下方 2 雄蕊的距呈长角状，长 4 ～ 4.5 mm；托叶披针形，被短柔毛，边缘疏生细齿。

董菜科 Violaceae 董菜属 Viola

董菜
Viola verecunda A. Gray

| 植物别名 | 董董菜、葡董菜。

| 药 材 名 | 消毒药（药用部位：全草）。

| 形态特征 | 多年生草本，高 5 ~ 20 cm。根茎短粗，长 1.5 ~ 2 cm，直径约 5 mm，斜生或垂直，节间缩短，节较密，密生多条须根。地上茎通常数条丛生，稀单一，直立或斜升，平滑无毛。基生叶叶片宽心形、卵状心形或肾形，长 1.5 ~ 3 cm（包括垂片），宽 1.5 ~ 3.5 cm，先端圆或微尖，基部宽心形，两侧垂片平展，边缘具向内弯的浅波状圆齿，两面近无毛；茎生叶少，疏列，与基生叶相似，但基部的弯缺较深，幼叶的垂片常卷折；叶柄长 1.5 ~ 7 cm，基生叶之柄较长，具翅，茎生叶之柄较短，具极狭的翅；基生叶的托叶褐色，下部与

叶柄合生，上部离生，呈狭披针形，长 5 ~ 10 mm，先端渐尖，边缘疏生细齿，茎生叶的托叶离生，绿色，卵状披针形或匙形，长 6 ~ 12 mm，通常全缘，稀具细齿。花小，白色或淡紫色，生于茎生叶的叶腋，具细弱的花梗；花梗远长于叶片，中部以上有 2 近对生的线形小苞片；萼片卵状披针形，长 4 ~ 5 mm，先端尖，基部附属物短，末端平截、具浅齿，边缘狭膜质；上方花瓣长倒卵形，长约 9 mm，宽约 2 mm，侧方花瓣长圆状倒卵形，长约 1 cm，宽约 2.5 mm，上部较宽，下部变狭，里面基部有短须毛，下方花瓣连距长约 1 cm，先端微凹，下部有深紫色条纹；距呈浅囊状，长 1.5 ~ 2 mm；雄蕊的花药长约 1.7 mm，药隔先端附属物长约 1.5 mm，下方雄蕊的背部具短距；距呈三角形，长约 1 mm，直径约 1.5 mm，末端钝圆；子房无毛，花柱棍棒状，基部细且明显向前膝曲，向上渐增粗，柱头 2 裂，裂片稍肥厚而直立，中央部分稍隆起，前方位于 2 裂片间的基部有斜升的短喙，喙端具圆形的柱头孔。蒴果长圆形或椭圆形，长约 8 mm，先端尖，无毛；种子卵球形，淡黄色，长约 1.5 mm，直径约 1 mm，基部具狭翅状附属物。花果期 5 ~ 10 月。

| 生境分布 | 生于湿草地、山坡草丛、灌丛、杂木林林缘、田野、宅旁等处。分布于河北邢台（内丘、沙河）等。

| 资源情况 | 野生资源丰富。药材来源于野生。

| 采收加工 | 7 ~ 8 月采收，洗净，鲜用或晒干。

| 药材性状 | 本品多皱缩成团。湿润展平后，基生叶具长柄，宽心形。茎纤细，单叶互生，心形，先端钝尖，基部深心形，边缘具圆齿，基部有 2 小形披针形托叶。花顶生，淡棕紫色。气微，味微涩。

| 功能主治 | 微苦，凉。清热解毒，止咳，止血。用于肺热咳嗽，乳蛾，结膜炎，疔疮肿毒，蝮蛇咬伤，刀伤出血。

| 用法用量 | 内服煎汤，15 ~ 30 g，鲜品 30 ~ 60 g；或捣汁。外用适量，捣敷。

| 附　　注 | 本种与如意草 *Viola hamiltoniana* D. Don 近似，但后者常具蔓生的地上匍匐枝，其节处生不定根，叶形较大，基部呈宽心形，垂片发达，托叶狭披针形，全缘，先端渐尖，可以此区别。

董菜科 Violaceae 董菜属 Viola

裂叶董菜
Viola dissecta Ledeb.

| **植物别名** | 深裂叶董菜。

| **药 材 名** | 疗毒草（药用部位：全草或根及根茎）。

| **形态特征** | 多年生草本，无地上茎，植株高度变化大，花期高 3 ~ 17 cm，果期高 4 ~ 34 cm。根茎垂直，缩短，长 5 ~ 12 mm，直径 3 ~ 8 mm，节密，常自下部发出数条较肥厚的淡黄色根。基生叶叶片圆形、肾形或宽卵形，长 1.2 ~ 9 cm，宽 1.5 ~ 10 cm，通常 3（稀 5）全裂，两侧裂片具短柄，常 2 深裂，中裂片 3 深裂，裂片线形、长圆形或狭卵状披针形，宽 0.2 ~ 3 cm，全缘或疏生不整齐缺刻状钝齿，亦或近羽状浅裂，最终裂片全缘，通常有细缘毛，幼叶两面被白色短柔毛，后变无毛或仅上面疏生短柔毛，下面叶脉明显隆起并被短柔

毛或无毛；叶柄长度、毛被物等常因植株个体不同而变化较大，长 1.5 ～ 24 cm，幼叶之柄常被短柔毛，后变秃净无毛；托叶近膜质，苍白色至淡绿色，2/3 以上与叶柄合生，离生部分狭披针形，先端渐尖，边缘疏生细齿。花较大，淡紫色至紫堇色；花梗果期前通常与叶等长或稍超出于叶，果期通常比叶短，有毛或无毛；在花梗中部以下有 2 线形小苞片；萼片卵形、长圆状卵形或披针形，长 4 ～ 7 mm，先端稍尖，边缘狭膜质，具 3 脉，基部附属物短，长 1 ～ 1.5 mm，末端截形，全缘或具 1 ～ 2 细齿；上方花瓣长倒卵形，长 8 ～ 13 mm，宽 6 ～ 9 mm，上部微向上反曲，侧方花瓣长圆状倒卵形，长 7 ～ 10 mm，宽约 6 mm，里面基部有长须毛或疏生须毛，下方花瓣连距长 1.4 ～ 2.2 cm；距明显，圆筒形，长 4 ～ 8 mm，直径 2 ～ 3 mm，末端钝而稍膨胀；花药长 1.5 ～ 2 mm，药隔先端附属物长 1.5 ～ 2 mm，下方雄蕊之距细长，长 3 ～ 5 mm，直径 0.5 ～ 0.7 mm；子房卵球形，长约 1.8 mm，无毛，花柱棍棒状，长 2 ～ 2.5 mm，基部稍细并微向前方膝曲，柱头两侧及后方具稍增厚而直展的缘边，前方具短喙，喙端具明显的柱头孔。蒴果长圆形或椭圆形，长 7 ～ 18 mm，先端尖，果皮坚硬，无毛。花期较长，4 ～ 9 月，果期 5 ～ 10 月。

| 生境分布 | 生于山坡草地、杂木林林缘、灌丛下或田边、路旁等地。分布于河北磁县、阜平、怀安等。

| 资源情况 | 野生资源丰富。药材主要来源于野生。

| 采收加工 | 夏、秋季采挖，洗净，鲜用或晒干。

| 药材性状 | 本品多皱缩成团。湿润展平后，叶基生，叶片掌状 3 或 5 全裂，裂片再羽状深裂，裂片线浅。花淡棕紫色。气微，味微苦。

| 功能主治 | 苦，寒。清热解毒，利湿消肿。用于疔疮肿毒，麻疹热毒，肺痨，肺炎，胸膜炎，淋浊，带下，肾炎。

| 用法用量 | 内服煎汤，9 ～ 15 g。外用适量，捣敷。

| 附　注 | 本种生长在低海拔地区林缘或林下较肥沃而湿润土壤中的植株较高大，叶的裂片较宽，花大；在海拔 1 500 ～ 2 200 m 的山地草原生长的植株通常较低矮，叶的裂片狭而细，花亦小。其高大类型与南山堇菜 *Viola chaerophylloides* (Regel) W. Beck. 近似，但本种花较小，呈淡紫色或紫堇色，萼片的附属物极短，叶裂片在果期通常呈厚纸质，深绿色，下面的叶脉明显隆起，可以此区别。

董菜科 Violaceae 董菜属 *Viola*

球果董菜 *Viola collina* Bess.

| 植物别名 | 毛果董菜、圆叶毛董菜、细齿董菜。

| 药 材 名 | 地核桃（药用部位：全草。别名：山核桃、箭头草、匙头菜）。

| 形态特征 | 多年生草本，花期高 4 ~ 9 cm，果期可高达 20 cm。根茎粗而肥厚，
具结节，长 2 ~ 6 cm，黄褐色，垂直或斜生，先端常具分枝；
根多条，淡褐色。叶均基生，呈莲座状；叶片宽卵形或近圆形，长
1 ~ 3.5 cm，宽 1 ~ 3 cm，先端钝、锐尖或稀渐尖，基部弯缺浅或
深而狭窄，边缘具浅而钝的锯齿，两面密生白色短柔毛，果期叶片
显著增大，可长达 8 cm，宽约 6 cm，基部心形；叶柄具狭翅，被倒
生短柔毛，花期长 2 ~ 5 cm，果期长达 19 cm；托叶膜质，披针形，
长 1 ~ 1.5 cm，先端渐尖，基部与叶柄合生，边缘具较稀疏的流苏

状细齿。花淡紫色，长约 1.4 cm，具长梗，在花梗的中部或中部以上有 2 长约 6 mm 的小苞片；萼片长圆状披针形或披针形，长 5 ~ 6 mm，具缘毛和腺体，基部附属物短而钝；花瓣基部微带白色，上方花瓣及侧方花瓣先端钝圆，侧方花瓣里面有须毛或近无毛；下方花瓣的距白色，较短，长约 3.5 mm，平伸而稍向上方弯曲，末端钝；子房被毛，花柱基部膝曲，向上渐增粗，常疏生乳头状突起，顶部向下方弯曲成钩状喙，喙端具较细的柱头孔。蒴果球形，密被白色柔毛，成熟时果柄通常向下方弯曲，使果实接近地面。花果期 5 ~ 8 月。

| 生境分布 | 生于林下或林缘、灌丛、草坡、沟谷、路旁较阴湿处。分布于河北宽城、滦平、围场等。

| 资源情况 | 野生资源丰富。药材来源于野生。

| 采收加工 | 夏、秋季采收，洗净，鲜用或晒干。

| 药材性状 | 本品多皱缩成团，深绿色或枯绿色。根茎稍长，主根圆锥形。全株有毛茸，叶基生，润湿展平后，叶片呈心形或近圆形，先端钝或圆，基部稍呈心形，边缘有浅锯齿。花基生，具柄，浅棕紫色，两侧对称。蒴果球形，具毛茸，果柄下弯。气微，味微苦。

| 功能主治 | 苦、辛，寒。归肺经。清热解毒，散瘀消肿。用于疮疡肿毒，肺痈，跌打损伤疼痛，刀伤出血，外感咳嗽。

| 用法用量 | 内服煎汤，9 ~ 15 g，鲜品 15 ~ 30 g；或浸酒。外用适量，捣敷。

| 附　注 | （1）光叶球果堇菜（变种）*Viola collina* var. *intramongolica* C. J. Wang 的叶片及叶柄均无毛；萼片长圆形，两面均无毛，仅沿边缘下方疏生黄褐色小腺体，基部附属物疏生缘毛。果期 8 月。
（2）本种的全草民间作药用，能清热解毒，凉血消肿。

菫菜科 Violaceae 菫菜属 Viola

深山菫菜
Viola selkirkii Pursh ex Gold

| **植物别名** | 一口血。

| **药 材 名** | 深山菫菜（药用部位：全草）。

| **形态特征** | 多年生草本，无地上茎和匍匐枝，高 5 ~ 16 cm。根茎细，长 1 ~ 4 cm，有时可达 10 cm，具较长的节间和不明显的节，生多条白色细根。叶基生，通常较多，呈莲座状；叶片薄纸质，心形或卵状心形，果期前长 1.5 ~ 5 cm，宽 1.3 ~ 3.5 cm，果期长约 6 cm，宽约 4 cm，先端稍急尖或圆钝，基部狭深心形，两侧垂片发达，边缘具钝齿，两面疏生白色短毛；叶柄果期前长 2 ~ 7 cm，果期长可达 13 cm，有狭翅，疏生白色短毛；托叶淡绿色，1/2 与叶柄合生，离生部分披针形，边缘疏生具腺体的细齿。花淡紫色，具长梗；花梗

长 4 ～ 7 cm，稍超出或不超出于叶，无毛，通常在中部有 2 小苞片；小苞片线形，长 5 ～ 7 mm，边缘疏生细齿；萼片卵状披针形，长 6 ～ 7 mm，先端急尖，具狭膜质边缘，有 3 脉，基部附属物长圆形，长约 2 mm，末端不整齐地缺刻状浅裂并疏生缘毛；花瓣倒卵形，侧方花瓣无须毛，下方花瓣连距长 1.5 ～ 2 cm；距较粗，长 5 ～ 7 mm，直径 2 ～ 3 mm，末端圆，直或稍向上弯；子房无毛，花柱棍棒状，基部稍向前膝曲，上部明显增粗，柱头顶部平坦，两侧具窄缘边，前方具明显的短喙，喙端具向上的柱头孔。蒴果较小，椭圆形，长 6 ～ 8 mm，无毛，先端钝；种子多数，卵球形，长约 2 mm，直径约 1.1 mm，淡褐色。花果期 5 ～ 7 月。

| **生境分布** | 生于海拔 1 700 m 以下的针阔叶混交林、落叶阔叶林或灌丛下腐殖层较厚的土壤中，以及溪谷、沟旁阴湿处。分布于河北滦平、沙河、兴隆等。

| **资源情况** | 野生资源丰富。药材主要来源于野生。

| **采收加工** | 夏、秋季采收，洗净，鲜用或晒干。

| **功能主治** | 清热解毒。用于疔疮肿毒等。

| **用法用量** | 内服煎汤，15 ～ 30 g。外用适量，鲜品捣敷。

堇菜科 Violaceae 堇菜属 Viola

西山堇菜 *Viola hancockii* W. Beck.

药材名

西山堇菜（药用部位：全草）。

形态特征

多年生草本，无地上茎，高 10 ~ 15 cm。根茎粗壮，长 1.5 ~ 2 cm，直径 4 ~ 6 mm，节密生。根粗而长，深褐色，常有分枝，长者可达 13 cm，生多数分枝的须根。叶多数，基生，叶片卵状心形，长 2 ~ 6 cm，宽 2 ~ 4 cm，先端急尖，有时钝，基部深心形，弯缺狭或稍开展，边缘具整齐的钝锯齿，上面散生短柔毛，下面基部疏生短柔毛或近无毛，叶脉明显隆起；叶柄狭细，无翅，与叶片等长或稍长，疏生柔毛或无毛；托叶外部者膜质，白色，长 1 ~ 1.3 cm，宽约 4 mm，内部者 3/4 与叶柄合生，离生部分宽披针形或披针形，边缘疏生短齿。花近白色，大形，长达 2 cm，花梗通常不高于叶，或有时稍高于叶，中部有 2 小苞片，小苞片互生，线形，长 8 ~ 10 mm，先端渐尖，边缘疏生细齿；萼片披针形或宽披针形，长 7 ~ 8 mm，宽约 3 mm，先端尖，基部附属物短，长约 1.5 mm，末端平截，疏生钝齿；花瓣长圆状倒卵形，上方花瓣长约 1.2 cm，宽约 0.8 cm，侧方花瓣长约 1.2 cm，宽约 1 cm，里面近基部有须毛，下方花瓣连距长 1.8 ~ 2 cm，距筒状，长 6 ~ 8 mm，末端圆，通常向上方弯曲，下方雄蕊的距细，角状，长 4 ~ 5 mm；子房近球形，无毛，花柱基部微膝曲，柱头顶部平坦，周围有稍厚的缘边，前方具短喙，喙端的柱头孔细。果实长圆状，长 0.7 ~ 1 cm，无毛。花期 4 ~ 5 月。

| 生境分布 | 生于阴坡阔叶林林下、林缘、山村附近水沟边。分布于河北阜平、武安等。

| 资源情况 | 野生资源丰富。药材主要来源于野生。

| 采收加工 | 夏、秋季采收，洗净，鲜用或晒干。

| 功能主治 | 清热解毒。用于疖疮肿毒等。

| 用法用量 | 内服煎汤，适量。

董菜科 Violaceae 董菜属 Viola

细距董菜
Viola tenuicornis W. Beck.

| 植物别名 |

弱距董菜。

| 药 材 名 |

细距董菜（药用部位：全草）。

| 形态特征 |

多年生细弱草本，无地上茎，高 2 ~ 13 cm。根茎短，细或稍粗，节间缩短，节密生，长 2 ~ 10 mm，通常垂直，有数条淡黄色细根。叶 2 至多数，均基生，叶片卵形或宽卵形，长 1 ~ 3 cm，宽 1 ~ 2 cm，果期增大，长可达 6 cm，宽约达 4.5 cm，先端钝，基部微心形或近圆形，边缘具浅圆齿，两面皆为绿色，无毛或沿叶脉及叶缘有微柔毛；叶柄细弱，长 1.5 ~ 6 cm，无翅或仅上部具极狭的翅，通常有细短毛或近无毛；托叶外侧者近膜质，内侧者淡绿色，2/3 与叶柄合生，离生部分线状披针形或披针形，边缘疏生流苏状短齿。花紫董色，花梗细弱，稍超出或不超出于叶，被细毛或近无毛，在中部或中部稍下处有 2 线形小苞片；萼片通常绿色或带紫红色，披针形或卵状披针形，长 5 ~ 8 mm，无毛，先端尖，边缘狭膜质，具 3 脉，基部附属物短，长 1 ~ 1.5 mm，末端截形

或圆形，稀具浅齿；花瓣倒卵形，上方花瓣长 1 ~ 1.2 cm，宽约 6 mm，侧方花瓣长 8 ~ 10 mm，宽 3 ~ 4.5 mm，里面基部稍有须毛或无毛，下方花瓣连距长 15 ~ 17（~ 20）mm，距圆筒状，较细或稍粗，长 5 ~ 7（~ 9）mm，直径 1.2 ~ 3 mm，末端圆而向上弯，花药长约 1.5 mm，下方 2 雄蕊背部之距长而细，长约 5.5 mm，直径约 0.3 mm，末端圆而稍弯曲；子房无毛，花柱棍棒状，基部向前方膝曲，上部明显增粗，柱头两侧及后方增厚成直伸的缘边，中央部分微隆起，前方具稍粗的短喙，喙端具向上开口的柱头孔。蒴果椭圆形，长 4 ~ 6 mm，无毛。花果期 4 月中旬至 9 月。

| **生境分布** | 生于山坡草地较湿润处、灌木林中、林下或林缘。分布于河北兴隆等。

| **资源情况** | 野生资源丰富。药材主要来源于野生。

| **采收加工** | 夏、秋季采收，洗净，鲜用或晒干。

| **功能主治** | 清热解毒。用于疔疮肿毒等。

| **用法用量** | 内服煎汤，适量。

董菜科 Violaceae 董菜属 Viola

心叶董菜
Viola yunnanfuensis W. Becker

| **植物别名** | 犁头草、玉如意。

| **药 材 名** | 犁头草（药用部位：全草）。

| **形态特征** | 多年生草本，无地上茎。根茎粗短，节密生，有多条褐色根。叶基生，卵形、宽卵形，长、宽均为 3 ~ 8 cm，先端尖或稍钝，基部深心形或宽心形，具圆钝齿，两面无毛或疏生短毛；叶柄花期与叶片近等长，无毛；托叶下部与叶柄合生，离生部分开展。花淡紫色，花梗不高出叶片，近中部有 2 小苞片；萼片宽披针形，长 5 ~ 7 mm，宽约 2 mm，先端渐尖，基部附属物末端钝或平截；上瓣与侧瓣均为倒卵形，长 1.2 ~ 1.4 cm，宽 5 ~ 6 mm，侧瓣内面无毛，下瓣倒心形，先端微缺，连距长约 1.5 cm，距圆筒状，直径约 2 mm；子房无毛，

柱头顶部平，两侧及背方具明显的缘边，前方具短喙，柱头孔较粗。蒴果椭圆形，长约 1 cm。

| **生境分布** | 生于林缘、林下开阔草地间、山地草丛、溪谷旁。分布于河北阜平、涉县、武安等地。

| **资源情况** | 野生资源一般。药材主要来源于野生。

| **采收加工** | 4 ~ 5 月果实成熟时采收，除去泥土，鲜用或晒干。

| **功能主治** | 苦、辛，寒。清热解毒，化瘀排脓，凉血清肝。用于痈疽肿毒，乳痈，肠痈下血，化脓性骨髓炎，黄疸，目赤肿痛，瘰疬，外伤出血，蛇咬伤。

| **用法用量** | 内服煎汤，9 ~ 15 g，鲜品 30 ~ 60 g；或捣汁服。外用适量，捣敷。

早开堇菜 *Viola prionantha* Bunge

| **植物别名** | 光瓣堇菜。

| **药 材 名** | 地丁草（药用部位：全草。别名：犁头草、铧头草）。

| **形态特征** | 多年生草本，无地上茎，花期高 3 ~ 10 cm，果期高可达 20 cm。根茎垂直，短而较粗壮，长 4 ~ 20 mm，直径可达 9 mm，上端常有去年残叶围绕。根数条，带灰白色，粗而长，通常皆由根茎的下端发出，向下直伸，或有时近横生。叶多数，均基生；叶片在花期呈长圆状卵形、卵状披针形或狭卵形，长 1 ~ 4.5 cm，宽 6 ~ 20 mm，先端稍尖或钝，基部微心形、截形或宽楔形，稍下延，幼叶两侧通常向内卷折，边缘密生细圆齿，两面无毛，或被细毛，有时仅沿中脉有毛；果期叶片显著增大，长可达 10 cm，宽可达 4 cm，三角状卵形，

最宽处靠近中部，基部通常宽心形；叶柄较粗壮，花期长 1 ~ 5 cm，果期长达
13 cm，上部有狭翅，无毛或被细柔毛；托叶苍白色或淡绿色，干后呈膜质，2/3
与叶柄合生，下部者宽 7 ~ 9 mm，离生部分线状披针形，长 7 ~ 13 mm，边缘
疏生细齿。花大，紫堇色或淡紫色，喉部色淡并有紫色条纹，直径 1.2 ~ 1.6 cm，
无香味；花梗较粗壮，具棱，超出于叶，在近中部处有 2 线形小苞片；萼片披
针形或卵状披针形，长 6 ~ 8 mm，先端尖，具白色狭膜质边缘，基部附属物
长 1 ~ 2 mm，末端具不整齐的牙齿或近全缘，无毛或具纤毛；上方花瓣倒卵
形，长 8 ~ 11 mm，向上方反曲，侧方花瓣长圆状倒卵形，长 8 ~ 12 mm，里
面基部通常有须毛或近无毛，下方花瓣连距长 14 ~ 21 mm，距长 5 ~ 9 mm，
直径 1.5 ~ 2.5 mm，末端钝圆且微向上弯；药隔先端附属物长约 1.5 mm，花药
长 1.5 ~ 2 mm，下方 2 雄蕊背部的距长约 4.5 mm，末端尖；子房长椭圆形，

无毛，花柱棍棒状，基部明显膝曲，上部增粗，柱头顶部平或微凹，两侧及后方浑圆或具狭缘边，前方具不明显的短喙，喙端具较狭的柱头孔。蒴果长椭圆形，长 5 ~ 12 mm，无毛，先端钝，常具宿存的花柱；种子多数，卵球形，长约 2 mm，直径约 1.5 mm，深褐色，常有棕色斑点。花果期 4 月中上旬至 9 月。

| **生境分布** | 生于山坡草地、沟边、宅旁等向阳处。分布于河北赤城、阜平、沽源等。

| **资源情况** | 野生资源丰富。药材主要来源于野生。

| **采收加工** | 春、秋季采收，除去杂质，晒干或鲜用。

| **药材性状** | 本品多皱缩成团。根圆锥形，黄白色。叶基生，灰绿色，叶片展开后呈卵形或卵状披针形，先端钝，基部平截或微心形，叶缘锯齿状，两面有疏毛，叶柄上部有狭翅。花茎纤细，花瓣 5，紫堇色，花距细管状。蒴果椭圆形，常开裂；种子多数，淡棕色。气微，味微苦。

| **功能主治** | 苦、辛，寒。清热解毒，散结消肿。用于疔疮肿毒，痈疽发背，丹毒，毒蛇咬伤。

| **用法用量** | 内服煎汤，15 ~ 30 g。外用适量，鲜品捣敷。

| **附　　注** | 毛花早开堇菜（变种）*Viola prionantha* Bunge var. *trichantha* C. J. Wang 与本种的主要区别在于花冠较大，直径约 2 cm，侧方花瓣里面基部密被白色长须毛，上方花瓣亦有少量须毛，下方花瓣连距长 2 ~ 2.5 cm，距长 8 ~ 10 mm。花期 4 月中旬至 6 月。

紫花地丁

Viola philippica Cav.

| 植物别名 |

光瓣堇菜、野堇菜、光瓣堇菜。

| 药 材 名 |

紫花地丁（药用部位：全草）。

| 形态特征 |

多年生草本，无地上茎，高 4 ～ 14 cm，果期高可超过 20 cm。根茎短，垂直，淡褐色，长 4 ～ 13 mm，直径 2 ～ 7 mm，节密生，有数条淡褐色或近白色的细根。叶多数，基生，莲座状；叶片下部者通常较小，呈三角状卵形或狭卵形，上部者较长，呈长圆形、狭卵状披针形或长圆状卵形，先端圆钝，基部截形或楔形，稀微心形，边缘具较平的圆齿，两面无毛或被细短毛，有时仅下面沿叶脉被短毛，果期叶片增大，长可超过 10 cm，宽可达 4 cm；叶柄在花期通常长于叶片 1 ～ 2 倍，上部具极狭的翅，果期长可超过 10 cm，上部具较宽之翅，无毛或被细短毛；托叶膜质，苍白色或淡绿色，长 1.5 ～ 2.5 cm，2/3 ～ 4/5 与叶柄合生，离生部分线状披针形，边缘疏生具腺体的流苏状细齿或近全缘。花中等大小，紫堇色或淡紫色，稀呈白色，喉部色较淡并带有紫色条

纹；花梗通常多数，细弱，与叶片等长或高出于叶片，无毛或有短毛，中部附近有 2 线形小苞片；萼片卵状披针形或披针形，长 5 ~ 7 mm，先端渐尖，基部附属物短，长 1 ~ 1.5 mm，末端圆形或截形，具膜质白边，无毛或有短毛；花瓣倒卵形或长圆状倒卵形，侧方花瓣长 1 ~ 1.2 cm，里面无毛或有须毛，下方花瓣连距长 1.3 ~ 2 cm，里面有紫色脉纹；距细管状，长 4 ~ 8 mm，末端圆；花药长约 2 mm，药隔先端附属物长约 1.5 mm，下方 2 雄蕊背部的距细管状，长 4 ~ 6 mm，末端稍细；子房卵形，无毛，花柱棍棒状，比子房稍长，基部稍膝曲，柱头三角形，两侧及后方稍增厚成微隆起的缘边，顶部略平，前方具短喙。蒴果长圆形，长 5 ~ 12 mm，无毛；种子卵球形，长 1.8 mm，淡黄色。花果期 4 月中下旬至 9 月。

| 生境分布 | 生于田间、荒地、山坡草丛、林缘或灌丛中。分布于河北磁县、涉县、迁西等。

| 资源情况 | 野生资源丰富。药材来源于野生。

| 采收加工 | 春、秋季采收，除去杂质，晒干。

| 药材性状 | 本品多皱缩成团。主根长圆锥形，直径 1 ~ 3 mm；淡黄棕色，有细纵皱纹。叶基生，灰绿色，叶片展平后呈披针形或卵状披针形，长 1.5 ~ 6 cm，宽 1 ~ 2 cm；先端钝，基部截形或稍心形，边缘具钝锯齿，两面有毛；叶柄细，长 2 ~ 6 cm，上部具明显的狭翅。花茎纤细；花瓣 5，紫堇色或淡棕色；花距细管状。蒴果椭圆形或 3 裂，种子多数，淡棕色。气微，味微苦而稍黏。

| 功能主治 | 苦、辛，寒。归心、肝经。清热解毒，凉血消肿。用于疔疮痈疽，丹毒，痄腮，乳痈，肠痈，瘰疬，湿热泻痢，黄疸，目赤肿痛，毒蛇咬伤。

| 用法用量 | 内服煎汤，15 ~ 30 g。外用适量，鲜品捣敷。

| 附　注 | 本种与早开堇菜 *Viola prionantha* Bunge 相似，但本种叶片较狭长，通常呈长圆形，基部截形；花较小，距较短而细。始花期通常较早开堇菜稍晚，可以此区别。据野外观察，本种花色多变，通常多为紫堇色，有的植株，甚或在同一植株上也有淡紫色的花存在，喉部颜色较淡并有紫色脉纹；有的侧方花瓣颜色更淡，呈粉红色。

柽柳科 Tamaricaceae 柽柳属 Tamarix

柽柳
Tamarix chinensis Lour.

| **植物别名** | 西湖杨、观音柳、红筋条。

| **药 材 名** | 西河柳（药用部位：细嫩枝叶）。

| **形态特征** | 乔木或灌木，高 3 ~ 6（~ 8）m；老枝直立，暗褐红色，光亮，幼枝稠密细弱，常开展而下垂，红紫色或暗紫红色，有光泽；嫩枝繁密纤细，悬垂。叶鲜绿色，从去年生木质化生长枝上生出的绿色营养枝上的叶长圆状披针形或长卵形，长 1.5 ~ 1.8 mm，稍开展，先端尖，基部背面有龙骨状隆起，常呈薄膜质；上部绿色营养枝上的叶钻形或卵状披针形，半贴生，先端渐尖而内弯，基部变窄，长1 ~ 3 mm，背面有龙骨状突起。每年开花 2 ~ 3 次。春季开花：总状花序侧生于去年生木质化的小枝上，长 3 ~ 6 cm，宽 5 ~ 7 mm，

花大而少，较稀疏而纤弱点垂，小枝亦下倾；有短总花梗，或近无梗，总花梗生有少数苞叶或无；苞片线状长圆形或长圆形，渐尖，与花梗等长或稍长；花梗纤细，较花萼短；花 5 出；萼片 5，狭长卵形，具短尖头，略全缘，外面 2，背面具隆脊，长 0.75 ~ 1.25 mm，较花瓣略短；花瓣 5，粉红色，通常卵状椭圆形或椭圆状倒卵形，稀倒卵形，长约 2 mm，较花萼微长，果时宿存；花盘 5 裂，裂片先端圆或微凹，紫红色，肉质；雄蕊 5，长于或略长于花瓣，花丝着生在花盘裂片间，自其下方近边缘处生出；子房圆锥状瓶形，花柱 3，棍棒状，长约为子房之半。蒴果圆锥形。夏、秋季开花：总状花序长 3 ~ 5 cm，较春生者细，生于当年生幼枝先端，组成顶生大圆锥花序，疏松而通常下弯；花 5 出，较春生者略小，密生；苞片绿色，草质，较春季花的苞片狭细，较花梗长，线形至线状锥形或狭三角形，渐尖，向下变狭，基部背面有隆起，全缘；花萼三角状卵形；花瓣粉红色，直而略外斜，远比花萼长；花盘 5 裂，或每 1 裂片再 2 裂成 10 裂片状；雄蕊 5，与花瓣等长或长为其 2 倍，花药钝，花丝着生于花盘主裂片间，自其边缘和略下方生出；花柱棍棒状，长为子房的 2/5 ~ 3/4。花期 4 ~ 9 月。

| **生境分布** | 生于河流冲积平原、海滨、滩头、潮湿盐碱地或沙荒地。分布于河北衡水及赞皇、辛集等。

| **资源情况** | 野生资源丰富，栽培资源丰富。药材主要来源于野生或栽培。

| **采收加工** | 夏季花未开时采收，阴干。

| **药材性状** | 本品茎枝呈细圆柱形，直径 0.5 ~ 1.5 mm。表面灰绿色；有多数互生的鳞片状小叶。质脆，易折断。稍粗的枝表面红褐色，叶片常脱落而残留凸起的叶基，断面黄白色，中心有髓。气微，味淡。

| **功能主治** | 甘、辛，平。归心、肺、胃经。发表透疹，祛风除湿。用于麻疹不透，风湿痹痛。

| **用法用量** | 3 ~ 6 g。外用适量，煎汤擦洗。

| **附　　注** | 本种的枝叶可药用，为解表发汗药，有去除麻疹之效。不少文献上记载的华北柽柳 *Tamarix juniperina* Bunge 实系本种的春季花枝。

宽苞水柏枝
Myricaria bracteata Royle

| 植物别名 |

河柏、水柽柳、臭红柳。

| 药 材 名 |

翁波（药用部位：嫩枝。别名：西河柳、水柽柳、河柏）。

| 形态特征 |

灌木，高 0.5 ~ 3 m，多分枝；老枝灰褐色或紫褐色，多年生枝红棕色或黄绿色，有光泽和条纹。叶密生于当年生绿色小枝上，卵形、卵状披针形、线状披针形或狭长圆形，长 2 ~ 4（~ 7）mm，宽 0.5 ~ 2 mm，先端钝或锐尖，基部略扩展或不扩展，常具狭膜质的边缘。总状花序顶生于当年生枝条上，密集成穗状；苞片通常宽卵形或椭圆形，有时呈菱形，长 7 ~ 8 mm，宽 4 ~ 5 mm，先端渐尖，边缘为膜质，后膜质边缘脱落，露出中脉而呈凸尖头或尾状长尖，伸展或向外反卷，基部狭缩，具宽膜质的啮齿状边缘，中脉粗厚；苞片易脱落，基部残留于花序轴上常成龙骨状脊；花梗长约 1 mm；萼片披针形、长圆形或狭椭圆形，长约 4 mm，宽 1 ~ 2 mm，先端钝或锐尖，常内弯，具宽膜质边；花瓣倒卵形或倒卵状长圆形，

长 5 ~ 6 mm，宽 2 ~ 2.5 mm，先端圆钝，常内曲，基部狭缩，具脉纹，粉红色、淡红色或淡紫色，果时宿存；雄蕊略短于花瓣，花丝 1/2 或 2/3 部分合生；子房圆锥形，长 4 ~ 6 mm，柱头头状。蒴果狭圆锥形，长 8 ~ 10 mm；种子狭长圆形或狭倒卵形，长 1 ~ 1.5 mm，先端芒柱一半以上被白色长柔毛。花期 6 ~ 7 月，果期 8 ~ 9 月。

| **生境分布** | 生于海拔 1 100 ~ 3 300 m 的河谷砂砾质河滩、湖边沙地及山前冲积扇砂砾质戈壁上。分布于河北怀安等。

| **资源情况** | 野生资源一般。药材主要来源于野生。

| **采收加工** | 春、夏季采收，剪取幼嫩枝条，阴干或晒干。

| **药材性状** | 本品细枝呈圆柱形，表面褐色，平滑无毛，其上密生小叶，小叶条形，长 2 ~ 5 mm。质脆，易折断。断面中央有黄白色髓部。

| **功能主治** | 甘，温。升阳发散，解毒透疹，祛风止痒。用于麻疹不透，高热，咳嗽，腮腺炎，风湿性关节炎，风疹瘙痒，癣证，血热酒毒。

| **用法用量** | 内服煎汤，3 ~ 9 g。外用适量，煎汤洗。

秋海棠科 Begoniaceae 秋海棠属 Begonia

秋海棠 *Begonia grandis* Dry.

| 植物别名 | 八香、无名断肠草、无名相思草。

| 药 材 名 | 秋海棠根（药用部位：根）、秋海棠果（药用部位：果实）、秋海棠花（药用部位：花）。

| 形态特征 | 多年生草本。根茎近球形，直径 8 ~ 20 mm，具密集而交织的细长纤维状根。茎直立，有分枝，高 40 ~ 60 cm，有纵棱，近无毛。基生叶未见。茎生叶互生，具长柄；叶片两侧不相等，宽卵形至卵形，长 10 ~ 18 cm，宽 7 ~ 14 cm，先端渐尖至长渐尖，基部心形，偏斜，窄侧宽 1.6 ~ 4 cm，宽侧向下延伸，长 3 ~ 6.5 cm，宽 4 ~ 8 cm，边缘具不等大的三角形浅齿，齿尖带短芒，并常具波状或宽三角形的极浅齿，在宽侧出现较多，上面褐绿色，常有红晕，幼时散生硬毛，

逐渐脱落，老时近无毛，下面色淡，带红晕或紫红色，沿脉散生硬毛或近无毛，掌状 7（~ 9）脉，带紫红色，窄侧常 2（~ 3），宽侧 3 ~ 4（~ 5），近中部分枝，呈羽状脉；叶柄长 4 ~ 13.5 cm，有棱，近无毛；托叶膜质，长圆形至披针形，长约 10 mm，宽 2 ~ 4 mm，先端渐尖，早落。花葶高 7.1 ~ 9 cm，有纵棱，无毛；花粉红色，较多数，（2 ~）3 ~ 4 回二歧聚伞状，花序梗长 4.5 ~ 7 cm，基部常有 1 小叶，2 次分枝长 2 ~ 3.5 cm，3 次分枝长 1.2 ~ 2 cm，有纵棱，均无毛；苞片长圆形，长 5 ~ 6 mm，宽 2 ~ 3 mm，先端钝，早落；雄花：花梗长约 8 mm，无毛，花被片 4，外面 2 宽卵形或近圆形，长 1.1 ~ 1.3 cm，宽 7 ~ 10 mm，先端圆，内面 2 倒卵形至倒卵状长圆形，长 7 ~ 9 mm，宽 3 ~ 5 mm，先端圆或钝，基部楔形，无毛；雄蕊多数，基部合生，长（1 ~）2 ~ 3 mm，整体呈球形，花药倒卵球形，长约 0.9 mm，先端微凹；雌花：花梗长约 2.5 cm，无毛，花被片 3，外面 2 近圆形或扁圆形，长约 12 mm，宽和长几相等，先端圆，内面 1 倒卵形，长约 8 mm，宽约 6 mm，先端圆，子房长圆形，长约 10 mm，直径约 5 mm，无毛，3 室，中轴胎座，每室胎座具 2 裂片，具不等 3 翅或 2 短翅退化成檐状，花柱 3，1/2 部分合生或微合生，或离生，柱头常 2 裂，或头状或肾状，外向膨大，呈螺旋状扭曲，或呈 "U" 字形并带刺状乳头。蒴果下垂，果柄长 3.5 cm，细弱，无毛；长圆形，长 10 ~ 12 mm，直径约 7 mm，无毛，具不等 3 翅，其中一大的翅斜长圆形或三角状长圆形，长约 1.8 cm，上方的边缘平，下方的边缘从下向上斜，另 2 翅极窄，呈窄三角形，长 3 ~ 5 mm，上方的边缘平，下方的边缘斜，或 2 窄翅呈窄檐状或完全消失，均无毛或几无毛；种子极多数，小，长圆形，淡褐色，光滑。花期 7 月开始，果期 8 月开始。

| **生境分布** | 生于海拔 100 ~ 1 100 m 的山谷潮湿石壁上、山谷溪旁密林石上、山沟边岩石上和山谷灌丛中。分布于河北沙河、兴隆、赞皇等。

| **资源情况** | 野生资源一般，栽培资源丰富。药材主要来源于栽培。

| **采收加工** | **秋海棠根**：全年均可采收，洗净，鲜用，或切片，晒干。
秋海棠果：9 ~ 10 月采收，鲜用。
秋海棠花：夏、秋季采收，鲜用或晒干。

| **功能主治** | **秋海棠根**：酸、涩。化瘀止血，清热利湿。用于跌打损伤，吐血，咯血，衄血，刀伤出血，崩漏，血瘀经闭，月经不调，带下，淋浊，泻痢，胃痛，咽喉肿痛。
秋海棠果：酸、涩、辛，凉。解毒，消肿。用于毒蛇咬伤。

秋海棠花：苦、酸。杀虫解毒。用于皮癣。

|**用法用量**| 　**秋海棠根**：内服煎汤，9 ~ 15 g；或研末，每次 3 ~ 6 g。外用适量，捣敷；或研末敷；或捣汁含漱。

秋海棠果：外用适量，捣敷；或捣汁搽。

秋海棠花：外用适量，捣汁调蜜搽。

秋海棠科 Begoniaceae 秋海棠属 Begonia

中华秋海棠

Begonia grandis subsp. *sinensis* (A. DC.) Irmsch.

| 植物别名 | 珠芽秋海棠。

| 药材名 | 红白二丸（药用部位：全草或根茎。别名：一点血、岩丸子、鸳鸯七）、红白二丸果（药用部位：果实）。

| 形态特征 | 中型草本。茎高 20 ~ 40（~ 70）cm，几无分枝，外形似金字塔形。叶较小，椭圆状卵形至三角状卵形，长 5 ~ 12（~ 20）cm，宽 3.5 ~ 9（~ 13）cm，先端渐尖，下面色淡，偶带红色，基部心形，宽侧下延成圆形，长 0.5 ~ 4 cm，宽 1.8 ~ 7 cm。花序较短，呈伞房状至圆锥状二歧聚伞花序；花小，雄蕊多数，短于 2 mm，整体呈球状；花柱基部合生或微合生，有分枝，柱头呈螺旋状扭曲，稀呈 "U" 字形。蒴果具 3 不等大之翅。

| **生境分布** | 生于山谷阴湿岩石上、滴水的石灰岩边、疏林阴处、荒坡阴湿处或山坡林下。分布于河北昌黎、阜平、井陉等。 |

| **资源情况** | 野生资源一般，栽培资源丰富。药材主要来源于栽培。 |

| **采收加工** | 红白二丸：夏季开花前采挖全草，或摘除根茎，除去须根，洗净，晒干或鲜用。
红白二丸果：夏季采收，鲜用。 |

| **药材性状** | 红白二丸：本品根茎较粗，多为双球形，直径 1 ~ 2 cm，表皮干燥皱缩，显深褐色或棕褐色，下部须根丛生，呈纤维状，黑褐色，质地较软，易折断，断面黄白色，纤维性，气微，味甘、苦。 |

| **功能主治** | 红白二丸：苦、酸，寒。活血调经，止血止痢，镇痛。用于崩漏，月经不调，赤白带下，外伤出血，痢疾，胃痛，腹痛，腰痛，疝气痛，痛经，跌打瘀痛。
红白二丸果：苦，寒。解毒。用于毒蛇咬伤。 |

| **用法用量** | 红白二丸：内服煎汤，6 ~ 15 g；或研末；或浸酒。外用适量，捣敷。
红白二丸果：外用适量，捣汁搽。 |

| **附　　注** | 刺毛中华秋海棠（变种）*Begonia grandis* Dry. subsp. *sinensis* (A. DC.) Irmsch. var. *puberula* Irmsch. 与本种的区别在于叶片上面被两型毛，密被极短小刺毛，毛长约 0.3 mm；散生较长硬毛，毛长 0.8 ~ 0.9 mm。 |

赤瓟
Thladiantha dubia Bunge

药 材 名	赤瓟（药用部位：果实。别名：赤包、赤雹、山土豆）。
形态特征	攀缘草质藤本，全株被黄白色的长柔毛状硬毛。根块状；茎稍粗壮，有棱沟。叶柄稍粗，长 2 ~ 6 cm；叶片宽卵状心形，长 5 ~ 8 cm，宽 4 ~ 9 cm，边缘浅波状，有大小不等的细齿，先端急尖或短渐尖，基部心形，弯缺深，近圆形或半圆形，深 1 ~ 1.5 cm，宽 1.5 ~ 3 cm，两面粗糙，脉上有长硬毛，最基部 1 对叶脉沿叶基弯缺边缘向外展开。卷须纤细，被长柔毛，单一。雌雄异株。雄花单生或聚生于短枝的上端呈假总状花序，有时 2 ~ 3 花生于总梗上，花梗细长，长 1.5 ~ 3.5 cm，被柔软的长柔毛；萼筒极短，近辐射状，长 3 ~ 4 mm，上端直径 7 ~ 8 mm，裂片披针形，向外反折，长 12 ~ 13 mm，宽

2 ~ 3 mm，具 3 脉，两面有长柔毛；花冠黄色，裂片长圆形，长 2 ~ 2.5 cm，
宽 0.8 ~ 1.2 cm，上部向外反折，先端稍急尖，具 5 明显的脉，外面被短柔毛，
内面有极短的疣状腺点；雄蕊 5，着生于萼筒檐部，其中 1 分离，其余 4 两两
稍靠合，花丝极短，有短柔毛，长 2 ~ 2.5 mm，花药卵形，长约 2 mm；退化
子房半球形。雌花单生，花梗细，长 1 ~ 2 cm，有长柔毛；花萼和花冠同雄花；
退化雌蕊 5，棒状，长约 2 mm；子房长圆形，长 0.5 ~ 0.8 cm，外面密被淡黄
色长柔毛，花柱无毛，自 3 ~ 4 mm 处分 3 叉，分叉部分长约 3 mm，柱头膨大，
肾形，2 裂。果实卵状长圆形，长 4 ~ 5 cm，直径 2.8 cm，先端有残留的柱基，
基部稍变狭，表面橙黄色或红棕色，有光泽，被柔毛，具 10 明显的纵纹；种子
卵形，黑色，平滑无毛，长 4 ~ 4.3 mm，宽 2.5 ~ 3 mm，厚 1.5 mm。花期 6 ~ 8
月，果期 8 ~ 10 月。

| 生境分布 | 生于海拔 300 ~ 1 800 m 的山坡、河谷或林缘湿处。分布于河北蔚县、武安、易县等。

| 资源情况 | 野生资源丰富。药材主要来源于野生。

| 采收加工 | 果实成熟后连柄摘下，用线将果柄串起，挂于日光下或通风处晒干。应置通风干燥处，防止潮湿霉烂及虫蛀。

| 药材性状 | 本品呈卵圆形、椭圆形至长圆形，常压扁，长 3 ~ 5 cm，直径 1.5 ~ 3 cm；表面橙黄色、橙红色、红色至红棕色，皱缩，有极稀的茸毛及纵沟纹，先端有残留柱基，基部有细而弯曲的果柄，果皮厚约 1 mm；内表面粘连多数黄色、长圆形的小颗粒，中心有多数扁卵形、棕黑色的成熟种子，新鲜时质软而黏。气特异，味甜。

| **功能主治** | 酸、苦，平。理气，活血，祛痰，利湿。用于反胃吐酸，肺痨咯血，黄疸，痢疾，胸胁疼痛，跌打扭伤，筋骨疼痛，闭经。 |

| **用法用量** | 内服煎汤，5 ~ 10 g；或研末。 |

| **附　　注** | （1）本种在古代本草文献中早有记载，但是常记载在"王瓜"条内，易与"王瓜"混淆。《本草图经》也只记载了王瓜的植物形态及分布，但其特征描述及附图均与赤瓟一致。 |
| | （2）本种的根及果实均可入药。赤瓟根含有三萜皂苷类化合物，可以通乳、解毒、活血，主治乳汁不下，乳痈，跌打损伤等；赤瓟果实含有脂肪酸、挥发油等化学成分，具有镇痛、抗炎、抗菌等药理作用。随着对赤瓟的研究不断深入，赤瓟逐渐引起人们的关注，研究表明赤瓟的毒性相对较低，也初步证实赤瓟果实具有抗肿瘤的作用，其临床应用前景广阔。 |

葫芦科 Cucurbitaceae 冬瓜属 Benincasa

冬瓜
Benincasa hispida (Thunb.) Cogn.

| 植物别名 | 广瓜、枕瓜、白瓜。

| 药 材 名 | 冬瓜皮（药用部位：外层果皮。别名：白瓜皮）、冬瓜子（药用部位：种子。别名：冬瓜仁、白瓜子、瓜瓣）。

| 形态特征 | 一年生蔓生或架生草本；茎被黄褐色硬毛及长柔毛，有棱沟。叶柄粗壮，长 5 ~ 20 cm，被黄褐色的硬毛和长柔毛；叶片肾状近圆形，宽 15 ~ 30 cm，5 ~ 7 浅裂或有时中裂，裂片宽三角形或卵形，先端急尖，边缘有小齿，基部深心形，弯缺张开，近圆形，深、宽均为 2.5 ~ 3.5 cm，表面深绿色，稍粗糙，有疏柔毛，老后渐脱落，变近无毛；背面粗糙，灰白色，有粗硬毛，叶脉在叶背面稍隆起，密被毛。卷须 2 ~ 3 歧，被粗硬毛和长柔毛。雌雄同株，花单生。

雄花梗长 5 ～ 15 cm，密被黄褐色短刚毛和长柔毛，常在花梗的基部具 1 苞片，苞片卵形或宽长圆形，长 6 ～ 10 mm，先端急尖，有短柔毛；萼筒宽钟形，宽 12 ～ 15 mm，密生刚毛状长柔毛，裂片披针形，长 8 ～ 12 mm，有锯齿，反折；花冠黄色，辐射状，裂片宽倒卵形，长 3 ～ 6 cm，宽 2.5 ～ 3.5 cm，两面有稀疏的柔毛，先端钝圆，具 5 脉；雄蕊 3，离生，花丝长 2 ～ 3 mm，基部膨大，被毛，花药长 5 mm，宽 7 ～ 10 mm，药室 3 回折曲。雌花梗长不及 5 cm，密生黄褐色硬毛和长柔毛；子房卵形或圆筒形，密生黄褐色茸毛状硬毛，长 2 ～ 4 cm；花柱长 2 ～ 3 mm，柱头 3，长 12 ～ 15 mm，2 裂。果实长圆柱状或近球状，大型，有硬毛和白霜，长 25 ～ 60 cm，直径 10 ～ 25 cm。

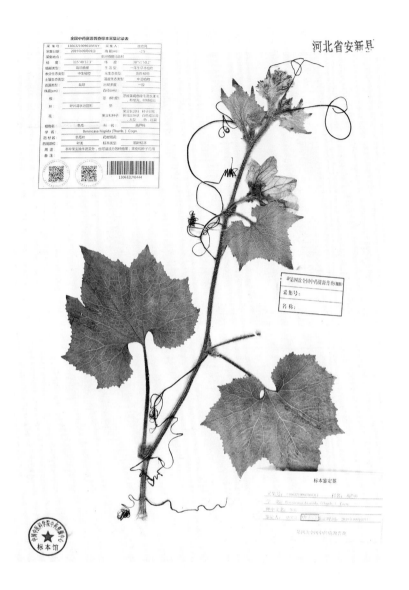

| 生境分布 | 生于温暖、湿润的环境。分布于河北涉县等。 |

| 资源情况 | 野生资源一般，栽培资源丰富。药材主要来源于栽培。 |

| 采收加工 | 冬瓜皮：食用冬瓜时，洗净，削取外层果皮，晒干。 |
| | 冬瓜子：食用冬瓜时，收集成熟种子，洗净，晒干。 |

| 药材性状 | 冬瓜皮：本品为不规则的薄片，通常内卷成筒状或双筒状，大小不一。外表面黄白色至暗绿色，光滑或被白粉，内表面较粗糙，有筋脉状维管束。体轻，质脆，易折断。气微，味淡。以片薄、条长、色灰绿、有粉霜者为佳。 |
| | 冬瓜子：本品呈长椭圆形或卵圆形，扁平，长 1 ~ 1.5 cm，宽 0.5 ~ 1 cm，厚约 0.2 cm。表面黄白色，略粗糙，边缘光滑或两面外缘各有 1 环纹。一端稍尖， |

有 2 小突起，较大的突起上有珠孔，较小的为种脐，另一端圆钝。种皮稍硬而脆，剥去种皮，可见子叶 2，白色、肥厚，胚根短小。体轻，富油性。气无，味微甜。以颗粒饱满、色白者为佳。

| 功能主治 | **冬瓜皮**：甘，凉。归脾、小肠经。利尿消肿。用于水肿胀满，小便不利，暑热口渴，小便短赤。

冬瓜子：甘，寒。归肺、大肠经。清肺化痰，消痈排脓，利湿。用于痰热咳嗽，肺痈，肠痈，白浊，带下，脚气，水肿，淋证。

| 用法用量 | **冬瓜皮**：内服煎汤，15 ~ 30 g，鲜品可用至 90 g。外用适量，捣敷。

冬瓜子：内服煎汤，10 ~ 15 g；或研末服。外用适量，熬膏涂敷。

| 附　注 | （1）本种喜温暖气候，耐热，怕涝，忌低温。以选择排水良好、土层深厚的砂壤土或黏土为宜，不宜在低洼地栽种。

（2）本种最早记载于《神农本草经》，原名白瓜，又称为水芝。《证类本草》对冬瓜的形态进行了详细记载，曰："今处处有之，皆园圃所莳。其实生苗蔓下，大者如斗而更长，皮厚而有毛，初生正青绿，经霜则白如涂粉，其中肉及子亦白，故谓白瓜。"后来，历代本草著作对冬瓜均有记载，与现今所用品种一致。

（3）冬瓜是夏、秋季深受人们喜爱的食用蔬菜，且用途广泛。冬瓜含有丰富的营养物质，主要为蛋白质、维生素、氨基酸、微量元素及碳水化合物等，对防治高血压、动脉粥样硬化及减肥具有良好的效果；冬瓜皮和冬瓜子中富含氨基酸，具有利尿消肿的功效，还含有可以润泽皮肤的蛋白质。冬瓜除了被人们当作常用蔬菜食用外，在食品领域也有较多应用，比如冬瓜茶、冬瓜饮料、冬瓜果脯、冬瓜酱、冬瓜夹心糖、冬瓜罐头等，口感均较好。但是目前在食品加工过程中，容易造成资源浪费的现象，大量的皮、籽、茎、根等废弃料未能得到充分的综合利用。目前，冬瓜面临的主要问题是栽培品种单一，产量较低；人们对冬瓜的认识不全面，往往忽略其在医药方面的应用价值。因此，我们应加大栽培力度，深入研究栽培技术以提高产量，还应着力于冬瓜皮、冬瓜子等副产物的研究，明确构效关系，争取挖掘出更大的利用价值。

葫芦科 Cucurbitaceae　葫芦属 Lagenaria

葫芦

Lagenaria siceraria (Molina) Standl.

| 植物别名 | 瓠、瓠瓜、大葫芦。

| 药 材 名 | 葫芦（药用部位：果实。别名：匏、瓠、腰舟）、葫芦瓢（药用部位：果皮）。

| 形态特征 | 一年生攀缘草本；茎、枝具沟纹，被黏质长柔毛，老后渐脱落，变近无毛。叶柄纤细，长16～20 cm，有和茎枝一样的毛被，先端有2腺体；叶片卵状心形或肾状卵形，长、宽均10～35 cm，不分裂或3～5裂，具5～7掌状脉，先端锐尖，边缘有不规则的齿，基部心形，弯缺开张，半圆形或近圆形，深1～3 cm，宽2～6 cm，两面均被微柔毛，叶背及脉上较密。卷须纤细，初时有微柔毛，后渐脱落，变光滑无毛，上部分2歧。雌雄同株，雌、雄花均单生。

雄花花梗细，比叶柄稍长，花梗、花萼、花冠均被微柔毛；萼筒漏斗状，长约
2 cm，裂片披针形，长 5 mm；花冠黄色，裂片皱波状，长 3 ~ 4 cm，宽 2 ~
3 cm，先端微缺而先端有小尖头，5 脉；雄蕊 3，花丝长 3 ~ 4 mm，花药长
8 ~ 10 mm，长圆形，药室折曲。雌花花梗比叶柄稍短或近等长；花萼和花冠
似雄花；萼筒长 2 ~ 3 mm；子房中间缢细，密生黏质长柔毛，花柱粗短，柱
头 3，膨大，2 裂。果实初为绿色，后变白色至带黄色，由于长期栽培，果形变
异很大，因不同品种或变种而异，有的呈哑铃状，中间缢细，下部和上部膨大，
上部大于下部，长数十厘米，有的仅长 10 cm（小葫芦），有的呈扁球形、棒状
或钩状，成熟后果皮变木质。种子白色，倒卵形或三角形，先端截形或 2 齿裂，
稀圆，长约 20 mm。花期夏季，果期秋季。

| 生境分布 | 生于排水良好、土质肥沃的平川及低洼地和有灌溉条件的岗地。分布于河北滦平等。

| 资源情况 | 野生资源丰富，栽培资源丰富。药材主要来源于栽培。

| 采收加工 | 葫芦：秋季采摘已成熟但外皮尚未木质化的果实，去皮用。
葫芦瓢：秋季采摘成熟果实，除去果瓢及种子，晒干。

| 药材性状 | 葫芦：本品扁长方形或卵圆形，长 1.2 ~ 1.8 cm，宽约 0.6 cm，表面浅棕色或淡白色，较光滑，并有两面对称的 4 深色花纹，花纹上密被淡黄色绒毛，一端平截或心形凹入，一端渐尖或钝尖；种皮质硬而脆，子叶 2，乳白色，富含油性。

气微，味微甜。

葫芦瓢： 本品多碎成块片，完整者呈瓢状，厚 0.3 ~ 1.5 cm。外表面黄棕色或灰黄色，较光滑；内表面黄白色或灰黄色，较粗糙。体轻，质硬，断面黄白色或灰黄色，海绵状。气微，味淡。

| 功能主治 | **葫芦：** 甘、淡，平。归肺、脾、肾经。利水，消肿，通淋，散结。用于水肿，腹水，黄疸，消渴，淋病，痈肿。

葫芦瓢： 甘，平。归肺、小肠经。利尿，消肿，通淋，散结。用于水肿，腹胀，黄疸，淋病，颈淋巴结结核。

| 用法用量 | **葫芦：** 内服煎汤，9 ~ 30 g；或煅存性研末。

葫芦瓢： 内服煎汤，15 ~ 30 g；或绞汁；或煮食。

| 附　注 | （1）本种喜温暖气候，不耐低温、喜光，对土壤条件要求不严格，宜选择富含腐殖质的保肥和保水力强的壤土栽培。

（2）葫芦早在《诗经》中就有记载，名曰"匏"或者"瓠"，《本草经集注》记载："瓠与冬瓜气类同辈，而又上下之殊，当是为其苦尔。今瓠自忽有苦者如胆，不可食，非别生一种也。"《新修本草》记载："瓠味皆甜，时有苦者，而似越瓜，长者尺余，头尾相似。"此后，《本草纲目》对壶、瓠、匏三者分别做了说明并加以区分，所载的"匏"为现今的瓠瓜，而"壶"为葫芦。

（3）葫芦成熟后的种子亦可入药，具有利尿、消肿、散结之功效，可以用来治疗水肿、腹水和颈淋巴结结核等疾病。

（4）葫芦幼嫩时被作为蔬菜食用，含有蛋白质、脂肪、维生素、胡萝卜素等营养成分，营养价值较高。早在元代就有将葫芦食用的记载，既可烧汤，又可做菜，腌制。成熟后外壳木质化，失去食用价值，但成熟的葫芦中空，可以制作成酒壶、水瓢等容器。

葫芦科 Cucurbitaceae 黄瓜属 Cucumis

黄瓜 *Cucumis sativus* L.

植物别名

青瓜、胡瓜。

药材名

黄瓜子（药用部位：种子。别名：哈力苏）、黄瓜皮（药用部位：果皮。别名：金衣）、黄瓜藤（药用部位：藤茎）。

形态特征

一年生蔓生或攀缘草本；茎、枝伸长，有棱沟，被白色的糙硬毛。卷须细，不分歧，具白色柔毛。叶柄稍粗糙，有糙硬毛，长 10 ~ 16（~ 20） cm；叶片宽卵状心形，膜质，长、宽均 7 ~ 20 cm，两面甚粗糙，被糙硬毛，3 ~ 5 角或浅裂，裂片三角形，有齿，有时边缘有缘毛，先端急尖或渐尖，基部弯缺半圆形，宽 2 ~ 3 cm，深 2 ~ 2.5 cm，有时基部向后靠合。雌雄同株。雄花常数朵在叶腋簇生；花梗纤细，长 0.5 ~ 1.5 cm，被微柔毛；萼筒狭钟状或近圆筒状，长 8 ~ 10 mm，密被白色的长柔毛，花萼裂片钻形，开展，与萼筒近等长；花冠黄白色，长约 2 cm，花冠裂片长圆状披针形，急尖；雄蕊 3，花丝近无，花药长 3 ~ 4 mm，药隔伸出，长约 1 mm。雌花单生或稀簇生；

花梗粗壮，被柔毛，长 1 ~ 2 cm；子房纺锤形，粗糙，有小刺状突起。果实长圆形或圆柱形，长 10 ~ 30（~ 50） cm，成熟时黄绿色，表面粗糙，有具刺尖的瘤状突起，极稀近平滑。种子小，狭卵形，白色，无边缘，两端近急尖，长 5 ~ 10 mm。花果期夏季。

| **生境分布** | 生长在温暖且富含有机质的土壤中。分布于河北平泉等。

| **资源情况** | 栽培资源丰富。药材主要来源于栽培。

| 采收加工 | 黄瓜子：夏、秋季采收成熟的果实，剖开，取出种子，洗净，晒干。
黄瓜皮：夏、秋季采收，刨下果皮，晒干或鲜用。
黄瓜藤：夏、秋季采收，晒干或鲜用。

| 药材性状 | 黄瓜子：本品呈扁梭形或狭长卵形，长 5 ～ 10 mm，宽 3 ～ 5 mm。表面黄白色，平滑，略具光泽；先端较狭平截，中央有尖凸，下端尖，有白色种脐；种皮革质，从上端破开后可见膜状胚乳，子叶 2，白色。气微，味淡、微甘。

黄瓜皮：本品呈不规则卷筒状，厚 1 ～ 2 mm。外表面黄褐色，上有深褐色疣状突起及黄白色或黄色网状花纹；内表面黄白色，有皱纹。质轻而柔韧。气清香，味淡。

黄瓜藤：本品常卷扎成束。茎呈长棱柱形，直径 5 ～ 8 mm，表面灰黄色或灰绿黄色，有纵棱纹，被短刚毛。切面黄白色，中空。叶互生，多皱缩或破碎，完整叶展平后呈宽卵状心形，长与宽均 7 ～ 20 cm，掌状 3 ～ 5 浅裂，裂片三角形；顶端尖锐，基部心形，边缘具锯齿，两面均被短刚毛。卷须通常脱落。体轻。气清香，味微苦。

| **功能主治** | 黄瓜子：甘，凉。归脾、胃、大肠经。续筋接骨，祛风，消痰。用于骨折筋伤，风湿痹痛，老年痰喘。
黄瓜皮：甘，淡，凉。归肺、大肠经。清热，利水，通淋。用于水肿尿少，热结膀胱，小便淋痛。
黄瓜藤：苦，凉。归心、肺经。消热，化痰，利湿，解毒。用于痰热咳嗽，癫痫，湿热泻痢，湿痰流注，疮痈肿毒，高血压。 |

| **用法用量** | 黄瓜子：内服研末，3 ~ 10 g；或入丸、散剂。外用适量，研末调敷。
黄瓜皮：内服煎汤，10 ~ 15 g，鲜品加倍。
黄瓜藤：内服煎汤，15 ~ 30 g，鲜品加倍。外用适量，煎汤洗；或研末撒。 |

| **附 注** | （1）本种喜温暖气候，不耐高温和寒冷，对土壤要求不高，宜选择富含有机质、肥沃、保水保肥力强的黏质壤土栽培。
（2）黄瓜始载于《本草纲目拾遗》，在西汉时期由西域传入中原地区，又名"胡瓜"，隋朝之前，后赵之后改名为"黄瓜"。《植物名实图考》又因黄瓜带刺，称之为"刺瓜"。《本草纲目》记载：胡瓜处处有之，正二月下种，三月生苗引蔓，叶如冬瓜叶，亦有毛，四、五月开黄花，结瓜围二三寸，长者至尺许，青色，皮上有痦瘟如疣子，至老则黄赤色。
（3）黄瓜为我国主栽蔬菜作物之一，已有2000多年的栽培历史，我国是世界上黄瓜种植面积最大的国家。黄瓜除具有抗肿瘤、抗衰老、健脑安神之药用价值外，更多地被人们作为日常蔬菜食用，含有蛋白质、脂肪、微量元素和维生素等多种营养成分，可以用来凉拌、炒食、生吃、腌制和烧汤，也可以作为其他菜肴的配菜，味道鲜美，亦有美容养颜之功效。目前，我国黄瓜栽培面临着单位面积产量低、加工率低、农药残留较高、品种单一等问题，但黄瓜种植的利润相对较高，因此，未来应扩大黄瓜的种植面积，改良培育品种，充分利用资源，从而进一步拓宽黄瓜的市场前景。 |

葫芦科 Cucurbitaceae 假贝母属 Bolbostemma

假贝母

Bolbostemma paniculatum (Maxim.) Franquet.

| 药 材 名 |

土贝母（药用部位：块茎。别名：土贝、大贝母、地苦胆）。

| 形态特征 |

鳞茎肥厚，肉质，乳白色；茎草质，无毛，攀缘状，枝具棱沟，无毛。叶柄纤细，长1.5 ~ 3.5 cm，叶片卵状近圆形，长4 ~ 11 cm，宽3 ~ 10 cm，掌状5深裂，每个裂片再3 ~ 5浅裂，侧裂片卵状长圆形，急尖，中间裂片长圆状披针形，渐尖，基部小裂片先端各有一显著凸出的腺体，叶片两面无毛或仅在脉上有短柔毛。卷须丝状，单一或2歧。花雌雄异株。雌、雄花序均为疏散的圆锥状，极稀花单生，花序轴丝状，长4 ~ 10 cm，花梗纤细，长1.5 ~ 3.5 cm；花黄绿色；花萼与花冠相似，裂片卵状披针形，长约2.5 mm，先端具长丝状尾；雄蕊5，离生；花丝先端不膨大，长0.3 ~ 0.5 mm，花药长0.5 mm，药隔在花药背面不伸出于花药。子房近球形，疏散生不显著的疣状突起，3室，每室2胚珠，花柱3，柱头2裂。果实圆柱状，长1.5 ~ 3 cm，直径1 ~ 1.2 cm，成熟后由先端盖裂，果盖圆锥形，具6种子。种子卵状菱形，暗褐色，表面有雕纹状突起，边缘有不规则的齿，长 8 ~ 10 mm，宽约 5 mm，厚 1.5 mm，先端有膜质的翅，翅长 8 ~ 10 mm。花期 6 ~ 8 月，果期 8 ~ 9 月。

| **生境分布** | 生于阴山坡。分布于河北阜平、涉县、武安等。

| **资源情况** | 野生资源一般。药材主要来源于野生。

| **采收加工** | 秋季采挖，洗净，掰开，煮至无白心，取出，晒干。

| **药材性状** | 本品为不规则的块茎，大小不等。表面淡红棕色或暗棕色，凹凸不平。质坚硬，不易折断，断面角质样，气微，味微苦。

| **功能主治** | 苦，寒。归肺、脾经。清热化痰，散结拔毒。用于乳痈，瘰疬痰核，疮疡肿毒，赘疣，蛇虫咬伤。

| **用法用量** | 内服煎汤，9 ~ 30 g；或入丸、散剂。外用适量，研末调敷；或熬膏贴敷。

| **附　注** | 本种之名土贝母始见于《本草从新》贝母条下，但历代文献论述贝母的形态以及附图中涉及到本种者，如陆玑《师疏》云："叶如栝楼而细小，子在根下如芋子，正白。"张子诗："贝母阶前蔓百寻。"《本草图经》中蔓生"贝母"的附图亦与本种特征较为符合。《纲目拾遗》云："一名大贝母。"又引《百草镜》云："土贝形大如钱，独瓣不分，与川产迥别，各处皆产，有出自安徽六安之安山者，有出江南宜兴之章注者，有出宁国府之孙家埠者。"以上所述，除出自浙江宁波者非本种而是指浙贝外，其余均与本种相符。

葫芦科 Cucurbitaceae　苦瓜属 Momordica

苦瓜 *Momordica charantia* L.

| 植物别名 |

癞葡萄、凉瓜、癞瓜。

| 药 材 名 |

苦瓜（药用部位：果实。别名：红姑娘、凉瓜、红羊）。

| 形态特征 |

一年生攀缘状草本，多分枝，茎被柔毛；卷须不分叉，长达 20 cm，被微柔毛；叶柄细，初时被白色柔毛，最后变近无毛，长 4 ~ 6 cm；叶片肾形或近圆形，膜质，长、宽均 3 ~ 12 cm，5 ~ 7 深裂，裂片卵状长圆形，边缘具粗齿或不规则再分裂，两面被毛，尤其脉上毛较密，上面绿色，背面淡绿色；雌雄同株，雄花单生，花梗长 5 ~ 15 cm，中部或基部有苞片，苞片绿色叶状，肾形或圆形，全缘；花萼裂片卵状披针形，花冠黄色，稍不整齐，裂片倒卵形；雄蕊 3，离生，药室 "S" 形折曲；子房纺锤形，密生瘤状突起，柱头 3，膨大，2 裂；果实纺锤状或椭圆形，有瘤状突起，长 10 ~ 20 cm，成熟后橙黄色，先端 3 瓣裂；种子多数，长圆形，具红色假种皮，两端各具 3 小齿，两面有皱纹；花期 6 ~ 7 月，

果期 9 ~ 10 月。

| **生境分布** | 生于山坡、路旁及村边住宅旁。分布于河北隆化、滦平等。

| **资源情况** | 栽培资源丰富。药材主要来源于栽培。

| **采收加工** | 秋季采收果实，切片，晒干或鲜用。

| **药材性状** | 本品干燥的苦瓜片呈椭圆形或矩圆形，厚 2 ~ 8 mm，长 3 ~ 15 cm，宽 0.4 ~ 2 cm，全体皱缩，弯曲，果皮浅灰棕色，粗糙，有纵皱或瘤状突起，中间有时夹有种子或种子脱落后留下的孔洞，质脆，易断，气微味苦。以青边、肉质、片薄、子少者为佳。

| **功能主治** | 苦，寒。归心、脾、肺经。祛暑涤热，明目，解毒。用于暑热烦渴，消渴，赤眼疼痛，痢疾，疮痈肿毒。

| **用法用量** | 内服煎汤，6 ~ 15 g，鲜品 30 ~ 60 g；或煅存性研末。外用适量，鲜品捣敷；或取汁涂。

| **附　　注** | （1）本种喜温暖气候，较耐热，耐低温，喜湿，不耐渍。以选择排水良好、土层深厚的肥沃低地栽培为宜。

（2）苦瓜原产于印度，古称"南番"，明末传入我国，始载于《救荒本草》，原名"锦荔枝"，曰：人家园篱边多种，苗引藤蔓延，附草木生，茎生七八尺，茎有毛涩，叶似野葡萄叶，而花又多，叶间生细丝蔓，开五瓣黄碗子花，结实如鸡子大。《本草纲目》对苦瓜的来源和植物形态已有详细的记载，并有附图，与现今之苦瓜品种一致。

（3）苦瓜具有较高的药用价值，其根、茎、叶、花、果实、种子均可入药，含有的多种活性成分均具有降血糖、抗肿瘤、增强免疫力、抗突变的功效。

葫芦科 Cucurbitaceae 栝楼属 *Trichosanthes*

栝楼
Trichosanthes kirilowii Maxim.

| 植物别名 | 药瓜、瓜楼、瓜蒌。

| 药 材 名 | 瓜蒌（药用部位：成熟果实。别名：王菩、地楼、泽巨）、天花粉（药用部位：根。别名：瓜蒌根、苦瓜蒌根）。

| 形态特征 | 攀缘藤本，长达10 m；块根圆柱状，粗大肥厚，富含淀粉，淡黄褐色。茎较粗，多分枝，具纵棱及槽，被白色伸展柔毛。叶片纸质，近圆形，长、宽均5～20 cm，常3～5（～7）浅裂至中裂，稀深裂或不分裂而仅有不等大的粗齿，裂片菱状倒卵形、长圆形，先端钝，急尖，边缘常再浅裂，叶基心形，弯缺深2～4 cm，上表面深绿色，粗糙，背面淡绿色，两面沿脉被长柔毛状硬毛，基出掌状脉5，细脉网状；叶柄长3～10 cm，具纵条纹，被长柔毛。

卷须 3 ~ 7 歧，被柔毛。花雌雄异株。雄总状花序单生，或与一单花并生，或在枝条上部者单生，总状花序长 10 ~ 20 cm，粗壮，具纵棱与槽，被微柔毛，先端有 5 ~ 8 花，单花花梗长约 15 cm，花梗长约 3 mm，小苞片倒卵形或阔卵形，长 1.5 ~ 2.5（~ 3）cm，宽 1 ~ 2 cm，中上部具粗齿，基部具柄，被短柔毛；萼筒筒状，长 2 ~ 4 cm，先端扩大，直径约 10 mm，中、下部直径均约 5 mm，被短柔毛，裂片披针形，长 10 ~ 15 mm，宽 3 ~ 5 mm，全缘；花冠白色，裂片倒卵形，长 20 mm，宽 18 mm，先端中央具 1 绿色尖头，两侧具丝状流苏，被柔毛；花药靠合，长约 6 mm，直径约 4 mm，花丝分离，粗壮，被长柔毛。雌花单生，花梗长 7.5 cm，被短柔毛；萼筒圆筒形，长 2.5 cm，直径 1.2 cm，裂片和花冠同雄花；子房椭圆形，绿色，长 2 cm，直径 1 cm，花柱长 2 cm，柱头 3。果柄粗壮，长 4 ~ 11 cm；果实椭圆形或圆形，成熟时黄褐色或橙黄色；

种子卵状椭圆形，压扁，长 11 ～ 16 mm，宽 7 ～ 12 mm，淡黄褐色，近边缘处具棱线。花期 5 ～ 8 月，果期 8 ～ 10 月。

| 生境分布 | 生于海拔 200 ～ 1 800 m 的山坡林下、灌丛中、草地和村旁田边。分布于河北磁县、阜平、行唐等。

| 资源情况 | 野生资源丰富，栽培资源丰富。药材主要来源于栽培。

| 采收加工 | 瓜蒌：秋末果实变为淡黄时采收，悬挂通风处阴干。
天花粉：秋、冬季采挖，洗净，除去外皮，切段或纵剖成瓣，干燥。

| 药材性状 | 瓜蒌：本品呈卵圆形或类球形，长 7 ~ 15 cm，直径 6 ~ 10 cm，表面深橙黄色至橙红色，皱缩或较平滑，先端有圆形的残存花柱基，基部有果柄残迹。轻重不一。质脆，易破开，果皮稍厚，内表面黄白色，果瓤橙黄色，黏稠，与多数种子黏结成团。气如焦糖，味微酸、甜。

天花粉：本品呈不规则圆柱形、纺锤形或瓣块状，长 8 ~ 16 cm，直径 1.5 ~ 5.5 cm。表面黄白色或淡棕黄色，皱缩不平，细根痕及略凹陷的横长皮孔，有的有黄棕色外皮残留。质坚实，不易折断，断面白色或淡黄色，富粉性，横切面可见黄色木质部，略呈放射状排列，纵剖面可见黄色纵条纹状木质部。气微，味微苦。以色洁白、粉性足、质细嫩、体肥满者为佳；色棕、纤维多者为次。

| 功能主治 | 瓜蒌：甘、苦，寒。归肺、胃、大肠经。清热涤痰，宽胸散结，润燥滑肠。用于肺热咳嗽，痰浊黄稠，胸痹心痛，结胸痞满，乳痈，肺痈，肠痈肿痛，大便秘结。

天花粉：甘、苦，寒。归肺、胃经。清热泻火，生津止渴，消肿排脓。用于热病烦渴，肺热燥咳，内热消渴，疮疡肿毒。

| 用法用量 | 瓜蒌：内服煎汤，9 ~ 15 g。

天花粉：内服煎汤，9 ~ 15 g；或入丸、散剂。外用适量，研末撒；或研末调敷。

| 附　注 | 由于前些年农民大量开垦荒山、荒地，加上产地药农连年无节制地采挖，本种生长环境遭到严重破坏，野生资源逐年减少。

葫芦科 Cucurbitaceae 栝楼属 *Trichosanthes*

中华栝楼
Trichosanthes rosthornii Harms

| 植物别名 | 双边栝楼。

| 药 材 名 | 天花粉（药用部位：根。别名：瓜蒌根、苦瓜蒌根）。

| 形态特征 | 攀缘藤本；块根条状，肥厚，淡灰黄色，具横瘤状突起。茎具纵棱及槽，疏被短柔毛，有时具鳞片状白色斑点。叶片纸质，阔卵形至近圆形，长（6～）8～12（～20）cm，宽（5～）7～11（～16）cm，3～7深裂，通常5深裂，几达基部，裂片线状披针形、披针形至倒披针形，先端渐尖，边缘具短尖头状细齿，或偶尔具1～2粗齿，叶基心形，弯缺深1～2 cm，上表面深绿色，疏被短硬毛，背面淡绿色，无毛，密具颗粒状突起，掌状脉5～7，上面凹陷，被短柔毛，背面凸起，侧脉弧曲，网结，细脉网状；叶柄长2.5～4 cm，具纵条纹，

疏被微柔毛。卷须 2 ~ 3 歧。花雌雄异株。雄花或单生，或为总状花序，或两者并生；单花花梗长可达 7 cm，总花梗长 8 ~ 10 cm，先端具 5 ~ 10 花；小苞片菱状倒卵形，长 6 ~ 14 mm，宽 5 ~ 11 mm，先端渐尖，中部以上具不规则的钝齿，基部渐狭，被微柔毛；小花梗长 5 ~ 8 mm；花萼筒狭喇叭形，长 2.5 ~ 3（~ 3.5）cm，先端直径约 7 mm，中下部直径约 3 mm，被短柔毛，裂片线形，长约 10 mm，基部宽 1.5 ~ 2 mm，先端尾状渐尖，全缘，被短柔毛；花冠白色，裂片倒卵形，长约 15 mm，宽约 10 mm，被短柔毛，先端具丝状长流苏；花药柱长圆形，长 5 mm，直径 3 mm，花丝长 2 mm，被柔毛。雌花单生，花梗长 5 ~ 8 cm，被微柔毛；萼筒圆筒形，长 2 ~ 2.5 cm，直径 5 ~ 8 mm，被微柔毛，裂片和花冠同雄花；子房椭圆形，长 1 ~ 2 cm，直径 5 ~ 10 mm，被微柔毛。果实球形或椭圆形，长 8 ~ 11 cm，直径 7 ~ 10 cm，光滑无毛，成熟时果皮及果瓤均橙黄色；果柄长 4.5 ~ 8 cm。种子卵状椭圆形，扁平，长 15 ~ 18 mm，宽 8 ~ 9 mm，厚 2 ~ 3 mm，褐色，距边缘稍远处具 1 圈明显的棱线。花期 6 ~ 8 月，果期 8 ~ 10 月。

| **生境分布** | 生于海拔 400 ~ 1 850 m 的山谷密林中、山坡灌丛中及草丛中。分布于河北阜平、涉县、武安等。

| **资源情况** | 野生资源稀少，栽培资源丰富。药材主要来源于栽培。

| **采收加工** | 秋、冬季采挖，洗净，除去外皮，切段或纵剖成瓣，干燥。

| **药材性状** | 本品呈不规则圆柱形、纺锤形或瓣块状，长 8 ~ 16 cm，直径 1.5 ~ 5.5 cm。表面黄白色或淡棕黄色，皱缩不平，细根痕及略凹陷的横长皮孔，有的有黄棕色外皮残留。质坚实，不易折断，断面白色或淡黄色，富粉性，横切面可见黄色木质部，略呈放射状排列，纵剖面可见黄色纵条纹状木质部。气微，味微苦。以色洁白、粉性足、质细嫩、体肥满者为佳，色棕、纤维多者为次。

| **功能主治** | 甘、苦，寒。归肺、胃经。清热泻火，生津止渴，消肿排脓。用于热病烦渴，肺热燥咳，内热消渴，疮疡肿毒。

| **用法用量** | 内服煎汤，9 ~ 15 g；或入丸、散剂。外用适量，研末撒；或研末调敷。

| **附　注** | （1）栝楼子呈扁平椭圆形、浅棕色至棕褐色，边缘具一圈沟纹，种仁绿色，内含肥厚黄白色子叶 2，富油性。味甘、微苦涩。而中华栝楼子则较大而扁，沟

纹明显而环边较宽，形成"双边"状，故该种又名双边栝楼。

（2）本种的药用价值主要体现在栝楼根即天花粉上，其主要含有三萜皂苷、糖、色素、脂肪、有机酸等化学成分。天花粉除了传统的药用价值之外，随着人们更加深入的研究，天花粉已经应用于各种肿瘤的治疗。另外，天花粉还对糖尿病有一定的治疗作用，对高血压、高血脂、高血液黏度有辅助疗效，并能提高机体免疫功能。对天花粉的成分天花粉蛋白的研究是现代医学研究的热点之一，天花粉蛋白是一种单链型核糖体失活蛋白，具有很强的翻译抑制活性，还具有抑制 HIV-1 复制的功能。

南瓜 *Cucurbita moschata* (Duch. ex Lam.) Duch. ex Poiret

| 植物别名 |

倭瓜、番瓜、饭瓜。

| 药材名 |

南瓜（药用部位：果实。别名：麦瓜、伏瓜、金冬瓜）、南瓜子（药用部位：种子。别名：南瓜仁、金瓜米、窝瓜子）。

| 形态特征 |

一年生蔓生草本；茎常节部生根，伸长达 2 ~ 5 m，密被白色短刚毛。叶柄粗壮，长 8 ~ 19 cm，被短刚毛；叶片宽卵形或卵圆形，质稍柔软，有 5 角或 5 浅裂，稀钝，长 12 ~ 25 cm，宽 20 ~ 30 cm，侧裂片较小，中间裂片较大，三角形，上面密被黄白色刚毛和茸毛，常有白斑，叶脉隆起，各裂片之中脉常延伸至先端，成 1 小尖头，背面色较淡，毛更明显，边缘有小而密的细齿，先端稍钝。卷须稍粗壮，与叶柄一样被短刚毛和茸毛，3 ~ 5 歧。雌雄同株。雄花单生；花萼筒钟形，长 5 ~ 6 mm，裂片条形，长 1 ~ 1.5 cm，被柔毛，上部扩大成叶状；花冠黄色，钟状，长 8 cm，直径 6 cm，5 中裂，裂片边缘反卷，具折皱，先端急尖；雄蕊 3，花丝腺体状，长 5 ~ 8 mm，花药靠合，

长 15 mm，药室折曲。雌花单生；子房 1 室，花柱短，柱头 3，膨大，先端 2 裂。果柄粗壮，有棱和槽，长 5 ~ 7 cm，瓜蒂扩大成喇叭状；瓠果形状多样，因品种而异，外面常有数条纵沟或无。种子多数，长卵形或长圆形，灰白色，边缘薄，长 10 ~ 15 mm，宽 7 ~ 10 mm。

| **生境分布** | 栽培于屋边、园地及河滩边。分布于河北阜平、涉县、武安等。

| **资源情况** | 栽培资源丰富。药材主要来源于栽培。

| **采收加工** | **南瓜：**夏、秋季采收成熟果实，一般鲜用。
南瓜子：夏、秋季食用南瓜时，收集成熟种子，除去瓤膜，洗净，晒干。

| 药材性状 | **南瓜**：本品呈圆形、扁圆形、长圆形、纺锤形或葫芦形，先端多凹陷，表面光滑或有瘤状突起和纵沟，成熟后有白霜。种皮灰白色或茶褐色，边缘明显粗糙。肉厚，黄白色，老熟后有特殊香气，味甜而面。种子扁，嫩瓜可作蔬菜，是夏、秋季的瓜菜之一，味甘适口。

南瓜子：本品呈扁圆形，长 1.2 ~ 1.8 cm，宽 0.7 ~ 1 cm。表面淡黄白色至淡黄色，两面平坦而微隆起，边缘稍有棱，一端略尖，先端有珠孔，种脐稍突起或不明显。除去种皮，有黄绿色薄膜状胚乳，子叶 2，黄色、肥厚，富油性。气微香，味微甘。以颗粒饱满、色黄者为佳。

| 功能主治 | **南瓜**：甘，平。归脾、肺、胃经。解毒消肿。用于肺痈，哮证，痈肿，烫伤，毒蜂螫伤。

南瓜子：甘，平。归大肠经。杀虫，下乳，利水消肿。用于绦虫、蛔虫、血吸虫、钩虫、蛲虫病，产后缺乳，产后手足浮肿，百日咳，痔疮。

| 用法用量 | **南瓜**：内服适量，蒸煮或生捣汁。外用适量，捣敷。

南瓜子：内服煎汤，30 ~ 60 g；或研末；或制成乳剂。外用适量，煎汤熏洗。

| 附 注 | （1）本种喜温暖气候，不耐高温和低温，喜光。对土壤要求不严格，宜选择土层深厚、保水保肥力强的土壤栽培。

（2）南瓜起源于亚洲南部，始载于《滇南本草》，但无具体形态描述。《本草纲目》将南瓜列入菜部，并有详细的描述，曰："南瓜种出南番，转入闽、浙，今燕京诸处亦有之矣。三月下种，宜沙沃地，不可生食，惟去皮瓤瀹食，味如山药。"后来，南瓜在我国普遍栽种，成为最常见的蔬菜之一。

（3）南瓜适应性强，资源十分丰富，具有极高的食疗保健作用及药用价值。南瓜含有糖类、维生素、微量元素、氨基酸等多种营养成分，可以加工成各式菜肴，味道可口；南瓜还具有保健食疗作用，具有降血糖、降血脂、预防恶性肿瘤、解毒保肝、抗氧化等功效，南瓜子油具有抑制前列腺增生之功效。

葫芦科 Cucurbitaceae　丝瓜属 *Luffa*

广东丝瓜 *Luffa acutangula* (L.) Roxb.

| 植物别名 | 角瓜、棱角丝瓜、粤丝瓜。

| 药 材 名 | 天罗水（药用部位：茎中的液汁。别名：丝瓜水）、丝瓜（药用部位：果实。别名：天丝瓜、天罗、蛮瓜）、丝瓜络（药用部位：果实维管束）。

| 形态特征 | 一年生草质攀缘藤本；茎稍粗壮，具明显的棱角，被短柔毛。卷须粗壮，下部具棱，常3歧，有短柔毛。叶柄粗壮，棱上具柔毛，长8～12 cm；叶片近圆形，膜质，长、宽均15～20 cm，常5～7浅裂，中间裂片宽三角形，稍长，其余的裂片不等大，基部裂片最小，先端急尖或渐尖，边缘疏生锯齿，基部弯缺近圆形，深2～2.5 cm，宽1～2 cm，上面深绿色，粗糙，下面苍绿色，两面

脉上有短柔毛。雌雄同株；通常 17 ~ 20 花生于总梗先端，呈总状花序，总花梗长 10 ~ 15 cm，花梗长 1 ~ 4 cm，有白色短柔毛；萼筒钟形，长 0.5 ~ 0.8 cm，直径约 1 cm，外面有短柔毛，裂片披针形，长 0.4 ~ 0.6 cm，宽 0.2 ~ 0.3 cm，先端渐尖，稍向外反折，里面密被白色短柔毛，具 1 脉，基部有 3 明显的瘤状突起；花冠黄色，辐射状，裂片倒心形，长 1.5 ~ 2.5 cm，宽 1 ~ 2 cm，先端凹陷，两面近无毛，外面具 3 隆起脉，脉上有短柔毛；雄蕊 3，离生，1 枚 1 室，2 枚 2 室，花丝长 4 ~ 5 mm，基部有髯毛，花药有短柔毛，药室 2 回折曲。雌花单生，与雄花序生于同一叶腋；子房棍棒状，具 10 纵棱，花柱粗而短，柱头 3，膨大，2 裂。果实圆柱状或棍棒状，具 8 ~ 10 纵向的锐棱和沟，直径 6 ~ 10 cm。种子卵形，黑色，有网状纹饰，无狭翼状边缘，基部 2 浅裂，长 11 ~ 12 mm，宽 7 ~ 8 mm，厚约 1.5 mm。花果期夏、秋季。

| 生境分布 | 生于土层深厚、潮湿、富含有机质的砂壤土。分布于河北永年等。

| 资源情况 | 栽培资源一般。药材主要来源于栽培。

| 采收加工 | **天罗水：**夏、秋季取地上茎切断，将切品插入瓶中放置一昼夜即得。
丝瓜：夏、秋季间采摘，鲜用。
丝瓜络：夏、秋季果实成熟至果皮干枯时采摘，除去外皮及果肉，洗净，干燥，除去种子。

| **药材性状** | **丝瓜**：本品呈长圆柱形，具明显的棱角，长 20 ～ 60 cm，肉质，绿色带粉白色或黄绿色，有不明显的纵向浅沟或条纹，成熟后内有坚韧的网状瓜络。

丝瓜络：本品多呈长圆柱形或棒槌形，长 25 ～ 60 cm，直径 6 ～ 8 cm。略弯曲，较细一端具坚韧的果柄，表面淡黄白色，全体系多层丝状维管束交织而成的网状物，体轻，质韧，有弹性，不能折断。横切面可见子房 3 室，形成 3 个大空洞，有的残留少数黑色种子。气微，味淡。以个大，完整，脉络清晰、质韧、色淡黄白色，无种子者为佳。

| **功能主治** | **天罗水**：甘、微苦，微寒。清热解毒，止咳化痰。用于肺痈，肺痿，咳喘，肺痨，夏令皮肤疮疹，痤疮，烫伤。

丝瓜：甘，凉。归肺、肝、胃、大肠经。清热化痰，凉血解毒。用于热病身热烦渴，痰喘咳嗽，肠风下血，痔疮出血，血淋，崩漏，痈疽疮疡，乳汁不通，无名肿毒，水肿。

丝瓜络：甘，凉。归肺、肝、胃经。通经活络，解毒消肿。用于胸胁疼痛，风湿痹痛，经脉拘挛，乳汁不通，肺热咳嗽，痈肿疮毒，乳痈。

| **用法用量** | **天罗水**：内服，50 ～ 100 ml。外用适量，涂搽或洗。

丝瓜：内服煎汤，9 ～ 15 g，鲜品 60 ～ 120 g；或烧存性为散，每次 3 ～ 9 g。外用适量，捣汁涂；或捣敷；或研末调敷。

丝瓜络：内服煎汤，5 ～ 15 g；或烧存性研末，每次 1.5 ～ 3 g。外用适量，微存性研末调敷。

葫芦科 Cucurbitaceae 丝瓜属 Luffa

丝瓜
Luffa aegyptiaca Miller

| 药 材 名 | 丝瓜（药用部位：果实。别名：天罗、蛮瓜、绵瓜）、丝瓜子（药用部位：成熟种子。别名：乌牛子）、丝瓜络（药用部位：成熟果实的维管束。别名：天萝筋、丝瓜网、瓜络）。

| 形态特征 | 一年生攀缘藤本；茎、枝粗糙，有棱沟，被微柔毛。卷须稍粗壮，被短柔毛，通常 2 ~ 4 歧。叶柄粗糙，长 10 ~ 12 cm，具不明显的沟，近无毛；叶片三角形或近圆形，长、宽均 10 ~ 20 cm，通常掌状 5 ~ 7 裂，裂片三角形，中间的较长，长 8 ~ 12 cm，先端急尖或渐尖，边缘有锯齿，基部深心形，弯缺深 2 ~ 3 cm，宽 2 ~ 2.5 cm，上面深绿色，粗糙，有疣点，下面浅绿色，有短柔毛，脉掌状，具白色的短柔毛。雌雄同株。雄花通常 15 ~ 20，生于总状花序上部，

花序梗稍粗壮，长 12 ~ 14 cm，被柔毛；花梗长 1 ~ 2 cm，萼筒宽钟形，直径 0.5 ~ 0.9 cm，被短柔毛，裂片卵状披针形或近三角形，上端向外反折，长 0.8 ~ 1.3 cm，宽 0.4 ~ 0.7 cm，里面密被短柔毛，边缘尤为明显，外面毛被较少，先端渐尖，具 3 脉；花冠黄色，辐状，开展时直径 5 ~ 9 cm，裂片长圆形，长 2 ~ 4 cm，宽 2 ~ 2.8 cm，里面基部密被黄白色长柔毛，外面具 3 ~ 5 凸起的脉，脉上密被短柔毛，先端钝圆，基部狭窄；雄蕊通常 5，稀 3，花丝长 6 ~ 8 mm，基部有白色短柔毛，花初开放时稍靠合，最后完全分离，药室多回折曲。雌花单生，花梗长 2 ~ 10 cm；子房长圆柱状，有柔毛，柱头 3，膨大。果实圆柱状，直或稍弯，直径 5 ~ 8 cm，表面平滑，通常有深色纵条纹，未成熟时肉质，成熟后干燥，里面呈网状纤维，由先端盖裂。种子多数，黑色，卵形，扁，平滑，

边缘狭翼状。花果期夏、秋季。

| **生境分布** | 生于房屋边，田地。分布于河北滦平、涉县、永年等。

| **资源情况** | 栽培资源丰富。药材主要来源于栽培。

| **采收加工** | **丝瓜**：嫩丝瓜于夏、秋季间采摘，鲜用。老丝瓜于秋后采收，晒干。

丝瓜子：秋季果实老熟后，在采制丝瓜络时，收集种子，晒干。

丝瓜络：夏、秋季果实成熟，果皮变黄，内部干枯时采摘，搓去外皮及果肉，洗净，晒干，除去种子。

| **药材性状** | **丝瓜**：本品呈长圆柱形，长 20 ～ 60 cm，肉质，绿色带粉白色或黄绿色，有不明显的纵向浅沟或条纹，成熟后内有坚韧的网状瓜络。

丝瓜子：本品呈长卵形，扁压，长 8 ～ 20 mm，直径 5 ～ 11 mm，厚约 2 mm，种皮黑色，边缘有狭翅，翅的一端有种脊，上方有叉状突起。种皮硬，剥开后可见膜状灰绿色的肉，种皮包于子叶之外。子叶 2，黄白色。气微，味微香。

丝瓜络：本品为丝状维管束纵横交错而成，多呈长棱形或长筒形，略弯曲，长 30 ～ 70 cm，直径 7 ～ 10 cm。表面黄白色。体轻，质韧，富弹性，不能折断；横断面可见子房 3 室，呈空间状。气微，味淡。

| **功能主治** | **丝瓜**：甘，凉。归肺、大肠、胃经。清热化痰，凉血解毒。用于热病身热烦渴，咳嗽痰喘，肠风下血，痔疮出血，血淋，崩漏，痈疽疮疡，乳汁不通，无名肿毒，水肿。

丝瓜子：苦，寒。清热，利水，通便，驱虫。用于水肿，石淋，肺热咳嗽，肠风下血，痔漏，便秘，蛔虫病。

丝瓜络：甘，平。归肺、肝、胃经。祛风，通络，活血，下乳。用于痹痛拘挛，胸肋胀痛，乳汁不通，乳痈肿痛。

| 用法用量 | 丝瓜：内服煎汤，9～15 g，鲜品60～120 g；或烧存性为散，每次3～9 g。外用适量，捣汁涂；或捣敷；或研末调敷。

丝瓜子：内服煎汤，9～15 g；或入散剂。外用适量，研末调敷；或捣敷。

丝瓜络：内服煎汤，5～15 g；或烧存性研末，每次1.5～3 g。外用适量，煅存性研末调敷。

| 附　　注 | （1）本种喜温暖气候，耐高温、高湿，忌低温。选择土层深厚、土质肥沃、排灌方便、pH中性略酸的砂壤土为宜，不宜瘠薄的土壤。

（2）丝瓜为常用的药食两用蔬菜，较易种植，资源丰富。在瓜果蔬菜中，丝瓜营养丰富，含有蛋白质、维生素、微量元素等营养成分，可做汤或炒食，风味较好，具有保健作用，除此之外丝瓜还被加工成保健饮料、丝瓜脯等食品。作为传统中药，丝瓜植株各部位，如根、藤、叶、花、蒂、果实和种子均可入药。丝瓜具有药用部位较多、药用功效特异、适应性广、栽培条件不严格、成本不高、管理方便等优点。随着对丝瓜化学成分研究的不断深入，将会拓宽丝瓜的药用价值，为丝瓜的进一步利用提供科学依据。

葫芦科 Cucurbitaceae 西瓜属 Citrullus

西瓜 *Citrullus lanatus* (Thunb.) Matsum. et Nakai

| 植物别名 | 寒瓜。

| 药 材 名 | 西瓜霜（药材来源：成熟果实与芒硝加工的制成品。别名：西瓜硝）、西瓜翠（药用部位：果皮。别名：西瓜皮、西瓜翠衣、碎秋）。

| 形态特征 | 一年生蔓生藤本；茎、枝粗壮，具明显的棱沟，被长而密的白色或淡黄褐色长柔毛。卷须较粗壮，具短柔毛，2 歧，叶柄粗，长 3 ~ 12 cm，直径 0.2 ~ 0.4 cm，具不明显的沟纹，密被柔毛；叶片纸质，三角状卵形，带白绿色，长 8 ~ 20 cm，宽 5 ~ 15 cm，两面具短硬毛，脉上和背面较多，3 深裂，中裂片较长，倒卵形、长圆状披针形或披针形，先端急尖或渐尖，裂片又羽状或二回羽状浅裂或深裂，边缘波状或有疏齿，末次裂片通常有少数浅锯齿，先端钝圆，叶片

基部心形，有时形成半圆形的弯缺，弯缺宽 1 ～ 2 cm，深 0.5 ～ 0.8 cm。雌雄同株。雌、雄花均单生于叶腋。雄花花梗长 3 ～ 4 cm，密被黄褐色长柔毛；萼筒宽钟形，密被长柔毛，花萼裂片狭披针形，与萼筒近等长，长 2 ～ 3 mm；花冠淡黄色，直径 2.5 ～ 3 cm，外面带绿色，被长柔毛，裂片卵状长圆形，长 1 ～ 1.5 cm，宽 0.5 ～ 0.8 cm，先端钝或稍尖，脉黄褐色，被毛；雄蕊 3，近离生，1 枚 1 室，2 枚 2 室，花丝短，药室折曲。雌花花萼和花冠与雄花同；子房卵形，长 0.5 ～ 0.8 cm，宽 0.4 cm，密被长柔毛，花柱长 4 ～ 5 mm，柱头 3，肾形。果实大型，近球形或椭圆形，肉质，多汁，果皮光滑，色泽及纹饰各式。种子多数，卵形，黑色、红色，有时为白色、黄色、淡绿色或有斑纹，两面平滑，基部钝圆，通常边缘稍拱起，长 1 ～ 1.5 cm，宽 0.5 ～ 0.8 cm，厚 1 ～ 2 mm，花果期夏季。

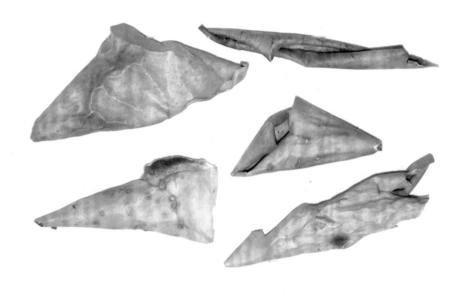

| 生境分布 | 生于干旱沙地、河岸砂质地及山坡草地中。分布于河北乐亭、易县、永年等。

| 资源情况 | 栽培资源丰富。药材来源于栽培。

| 采收加工 | 西瓜霜：秋季采收成熟果实，与芒硝加工制得。

西瓜翠：夏季收集西瓜皮，削去内层柔软部分，洗净，晒干。也有将外面青皮削去，仅取其中间部分者。

| 药材性状 | 西瓜霜：本品为类白色至黄色的结晶性粉末，形似盐，遇热融化。气微，味咸。以洁白、纯净、无泥屑、无杂质者为佳。

西瓜翠：本品外层果皮常卷成管状、纺锤状或不规则形的片块，大小不一，厚0.5 ~ 1 cm。外表面深绿色、黄绿色或淡黄白色，光滑或具深浅不等的皱纹，内表面色稍淡，黄白色至黄棕色，有网状筋脉，常带有果柄。质脆，易碎，无臭，味淡。以外皮青绿色、内皮近白色、无杂质者为佳。

| 功能主治 | 西瓜霜：咸，寒。归脾、胃、大肠经。清热泻火，消肿止痛。用于咽喉肿痛，喉痹，口疮，牙疳，久嗽咽痛，目赤肿痛。

西瓜翠：甘，凉。归心、胃、膀胱经。清热，解渴，利尿。用于暑热烦渴，小便短少，水肿，口舌生疮。

| **用法用量** | **西瓜霜**：内服 0.5 ~ 1.5 g，开水或汤药冲。外用适量，入散剂，吹喉。
| | **西瓜翠**：内服煎汤，9 ~ 30 g；或焙干研末。

| **附　　注** | （1）本种喜温暖气候，耐热，耐旱，忌低温，喜光。对土壤要求不严格，以选择河岸冲积土和耕作层深厚的疏松、排水良好的砂壤土栽培为宜。

（2）西瓜在我国种植历史悠久，但西瓜原产于非洲，为野生物种，四五世纪时，由西域传入中国，所以称之为"西瓜"，后经人工培植成食用西瓜，至元代栽培技术就已很成熟。《本草纲目》记载："按胡娇于回纥得瓜种，名曰西瓜。则西瓜自五代时始入中国，今南北皆有。"

（3）西瓜的栽培技术相对成熟，产量丰富，不仅可以药用，还是人们钟爱的水果。西瓜的营养价值较高，西瓜瓤和西瓜皮含有丰富的氨基酸和微量元素，具有治疗尿毒症、肾炎、腹泻、肝炎等功效；西瓜和芒硝制成的"西瓜霜"对于口腔溃疡具有很好的疗效；西瓜子也可以治疗小儿鹅口疮、前列腺增生。作为人们常用的水果，西瓜含有葡萄糖、微量元素、氨基酸和维生素 C 等营养成分，清热解暑，有益健康，还可以滋润皮肤，果皮可腌渍，可制蜜钱、果酱和饲料，种子含油量达 50%，可榨油、炒食或作糕点配料。但目前对西瓜的茎叶利用率较低，经研究，西瓜茎叶具有抗炎镇痛的作用，因此，西瓜茎叶也是一种很好的药用资源，值得研究利用。

千屈菜科 Lythraceae 千屈菜属 Lythrum

千屈菜 *Lythrum salicaria* L.

植物别名

水柳。

药材名

千屈菜（药用部位：全草。别名：对叶莲、鸡骨草、大钓鱼竿）。

形态特征

多年生草本，根茎横卧于地下，粗壮；茎直立，多分枝，高 30 ~ 100 cm，全株青绿色，略被粗毛或密被绒毛，枝通常具 4 棱。叶对生或三叶轮生，披针形或阔披针形，长 4 ~ 6（~ 10）cm，宽 8 ~ 15 mm，先端钝形或短尖，基部圆形或心形，有时略抱茎，全缘，无柄。花组成小聚伞花序，簇生，因花梗及总梗极短，因此花枝全形似一大型穗状花序；苞片阔披针形至三角状卵形，长 5 ~ 12 mm；萼筒长 5 ~ 8 mm，有纵棱 12，稍被粗毛，裂片 6，三角形；附属体针状，直立，长 1.5 ~ 2 mm；花瓣 6，红紫色或淡紫色，倒披针状长椭圆形，基部楔形，长 7 ~ 8 mm，着生于萼筒上部，有短爪，稍皱缩；雄蕊 12，6 长 6 短，伸出萼筒之外；子房 2 室，花柱长短不一。蒴果扁圆形。

| 生境分布 | 生于河岸、湖畔、溪沟边和潮湿地。分布于河北赤城、丰宁、抚宁等。

| 资源情况 | 野生资源一般，栽培资源丰富。药材主要来源于栽培。

| 采收加工 | 秋季采收，洗净，切碎，鲜用或晒干。

| 药材性状 | 本品茎呈方柱状，灰绿色至黄绿色，直径 1 ～ 2 mm，有分枝，质硬易折断，断面边缘纤维状，中空。叶片灰绿色，质脆，多皱缩破碎，完整叶对生或 3 轮生，叶片呈狭披针形，全缘，无柄。先端具穗状花序，花两性，每 2 ～ 3 小花生于叶状苞片内，花萼灰绿色，筒状；花瓣紫色。蒴果椭圆形，全包于宿存萼内。微臭，味微苦。

| 功能主治 | 苦，寒。清热解毒，收敛止血。用于痢疾，泄泻，便血，血崩，疮疡溃烂，吐血，衄血，外伤出血。

| 用法用量 | 内服煎汤，10 ～ 30 g。外用适量，研末敷；或捣敷；或煎汤洗。

| 附 注 | 本种为药食兼用野生植物。其全草入药；嫩茎叶可作野菜食用，在中国民间已有悠久历史。

千屈菜科 Lythraceae 紫薇属 Lagerstroemia

紫薇 *Lagerstroemia indica* L.

| 植物别名 |

无皮树、百日红、西洋水杨梅。

| 药 材 名 |

紫薇花（药用部位：花。别名：五里香、怕痒花、佛相花）、紫薇根（药用部位：根）。

| 形态特征 |

落叶灌木或小乔木，高可达 7 m；树皮平滑，灰色或灰褐色；枝干多扭曲，小枝纤细，具4棱，略成翅状。叶互生或有时对生，纸质，椭圆形、阔矩圆形或倒卵形，长 2.5 ~ 7 cm，宽 1.5 ~ 4 cm，先端短尖或钝形，有时微凹，基部阔楔形或近圆形，无毛或下面沿中脉有微柔毛，侧脉 3 ~ 7 对，小脉不明显；无柄或叶柄很短。花淡红色或紫色、白色，直径3 ~ 4 cm，常组成 7 ~ 20 cm 的顶生圆锥花序；花梗长 3 ~ 15 mm，中轴及花梗均被柔毛；花萼长 7 ~ 10 mm，外面平滑无棱，但鲜时萼筒有微突起短棱，两面无毛，裂片6，三角形，直立，无附属体；花瓣6，皱缩，长 12 ~ 20 mm，具长爪；雄蕊 36 ~ 42，外面 6 着生于花萼上，比其余的长得多；子房 3 ~ 6 室，无毛。蒴果椭圆状球形或阔椭圆形，长 1 ~ 1.3 cm，幼时绿色至黄色，成熟时或干燥时呈紫黑色，室背开裂；种子有翅，长约 8 mm。花期 6 ~ 9 月，果期 9 ~ 12 月。

| 生境分布 | 生于肥沃湿润的土壤上。分布于河北平泉、永年等。

| 资源情况 | 野生资源丰富。药材来源于野生。

| 采收加工 | **紫薇花**：6 ~ 9 月开花时采收，鲜用或干燥。
紫薇根：全年均可采挖，洗净，切片，晒干，或鲜用。

| 药材性状 | **紫薇花**：本品淡红紫色，直径约 3 cm；花萼绿色，长约 1 cm，先端 6 浅裂，宿存；花瓣 6，下部有细长的爪，花瓣近圆球形而呈皱波状，边缘有不规则的缺刻；雄蕊多数，生于萼筒基部，外轮 6，花丝较长。气微，味淡。
紫薇根：本品呈圆柱形，有分枝，长短大小不一。表面灰棕色，有细纵皱纹，栓皮薄，易剥落。质硬，不易折断，断面不整齐，淡黄白色。无臭，味淡、微涩。

| 功能主治 | **紫薇花**：苦、酸，寒。清热解毒，活血止血。用于疮疖，痈疽，小儿胎毒，疥癣，血崩，带下，肺痨咯血，小儿惊风。
紫薇根：苦，微寒。清热利湿，活血止血，止痛。用于痢疾，水肿，烫火伤，湿疹，痈肿疮毒，跌打损伤，血崩，偏头痛，牙痛，痛经，产后腹痛。

| 用法用量 | **紫薇花**：内服煎汤，10 ~ 15 g；或研末。外用适量，研末调敷；或煎汤洗。
紫薇根：内服煎汤，10 ~ 15 g。外用适量，研末调敷；或煎汤洗。

| 附　　注 | 本种半阴生，喜生于肥沃湿润的土壤上，也能耐旱，不论钙质土或酸性土都生长良好。

石榴科 Punicaceae 石榴属 Punica

石榴
Punica granatum L.

植物别名

若榴木、丹若、山力叶。

药材名

石榴皮（药用部位：果皮。别名：石榴壳、酸榴皮）、石榴叶（药用部位：叶）、石榴花（药用部位：花。别名：榴花）、石榴根（药用部位：根。别名：醋石榴极、酸榴根）。

形态特征

落叶灌木或乔木，高通常 3～5 m，稀达 10 m，枝顶常成尖锐长刺，幼枝具棱角，无毛，老枝近圆柱形。叶通常对生，纸质，矩圆状披针形，长 2～9 cm，先端短尖、钝尖或微凹，基部短尖至稍钝形，上面光亮，侧脉稍细密；叶柄短。花大，1～5 生枝顶；萼筒长 2～3 cm，通常红色或淡黄色，裂片略外展，卵状三角形，长 8～13 mm，外面近先端有 1 黄绿色腺体，边缘有小乳突；花瓣通常大，红色、黄色或白色，长 1.5～3 cm，宽 1～2 cm，先端圆形；花丝无毛，长达 13 mm；花柱长超过雄蕊。浆果近球形，直径 5～12 cm，通常为淡黄褐色或淡黄绿色，有时白色，稀暗紫色。种子多数，钝角形，红色至乳白色，肉质的外种皮供食用。

| **生境分布** | 生于向阳山坡或栽培于庭园等处。分布于河北平泉、涉县等。

| **资源情况** | 野生资源一般，栽培资源丰富。药材主要来源于栽培。

| **采收加工** | 石榴皮：秋季果实成熟，先端开裂时采摘，除去种子及隔瓤，切瓣晒干，或微
火烘干。

石榴叶：夏、秋季采收，洗净，鲜用或晒干。

石榴花：5 月花开时采收，鲜用或烘干。

石榴根：秋、冬季采挖根部，洗净，切片，或剥取根皮切片，鲜用或晒干。

| 药材性状 | **石榴皮**：本品呈半圆形或不规则块片，大小不一，厚 1.5 ～ 3 mm。外表面黄棕色、暗红色或棕红色，稍具光泽，粗糙，有棕色小点，有的有凸起的筒状宿存萼或粗短果柄。内表面黄色或红棕色，有种子脱落后的凹窝，呈网状隆起。质硬而脆，断面黄色，略显颗粒状。气微，味苦、涩。以皮厚、色棕红者为佳。
石榴根：本品呈圆柱形，根皮呈不规则的卷曲状或扁平的块状。外表面土黄色，粗糙，具深棕色鳞片状木栓，脱落后留有斑窝；皮内表面暗棕色。折断面内层不明显。气微，味涩。

| 功能主治 | **石榴皮**：酸、涩，温；有小毒。归大肠经。涩肠止泻，止血，驱虫。用于久泻，久痢，便血，脱肛，崩漏，带下，虫积腹痛。
石榴叶：收敛止泻，解毒杀虫。用于泄泻，痘风疮，癞疮，跌打损伤。
石榴花：酸、涩，平。凉血，止血。用于衄血，吐血，外伤出血，月经不调，红崩白带，中耳炎。
石榴根：酸、涩，温。驱虫，涩肠，止带。用于蛔虫病，绦虫病，久泻，久痢，赤白带下。

| 用法用量 | **石榴皮**：内服煎汤，3 ～ 10 g；或入丸、散剂。外用适量，煎汤熏洗；或研末撒；或研末调敷。
石榴叶：内服煎汤，15 ～ 30 g。外用适量，煎汤洗；或捣敷。
石榴花：内服煎汤，3 ～ 6 g；或入散剂。外用适量，研末撒或调敷。
石榴根：内服煎汤，6 ～ 12 g。

| 附 注 | 本种果实为优良水果，种子可食，花供观赏；根皮及果皮均含有鞣质，可用于提取栲胶，也可作为黑色染料；果皮、根及花均可入药，有收敛止泻、杀虫、止血之效。

柳叶菜科 Onagraceae 柳兰属 Chamerion

柳兰
Chamerion angustifolium (Linnaeus) Holub

| **植物别名** | 铁筷子、火烧兰、糯芋。

| **药 材 名** | 红筷子（药用部位：全草。别名：山麻条、柳叶菜、遍山红）、红
筷子冠毛（药用部位：种缨）、糯芋（药用部位：根。别名：窄叶
大救驾）。

| **形态特征** | 多年粗壮草本，直立，丛生；根茎广泛匍匐于表土层，长达 2 m，
直径达 2 cm，木质化，自茎基部生出强壮的越冬根出条。茎高
20 ~ 130 cm，直径 2 ~ 10 mm，不分枝或上部分枝，圆柱状，无毛，
下部多少木质化，表皮撕裂状脱落。叶螺旋状互生，稀近基部对生，
无柄，茎下部的近膜质，披针状长圆形至倒卵形，长 0.5 ~ 2 cm，
常枯萎，褐色，中上部的叶近革质，线状披针形或狭披针形，长

（3～）7～14（～19）cm，宽（0.3～）0.7～1.3（～2.5）cm，先端渐狭，基部钝圆或有时宽楔形，上面绿色或淡绿色，两面无毛，近全缘或边缘具稀疏浅小齿，稍微反卷，侧脉常不明显，每侧10～25，近平展或稍上斜出至近边缘处网结。花序总状，直立，长5～40cm，无毛；苞片下部的叶状，长2～4cm，上部的很小，三角状披针形，长不及1cm。花在芽时下垂，到开放时直立展开；花蕾倒卵状，长6～12mm，直径4～6mm；子房淡红色或紫红色，长0.6～2cm，被贴生灰白色柔毛；花梗长0.5～1.8cm；花管缺，花盘深0.5～1mm，直径2～4mm；萼片紫红色，长圆状披针形，长6～15mm，宽1.5～2.5mm，先端渐狭渐尖，被灰白色柔毛；萼片粉红色至紫红色，稀白色，稍不等大，上面2较长大，倒卵形或狭倒卵形，长9～15（～19）mm，宽3～9

（~ 11）mm，全缘或先端具浅凹缺；花药长圆形，长 2 ~ 2.5 mm，初期红色，开裂时变紫红色，产生带蓝色的花粉，花粉粒常 3 孔，直径平均 67.7 μm，花丝长 7 ~ 14 mm；花柱 8 ~ 14 mm，开放时强烈反折，后恢复直立，下部被长柔毛；柱头白色，深 4 裂，裂片长圆状披针形，长 3 ~ 6 mm，宽 0.6 ~ 1 mm，上面密生小乳突。蒴果长 4 ~ 8 cm，密被贴生的白灰色柔毛；果柄长 0.5 ~ 1.9 cm。种子狭倒卵状，长 0.9 ~ 1 mm，直径 0.35 ~ 0.45 mm，先端短渐尖，具短喙，褐色，表面近光滑但具不规则的细网纹；种缨丰富，长 10 ~ 17 mm，灰白色，不易脱落。花期 6 ~ 9 月，果期 8 ~ 10 月。

| 生境分布 | 生于我国北方海拔 500 ~ 3 100 m、西南海拔 2 900 ~ 4 700 m 的山区半开旷或开旷较湿润草坡灌丛、火烧迹地、高山草甸、河滩、砾石坡。分布于河北赤城、丰宁、沽源等。

| 资源情况 | 野生资源丰富。药材主要来源于野生。

| 采收加工 | **红筷子：** 夏、秋季采收，晒干或鲜用。

红筷子冠毛： 秋季采收，鲜用。

糯芋： 秋季采挖，除去地上部分及泥土，晒干或鲜用。

| 功能主治 | **红筷子：** 苦，平。利水渗湿，理气消胀，活血调经。用于水肿，泄泻，食积胀满，月经不调，乳汁不通，阴囊肿大，疮疹痒痛。

红筷子冠毛： 收敛止血。用于刀伤，出血。

糯芋： 辛、苦，平；有毒。活血祛瘀，接骨，止痛。用于跌打伤肿，骨折，风湿痹痛，痛经。

| 用法用量 | **红筷子：** 内服煎汤，15 ~ 30 g。外用适量，捣敷。

红筷子冠毛： 外用适量，捣敷。

糯芋： 内服煎汤，1 ~ 1.5 g。外用适量，捣敷；或研末调敷。

柳叶菜科 Onagraceae 柳叶菜属 *Epilobium*

柳叶菜
Epilobium hirsutum L.

| 植物别名 | 鸡脚参、水朝阳花。

| 药 材 名 | 柳叶菜花（药用部位：花。别名：地母怀胎草花、水丁香花）、柳叶菜根（药用部位：根。别名：地母怀胎草根、水丁香根、白带丹根）。

| 形态特征 | 多年生粗壮草本，有时近基部木质化，在秋季自根颈常平卧生出，长可达 1 m。地下匍匐根茎多粗壮，茎上疏生鳞片状叶，先端常生莲座状叶芽。茎高 25 ~ 120（~ 250）cm，直径 3 ~ 12（~ 22）mm，常在中上部多分枝，周围密被伸展长柔毛，常混生较短而直的腺毛，尤花序上如此，稀密被白色绵毛。叶草质，对生，茎上部的互生，无柄，并多少抱茎；茎生叶披针状椭圆形至狭倒卵形或椭圆形，稀

狭披针形，长 4 ~ 12（~ 20）cm，宽 0.3 ~ 3.5（~ 5）cm，先端锐尖至渐尖，基部近楔形，边缘每侧具 20 ~ 50 细锯齿，两面被长柔毛，有时在背面混生短腺毛，稀背面密被绵毛或近无毛，侧脉常不明显，每侧 7 ~ 9。总状花序直立；苞片叶状。花直立，花蕾卵状长圆形，长 4.5 ~ 9 mm，直径 2.5 ~ 5 mm；子房灰绿色至紫色，长 2 ~ 5 cm，密被长柔毛与短腺毛，有时主要被腺毛，稀被绵毛并无腺毛；花梗长 0.3 ~ 1.5 cm；花管长 1.3 ~ 2 mm，直径 2 ~ 3 mm，在喉部有 1 圈长白毛；萼片长圆状线形，长 6 ~ 12 mm，宽 1 ~ 2 mm，背面隆起成龙骨状，被毛同子房；花瓣常玫瑰红色，或粉红色、紫红色，宽倒心形，长

9 ~ 20 mm，宽 7 ~ 15 mm，先端凹缺，深 1 ~ 2 mm；花药乳黄色，长圆形，长 1.5 ~ 2.5 mm，宽 0.6 ~ 1 mm；花丝外轮的长 5 ~ 10 mm，内轮的长 3 ~ 6 mm；花柱直立，长 5 ~ 12 mm，白色或粉红色，无毛，稀疏生长柔毛；柱头白色，4 深裂，裂片长圆形，长 2 ~ 3.5 mm，初时直立，彼此合生，开放时展开，不久下弯，外面无毛或有稀疏的毛，长稍高过雄蕊。蒴果长 2.5 ~ 9 cm，被毛同子房；果柄长 0.5 ~ 2 cm。种子倒卵状，长 0.8 ~ 1.2 mm，直径 0.35 ~ 0.6 mm，先端具很短的喙，深褐色，表面具粗乳突；种缨长 7 ~ 10 mm，黄褐色或灰白色，易脱落。花期 6 ~ 8 月，果期 7 ~ 9 月。

| 生境分布 |　生于黄河流域以北海拔（150 ~ ）500 ~ 2 000 m、西南海拔（180 ~ ）700 ~

2 800（～ 3 500） m 的河谷、溪流河床沙地或石砾地或沟边、湖边向阳湿处，也生于灌丛、荒坡、路旁，常成片生长。分布于河北赤城、丰宁、灵寿等。

| 资源情况 | 野生资源一般，栽培资源一般。药材主要来源于栽培。

| 采收加工 | 柳叶菜花：6～9 月采收，阴干。

柳叶菜根：8～11 月采挖，切段，晒干。

| 功能主治 | 柳叶菜花：苦、甘，凉。归肝、胃经。清热止痛，调经涩带。用于牙痛，咽喉肿痛，目赤肿痛，月经不调，带下过多。

柳叶菜根：苦，平。归肝、胃经。疏风清热，解毒利咽，止咳，利湿。用于风热感冒，暗哑，咽喉肿痛，肺热咳嗽，水肿，淋痛，湿热泻痢，风湿热痹，疮痈，毒虫咬伤。

| 用法用量 | 柳叶菜花：内服煎汤，9～15 g。

柳叶菜根：内服煎汤，6～15 g。外用适量，捣敷；或研末敷。

| 附 注 | （1）本种广布于欧亚大陆温带地区，植株大小、叶片大小、花大小及有无毛被等在不同地域生境变异很大。生于新疆至中亚广泛地区的本种植物茎叶花序密布灰白色绵毛，几乎无腺毛，而生于云南西北部的本种植物的毛被常以腺毛占优势，与其他地区不同。

（2）本种嫩苗、嫩叶可作色拉凉菜；全草或根入药可消炎止痛、祛风除湿，对跌打损伤具活血止血、生肌之效。

柳叶菜科 Onagraceae 柳叶菜属 Epilobium

小花柳叶菜

Epilobium parviflorum Schreber

| 药 材 名 | 水虾草（药用部位：全草。别名：野合香、山芝麻、棒棒草）、水虾草根（药用部位：根。别名：地母怀胎草根）。

| 形态特征 | 多年生粗壮草本，直立，秋季自茎基部生出地上生的越冬的莲座状叶芽。茎高 18 ~ 100 mm，直径 3 ~ 10 mm，在上部常分枝，周围混生长柔毛与短的腺毛，下部被伸展的灰色长柔毛，同时叶柄下延的棱线多少明显。叶对生，茎上部的互生，狭披针形或长圆状披针形，长 3 ~ 12 mm，宽 0.5 ~ 2.5 mm，先端近锐尖，基部圆形，边缘每侧具 15 ~ 60 不等距的细牙齿，两面被长柔毛，侧脉每侧 4 ~ 8，叶柄近无或长 1 ~ 3 mm。总状花序直立，常分枝，苞片叶状。花直立，花蕾长圆状倒卵球形，长 3 ~ 5 mm，直径 2 ~ 3 mm，子房长 1 ~ 4 mm，密被直立短腺毛，有时混生少数长柔毛，花梗长

0.3 ～ 1 mm，花管长 1 ～ 1.9 mm，直径 1.3 ～ 2.5 mm，在喉部有 1 圈长毛，萼片狭披针形，长 2.5 ～ 6 mm，背面隆起成龙骨状，被腺毛与长柔毛，花瓣粉红色至鲜玫瑰紫红色，稀白色，宽倒卵形，长 4 ～ 8.5 mm，宽 3 ～ 4.5 mm，先端凹缺深 1 ～ 3.5 mm，雄蕊长圆形，长 0.5 ～ 1.3 mm，直径 0.35 ～ 0.6 mm，花丝外轮的长 2.6 ～ 6 mm，内轮的长 1.2 ～ 3.5 mm，花柱直立长 2.6 ～ 6 mm，白色至粉红色，无毛，柱头 4 深裂，裂片长圆形，长 1 ～ 1.8 mm，初时直立，后下弯，与雄蕊近等长。蒴果长 3 ～ 7 mm，被毛同子房，果柄长 0.5 ～ 1.8 mm。种子倒卵球状，长 0.8 ～ 1.1 mm，直径 0.4 ～ 0.5 mm，先端圆形，具很不明显的喙，褐色，表面具粗乳突，种缨长 5 ～ 9 mm，深灰色或灰白色，易脱落。花期 6 ～ 9 月，果期 7 ～ 10 月。

| 生境分布 | 生于海拔 500 ～ 1 800 m 的山区河谷、溪流、湖泊湿润地或向阳的荒坡草地。分布于河北丰宁、沽源、行唐等。

| 资源情况 | 野生资源丰富。药材来源于野生。

| 采收加工 | **水虾草：**秋季采收地上部分，鲜用或晒干。
水虾草根：秋季采挖，洗净，切片，晒干或鲜用。

| 功能主治 | **水虾草：**辛、淡，寒。散风止咳，清热止泻。用于感冒发热，咳嗽，暑热水泻，疔疮肿毒。
水虾草根：辛、苦，平。祛风除湿，舒筋活血。用于风湿痹痛，劳伤腰痛，跌打骨折，赤白带下。

| 用法用量 | **水虾草：**内服煎汤，10 ～ 30 g。外用适量，捣敷。
水虾草根：内服煎汤，6 ～ 15 g；或浸酒。外用适量，捣敷。

| 附　　注 | 本种与柳叶菜 *Epilobium hirsutum* L. 近似，区别在于本种叶多少具短柄，基部不抱茎；花较小，花瓣长 5 ～ 8 mm；雌蕊与外轮雄蕊等长，越冬莲座状芽不具匍匐枝等。

柳叶菜科 Onagraceae 柳叶菜属 Epilobium

沼生柳叶菜 *Epilobium palustre* L.

| 植物别名 | 独木牛、沼泽柳叶菜、水湿柳叶菜。

| 药材名 | 沼生柳叶菜（药用部位：全草）。

| 形态特征 | 多年生直立草本，自茎基部底下或地上生出纤细的越冬匐匍枝，长 5～50 cm，稀疏的节上生成对的叶，顶生肉质鳞芽，次年鳞叶变褐色，生茎基部。茎高（5～）15～70 cm，直径 0.5～5.5 mm，不分枝或分枝，有时中部叶腋有退化枝，圆柱状，无棱线，周围被曲柔毛，有时下部近无毛。叶对生，花序上的互生，近线形至狭披针形，长 1.2～7 cm，宽 0.3～1.2（～1.9）cm，先端锐尖或渐尖，有时稍钝，基部近圆形或楔形，全缘或每边有 5～9 不明显浅齿，侧脉每侧 3～5，不明显，下面脉上与边缘疏生曲柔毛或近无

毛；叶柄缺或稀长 1 ~ 3 mm。花序花前直立或稍下垂，密被曲柔毛，有时混生腺毛。花近直立；花蕾椭圆状卵形，长 2 ~ 3 mm，直径 1.8 ~ 2.2 mm；子房长 1.6 ~ 2.5（~ 3）cm；密被曲柔毛与稀疏的腺毛；花梗长 0.8 ~ 1.5 cm；花管长 1 ~ 1.2 mm，直径 1.3 ~ 2 mm，喉部近无毛或有 1 圈稀疏的毛；萼片长圆状披针形，长 2.5 ~ 4.5 mm，宽 1 ~ 1.2 mm，先端锐尖，密被曲柔毛与腺毛；花瓣白色至粉红色或玫瑰紫色，倒心形，长（3 ~）5 ~ 7（~ 9）mm，宽 2 ~ 3（~ 4.5）mm，先端的凹缺深 0.8 ~ 1 mm；花药长圆状，长 0.4 ~ 0.6 mm，宽 0.2 ~ 0.4 mm；花丝外轮的长 2 ~ 2.8 mm，内轮的长 1.2 ~ 1.5 mm；花柱长 1.4 ~ 3.8 mm，直立，无毛；柱头棍棒状至近圆柱状，长 1 ~ 1.8 mm，直径 0.4 ~ 0.7 mm，开花时稍伸出外轮花药。蒴果长 3 ~ 9 cm，被曲柔毛；果柄长 1 ~ 5 cm。种子棱形至狭倒卵状，长（1.1 ~）1.3 ~ 2.2 mm，直径 0.38 ~ 0.55 mm，先端具长喙（长 0.08 ~ 0.3 mm），褐色，表面具细小乳突；种缨灰白色或褐黄色，长 6 ~ 9 mm，不易脱落。花期 6 ~ 8 月，果期 8 ~ 9 月。

| **生境分布** | 生于我国北方海拔 200 ~ 2 500 m、西南海拔 2 500 ~ 4 500（~ 4 950）m 的湖塘、沼泽、河谷、溪沟旁、亚高山与高山草地湿润处。分布于河北滦平、平泉等。

| **资源情况** | 野生资源丰富。药材来源于野生。

| **采收加工** | 8 ~ 9 月采收，洗净，晒干。

| **功能主治** | 淡，平。疏风清热，解毒利咽，止咳，利湿。用于风热感冒，喑哑，咽喉肿痛，肺热咳嗽，水肿，淋痛，湿热泻痢，风湿热痹，疮痈，毒蛇咬伤。

| **用法用量** | 内服煎汤，6 ~ 20 g；或捣汁。外用适量，捣敷；或煎汤洗。

柳叶菜科 Onagraceae 露珠草属 Circaea

高山露珠草

Circaea alpina L.

| 药 材 名 | 高山露珠草（药用部位：全草。别名：就就草、蛆儿草）。

| 形态特征 | 植株高 3 ~ 50 cm，无毛或茎上被短镰状毛及花序上被腺毛；根茎先端有块茎状加厚。叶形变异极大，自狭卵状菱形或椭圆形至近圆形，长 1 ~ 11 cm，宽 0.7 ~ 5.5（~ 8）cm，基部狭楔形至心形，先端急尖至短渐尖，近全缘至尖锯齿。顶生总状花序长 12（~ 17）cm。花梗与花序轴垂直 [见于深山露珠草 *Circaea alpina* L. subsp. *caulescens* (Komarov) Tatewaki 及狭叶露珠草 *Circaea alpina* L. subsp. *angustifolia* (Hand.-Mazz) Boufford 中] 或花梗呈上升或直立，基部有时有一刚毛状小苞片。花芽无毛，稀近无毛；花萼无或短，最长达 0.6 mm；萼片白色或粉红色，稀紫红色，或只先端淡紫色，矩圆状椭圆形、卵形、阔卵形或三角状卵形，长 0.8 ~ 2 mm，

宽 0.6 ~ 1.3 mm，无毛，先端钝圆或微呈乳突状，伸展或微反曲；花瓣白色，狭倒三角形、倒三角形、倒卵形至阔倒卵形，长 0.5 ~ 2 mm，宽 0.6 ~ 1.9 mm，先端无凹缺至凹达花瓣的中部，花瓣裂片圆形至截形，稀呈细圆齿状 [见于狭叶露珠草 *Circaea alpina* subsp. *angustifolia* (Hand.-Mazz) Boufford 中]；雄蕊直立或上升，稀伸展，与花柱等长或略长于花柱；蜜腺不明显，藏于花管内。果实棒状至倒卵状，长 1.6 ~ 2.7 mm，直径 0.5 ~ 1.2 mm，基部平滑地渐狭向果柄，1 室，具 1 种子，表面无纵沟，但果柄延伸部分有浅槽；成熟果实连果柄长 3.5 ~ 7.8 mm。

| **生境分布** | 生于自海平面至海拔 2 500 m 的潮湿处和苔藓覆盖的岩石或木头上。分布于河北涞源、滦平、青龙等。

| **资源情况** | 野生资源丰富。药材来源于野生。

| **采收加工** | 7 ~ 8 月采收全草，晒干。

| **功能主治** | 甘、苦，寒。养心安神，消食，止咳，解毒，止痒。用于心悸，失眠，多梦，疳积，咳嗽，疮疡脓肿，湿疣，癣痒。

| **用法用量** | 内服煎汤，6 ~ 15 g；或研末。外用适量，捣敷；或煎汤洗。

柳叶菜科 Onagraceae 露珠草属 Circaea

露珠草

Circaea cordata Royle

| 植物别名 |

心叶露珠草、牛泷草。

| 药 材 名 |

露珠草（药用部位：全草）。

| 形态特征 |

粗壮草本，高 20 ～ 150 cm，被平伸的长柔毛、镰状外弯的曲柔毛和先端头状或棒状的腺毛，毛被通常较密；根茎不具块茎。叶狭卵形至宽卵形，中部的长 4 ～ 11（～ 13）cm，宽 2.3 ～ 7（～ 11）cm，基部常心形，有时阔楔形至阔圆形或截形，先端短渐尖，边缘具锯齿至近全缘。单总状花序顶生，或基部具分枝，长 2 ～ 20 cm；花梗长 0.7 ～ 2 mm，与花序轴垂直生或在花序先端簇生，被毛，基部有一极小的刚毛状小苞片；花芽或多或少被直或微弯稀具钩的长毛；花管长 0.6 ～ 1 mm；萼片卵形至阔卵形，长 2 ～ 3.7 mm，宽 1.4 ～ 2 mm，白色或淡绿色，开花时反曲，先端钝圆形，花瓣白色，倒卵形至阔倒卵形，长 1 ～ 2.4 mm，宽 1.2 ～ 3.1 mm，先端倒心形，凹缺深至花瓣长度的 1/2 ～ 2/3，花瓣裂片阔圆形；雄蕊伸展，略短于花柱或与花柱近等长；

蜜腺不明显，全部藏于花管之内。果实斜倒卵形至透镜形，长 3 ~ 3.9 mm，直径 1.8 ~ 3.3 mm，2 室，具 2 种子，背面压扁，基部斜圆形或斜截形，边缘及子房室之间略显木栓质增厚，但不具明显的纵沟；成熟果实连果柄长 4.4 ~ 7 mm。花期 6 ~ 8 月，果期 7 ~ 9 月。

| 生境分布 | 生于自海平面至海拔 3 500 m 的排水良好的落叶林，稀见于北方针叶林。分布于河北阜平、宽城、灵寿等。

| 资源情况 | 野生资源丰富。药材来源于野生。

| 采收加工 | 秋季采收，鲜用或晒干。

| 功能主治 | 苦，凉。清热解毒，化瘀止血。用于疔疮，无名肿毒，刀伤出血，疥癣。

| 用法用量 | 内服煎汤，6 ~ 15 g。外用适量，捣敷。

柳叶菜科 Onagraceae 月见草属 Oenothera

月见草 *Oenothera biennis* L.

| **植物别名** | 夜来香、山芝麻。

| **药 材 名** | 月见草子（药用部位：种子）。

| **形态特征** | 直立二年生粗壮草本，基生莲座叶丛紧贴地面；茎高 50 ~ 200 cm，不分枝或分枝，被曲柔毛与伸展长毛（毛的基部疱状），在茎枝上端常混生有腺毛。基生叶倒披针形，长 10 ~ 25 cm，宽 2 ~ 4.5 cm，先端锐尖，基部楔形，边缘疏生不整齐的浅钝齿，侧脉每侧 12 ~ 15，两面被曲柔毛与长毛；叶柄长 1.5 ~ 3 cm。茎生叶椭圆形至倒披针形，长 7 ~ 20 cm，宽 1 ~ 5 cm，先端锐尖至短渐尖，基部楔形，边缘每边有 5 ~ 19 稀疏钝齿，侧脉每侧 6 ~ 12，每边两面被曲柔毛与长毛，尤其茎上部的叶下面与叶缘常混生有腺毛；叶

柄长可达 15 mm。花序穗状，不分枝，或在主序下面具次级侧生花序；苞片叶状，芽时长及花的 1/2，长大后椭圆状披针形，自下向上由大变小，近无柄，长 1.5 ~ 9 cm，宽 0.5 ~ 2 cm，果时宿存，花蕾锥状长圆形，长 1.5 ~ 2 cm，直径 4 ~ 5 mm，先端具长约 3 mm 的喙；花管长 2.5 ~ 3.5 cm，直径 1 ~ 1.2 mm，黄绿色或开花时带红色，被混生的柔毛、伸展的长毛与短腺毛；花后脱落；萼片绿色，有时带红色，长圆状披针形，长 1.8 ~ 2.2 cm，下部宽大处 4 ~ 5 mm，先端骤缩成尾状，长 3 ~ 4 mm，在芽时直立，彼此靠合，开放时自基部反折，但又在中部上翻，毛被同花管；花瓣黄色，稀淡黄色，宽倒卵形，长 2.5 ~ 3 cm，宽 2 ~ 2.8 cm，先端微凹缺；花丝近等长，长 10 ~ 18 mm；花药长 8 ~ 10 mm，花粉约 50% 发育；子房绿色，圆柱状，具 4 棱，长 1 ~ 1.2 cm，直径 1.5 ~ 2.5 mm，密被伸展长毛与短腺毛，有时混生曲柔毛；花柱长 3.5 ~ 5 cm，伸出花管部分长 0.7 ~ 1.5 cm；柱头围以花药。开花时花粉直接授在柱头裂片上，裂片长 3 ~ 5 mm。蒴果锥状圆柱形，向上变狭，长 2 ~ 3.5 cm，直径 4 ~ 5 mm，直立。绿色，毛被同子房，但渐变稀疏，具明显的棱。种子在果实中呈水平状排列，暗褐色，棱形，长 1 ~ 1.5 mm，直径 0.5 ~ 1 mm，具棱角，各面具不整齐洼点。

| 生境分布 | 常生于开旷荒坡路旁。分布于河北涞源、滦平、迁安等。

| 资源情况 | 野生资源一般。药材来源于野生。

| 采收加工 | 7 ~ 8 月果实成熟时采收，用剪刀把果序剪（割）断，或全株拔起，晒干，压或敲打，收集种子。

| 药材性状 | 本品呈锥形或不规则形，长 1.1 ~ 1.5 mm，宽 0.5 ~ 1 mm。表面黄褐色、红褐色、褐色，多具 3 或 4 棱，表面网状纹理较大，略凸起。置放大镜下观察种脐位于较小端，平截，颜色和种子相同。质较脆，手捻外皮易脱落。种子遇水有黏液。气微，味淡。

| 功能主治 | 甘，温。归心、肾、脾经。祛风湿，强筋骨，化浊降脂。用于风湿痹证，筋骨疼痛，痰浊湿盛所致肥胖症。

| 用法用量 | 内服煎汤，5 ~ 15 g。

| 附　　注 | 本种在我国华北地区常有成片野化，其种子含油量达 25.1%，其中含 γ- 亚麻酸达 8.1%，具有开发前景。

小二仙草科 Haloragidaceae 狐尾藻属 Myriophyllum

狐尾藻 *Myriophyllum verticillatum* L.

| **植物别名** | 轮叶狐尾藻。

| **药 材 名** | 狐尾藻（药用部位：全草）。

| **形态特征** | 多年生粗壮沉水草本。根茎发达，在水底泥中蔓延，节部生根。茎圆柱形，长 20 ~ 40 cm，多分枝。叶通常 4 轮生，或 3 ~ 5 轮生，水中叶较长，长 4 ~ 5 cm，丝状全裂，无叶柄；裂片 8 ~ 13 对，互生，长 0.7 ~ 1.5 cm；水上叶互生，披针形，较强壮，鲜绿色，长约 1.5 cm，裂片较宽。秋季于叶腋中生出棍棒状冬芽而越冬。苞片羽状篦齿状分裂。花单性，雌雄同株或杂性、单生于水上叶腋内，每轮具 4 花，花无柄，比叶片短。雌花生于水上茎下部叶腋中，萼片与子房合生，先端 4 裂，裂片较小，长不到 1 mm，卵状三角形；

花瓣 4，舟状，长 2 ~ 3 mm，早落；雌蕊 1，子房广卵形，4 室，柱头 4 裂，裂片三角形。雄花雄蕊 8，花药椭圆形，长 2 mm，淡黄色；花丝丝状，开花后伸出花冠外。果实广卵形，长 3 mm，具 4 浅槽，先端具残存的萼片及花柱。

| **生境分布** | 生于池塘、河沟、沼泽中。分布于河北徐水、安新等。

| **资源情况** | 野生资源丰富。药材来源于野生。

| **采收加工** | 4 ~ 10 月，每隔 2 个月采收 1 次，每次采收池塘中 1/2 的聚藻，鲜用，晒干或烘干。

| **功能主治** | 甘、淡，寒。清热，凉血，解毒。用于热病烦渴，赤白痢疾，丹毒，疮疖，烫伤。

| **用法用量** | 内服煎汤，鲜品 15 ~ 30 g；或捣汁。外用适量，捣敷。

小二仙草科 Haloragidaceae 狐尾藻属 Myriophyllum

穗状狐尾藻 *Myriophyllum spicatum* L.

| 植物别名 |

金鱼藻、聚藻、泥茜。

| 药 材 名 |

聚藻（药用部位：全草。别名：水藻、水蕴、鳃草）。

| 形态特征 |

多年生沉水草本。根茎发达，在水底泥中蔓延，节部生根。茎圆柱形，长 1 ~ 2.5 m，分枝极多。叶常 5 轮生（或 4 ~ 6 轮生、或 3 ~ 4 轮生），长 3.5 cm，丝状全细裂，叶的裂片约 13 对，细线形，裂片长 1 ~ 1.5 cm；叶柄极短或不存在。花两性，单性或杂性，雌雄同株，单生于苞片状叶腋内，常 4 轮生，由多数花排成近裸颓的顶生或腋生的穗状花序，长 6 ~ 10 cm，生于水面上。如为单性花，则上部为雄花，下部为雌花，中部有时为两性花，基部有 1 对苞片，其中 1 片稍大，广椭圆形，长 1 ~ 3 mm，全缘或呈羽状齿裂。雄花萼筒广钟状，先端 4 深裂，平滑；花瓣 4，阔匙形，凹陷，长 2.5 mm，先端圆形，粉红色；雄蕊 8，花药长椭圆形，长 2 mm；淡黄色；无花梗。雌花萼筒管状，4 深裂；花瓣缺，或不明显；子房下位，

4 室，花柱 4，很短且偏于一侧，柱头羽毛状，向外反转，具 4 胚珠；大苞片矩圆形，全缘或有细锯齿，较花瓣短，小苞片近圆形，边缘有锯齿。分生果广卵形或卵状椭圆形，长 2 ~ 3 mm，具 4 纵深沟，沟缘表面光滑。花期从春季到秋季陆续开放，4 ~ 9 月陆续结果。

| 生境分布 | 生于池塘、河沟、沼泽中，特别是在含钙的水域中较常见。分布于河北秦皇岛、承德、保定及涉县、迁西、蔚县等。

| 资源情况 | 野生资源丰富。药材主要来源于野生。

| 采收加工 | 4 ~ 10 月，每隔 2 个月采收 1 次，每次采收池塘中 1/2 的聚藻，鲜用，晒干或烘干。

| 功能主治 | 甘、淡，寒。清热，凉血，解毒。用于热病烦渴，赤白痢疾，丹毒，疮疖，烫伤。

| 用法用量 | 内服煎汤，鲜品 15 ~ 30 g；或捣汁。外用适量，捣敷。

| 附　注 | 瘤果狐尾藻 *Myriophyllum spicatum* L. var. *muricatum* Maxim. 与穗状狐尾藻的区别在于分果边缘具小瘤状突起。

八角枫科 Alangiaceae 八角枫属 Alangium

瓜木

Alangium platanifolium (Sieb. et Zucc.) Harms

| **植物别名** | 篠悬叶瓜木、八角枫。

| **药 材 名** | 八角枫花（药用部位：花。别名：牛尾巴花）、八角枫根（药用部位：根、须根及根皮。别名：白龙须、白金条、白筋条）。

| **形态特征** | 落叶灌木或小乔木，高 5 ~ 7 m；树皮平滑，灰色或深灰色；小枝纤细，近圆柱形，常稍弯曲，略呈 "之" 字形，当年生枝淡黄褐色或灰色，近无毛；冬芽圆锥状卵圆形，鳞片三角状卵形，覆瓦状排列，外面有灰色短柔毛。叶纸质，近圆形，稀阔卵形或倒卵形，先端钝尖，基部近心形或圆形，长 11 ~ 13（~ 18）cm，宽 8 ~ 11（~ 18）cm，不分裂或稀分裂，分裂者裂片钝尖或锐尖至尾状锐尖，深仅达叶片长度 1/4 ~ 1/3，稀 1/2，边缘呈波状或钝锯齿状，上面深绿色，下面淡绿色，两面除沿叶脉或脉腋幼时有长柔毛或疏柔毛外，其余部

分近无毛；主脉 3 ~ 5，由基部生出，常呈掌状，侧脉 5 ~ 7 对，和主脉相交成锐角，均在叶上面显著，下面微凸起，小叶脉仅在下面显著；叶柄长 3.5 ~ 5（~ 10）cm，圆柱形，稀上面稍扁平或略呈沟状，基部粗壮，向先端逐渐细弱，有稀疏的短柔毛或无毛。聚伞花序生叶腋，长 3 ~ 3.5 cm，通常有 3 ~ 5 花，总花梗长 1.2 ~ 2 cm，花梗长 1.5 ~ 2 cm，几无毛，花梗上有线形小苞片 1，长 5 mm，早落，外面有短柔毛；花萼近钟形，外面具稀疏短柔毛，裂片 5，三角形，长和宽均约 1 mm，花瓣 6 ~ 7，线形，紫红色，外面有短柔毛，近基部较密，长 2.5 ~ 3.5 cm，宽 1 ~ 2 mm，基部黏合，上部开花时反卷；雄蕊 6 ~ 7，较花瓣短，花丝略扁，长 8 ~ 14 mm，微有短柔毛，花药长 1.5 ~ 2.1 cm，药隔内面无毛，外面无毛或有疏柔毛；花盘肥厚，近球形，无毛，微现裂痕；子房 1 室，花柱粗壮，长 2.6 ~ 3.6 cm，无毛，柱头扁平。核果长卵圆形或长椭圆形，长 8 ~ 12 mm，直径 4 ~ 8 mm，先端有宿存的花萼裂片，有短柔毛或无毛，有种子 1。花期 3 ~ 7 月，果期 7 ~ 9 月。

| **生境分布** | 生于海拔 2 000 m 以下土质比较疏松而肥沃的向阳山坡或疏林中。分布于河北磁县、涉县等。

| **资源情况** | 野生资源丰富。药材主要来源于野生。

| **采收加工** | 八角枫花：5 ~ 7 月采收，晒干。

八角枫根：8 ~ 10 月挖取根或须根，或剥取根皮，洗净，晒干。

| **药材性状** | 八角枫根：本品呈圆柱形，略成波状弯曲，长者可至 1 m 以上，直径 2 ~ 8 mm，有分枝及众多纤细须状根或其残基。表面灰黄色至棕黄色，栓皮纵裂，有时剥离。质坚脆，折断面不平坦，黄白色，粉性。气微，味淡。

| **功能主治** | 八角枫花：辛，平；有小毒。归肝、胃经。散风，理气，止痛。用于头风头痛，胸腹胀痛。

八角枫根：辛、苦，温；有小毒。归肝、肾、心经。祛风除湿，舒筋活络，散瘀止痛。用于风湿痹痛，瘫痪，鹤膝风，无名肿毒，跌打损伤。

| **用法用量** | 八角枫花：内服煎汤，3 ~ 10 g；或研末。

八角枫根：内服煎汤，须根 1 ~ 3 g，根 3 ~ 6 g；或浸酒。外用适量，捣敷；或煎汤洗。

| **附　　注** | 本种的树皮含鞣质，纤维可作人造棉，根叶药用可治风湿和跌打损伤等病，亦可作农药。

山茱萸科 Cornaceae 山茱萸属 *Cornus*

红瑞木
Cornus alba Linnaeus

| 植物别名 | 凉子木、红瑞山茱萸。

| 药 材 名 | 红瑞木（药用部位：皮、枝叶。别名：椋子木）、红瑞木果（药用部位：果实）。

| 形态特征 | 灌木，高达 3 m。树皮紫红色，幼枝有淡白色短柔毛，后即秃净而被蜡状白粉，老枝红白色，散生灰白色圆形皮孔及略凸起的环形叶痕。冬芽卵状披针形，长 3 ~ 6 mm，被灰白色或淡褐色短柔毛。叶对生，纸质，椭圆形，稀卵圆形，长 5 ~ 8.5 cm，宽 1.8 ~ 5.5 cm，先端突尖，基部楔形或阔楔形，全缘或波状反卷，上面暗绿色，有极少的白色平贴短柔毛，下面粉绿色，被白色贴生短柔毛，有时脉腋有浅褐色髯毛，中脉在上面微凹陷，下面凸起，侧脉（4 ~ ）5（ ~ 6）

对，弓形内弯，在上面微凹下，下面凸出，细脉在两面微显明。伞房状聚伞花序顶生，较密，宽 3 cm，被白色短柔毛；总花梗圆柱形，长 1.1 ~ 2.2 cm，被淡白色短柔毛；花小，白色或淡黄白色，长 5 ~ 6 mm，直径 6 ~ 8.2 mm，花萼裂片 4，尖三角形，长 0.1 ~ 0.2 mm，短于花盘，外侧有疏生短柔毛；花瓣 4，卵状椭圆形，长 3 ~ 3.8 mm，宽 1.1 ~ 1.8 mm，先端急尖或短渐尖，上面无毛，下面疏生贴生短柔毛；雄蕊 4，长 5 ~ 5.5 mm，着生于花盘外侧，花丝线形，微扁，长 4 ~ 4.3 mm，无毛，花药淡黄色，2 室，卵状椭圆形，长 1.1 ~ 1.3 mm，"丁"字形着生；花盘垫状，高 0.2 ~ 0.25 mm；花柱圆柱形，长 2.1 ~ 2.5 mm，近无毛，柱头盘状，宽于花柱，子房下位，花托倒卵形，长 1.2 mm，直径 1 mm，被贴生灰白色短柔毛；花梗纤细，长 2 ~ 6.5 mm，被淡白色短柔毛，与子房交接处有关节。核果长圆形，微扁，长约 8 mm，直径 5.5 ~ 6 mm，成熟时乳白色或蓝白色，花柱宿存；核棱形，侧扁，两端稍尖呈喙状，长 5 mm，宽 3 mm，每侧有脉纹 3；果柄细圆柱形，长 3 ~ 6 mm，有疏生短柔毛。花期 6 ~ 7 月，果期 8 ~ 10 月。

| 生境分布 | 生于海拔 600 ~ 1 700 m 的杂木林或针阔叶混交林中。分布于河北围场、武安、涿鹿等。

| 资源情况 | 野生资源丰富。药材来源于野生。

| 采收加工 | **红瑞木**：全年均可采收，切段，晒干。
红瑞木果：秋季果实成熟时采收，晒干。

| 功能主治 | **红瑞木**：苦、微涩，寒。清热解毒，止痢，止血。用于湿热痢疾，肾炎，风湿关节痛，目赤肿痛，中耳炎，咯血，便血。
红瑞木果：酸、涩，平。滋肾强壮。用于肾虚腰痛，体弱羸瘦。

| 用法用量 | **红瑞木**：内服煎汤，6 ~ 9 g。外用适量，煎汤洗；或研末撒。
红瑞木果：内服煎汤，3 ~ 9 g；或浸酒。

| 山茱萸科 | Cornaceae | 山茱萸属 | Cornus |

毛梾

Cornus walteri Wangerin

植物别名

小六谷、车梁木。

药材名

毛梾枝叶（药用部位：枝叶。别名：癫树叶）。

形态特征

落叶乔木，高 6 ～ 15 m。树皮厚，黑褐色，纵裂而又横裂成块状；幼枝对生，绿色，略有棱角，密被贴生灰白色短柔毛，老后黄绿色，无毛。冬芽腋生，扁圆锥形，长约 1.5 mm，被灰白色短柔毛。叶对生，纸质，椭圆形、长圆状椭圆形或阔卵形，长 4 ～ 12（～ 15.5）cm，宽 1.7 ～ 5.3（～ 8）cm，先端渐尖，基部楔形，有时稍不对称，上面深绿色，稀被贴生短柔毛，下面淡绿色，密被灰白色贴生短柔毛，中脉在上面明显，下面凸出，侧脉 4（～ 5）对，弓形内弯，在上面稍明显，下面凸起；叶柄长 0.8 ～ 3.5 cm，幼时被有短柔毛，后渐无毛，上面平坦，下面圆形。伞房状聚伞花序顶生，花密，宽 7 ～ 9 cm，被灰白色短柔毛；总花梗长 1.2 ～ 2 cm；花白色，有香味，直径 9.5 mm；花萼裂片 4，绿色，齿状三角形，长约 0.4 mm，与花盘近等长，外侧被有黄白色短柔毛；花瓣 4，长圆状披针形，长 4.5 ~ 5 mm，宽 1.2 ~ 1.5 mm，上面无毛，下面有贴生短柔毛；雄蕊 4，无毛，长 4.8 ~ 5 mm，花丝线形，微扁，长 4 mm，花药淡黄色，长圆卵形，2 室，长 1.5 ~ 2 mm，"丁"字形着生；花盘明显，垫状或腺体状，无毛；花柱棍棒形，长 3.5 mm，被有稀疏的贴生短柔毛，柱头小，头状，子房下位，花托倒卵形，长 1.2 ~ 1.5 mm，直径 1 ~ 1.1 mm，密被灰白色贴生短柔毛；花梗细圆柱形，长 0.8 ~ 2.7 mm，有稀疏短柔毛。核果球形，直径 6 ~ 7（~ 8）mm，成熟时黑色，近无毛；核骨质，扁圆球形，直径 5 mm，高 4 mm，有不明显的肋纹。花期 5 月，果期 9 月。

| 生境分布 | 生于海拔 300 ~ 1 800 m，稀达 2 600 ~ 3 300 m 的杂木林或密林下。分布于河北井陉、蔚县、武安等。

| 资源情况 | 野生资源丰富。药材主要来源于野生。

| 采收加工 | 春、夏季采收，鲜用或晒干。

| 功能主治 | 解毒敛疮。用于漆疮。

| 用法用量 | 外用适量，捣涂；或煎汤洗；或研末撒。

山茱萸科 Cornaceae 山茱萸属 *Cornus*

山茱萸 *Cornus officinalis* Siebold & Zucc.

| 植物别名 |

枣皮。

| 药 材 名 |

山茱萸（药用部位：干燥果肉。别名：蜀枣、魁实、鼠矢）。

| 形态特征 |

落叶乔木或灌木，高 4 ~ 10 m；树皮灰褐色；小枝细圆柱形，无毛或稀被贴生短柔毛冬芽顶生及腋生，卵形至披针形，被黄褐色短柔毛。叶对生，纸质，卵状披针形或卵状椭圆形，长 5.5 ~ 10 cm，宽 2.5 ~ 4.5 cm，先端渐尖，基部宽楔形或近圆形，全缘，上面绿色，无毛，下面浅绿色，稀被白色贴生短柔毛，脉腋密生淡褐色丛毛，中脉在上面明显，下面凸起，近无毛，侧脉 6 ~ 7 对，弓形内弯；叶柄细圆柱形，长 0.6 ~ 1.2 cm，上面有浅沟，下面圆形，稍被贴生疏柔毛。伞形花序生于枝侧，有总苞片 4，卵形，厚纸质至革质，长约 8 mm，带紫色，两侧略被短柔毛，开花后脱落；总花梗粗壮，长约 2 mm，微被灰色短柔毛；花小，两性，先叶开放；花萼裂片 4，阔三角形，与花盘等长或稍长，长约 0.6 mm，无毛；花瓣 4，舌状披针形，长 3.3 mm，黄色，向外反卷；雄蕊 4，与花瓣互生，长 1.8 mm，花丝钻形，花药椭圆形，2 室；花盘垫状，无毛；子房下位，花托倒卵形，长约 1 mm，密被贴生疏柔毛，花柱圆柱形，长 1.5 mm，柱头截形；花梗纤细，长 0.5 ~ 1 cm，密被疏柔毛。核果长椭圆形，长 1.2 ~ 1.7 cm，直径 5 ~ 7 mm，红色至紫红色；核骨质，狭椭圆形，长约 12 mm，有几条不整齐的肋纹。花期 3 ~ 4 月，果期 9 ~ 10 月。

| **生境分布** | 生于海拔 400 ~ 1 500 m，稀达 2 100 m 的林缘或森林中。分布于河北赤城、阜平、涉县等。

| **资源情况** | 野生资源一般，栽培资源丰富。药材主要来源于栽培。

| **采收加工** | 秋末冬初果皮变红时采收果实，用文火烘或置沸水中略烫后及时除去果核，干燥。

| **药材性状** | 本品呈不规则的片状或囊状，长 1 ~ 1.5 cm，宽 0.5 ~ 1 cm。表面紫红色至紫黑色，皱缩，有光泽。先端有的有圆形宿存萼痕，基部有果柄痕。质柔软。气微，味酸、涩、微苦。

| **功能主治** | 酸、涩，温。归肝、肾经。补益肝肾，涩精固脱。用于眩晕耳鸣，腰膝酸痛，阳痿遗精，遗尿尿频，崩漏带下，大汗虚脱，内热消渴。

| **用法用量** | 内服煎汤，5 ~ 10 g；或入丸、散剂。

| **附　注** | 本种药材凡命门火炽，阳强不痿，素有湿热，小便淋涩者忌服。

五加科 Araliaceae 楤木属 Aralia

楤木
Aralia elata (Miq.) Seem.

| 植物别名 |　海桐皮、虎阳刺、鹊不踏。

| 药 材 名 |　楤木（药用部位：根或根皮。别名：刺龙苞、鸟不宿、黑龙皮）。

| 形态特征 |　灌木或乔木，高 2 ~ 5m，稀达 8 m，胸径 10 ~ 15 cm；树皮灰色，疏生粗壮直刺；小枝通常淡灰棕色，有黄棕色绒毛，疏生细刺。叶为二回或三回羽状复叶，长 60 ~ 110 cm；叶柄粗壮，长可达 50 cm；托叶与叶柄基部合生，纸质，耳廓形，长 1.5 cm 或更长，叶轴无刺或有细刺；羽片有小叶 5 ~ 11，稀 13，基部有小叶 1 对；小叶片纸质至薄革质，卵形、阔卵形或长卵形，长 5 ~ 12 cm，稀长达 19 cm，宽 3 ~ 8 cm，先端渐尖或短渐尖，基部圆形，上面粗糙，疏生糙毛，下面有淡黄色或灰色短柔毛，脉上更密，边缘有锯齿，

稀为细锯齿或不整齐粗重锯齿,侧脉 7 ~ 10 对,两面均明显,网脉在上面不甚明显,下面明显;小叶无柄或有长 3 mm 的柄,顶生小叶柄长 2 ~ 3 cm。圆锥花序大,长 30 ~ 60 cm;分枝长 20 ~ 35 cm,密生淡黄棕色或灰色短柔毛;伞形花序直径 1 ~ 1.5 cm,有花多数;总花梗长 1 ~ 4 cm,密生短柔毛;苞片圆锥形,膜质,长 3 ~ 4 mm,外面有毛;花梗长 4 ~ 6 mm,密生短柔毛,稀为疏毛;花白色,芳香;花萼无毛,长约 1.5 mm,边缘有 5 个三角形小齿;花瓣 5,卵状三角形,长 1.5 ~ 2 mm;雄蕊 5,花丝长约 3 mm;子房 5 室;花柱 5,离生或基部合生。果实球形,黑色,直径约 3 mm,有 5 棱;宿存花柱长 1.5 mm,离生或合生至中部。花期 7 ~ 9 月,果期 9 ~ 12 月。

| 生境分布 | 生于自海平面至海拔 2 700 m 的森林、灌丛或林缘路边。分布于河北丰宁等。

| 资源情况 | 野生资源丰富。药材主要来源于野生。

| 采收加工 | 9 ~ 10 月挖根或剥取根皮,除去泥沙,干燥。

| 药材性状 | 本品根呈圆柱形,弯曲,粗细长短不一;表面淡棕黄色,具不规则纵皱纹,外皮向外翘起,并有横向棱状、"一"字状或点状皮孔,有的具支根痕。体轻,质坚硬,不易折断,断面稍呈纤维状,皮部较薄,暗棕黄色,木部淡黄色或类白色,具细密放射状纹理;老根木部中央空洞状,有的呈朽木状。根皮呈扭曲的卷筒状,槽状或片状,长短不一,厚 1 ~ 3 mm。外表面灰褐色或黄棕色,粗糙,栓皮呈鳞片状,易剥落,剥落处显黄褐色。内表皮呈淡黄色至深褐色,偶可见黄褐色油脂状物。体轻,质脆,易折断,断面略整齐,黄褐色。气微香,味微苦、涩。

| 功能主治 | 辛、苦,平。归肝、胃、肾经。祛风利湿,活血通经,解毒散结。用于风湿痹痛,腰腿酸痛,淋浊,水肿,臌胀,黄疸,带下,痢疾,胃脘痛,跌打损伤,瘀血经闭,血崩,牙疳,阴疽,瘰疬,痔疮。

| 用法用量 | 内服煎汤,15 ~ 30 g。外用适量,捣敷。孕妇忌服。

| 附　注 | 本种易和白背叶楤木(变种)*Aralia chinensis* Linn. var. *nuda* Nakai 相混,但本种小叶片较薄,圆锥花序伞房状,分枝指状排列,易于区别。

五加科 Araliaceae 楤木属 Aralia

辽东楤木

Aralia elata var. *glabrescens* (Franchet & Savatier) Pojarkova

| 植物别名 | 龙牙楤木、刺老鸦、刺龙牙。

| 药 材 名 | 龙牙楤木（药用部位：根皮及茎皮。别名：刺老鸦、刺龙牙、虎阳刺）、龙牙楤木果（药用部位：果实）、龙牙楤木叶（药用部位：嫩叶及芽）。

| 形态特征 | 灌木或小乔木，高 1.5 ~ 6 m，树皮灰色；小枝灰棕色，疏生多数细刺；刺长 1 ~ 3 mm，基部膨大；嫩枝上常有长达 1.5 cm 的细长直刺。叶为二回或三回羽状复叶，长 40 ~ 80 cm；叶柄长 20 ~ 40 cm，无毛；托叶和叶柄基部合生，先端离生部分线形，长约 3 mm，边缘有纤毛；叶轴和羽片轴基部通常有短刺；羽片有小叶 7 ~ 11，基部有小叶 1 对；小叶片薄纸质或膜质，阔卵形、卵形至

椭圆状卵形，长 5 ~ 15 cm，宽 2.5 ~ 8 cm，先端渐尖，基部圆形至心形，稀阔楔形，上面绿色，下面灰绿色，无毛或两面脉上有短柔毛和细刺毛，边缘疏生锯齿，有时为粗大牙齿或细锯齿，稀为波状，侧脉 6 ~ 8 对，两面明显，网脉不明显；小叶柄长 3 ~ 5 mm，稀长达 1.2 cm，顶生小叶柄长达 3 cm。圆锥花序长 30 ~ 45 cm，伞房状；主轴短，长 2 ~ 5 cm，分枝在主轴先端指状排列，密生灰色短柔毛；伞形花序直径 1 ~ 1.5 cm，有花多数或少数；总花梗长 0.8 ~ 4 cm，花梗长 6 ~ 7 mm，均密生短柔毛；苞片和小苞片披针形，膜质，边缘有纤毛，前者长 5 mm，后者长 2 mm；花黄白色，花萼无毛，长 1.5 mm，边缘有 5 卵状三角形小齿；花瓣 5，长 1.5 mm，卵状三角形，开花时反曲；子房 5 室；花柱 5，离生或基部合生。果实球形，黑色，直径 4 mm，有 5 棱。花期 6 ~ 8 月，果期 9 ~ 10 月。

| **生境分布** | 生于海拔约 1 000 m 的森林中。分布于河北承德及正定、青龙等。

| **资源情况** | 野生资源一般。药材来源于野生。

| **采收加工** | 龙牙楤木：春、秋季采挖，剥取根皮或剥取树皮，除去泥土杂质，切段或片，鲜用或晒干。

龙牙楤木果：9 ~ 10 月果熟时采收，鲜用或晒干。

龙牙楤木叶：春季采收，鲜用。

| **药材性状** | 龙牙楤木：本品根皮呈不规则的卷状，大小不一，皮厚 1.5 ~ 3 mm。外表皮浅灰棕色至棕灰色，有的外栓皮呈剥离鳞屑状，栓皮脱落处可见纵皱纹，内表面暗黄棕色至黄白色，切面浅黄白色至类白色，紫外灯光下显浅蓝色荧光。气微，味微涩、苦，嚼之有渣感。茎皮灰褐色，老皮具纵裂，无刺，仅留刺基。幼枝常密生针状刺。

| **功能主治** | 龙牙楤木：清热利湿，健胃，利水，祛风除湿，活血止痛。用于气虚乏力，肾虚阳痿，胃脘痛，消渴，膨胀，水肿，失眠多梦，风湿骨痹，腰膝无力，跌打损伤，骨折，脱肛，疥癣。

龙牙楤木果：下乳。用于乳汁不足。

龙牙楤木叶：清热利湿。用于湿热泄泻，痢疾，水肿。

| **用法用量** | 龙牙楤木：内服煎汤，10 ~ 25 g。

龙牙楤木果：内服煎汤，9 ~ 15 g。

龙牙楤木叶：内服适量，作菜食。

五加科 Araliaceae 人参属 Panax

人参
Panax ginseng C. A. Meyer

| **植物别名** | 棒槌。

| **药 材 名** | 人参（药用部位：根及根茎。别名：鬼盖、黄参、玉精）。

| **形态特征** | 多年生草本；根茎（芦头）短，直立或斜上，不增厚成块状。主根肥大，纺锤形或圆柱形。地上茎单生，高 30 ~ 60 cm，有纵纹，无毛，基部有宿存鳞片。叶为掌状复叶，3 ~ 6 轮生茎顶，幼株的叶数较少；叶柄长 3 ~ 8 cm，有纵纹，无毛，基部无托叶；小叶片 3 ~ 5，幼株常为 3，薄膜质，中央小叶片椭圆形至长圆状椭圆形，长 8 ~ 12 cm，宽 3 ~ 5 cm，最外 1 对侧生小叶片卵形或菱状卵形，长 2 ~ 4 cm，宽 1.5 ~ 3 cm，先端长渐尖，基部阔楔形，下延，边缘有锯齿，齿有刺尖，上面散生少数刚毛，刚毛长约 1 mm，下面无毛，侧脉 5 ~ 6 对，两面明显，网脉不明显；小叶柄长 0.5 ~ 2.5 cm，

侧生者较短。伞形花序单个顶生，直径约 1.5 cm，有花 30 ～ 50，稀 5 ～ 6；总花梗通常较叶长，长 15 ～ 30 cm，有纵纹；花梗丝状，长 0.8 ～ 1.5 cm；花淡黄绿色；萼无毛，边缘有 5 三角形小齿；花瓣 5，卵状三角形；雄蕊 5，花丝短；子房 2 室；花柱 2，离生。果实扁球形，鲜红色，长 4 ～ 5 mm，宽 6 ～ 7 mm。种子肾形，乳白色。

| 生境分布 | 生于海拔数百米的落叶阔叶林或针阔叶混交林下。分布于河北兴隆等。

| 资源情况 | 野生资源稀少，栽培资源丰富。药材主要来源于栽培。

| 采收加工 | 多于秋季采挖，洗净经晒干或烘干。栽培的俗称"园参"；播种在山林野生状态下自然生长的称"林下山参"，习称"籽海"。

| 药材性状 | 本品主根呈纺锤形或圆柱形，长 3 ～ 15 cm，直径 1 ～ 2 cm。表面灰黄色，上部或全体有疏浅断续的粗横纹及明显的纵皱，下部有支根 2 ～ 3，并着生多数细长的须根，须根上常有不明显的细小疣状突起。根茎（芦头）长 1 ～ 4 cm，直径 0.3 ～ 1.5 cm，多拘挛而弯曲，具不定根（艼）和稀疏的凹窝状茎痕（芦碗）。质较硬，断面淡黄白色，显粉性，形成层环纹棕黄色，皮部有黄棕色的点状树脂道及放射状裂隙。香气特异，味微苦、甘。

| 功能主治 | 甘、苦，温。归脾、肺、心、肾经。大补元气，复脉固脱，补脾益肺，生津养血，安神益智。用于体虚欲脱，肢冷脉微，脾虚食少，肺虚喘咳，津伤口渴，内热消渴，气血亏虚，久病羸弱，惊悸失眠，阳痿宫冷。

| 用法用量 | 内服煎汤，3 ～ 9 g，大剂量 10 ～ 30 g，宜另煎兑服；也可研粉吞服，一次 2 g，一日 2 次；或熬膏；或浸酒；或入丸、散剂。

| 附　注 | （1）我国引种栽培的西洋参 *Panax quinquefolius* Linn. 和本种的区别在于前者总花梗与叶柄近等长或稍长，小叶片倒卵形，上面脉上几无刚毛，边缘的锯齿不规则且较粗大。

（2）本种的功效在古代文献中有诸多记载。《神农本草经》记载："主补五脏，安精神，定魂魄，止惊悸，除邪气，明目，开心益智。"《名医别录》记载："疗肠胃中冷，心腹鼓痛，胸胁逆满，霍乱吐逆，调中，止消渴，通血脉，破坚积，令人不忘。"《药性论》记载："主五脏气不足，五劳七伤，虚损瘦弱，吐逆不下食，止霍乱烦闷呕哕，补五脏六腑，保中守神。消胸中痰，主肺痿吐脓及痈疾，冷气逆上，伤寒不下食，患人虚而多梦纷纭，加而用之。""十八反"中人参不宜与藜芦、五灵脂同用。

五加科 Araliaceae 五加属 Eleutherococcus

刺五加
Eleutherococcus senticosus (Ruprecht & Maximowicz) Maximowicz

| 植物别名 | 短蕊刺五加、坎拐棒子、一百针。

| 药 材 名 | 刺五加（药用部位：根及根茎或茎。别名：刺拐棒、刺木棒、坎拐棒子）。

| 形态特征 | 灌木，高 1 ~ 6 m；分枝多，一年生、二年生的通常密生刺，稀仅节上生刺或无刺；刺直而细长，针状，下向，基部不膨大，脱落后遗留圆形刺痕，有小叶 5，稀 3；叶柄常疏生细刺，长 3 ~ 10 cm；小叶片纸质，椭圆状倒卵形或长圆形，长 5 ~ 13 cm，宽 3 ~ 7 cm，先端渐尖，基部阔楔形，上面粗糙，深绿色，脉上有粗毛，下面淡绿色，脉上有短柔毛，边缘有锐利重锯齿，侧脉 6 ~ 7 对，两面明显，网脉不明显；小叶柄长 0.5 ~ 2.5 cm，有棕色短柔毛，有时有细刺。

伞形花序单个顶生，或 2 ~ 6 组成稀疏的圆锥花序，直径 2 ~ 4 cm，有花多数；总花梗长 5 ~ 7 cm，无毛；花梗长 1 ~ 2 cm，无毛或基部略有毛；花紫黄色；花萼无毛，近全缘或边缘有不明显的 5 小齿；花瓣 5，卵形，长 2 mm；雄蕊 5，长 1.5 ~ 2 mm；子房 5 室，花柱全部合生成柱状。果实球形或卵球形，有 5 棱，黑色，直径 7 ~ 8 mm，宿存花柱长 1.5 ~ 1.8 mm。花期 6 ~ 7 月，果期 8 ~ 10 月。

| 生境分布 | 生于海拔 500 ~ 2 000 m 的落叶阔叶林、针阔叶混交林的林下或林缘。分布于河北滦平、平泉、青龙等。

| 资源情况 | 野生资源丰富。药材主要来源于野生。

| 采收加工 | 春、秋季采收，洗净，干燥。

| 药材性状 | 本品根茎呈结节状不规则圆柱形，直径 1.4 ~ 4.2 cm。根呈圆柱形，多扭曲，长 3.5 ~ 12 cm，直径 0.3 ~ 1.5 cm；表面灰褐色或黑褐色，粗糙，有细纵沟和皱纹，皮较薄，有的剥落，剥落处呈灰黄色。质硬，断面黄白色，纤维性。有特异香气，味微辛、稍苦、涩。茎呈长圆柱形，多分枝，长短不一，直径 0.5 ~ 2 cm。表面浅灰色，老枝灰褐色，具纵裂沟，无刺；幼枝黄褐色，密生细刺。质坚硬，不易折断，断面皮部薄，黄白色，木部宽广，淡黄色，中心有髓。气微，味微辛。

| 功能主治 | 辛、苦，温。归脾、肾、心经。益气健脾，补肾安神。用于脾肾阳虚，体虚乏力，食欲不振，肺肾两虚，久咳虚喘，肾虚腰膝酸痛，心脾不足，失眠多梦。

| 用法用量 | 内服煎汤，6 ~ 15 g；或入丸、散剂；或浸酒。外用适量，研末调敷；或捣敷。

| 附　　注 | （1）古代本草未见刺五加的记载，《神农本草经》只记载五加皮。《名医别录》云："生汉中及冤句。"《蜀本草》云："今所在有之。"《本草图经》云："今江淮湖南州郡皆有之。"据《中国植物志》记载，刺五加分布于黑龙江、吉林、辽宁、河北、山西，与《名医别录》《蜀本草》及《本草图经》所述产地不符。但按历代本草对五加皮原植物形态的描述分析，古代所用五加皮应来自五加皮属的多种植物，也可能包括刺五加在内，近代亦有以刺五加根皮代五加皮作药用的记载。

（2）本种根皮亦可代"五加皮"，供药用；种子可榨油，或制肥皂用。

五加科 Araliaceae 五加属 Eleutherococcus

无梗五加

Eleutherococcus sessiliflorus (Ruprecht & Maximowicz) S. Y. Hu

| **植物别名** | 乌鸦子、短梗五加、小果无梗五加。

| **药 材 名** | 五加果（药用部位：果实。别名：南五加果）、五加叶（药用部位：叶。别名：五加蘸）。

| **形态特征** | 灌木或小乔木，高 2 ~ 5 m；树皮暗灰色或灰黑色，有纵裂纹和粒状裂纹；枝灰色，无刺或疏生刺，刺粗壮，直或弯曲。叶有小叶 3 ~ 5；叶柄长 3 ~ 12 cm，无刺或有小刺；小叶片纸质，倒卵形或长圆状倒卵形至长圆状披针形，稀椭圆形，长 8 ~ 18 cm，宽 3 ~ 7 cm，先端渐尖，基部楔形，两面均无毛，边缘有不整齐锯齿，稀重锯齿状，侧脉 5 ~ 7 对，明显，网脉不明显；小叶柄长 2 ~ 10 mm。头状花序紧密，球形，直径 2 ~ 3.5 cm，有花多数，5 ~ 6 稀多至 10

组成顶生圆锥花序或复伞形花序；总花梗长 0.5 ~ 3 cm，密生短柔毛；花无梗；花萼密生白色绒毛，边缘有 5 小齿；花瓣 5，卵形，浓紫色，长 1.5 ~ 2 mm，外面有短柔毛，后毛脱落；子房 2 室，花柱全部合生成柱状，柱头离生。果实倒卵状椭圆球形，黑色，长 1 ~ 1.5 cm，稍有棱，宿存花柱长达 3 mm。花期 8 ~ 9 月，果期 9 ~ 10 月。

| **生境分布** | 生于海拔 200 ~ 1 000 m 的森林或灌丛中。分布于河北赤城、宽城、平泉等。

| **资源情况** | 野生资源丰富。药材来源于野生。

| **采收加工** | 五加果：秋季果实成熟时采收，晒干。
五加叶：全年均可采收，晒干或鲜用。

| **功能主治** | 五加果：甘、苦，温。补肝肾，强筋骨。用于肝肾亏虚，小儿行迟，筋骨痿软。

五加叶：辛，平。散风除湿，活血止痛，清热解毒。用于皮肤风湿，跌打肿痛，疝痛，丹毒。

| **用法用量** | 五加果：内服煎汤，6 ~ 12 g；或入丸、散剂。

五加叶：内服煎汤，6 ~ 15 g；或研末；或浸酒。外用适量，研末调敷；或鲜品捣敷。

| **附　注** | 本种根皮东北亦称"五加皮"，有祛风化湿、健胃利尿之效，也可制"五加皮"药酒。

伞形科 Umbelliferae 阿魏属 Ferula

硬阿魏
Ferula bungeana Kitagawa

| **植物别名** | 沙茴香。

| **药 材 名** | 砂茴香（药用部位：带根全草）、砂茴香子（药用部位：种子）。

| **形态特征** | 多年生草本，高 30 ～ 60 cm，植株被密集的短柔毛，蓝绿色。根圆柱形，直径达 8 mm，根颈上残存有枯萎的棕黄色叶鞘纤维。茎细，单一，从下部向上分枝成伞房状，2 ～ 3 回分枝，下部枝互生，上部枝对生或轮生，枝上的小枝互生或对生。基生叶莲座状，有短柄，柄的基部扩展成鞘；叶片广卵形至三角形，2 ～ 3 回羽状全裂，末回裂片长椭圆形或广椭圆形，再羽状深裂，小裂片楔形至倒卵形，长 1 ～ 3 mm，宽 1 ～ 2 mm，常 3 裂，形似角状齿，先端具细尖，被密集的短柔毛，灰蓝色，肥厚，不早枯；茎生叶少，向上简化，

叶片 1 ~ 2 回羽状全裂，裂片细长，至上部无叶片，叶鞘披针形，草质，早枯萎。复伞形花序生于茎、枝和小枝先端，直径 4 ~ 12 cm，至果期达 25 cm，总苞片缺或有 1 ~ 3，圆锥形；伞幅 4 ~ 15，开展，不等长；无侧生花序；小伞形花序有花 5 ~ 12，小总苞片 3 ~ 5，线状披针形，不等长；萼齿卵形；花瓣黄色，椭圆形或广椭圆形，先端渐尖，向内弯曲，沿中脉稍凹入，长 2.5 ~ 3 mm；花柱基扁圆锥形，边缘增宽，花柱延长，柱头增粗。分生果广椭圆形，背腹扁压，果棱凸起，长 10 ~ 15 mm，宽 4 ~ 6 mm。果柄不等长，长可达 3 cm；每棱槽中具油管 1，合生面具油管 2。花期 5 ~ 6 月，果期 6 ~ 7 月。

| 生境分布 | 生于沙丘、沙地、戈壁滩冲沟、旱田、路边或砾石质山坡上。分布于河北赤城、怀安、蔚县等。

| 资源情况 | 野生资源丰富。药材主要来源于野生。

| 采收加工 | **砂茴香：**夏、秋季采挖，晒干。
砂茴香子：8 ~ 9 月果实成熟时采收，晒干。

| 药材性状 | **砂茴香：**本品全草表面绿色或黄绿色，茎具纵细棱，圆柱形。叶多脱落，完整者基生叶多数，莲花状丛生，大形，具长叶柄与叶鞘，鞘条形，黄色，叶片质厚，坚硬，三角状卵形，上半部具 3 三角状牙齿；茎中部叶 2 ~ 3，顶生叶极简化，有时只剩叶鞘。花黄色。果实似葵花子壳，矩圆形，背腹压扁，长约 1 cm，宽约 0.5 cm，果棱黄色，棱槽棕褐色，每棱槽中具油管 1，合生面具油管 2。气微、味淡。根呈长圆柱形，质地柔软。断面皮部类白色。气微香，味微甜。

| 功能主治 | **砂茴香：**甘、苦，凉。归肺经。清热宣肺，祛痰散结，消肿止痛。用于发热，咽喉肿痛，咳喘，骨痨，瘰疬，疮疡，腰扭伤。
砂茴香子：辛、甘，平。理气健胃。用于脘腹胀痛，消化不良。

| 用法用量 | **砂茴香：**内服煎汤，6 ~ 20 g。
砂茴香子：内服研末，1 ~ 3 g。

| 附　注 | 本种根供药用，民间用以清热解毒、消肿、止痛，也可养阴清肺、除虚热、祛痰止咳。

伞形科 Umbelliferae 变豆菜属 Sanicula

变豆菜
Sanicula chinensis Bunge

| **植物别名** | 鸭脚板、蓝布正。

| **药 材 名** | 变豆菜（药用部位：全草。别名：山芹）。

| **形态特征** | 多年生草本，高40～100 cm。全株无毛。根茎粗短，有许多细长支根，茎直立，有纵沟纹，下部不分枝，上部几次叉状分枝。基生叶叶柄长10～30 cm，基部有透明的膜质鞘；叶片近圆形至圆心形，常3全裂，少至5裂，中裂片楔状倒卵形，长3～10 cm，宽4～13 cm，两侧裂片各有1深裂，很少不裂，边缘有大小不等的尖锐重锯齿；茎生叶逐渐变小，通常3裂，裂片边缘有大小不等的尖锐重锯齿。伞形花序2～3回叉状分枝；总苞片叶状，3裂或近羽状分裂；伞幅2～3；小总苞片8～10，卵状披针形；小伞形花序有花6～10；

萼齿窄线形，先端渐尖；花瓣倒卵形，白色或绿白色，花柱与萼齿近等长。双悬果球状圆卵形，长 4 ～ 5 mm，宽 3 ～ 4 mm，皮刺直立，先端钩状，基部膨大；果实的横剖面近圆形，胚乳腹面略凹陷，油管 5，合生面通常具油管 2，大而显著。花果期 4 ～ 10 月。

| **生境分布** | 生于阴湿山坡路旁、杂木林下、竹园边、溪边草丛中。分布于河北抚宁、青龙、易县等。

| **资源情况** | 野生资源丰富。药材主要来源于野生。

| **采收加工** | 夏、秋季采收，鲜用或晒干。

| **功能主治** | 辛、甘，凉。解毒，止血。用于咽痛，咳嗽，月经过多，尿血，外伤出血，疮痈肿毒。

| **用法用量** | 内服煎汤，6 ～ 15 g。外用适量，捣敷。

| **附　　注** | 本种药材始载于《救荒本草》，云："变豆菜生辉县荒野中，其苗叶初作地摊野生，叶似地牡丹极大，又锯齿尖，其后叶中分生茎杈，梢叶颇小，上开白花，其叶味甘……"据其所述形态，即指现伞形科植物变豆菜。

伞形科 Umbelliferae 柴胡属 Bupleurum

北京柴胡

Bupleurum chinense DC. f. *pekinense* (Franch.) Shan et Y. Li

| 药 材 名 | 北京柴胡（药用部位：根）。

| 形态特征 | 多年生草本，高 50 ~ 85 cm。主根较粗大，棕褐色，质坚硬。茎单一或数茎，表面有细纵槽纹，实心，上部多回分枝，微作"之"字形曲折。下部茎生叶椭圆状披针形，长 5 ~ 10 cm，宽 1 ~ 2 cm，硬纸质，两面现灰绿色；茎中部叶倒披针形或广线状披针形，长 4 ~ 12 cm，宽 6 ~ 18 mm，有时达 3 cm，先端渐尖或急尖，有短芒尖头，基部收缩成叶鞘抱茎，脉 7 ~ 9，叶表面鲜绿色，背面淡绿色，常有白霜；茎顶部叶同形，但更小。复伞形花序很多，花序梗细，常水平伸出，形成疏松的圆锥状；总苞片 2 ~ 3，或无，甚小，狭披针形，长 1 ~ 5 mm，宽 0.5 ~ 1 mm，3 脉，很少 1 或 5 脉；伞幅 3 ~ 8，纤细，不等长，长 1 ~ 3 cm；小总苞片 5，披针形，

长 3 ~ 3.5 mm，宽 0.6 ~ 1 mm，先端尖锐，3 脉，向叶背凸出；小伞直径 4 ~ 6 mm，花 5 ~ 10；花梗长 1 mm；花直径 1.2 ~ 1.8 mm；花瓣鲜黄色，上部向内折，中肋隆起，小舌片矩圆形，先端 2 浅裂；花柱基深黄色，宽于子房。果实广椭圆形，棕色，两侧略扁，长约 3 mm，宽约 2 mm，棱狭翼状，淡棕色，每棱槽具油管 3，很少 4，合生面具油管 4。花期 9 月，果期 10 月。

| **生境分布** | 生于海拔 560 ~ 1 550 m 的山坡草地。分布于河北行唐、井陉、涞源等。

| **资源情况** | 野生资源丰富。药材来源于野生。

| **采收加工** | 一般应在 2 年后进行采收，采收药根可人工深挖，把所有的药根全部挖出，不能直接拔除，以防断根影响产量，药根应分类整理，大小一致整齐，扎成小把，晾干。

| **功能主治** | 苦，凉。归心、肝、脾经。解表退热，疏肝解郁，升举阳气。用于外感发热，寒热往来，疟疾，肝郁胁痛乳胀，头痛头眩，月经不调，气虚下陷的脱肛，子宫脱垂，胃下垂。

| **用法用量** | 内服煎汤，3 ~ 9 g。

伞形科 Umbelliferae 柴胡属 Bupleurum

长茎柴胡

Bupleurum longicaule Wall. ex DC.

| 植物别名 | 坚挺柴胡。

| 药材名 | 长茎柴胡（药用部位：根）。

| 形态特征 | 一年生、二年生草本。茎有细纵条纹，空心，不分枝或上部有很少的短分枝。叶稀疏，茎下部叶线形，长 6 ~ 10 cm，宽 4 ~ 6 mm，先端渐尖，基部抱茎，无柄，11 ~ 13 脉；茎中部叶长披针形，先端渐尖，基部圆形或心形抱茎，21 ~ 27 脉，叶缘有白色细边；上部叶狭卵形至卵形，叶先端和背部常带紫色，先端急尖或圆钝，有突尖头，基部深心形，29 ~ 35 脉。复伞形花序 1 ~ 4，直径 2 ~ 6 cm，花序梗粗壮；总苞片 1 ~ 4，与上部叶同形而小，纸质，卵形或广卵形，不等大，先端急尖或钝，基部圆形或浅心形，长

4 ~ 10 mm，宽 2 ~ 6 mm；伞幅（4 ~）7 ~ 9，粗壮，不等长；小总苞片 5，质薄，卵形或广卵形，长 4 ~ 5.5 mm，宽 2 ~ 4 mm，先端急尖或渐尖，有小突尖头，基部广楔形，小总苞片长等于或略超过小伞形花序；小伞形花序直径 6 ~ 9 mm，花 18 ~ 24，花瓣黄色。果实红棕色，卵圆形，长 4 ~ 5 mm，宽 2.5 ~ 3 mm，棱细；棱槽中具油管 3，合生面具油管 4。花期 8 月，果期 9 月。

| **生境分布** | 生于海拔 2 700 m 的林下。分布于河北蔚县、怀来、赤城等。

| **资源情况** | 野生资源稀少。药材来源于野生。

| **采收加工** | 春、秋季采挖，除去茎叶、泥沙，干燥。

| **功能主治** | 和解少阳，祛风除痹，升阳举陷，疏肝解郁，疏散退热。用于脘腹坠胀，食少倦怠，久泻脱肛，子宫脱垂，肾脏下垂，胸胁或者少腹胀痛，情志抑郁，月经失调，痛经，感冒发热。

| **用法用量** | 内服煎汤，3 ~ 10 g。

伞形科 Umbelliferae 柴胡属 *Bupleurum*

长伞红柴胡

Bupleurum scorzonerifolium f. longiradiatum Shan et Y. Li

| 药 材 名 | 长伞红柴胡（药用部位：根）。

| 形态特征 | 多年生草本，高 30 ~ 60 cm。主根发达，圆锥形，支根稀少，深红棕色，表面略皱缩，上端有横环纹，下部有纵纹，质疏松而脆。茎单一或 2 ~ 3，基部密覆叶柄残余纤维，细圆，有细纵槽纹，茎上部有多回分枝，略呈"之"字形弯曲，并成圆锥状。叶细线形，基生叶下部略收缩成叶柄，其他均无柄，叶长 6 ~ 16 cm，宽 2 ~ 7 mm，先端长渐尖，基部稍变窄抱茎，质厚，稍硬挺，常对折或内卷，3 ~ 5 脉，向叶背凸出，两脉间有隐约平行的细脉，叶缘白色，骨质，上部叶小，同形。伞形花序自叶腋间抽出，花序多，直径 1.2 ~ 4 cm，形成较疏松的圆锥花序；花序梗长 2.5 ~ 3 cm，伞幅特长，长 11 ~ 35 mm，很细，弧形弯曲；总苞片 1 ~ 3，极细小，针形，

小总苞片也特长，长 4 ~ 7 mm，1 ~ 3 脉，有时紧贴伞幅，常早落；小伞形花序直径 4 ~ 6 mm，小总苞片 5，紧贴小伞形花序，线状披针形，长 2.5 ~ 4 mm，宽 0.5 ~ 1 mm，细而尖锐，等于或略超过花时小伞形花序；小伞形花序有花（6 ~）9 ~ 11（~ 15），花梗长 1 ~ 1.5 mm；花瓣黄色，舌片几与花瓣的一半等长，先端 2 浅裂；花柱基厚垫状，宽于子房，深黄色，柱头向两侧弯曲；子房主棱明显，表面常有白霜。果实广椭圆形，长 2.5 mm，宽 2 mm，深褐色，果棱粗而明显。每棱槽中具油管 5 ~ 6，合生面具油管 4 ~ 6。花期 7 ~ 8 月，果期 8 ~ 9 月。

| **生境分布** | 生于海拔 160 ~ 2 250 m 的干燥草原、向阳山坡上或灌木林边缘。分布于河北赤城、丰宁、张北等。

| **资源情况** | 野生资源丰富。药材来源于野生。

| **采收加工** | 春、秋季采挖，除去茎叶、泥沙，干燥。

| **功能主治** | 和解少阳，祛风除痹，升阳举陷，疏肝解郁，疏散退热。用于脘腹坠胀，食少倦怠，久泻脱肛，子宫脱垂，肾脏下垂，胸胁或者少腹胀痛，情志抑郁，月经失调，痛经，感冒发热。

| **用法用量** | 内服煎汤，3 ~ 10 g。

伞形科 Umbelliferae 柴胡属 Bupleurum

多伞北柴胡

Bupleurum chinense DC. f. *chiliosciadium* (Wolff) Shan et Y. Li

| 药 材 名 | 多伞北柴胡（药用部位：根）。

| 形态特征 | 多年生草本，高 50 ~ 85 cm。主根较粗大，棕褐色，质坚硬。茎单一或数茎，表面有细纵槽纹，实心，上部多回分枝，分枝细小，微作"之"字形曲折。基生叶倒披针形或狭椭圆形，长 4 ~ 7 cm，宽 6 ~ 8 mm，先端渐尖，基部收缩成柄，早枯落；茎中部叶倒披针形或广线状披针形，长 4 ~ 12 cm，宽 6 ~ 18 mm，有时达 3 cm，先端渐尖或急尖，有短芒尖头，基部收缩成叶鞘抱茎，脉 7 ~ 9，叶表面鲜绿色，背面淡绿色，常有白霜；茎顶部叶同形，但更小。小伞形花序很多，花序梗细，直径约 5 mm，常水平伸出，形成疏松的圆锥状；总苞片 2 ~ 3，或无，甚小，狭披针形，长 1 ~ 5 mm，宽 0.5 ~ 1 mm，3 脉，很少 1 或 5 脉；伞幅 3 ~ 8，纤细，不等长，

长 1.5 ~ 2 cm；小总苞片 5，披针形，长 3 ~ 3.5 mm，宽 0.6 ~ 1 mm，先端尖锐，3 脉，向叶背凸出；小伞直径 4 ~ 6 mm，花 5 ~ 10；花梗长 1 mm；花直径 1.2 ~ 1.8 mm；花瓣鲜黄色，上部向内折，中肋隆起，小舌片矩圆形，先端 2 浅裂；花柱基深黄色，宽于子房。果实广椭圆形，棕色，两侧略扁，长约 3 mm，宽约 2 mm，棱狭翼状，淡棕色，每棱槽具油管 3，很少 4，合生面具油管 4。花期 9 月，果期 10 月。

| **生境分布** | 生于海拔 560 ~ 1 550 m 的山坡草地。分布于河北赤城、青龙、赞皇等。

| **资源情况** | 野生资源丰富。药材来源于野生。

| **采收加工** | 春、秋季采挖，除去茎叶、泥沙，干燥。

| **功能主治** | 辛、苦，微寒。归肝、胆、肺经。疏散退热，疏肝解郁，升举阳气。用于感冒发热，寒热往来，胸胁胀痛，月经不调，子宫脱垂，脱肛等。

| **用法用量** | 内服煎汤，3 ~ 10 g。

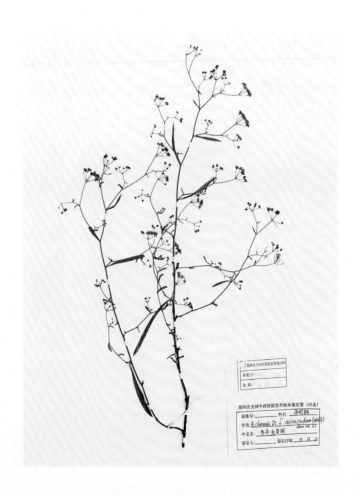

伞形科 Umbelliferae 柴胡属 Bupleurum

黑柴胡

Bupleurum smithii Wolff

| 植物别名 | 小五台柴胡哈、小五吕柴胡、杨家坪柴胡。

| 药 材 名 | 黑柴胡（药用部位：根及根茎）。

| 形态特征 | 多年生草本，常丛生，高 25 ～ 60 cm，根黑褐色，质松，多分枝。植株变异较大。数茎直立或斜升，粗壮，有显著的纵槽纹，上部有时有少数短分枝。叶多，质较厚，基部叶丛生，狭长圆形、长圆状披针形或倒披针形，长 10 ～ 20 cm，宽 1 ～ 2 cm，先端钝或急尖，有小突尖，基部渐狭成叶柄，叶柄宽狭变化很大，长短也不一致，叶基带紫红色，扩大抱茎，叶脉 7 ～ 9，叶缘白色，膜质；中部的茎生叶狭长圆形或倒披针形，下部较窄成短柄或无柄，先端短渐尖，基部抱茎，叶脉 11 ～ 15；序托叶长卵形，长 1.5 ～ 7.5 cm，最宽处

10 ～ 17 mm，基部扩大，有时有耳，先端长渐尖，叶脉 21 ～ 31；总苞片 1 ～ 2 或无；伞幅 4 ～ 9，挺直，不等长，长 0.5 ～ 4 cm，有明显的棱；小总苞片 6 ～ 9，卵形至阔卵形，很少披针形，先端有小短尖头，长 6 ～ 10 mm，宽 3 ～ 5 mm，5 ～ 7 脉，黄绿色，长过小伞形花序半倍至一倍；小伞形花序直径 1 ～ 2 cm，花梗长 1.5 ～ 2.5 mm；花瓣黄色，有时背面带淡紫红色；花柱基干燥时紫褐色。果实棕色，卵形，长 3.5 ～ 4 mm，宽 2 ～ 2.5 mm，棱薄，狭翼状；每棱槽内具油管 3，合生面具油管 3 ～ 4。花期 7 ～ 8 月，果期 8 ～ 9 月。

| **生境分布** | 生于海拔 1 400 ～ 3 400 m 的山坡草地、山谷、山顶阴处。分布于河北丰宁、青龙、蔚县等。

| **资源情况** | 野生资源丰富。药材主要来源于野生。

| **采收加工** | 春、秋季采挖，除去茎叶、泥土，晒干。

| **功能主治** | 苦，寒。归肝、胆经。疏散退热，疏肝，调经，升阳。用于感冒发热，寒热往来，疟疾，胸胁胀满，月经不调，气虚下陷的子宫脱垂、脱肛等。

| **用法用量** | 内服煎汤，3 ～ 9 g。

| **附　　注** | （1）本种的变种小叶黑柴胡植株矮小，高 15 ～ 40 cm。茎丛生更密，茎细而微弯成弧形，下部微触地。叶变窄，变小，长 6 ～ 11 cm，宽 3 ～ 7 mm。小伞形花序小，直径 8 ～ 11 mm；小总苞有时减少至 5，长 3.5 ～ 6 mm，宽 2.5 ～ 3.5 mm，稍稍超过小伞形花序。

（2）真阴亏损，肝阳上升者忌服。

伞形科 Umbelliferae 柴胡属 Bupleurum

红柴胡
Bupleurum scorzonerifolium Willd.

| **植物别名** | 软柴胡、狭叶柴胡。

| **药 材 名** | 红柴胡（药用部位：根）。

| **形态特征** | 多年生草本，高 30 ~ 60 cm。主根发达，圆锥形，支根稀少，深
红棕色，表面略皱缩，上端有横环纹，下部有纵纹，质疏松而脆。
茎单一或 2 ~ 3，基部密覆叶柄残余纤维，细圆，有细纵槽纹，茎
上部有多回分枝，略呈"之"字形弯曲，并成圆锥状。叶细线形，
基生叶下部略收缩成叶柄，其他均无柄，叶长 6 ~ 16 cm，宽 2 ~
7 mm，先端长渐尖，基部稍变窄抱茎，质厚，稍硬挺，常对折或内卷，
3 ~ 5 脉，向叶背凸出，两脉间有隐约平行的细脉，叶缘白色，骨质，
上部叶小，同形。伞形花序自叶腋间抽出，花序多，直径 1.2 ~ 4 cm，

形成较疏松的圆锥花序；伞幅（3～）4～6（～8），长1～2 cm，很细，弧形弯曲；总苞片1～3，极细小，针形，长1～5 mm，宽0.5～1 mm，1～3脉，有时紧贴伞幅，常早落；小伞形花序直径4～6 mm，小总苞片5，紧贴小伞形花序，线状披针形，长2.5～4 mm，宽0.5～1 mm，细而尖锐，等于或略超过花时小伞形花序；小伞形花序有花（6～）9～11（～15），花梗长1～1.5 mm；花瓣黄色，舌片几与花瓣的一半等长，先端2浅裂；花柱基厚垫状，宽于子房，深黄色，柱头向两侧弯曲；子房主棱明显，表面常有白霜。果实广椭圆形，长2.5 mm，宽2 mm，深褐色，棱浅褐色，粗钝凸出，每棱槽中具油管5～6，合生面具油管4～6。花期7～8月，果期8～9月。

| 生境分布 | 生于海拔160～2 250 m的干燥草原、向阳山坡上或灌木林边缘。分布于河北沽源、涞源、张北等。

| 资源情况 | 野生资源丰富。药材来源于野生。

| 采收加工 | 春、秋季采挖，除去茎叶、泥沙，干燥。

| 功能主治 | 和解少阳，祛风除痹，升阳举陷，疏肝解郁，疏散退热。用于脘腹坠胀，食少倦怠，久泻脱肛，子宫脱垂，肾脏下垂，胸胁或者少腹胀痛，情志抑郁，月经失调，痛经，感冒发热。

| 用法用量 | 内服煎汤，3～10 g。

| 附　　注 | 本种及2个变型的根均入药，称红柴胡，《本草图经》所载柴胡的一种曰："生丹州，结青子，与他处者不类。根赤色，似前胡而强，芦头有赤毛，如鼠尾，独窠长者好。"该种可能指陕西所产的红柴胡，丹州即今陕西宜川县。

雾灵柴胡 *Bupleurum sibiricum* Vest. var. *jeholense* (Nakai) Chu

| 药 材 名 | 雾灵柴胡（药用部位：全草或根）。

| 形态特征 | 多年生草本。数茎成丛生状，很少单生，高 30 ~ 70 cm，表面有纵槽纹，上部稍有分枝，基部常带紫红色，有纤维状叶鞘。叶较宽，卵状披针形。复伞形花序少数，直径 4 ~ 6 cm；伞幅 5 ~ 14，粗壮，略呈弧形弯曲，不等长，长 1.5 ~ 4.5 cm；总苞片 1 ~ 2，不等大，与茎顶部小叶同形，但更小，常早落；小总苞片 5，黄绿色，7脉，披针形或卵状披针形，长超过花和果实。小伞形花序直径 8 ~ 15 mm，有花 10 ~ 22；花梗长 2 ~ 3 mm；花瓣鲜黄色，小舌片大，近长方形；花柱基深黄色，宽于子房。果实成熟时暗褐色，微有白霜，广卵状椭圆形，长 3 ~ 4 mm，宽 2.5 ~ 3 mm。果棱狭翼状，

每棱槽中具油管 3，合生具油管面 4 ~ 6。花期 7 ~ 8 月，果期 8 ~ 9 月。

| **生境分布** | 生于海拔 1 500 m ~ 2 000 m 的地区。分布于河北涞源、平泉、蔚县等。

| **资源情况** | 野生资源丰富。药材来源于野生。

| **采收加工** | 春、秋季采挖根，除去茎叶、泥沙，切段，晒干。全草则在春末、夏初拔起，晒干。

| **功能主治** | 苦、辛，微寒。归肝、胆经。透表泻热，疏肝解郁，升举阳气。用于肝郁气滞，胸胁胀痛，脱肛，子宫脱垂，月经不调。

| **用法用量** | 内服煎汤，3 ~ 10 g。

伞形科 Umbelliferae 柴胡属 Bupleurum

锥叶柴胡
Bupleurum bicaule Helm

植物别名

红柴胡。

药 材 名

锥叶柴胡（药用部位：根）。

形态特征

多年生丛生草本，高 12 ~ 20 cm。直根发达，外皮深褐色或红褐色，表面皱缩，有较明显的横纹和突起，质地坚硬，木质化，断面纤维状，很少分枝，根颈分枝极多，每一分枝的基部均簇生有残叶鞘。茎常多数，细弱，纵棱明显，上端有少数短分枝。叶线形，长 7 ~ 16 cm，宽 1 ~ 3 mm，3 ~ 5 脉，先端渐尖，有锐尖头，基部变狭成叶柄；茎生叶很少，长 0.4 ~ 4 cm，宽 0.5 ~ 2.5 cm，基部不收缩，半抱茎，5 ~ 7 脉，向上渐小，侧枝上的叶更小，如针形。复伞形花序少，直径 1 ~ 2 cm；伞幅 4 ~ 7，长 4 ~ 15 mm；小伞形花序直径 3 ~ 6 mm，花 7 ~ 13；总苞片常无或 1 ~ 3，长 1 ~ 3 mm，宽 1 mm，脉 1 ~ 3；小总苞片 5，披针形，长 2 ~ 2.5 mm，宽 0.6 ~ 0.8 mm，短于小伞形花序，先端尖锐，3 脉；花梗长 0.7 ~ 1.3 mm；花直径 1 ~ 1.5 mm，花瓣鲜黄色，小舌片先端浅 2 裂，较小，中脉不凸起；花柱基深黄色。果实广卵形，两侧略扁，两端截形，蓝褐色，长 2.5 ~ 3 mm，宽 2 mm，棱凸出，细线状，淡棕色；棱槽中具油管 3，合生面具油管 2 ~ 4，很细，成熟后不甚清楚。花期 7 ~ 8 月，果期 8 ~ 9 月。

| 生境分布 | 生于海拔 650 ~ 1 550 m 的山坡向阳地草原上和干旱多砾石的草地上或低山区山坡草原上。分布于河北沽源、邢台、张北等。

| 资源情况 | 野生资源丰富。药材来源于野生。

| 采收加工 | 春、秋季采挖，除去茎叶、泥沙，干燥。

| 功能主治 | 和解少阳，祛风除痹，升阳举陷，疏肝解郁，疏散退热。用于脘腹坠胀，食少倦怠，久泻脱肛，子宫脱垂，肾脏下垂，胸胁或者少腹胀痛，情志抑郁，月经失调，痛经，感冒发热。

| 用法用量 | 内服煎汤，3 ~ 10 g。

| 附　　注 | 本种的根在陕西及其他地方称红柴胡，作药用。

伞形科 Umbelliferae 当归属 Angelica

白芷

Angelica dahurica (Fisch. ex Hoffm.) Benth. et Hook. f. ex Franch. et Sav.

| **植物别名** | 香白芷。

| **药 材 名** | 白芷（药用部位：根）。

| **形态特征** | 多年生高大草本，高 1 ~ 2.5 m。根圆柱形，有分枝，直径 3 ~ 5 cm，外表皮黄褐色至褐色，有浓烈气味。茎基部直径 2 ~ 5 cm，有时可达 7 ~ 8 cm，通常带紫色，中空，有纵长沟纹。基生叶 1 回羽状分裂，有长柄，叶柄下部有管状抱茎边缘膜质的叶鞘；茎上部叶 2 ~ 3 回羽状分裂，叶片卵形至三角形，长 15 ~ 30 cm，宽 10 ~ 25 cm，叶柄长至 15 cm，下部为囊状膨大的膜质叶鞘，无毛或稀有毛，常带紫色；末回裂片长圆形，卵形或线状披针形，多无柄，长 2.5 ~ 7 cm，宽 1 ~ 2.5 cm，急尖，边缘有不规则的白色软

骨质粗锯齿，具短尖头，基部两侧常不等大，沿叶轴下延成翅状；花序下方的叶简化成无叶的、显著膨大的囊状叶鞘，外面无毛。复伞形花序顶生或侧生，直径 10 ~ 30 cm，花序梗长 5 ~ 20 cm，花序梗、伞幅和花梗均有短糙毛；伞幅 18 ~ 40，中央主伞有时伞幅多至 70；总苞片通常缺或有 1 ~ 2，成长卵形膨大的鞘；小总苞片 5 ~ 10 余，线状披针形，膜质，花白色；无萼齿；花瓣倒卵形，先端内曲成凹头状；子房无毛或有短毛；花柱比短圆锥状的花柱基长 2 倍。果实长圆形至卵圆形，黄棕色，有时带紫色，长 4 ~ 7 mm，宽 4 ~ 6 mm，无毛，背棱扁，厚而钝圆，近海绵质，远较棱槽为宽，侧棱翅状，较果体狭；棱槽中具油管 1，合生面具油管 2。花期 7 ~ 8 月，果期 8 ~ 9 月。

| 生境分布 | 生于林下、林缘、溪旁、灌丛或山谷草地。分布于河北丰宁、行唐、青龙等。

| 资源情况 | 栽培资源丰富。药材主要来源于栽培。

| 采收加工 | 夏、秋季间叶黄时采挖，除去须根及泥沙，晒干或低温干燥。

| 药材性状 | 本品呈长圆锥形，长 10 ~ 25 cm，直径 1.5 ~ 2.5 cm。表面灰棕色或黄棕色，根头部钝四棱形或近圆形，具纵皱纹、支根痕及皮孔样的横向突起，有的排列成四纵行。先端有凹陷的茎痕。质坚实，断面白色或灰白色，粉性，形成层环棕色，近方形或近圆形，皮部散有多数棕色油点。气芳香，味辛、微苦。

| 功能主治 | 辛，温。归胃、大肠、肺经。解表散寒，祛风止痛，宣通鼻窍，燥湿止带，消肿排脓。用于感冒头痛，眉棱骨痛，鼻塞流涕，鼻衄，鼻渊，牙痛，带下，疮疡肿痛。

| 用法用量 | 内服煎汤，3 ~ 10 g。

| 附 注 | 杭白芷与白芷的植物形态基本一致，但植株高 1 ~ 1.5 m。茎及叶鞘多为黄绿色。根长圆锥形，上部近方形，表面灰棕色，有多数较大的皮孔样横向突起，略排列成数纵行，质硬较重，断面白色，粉性大。

当归

Angelica sinensis (Oliv.) Diels

| **植物别名** | 干归。

| **药 材 名** | 当归（药用部位：根）。

| **形态特征** | 多年生草本，高 0.4 ~ 1 m。茎直立，带紫色，有明显的纵直槽纹，光滑无毛。叶 2 ~ 3 回单数羽状分裂，叶柄长 3 ~ 11 cm，基部叶鞘膨大；叶片卵形；小叶 3 对，近叶柄的 1 对小叶柄长 0.5 ~ 1.5 cm，近先端的 1 对无柄，呈 1 ~ 2 回分裂，裂片边缘有缺刻。复伞形花序，顶生，伞梗 10 ~ 14，长短不等，基部有 2 线状总苞片，或缺如；小总苞片 2 ~ 4，线形；小伞形花序有花 12 ~ 36，小伞梗长 0.3 ~ 1.5 cm，密被细柔毛；萼齿 5，细卵形；花瓣 5，白色，呈长卵形，先端狭尖，略向内折，无毛；雄蕊 5，花丝向内弯；子房下位，

花柱短，花柱基部圆锥形。双悬果椭圆形，长 4 ～ 6 mm，宽 3 ～ 4 mm，成熟后易从合生面分开；分果有果棱 5，背棱线形隆起，侧棱发展成宽而薄的翅，翅边缘淡紫色；横切面背部扁平，每棱槽中具油管 1，合生面具油管 2。花期 6 ～ 7 月，果期 7 ～ 8 月。

| **生境分布** | 生于海拔 1 500 ～ 3 000 m 的地区，为低温长日照作物，适宜高寒凉爽气候。分布于河北隆化、围场等。

| **资源情况** | 野生资源一般，栽培资源丰富。药材主要来源于栽培。

| **采收加工** | 秋末采挖，除去须根及泥沙，待水分稍蒸发后，捆成小把，上棚，用烟火慢慢熏干。

| **药材性状** | 本品根头部称"归头"，主根称"归身"，支根及支根梢部称"归尾"。本品全长 10 ～ 25 cm，归身长 3 ～ 10 cm。归头直径 2 ～ 4 cm，支根直径 0.3 ～ 1 cm。外表灰棕色或棕褐色，全体具纵皱纹，支根部尤多，归头先端圆平，有茎叶残基，常有不显著的环形皱纹，归身略呈圆柱形，表面凹凸不平，归尾上粗下细，多扭曲，表面有小疙瘩状的须根痕。质多柔韧，断面黄白色，有裂隙，中层有浅棕色环纹，并有多数棕色油点。气清香浓厚，味甘、微苦、辛。以主根大、身长、支根少、断面黄白色、气味浓厚者为佳，主根短小、支根多、气味较弱及断面变红棕色者质次。

| **功能主治** | 甘、辛，温。归肝、心、脾经。补血和血，调经止痛，润肠通便。用于血虚萎黄，眩晕心悸，月经不调，经闭痛经，虚寒腹痛，肠燥便秘，风湿痹痛，跌扑损伤，痈疽疮疡。

| **用法用量** | 内服煎汤，6 ～ 12 g；或入丸、散剂；或浸酒；或敷膏。

| **附　　注** | 中医学认为，当归味甘而重，故专能补血，其气轻而辛，故又能行血，补中有动，行中有补，为血中之要药。因此，它既能补血，又能活血，既可通经，又能活络。凡月经不调，痛经，血虚闭经，面色萎黄，衰弱贫血，子宫出血，产后瘀血，倒经（月经来潮时，出现口鼻流血）等女性常见病，都可以用当归治疗。当归是中医的常用药，食疗多用于煲汤，特别针对贫血患者。当归还能显著促进机体造血功能，升高红细胞、白细胞和血红蛋白含量。

伞形科 Umbelliferae 当归属 *Angelica*

骨缘当归
Angelica cartilaginomarginata var. *foliosa* Yuan et Shan

| 植物别名 | 山藁本、野芹菜。

| 药 材 名 | 骨缘当归（药用部位：根）。

| 形态特征 | 二年生草本。根纺锤形，略分枝，茎直立，常单一，高 1 ~ 1.5 m，直径达 1.5 cm，圆柱形，有细条纹，光滑无毛，上部叉状分枝。基生叶及下部茎生叶的叶柄略膨大成长鞘状，鞘长至 5 cm，基部抱茎，背面近无毛或稀被短毛；叶为三出式 2 回羽状分裂（有时下部叶非三出式），2 回羽片有裂片 5 ~ 7，末回裂片长圆形，长 5 ~ 6.5 cm，宽 2 ~ 3 cm，边缘多 2 ~ 3 深裂。基部极下延，成翅状叶轴，先端渐尖或锐尖，边缘有具白色软骨质的细密尖锯齿，两面均无毛，或仅主脉上有短糙毛；茎上部叶常简化为长叶鞘，仅先端有分裂的小

叶片。复伞形花序直径 3 ~ 8 cm，花序梗长 2 ~ 6 cm，有短糙毛，伞幅 7 ~ 14，无总苞片；小伞花序有花 10 ~ 25，小总苞片 2 ~ 4，线状钻形，边缘宽膜质；花白色；无萼齿；花瓣卵圆形，渐尖，先端内卷；花柱基扁圆锥状。果实椭圆形至卵圆形，长 2 ~ 4 cm，宽 1.5 ~ 3 cm，背棱狭翅状，稍隆起，侧棱具狭翅，比果体狭，棱槽内具油管 1 ~ 2，合生面具油管 4，油管明显，黑褐色，扁而宽。花期 8 ~ 9 月，果期 9 ~ 10 月。

| 生境分布 | 生于山坡、林下草丛中。分布于河北宽城、平泉、围场等。

| 资源情况 | 野生资源稀少。药材主要来源于野生。

| 采收加工 | 秋末采挖，除去须根及泥沙，待水分稍蒸发后，捆成小把，上棚，用烟火慢慢熏干。

| 功能主治 | 甘、辛，温。归肝、心、脾经。补血和血，调经止痛，润肠通便。用于血虚萎黄，眩晕心悸，月经不调，经闭痛经，虚寒腹痛，肠燥便秘，风湿痹痛，跌扑损伤，痈疽疮疡。

| 用法用量 | 内服煎汤，6 ~ 12 g；或入丸、散剂；或浸酒；或敷膏。

毒芹
Cicuta virosa L.

| 植物别名 |

野芹。

| 药 材 名 |

毒芹根（药用部位：根及根茎）。

| 形态特征 |

多年生粗壮草本，高 70 ~ 100 cm。主根短缩，支根多数，肉质或纤维状，根茎有节，内有横隔膜，褐色。茎单生，直立，圆筒形，中空，有条纹，基部有时略带淡紫色，上部有分枝，枝条上升开展。基生叶叶柄长 15 ~ 30 cm，叶鞘膜质，抱茎；叶片呈三角形或三角状披针形，长 12 ~ 20 cm，2 ~ 3 回羽状分裂；最下部的 1 对羽片有长 1 ~ 3.5 cm 的柄，羽片 3 裂至羽裂，裂片线状披针形或窄披针形，长 1.5 ~ 6 cm，宽 3 ~ 10 mm，表面绿色，背面淡绿色，边缘疏生钝或锐锯齿，两面无毛或脉上有糙毛，较上部的茎生叶有短柄，叶片的分裂形状如同基生叶；最上部的茎生叶 1 ~ 2 回羽状分裂，末回裂片狭披针形，长 1 ~ 2 cm，宽 2 ~ 5 mm，边缘疏生锯齿。复伞形花序顶生或腋生，花序梗长 2.5 ~ 10 cm，无毛；总苞片通常无或有 1 线形的苞片；

伞幅 6 ~ 25，近等长，长 2 ~ 3.5 cm；小总苞片多数，线状披针形，长 3 ~
5 mm，宽 0.5 ~ 0.7 mm，先端长尖，中脉 1。小伞形花序有花 15 ~ 35，花梗
长 4 ~ 7 mm；萼齿明显，卵状三角形；花瓣白色，倒卵形或近圆形，长 1.5 ~
2 mm，宽 1 ~ 1.5 mm，先端有内折的小舌片，中脉 1；花丝长约 2.5 mm，花
药近卵圆形，长约 0.7 mm，宽 0.5 mm；花柱基幼时扁压，光滑；花柱短，长约
1 mm，向外反折。分生果近卵圆形，长、宽均 2 ~ 3 mm，合生面收缩，主棱阔，
木栓质，每棱槽内具油管 1，合生面具油管 2；胚乳腹面微凹。花果期 7 ~
8 月。

| **生境分布** | 生于海拔 400 ~ 2 900 m 的杂木林下、湿地或水沟边。分布于河北平泉、兴隆、
张北等。

| **资源情况** | 野生资源丰富。药材主要来源于野生。

| **采收加工** | 春、夏、秋季采挖。

| **功能主治** | 辛、甘，温；有大毒。
拔毒，祛瘀，止痛。
用于急、慢性骨髓炎，
痛风，风湿痛。

| **用法用量** | 外用适量，捣敷；或
研末调敷。

| **附 注** | 本 种 含 有 毒 物 质
Cicutoxin 和 Cicutin，
牲畜误食会引起中毒。

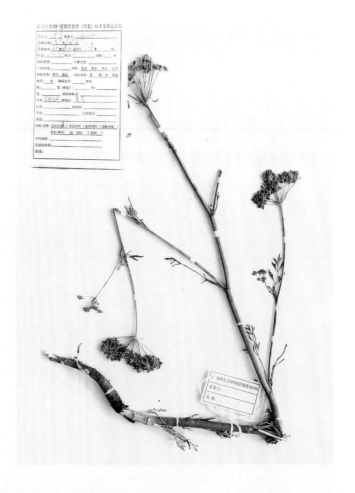

伞形科 Umbelliferae 独活属 Heracleum

独活

Heracleum hemsleyanum Diels

| 植物别名 | 大活、牛尾独活、假羌活。

| 药 材 名 | 独活（药用部位：根）。

| 形态特征 | 多年生草本，高 1 ~ 1.5 m。根圆锥形，分枝，淡黄色。茎单一，圆筒形，中空，有纵沟纹和沟槽。叶膜质，茎下部叶 1 ~ 2 回羽状分裂，有 3 ~ 5 裂片，被稀疏的刺毛，尤以叶脉处较多，先端裂片广卵形，3 分裂，长 8 ~ 13 cm，两侧小叶较小，近卵圆形，3 浅裂，边缘有楔形锯齿和短凸尖；茎上部叶卵形，3 浅裂至 3 深裂，长 3 ~ 8 cm，宽 8 ~ 10 cm，边缘有不整齐的锯齿。复伞形花序顶生和侧生。花序梗长 22 ~ 30 cm，近光滑；总苞少数，长披针形，长 1 ~ 2 cm，宽约 1 mm；伞幅 16 ~ 18，不等长，长 2 ~ 7 cm，

有稀疏的柔毛；小总苞片 5 ~ 8，线状披针形，长 2 ~ 3.5 cm，宽 1 ~ 2 mm，被柔毛。每小伞形花序有花约 20，花梗细长；萼齿不显；花瓣白色，二型；花柱基短圆锥形，花柱较短，柱头头状。果实近圆形，长 6 ~ 7 mm，背棱和中棱丝线状，侧棱有翅。背部每棱槽中具油管 1，棒状，棕色，长为分生果长度的一半或稍超过，合生面具油管 2。花期 5 ~ 7 月，果期 8 ~ 9 月。

| 生境分布 | 生于山坡阴湿的灌丛林下。分布于河北赤城、滦平、平泉等。

| 资源情况 | 野生资源稀少。药材主要来源于野生。

| 采收加工 | 育苗移栽的在当年 10 ~ 11 月，直播的在生长 2 年后收获，挖出根部，去除枯萎茎、叶，抖去泥土，摊晾干水气后，堆放炕楼上，用柴火熏炕，炕至五成干时，将每枝顺直捏拢，扎成小捆，再炕至全干。

| 功能主治 | 苦、甘，平，无毒。归肾、膀胱经。祛风除湿，止痛，解表。用于风寒湿痹，风寒挟湿表证，少阴头痛，皮肤瘙痒。

| 用法用量 | 内服煎汤，3 ~ 10 g；或浸酒；或入丸、散剂。外用适量，煎汤洗。

伞形科 Umbelliferae 独活属 Heracleum

短毛独活 *Heracleum moellendorffii* Hance

| **植物别名** | 大叶芹、老山芹。

| **药材名** | 牛尾独活（药用部位：根。别名：绵毛独活）。

| **形态特征** | 多年生草本，高 1 ~ 2 m。根圆锥形、粗大，多分歧，灰棕色。茎直立，有棱槽，上部开展分枝。叶有柄，长 10 ~ 30 cm；叶片广卵形，薄膜质，三出式分裂，裂片广卵形至圆形、心形、不规则的 3 ~ 5 裂，长 10 ~ 20 cm，宽 7 ~ 18 cm，裂片边缘具粗大的锯齿，尖锐至长尖，小叶柄长 3 ~ 8 cm；茎上部叶有显著宽展的叶鞘。复伞形花序顶生和侧生，花序梗长 4 ~ 15 cm；总苞片少数，线状披针形；伞幅 12 ~ 30，不等长；小总苞片 5 ~ 10，披针形；花梗细长，长 4 ~ 20 mm；萼齿不显著；花瓣白色，二型；花柱基短圆锥形，花

柱叉开。分生果圆状倒卵形，先端凹陷，背部扁平，直径约 8 mm，有稀疏的柔毛或近光滑，背棱和中棱线状突起，侧棱宽阔；每棱槽内具油管 1，合生面具油管 2，棒形，其长度为分生果的一半。胚乳腹面平直。花期 7 月，果期 8 ～ 10 月。

| 生境分布 | 生于阴坡山沟旁、林缘或草甸子。分布于河北邢台及涞源、平山、蔚县、武安等。

| 资源情况 | 野生资源丰富。药材主要来源于野生。

| 采收加工 | 初春苗刚发芽或秋末茎叶枯萎时采挖，除去须根及泥沙，晒干。

| 药材性状 | 本品呈长圆锥形，少分枝，稍弯曲，长 8 ～ 18 cm，直径 0.7 ～ 2 cm。表面灰黄色至灰棕色，具不规则皱缩沟纹，皮孔细小，横向突起，先端有残留的茎基及棕黄色的叶鞘。质坚韧难折断，断面皮部黄白色，多裂隙，可见棕黄色油点，木部淡黄色，形成层环淡棕色。气微香，味微苦。

| 功能主治 | 辛、苦，温。祛风止痛。用于风寒湿痹，腰膝酸痛，痈肿。

| 用法用量 | 内服煎汤，3 ～ 9 g；或入丸、散剂；或浸酒。外用适量，煎汤漱口。

| 附 注 | 本种的变种少管短毛独活 *Heracleum moellendorffii* Hance var. *paucivittatum* Shan et T. S. Wang 果实近圆形或长椭圆形，长 6 ～ 8 mm，宽 4 ～ 7 mm，每棱槽中具油管 1 或无，合生面具油管 2，可以此与短毛独活区别。

伞形科 Umbelliferae 峨参属 Anthriscus

峨参

Anthriscus sylvestris (L.) Hoffm. Gen.

| 植物别名 |

土田七。

| 药 材 名 |

峨参（药用部位：根。别名：土白芷）、峨
参叶（药用部位：叶）。

| 形态特征 |

二年生或多年生草本，高达 1.5 m。直根粗
大。茎粗壮，多分枝，近无毛或下部有细
柔毛。基生叶有长柄，柄长 5 ~ 20 cm，基
部有阔鞘；叶片呈卵形，2 回羽状分裂，长
10 ~ 30 cm，1 回羽片有长柄，卵形至宽卵
形，有 2 回羽片 3 ~ 4 对，2 回羽片有短柄，
卵状披针形，羽状全裂或深裂，末回裂片卵
形或椭圆状卵形，有粗锯齿，长 1 ~ 3 cm，
宽 0.5 ~ 1.5 cm，背面疏生柔毛；茎上部叶
2.5 ~ 8 cm，伞幅 4 ~ 15；小总苞片 5 ~ 8，
卵形至披针形，先端尖锐，反折；花白色，
通常带绿色或黄色；花柱较花柱基长 2 倍。
果实长圆形至线状长圆形，长 5 ~ 10 mm，
宽 1 ~ 1.5 mm，光滑或疏生小瘤点，先端
渐狭成喙状，合生面明显收缩，果柄先端常
有 1 环白色小刚毛，分生果横剖面近圆形，
油管不明显，胚乳有深槽。花果期 4 ~ 5 月。

| **生境分布** | 生于从低山丘陵至海拔 4 500 m 的高山山坡林下或路旁，以及山谷溪边石缝中。分布于河北滦平等。

| **资源情况** | 野生资源丰富。药材主要来源于野生。

| **采收加工** | **峨参：** 秋后采挖，刮去粗皮，置沸水中略烫，干燥。
峨参叶： 夏、秋季间采收，鲜用或晒干。

| **药材性状** | **峨参：** 本品呈圆锥形，略弯曲，有的分叉，长 3 ~ 12 cm，中部直径 1 ~ 2 cm。先端有茎痕，侧面偶有疔疤，尾端渐细。表面黄棕色或灰褐色，有不规则纵皱纹，上部有环纹，下部可见突起的横长皮孔。质坚实，断面黄白色或黄棕色，角质样。气微，味微辛、微麻。栽培品较粗壮，长 2 ~ 5 cm，直径 1 ~ 3 cm，部分有 2 ~ 5 分叉或瘤状突起，环纹不甚明显，表面多呈灰黄色，半透明状。体重。

| **功能主治** | **峨参：** 辛、甘，温。归脾、胃、肺经。益气健脾，活血止痛。用于脾虚腹胀，乏力食少，肺虚咳喘，体虚自汗，老人夜尿频数，气虚水肿，劳伤腰痛，头痛，痛经，跌打瘀肿。
峨参叶： 甘、辛，平。止血，消肿。用于创伤出血，肿痛。

| **用法用量** | **峨参：** 内服煎汤，9 ~ 15 g；或浸酒。外用适量，研末调敷。
峨参叶： 外用适量，鲜品捣敷；或干品研末撒或调敷。

| **附　注** | 凡邪实而正气未虚者忌用。

伞形科 Umbelliferae 防风属 Saposhnikovia

防风 Saposhnikovia divaricata (Turcz.) Schischk.

| 植物别名 | 北防风、关防风。

| 药 材 名 | 防风（药用部位：根。别名：冀防风）。

| 形态特征 | 多年生草本，高 30 ~ 80 cm，全体无毛。根粗壮，茎基密生褐色纤维状的叶柄残基。茎单生，2 歧分枝。基生叶三角状卵形，长 7 ~ 19 cm，2 ~ 3 回羽状分裂，最终裂片条形至披针形，全缘；叶柄长 2 ~ 6.5 cm；顶生叶简化，具扩展叶鞘。复伞形花序，顶生；伞梗 5 ~ 9，不等长；总苞片缺如；小伞形花序有花 4 ~ 9，小总苞片 4 ~ 5，披针形；萼齿短三角形，较显著；花瓣 5，白色，倒卵形，凹头，向内卷；子房下位，2 室，花柱 2，花柱基部圆锥形。双悬果卵形，幼嫩时具疣状突起，成熟时裂开成 2 分生果，悬挂在 2 果柄的先端，

分生果有棱。花期 8 ~ 9 月，果期 9 ~ 10 月。

| 生境分布 | 生于草原、丘陵、多砾石山坡。分布于河北昌黎、永年、涿鹿等，河北安国有栽培。

| 资源情况 | 野生资源一般，栽培资源丰富。药材主要来源于栽培。

| 采收加工 | 春、秋季采挖未抽花茎植株的根，除去须根及泥沙，晒干。

| 药材性状 | 本品呈长圆锥形或长圆柱形，下部渐细，有的略弯曲，长 15 ~ 30 cm，直径 0.5 ~ 2 cm。表面灰棕色或棕褐色，粗糙，有纵皱纹、多数横长皮孔样突起及点状的细根痕。根头部有明显密集的环纹，有的环纹上残存棕褐色毛状叶基。体轻，质松，易折断，断面不平坦，皮部棕黄色至棕色，有裂隙，木部黄色。气特异，味微甘。

| 功能主治 | 辛、甘，温。归膀胱、肝、脾经。祛风解表，胜湿止痛，止痉。用于感冒头痛，风湿痹痛，风疹瘙痒，破伤风。

| 用法用量 | 内服煎汤，5 ~ 10 g。

| 附　　注 | 本种药材与荆芥作用相近，两药往往配合应用，本品用于止血、止泻时一般炒炭用。

伞形科 Umbelliferae 藁本属 Ligusticum

川芎
Ligusticum sinense 'Chuanxiong'

| **植物别名** | 山鞠穷、芎藭、香果。

| **药材名** | 川芎（药用部位：根茎）。

| **形态特征** | 多年生草本，高 40 ~ 70 cm。全株有浓烈香气。根茎呈不规则的结节状拳形团块，下端有多数须根。茎直立，圆柱形，中空，表面有纵直沟纹。茎下部的节膨大成盘状（俗称苓子），中部以上的节不膨大。茎下部叶具柄，柄长 3 ~ 10 cm，基部扩大成鞘；叶片卵状三角形，长 12 ~ 15 cm，宽 10 ~ 15 cm，3 ~ 4 回三出式羽状全裂，羽片 4 ~ 5 对，卵状披针形，长 6 ~ 7 cm，宽 5 ~ 6 cm，末回裂片线状披针形至长卵形，长 2 ~ 5 mm，宽 1 ~ 2 mm，先端有小尖头，仅脉上有稀疏的短柔毛；茎上部叶渐简化。复伞形花序顶生或侧生，

总苞片 3 ～ 6，线形，长 0.5 ～ 2.5 cm；伞幅 7 ～ 20，不等长，长 2 ～ 4 cm；小伞形花序有花 10 ～ 24；小总苞片 2 ～ 7，线形，略带紫色，被柔毛，长 3 ～ 5 mm；萼齿不发育；花瓣白色，倒卵形至椭圆形，先端有短尖状突起，内曲；雄蕊 5，花药淡绿色；花柱 2，长 2 ～ 3 mm，向下反曲。幼果两侧扁压，长 2 ～ 3 mm，宽约 1 mm；背棱槽内具油管 1 ～ 5，侧棱槽内具油管 2 ～ 3，合生面具油管 6 ～ 8。花期 7 ～ 8 月，幼果期 9 ～ 10 月。

| 生境分布 | 生于温和的气候环境。分布于河北定州、蠡县、平泉等，河北安国有栽培。

| 资源情况 | 野生资源一般，栽培资源丰富。药材主要来源于栽培。

| 采收加工 | 夏季当茎上的节盘显著凸出，并略带紫色时采挖，除去泥沙，晒后烘干，再除去须根。

| 药材性状 | 本品为不规则结节状拳形团块，直径 2 ～ 7 cm。表面灰褐色或褐色，粗糙皱缩，有多数平行隆起的轮节，先端有凹陷的类圆形茎痕，下侧及轮节上有多数小瘤状根痕。质坚实，不易折断，断面黄白色或灰黄色，散有黄棕色的油室，形成层环呈波状。气浓香，味苦、辛，稍有麻舌感，微回甜。

| 功能主治 | 辛，温。归肝、胆、心包经。活血行气，祛风止痛。用于胸痹心痛，胸胁刺痛，跌扑肿痛，月经不调，经闭痛经，癥瘕腹痛，头痛，风湿痹痛。

| 用法用量 | 内服煎汤，3 ～ 10 g。

| 附　　注 | （1）本种入药始载于《神农本草经》，原名芎䓖，列为上品。《本草图经》记载："今关陕、蜀川、江东山中多有之，而以蜀川者为胜。其苗四、五月间生，叶似芹、胡荽、蛇床辈，作丛而茎细。"并附有永康军芎䓖图，永康军在今四川省灌县境内。《本草纲目》记载："蜀地少寒，人多栽莳，深秋茎叶亦不萎也。清明后，宿根生苗，分其横埋之，则节节生根，八月根下始结芎䓖。"综上所述，现四川省栽培的川芎与本草文献所述的品种是一致的。

（2）川芎恶山茱、狼毒，畏硝石、滑石、黄连，反藜芦。阴虚火旺、上盛下虚及气弱之人忌服。

伞形科 Umbelliferae 藁本属 Ligusticum

藁本
Ligusticum sinense Oliv.

| 植物别名 | 西芎。

| 药 材 名 | 藁本（药用部位：根及根茎）。

| 形态特征 | 多年生草本，高达 1 m。根茎发达，具膨大的结节。茎直立，圆柱形，中空，具条纹，基生叶具长柄，柄长可达 20 cm；叶片宽三角形，长 10 ~ 15 cm，宽 15 ~ 18 cm，2 回三出式羽状全裂；第 1 回羽片长圆状卵形，长 6 ~ 10 cm，宽 5 ~ 7 cm，下部羽片具柄，柄长 3 ~ 5 cm，基部略扩大，小羽片卵形，长约 3 cm，宽约 2 cm，边缘齿状浅裂，具小尖头，顶生小羽片先端渐尖至尾状；茎中部叶较大，上部叶简化。复伞形花序顶生或侧生，果时直径 6 ~ 8 cm；总苞片6 ~ 10，线形，长约 6 mm；伞幅 14 ~ 30，长达 5 cm，四棱形，粗

糙；小总苞片 10，线形，长 3 ~ 4 mm；花白色，花梗粗糙；萼齿不明显；花瓣倒卵形，先端微凹，具内折小尖头；花柱基隆起，花柱长，向下反曲。分生果幼嫩时宽卵形，稍两侧扁压，成熟时长圆状卵形，背腹扁压，长 4 mm，宽 2 ~ 2.5 mm，背棱凸起，侧棱略扩大呈翅状；背棱槽内具油管 1 ~ 3，侧棱槽内具油管 3，合生面具油管 4 ~ 6；胚乳腹面平直。花期 8 ~ 9 月，果期 10 月。

| 生境分布 | 生于海拔 1 000 ~ 2 700 m 的林下、沟边草丛中。分布于河北赤城、丰宁、宽城等。

| 资源情况 | 野生资源一般，栽培资源丰富。药材主要来源于栽培。

| 采收加工 | 秋季茎叶枯萎或次春出苗时采挖，除去泥沙，晒干或烘干。

| 药材性状 | 本品根茎呈不规则结节状圆柱形，稍扭曲，有分枝，长 3 ~ 10 cm，直径 1 ~ 2 cm。表面棕褐色或暗棕色，粗糙，有纵皱纹，上侧残留数个凹陷的圆形茎基，下侧有多数点状突起的根痕和残根。体轻，质较硬，易折断，断面黄色或黄白色，纤维状。气浓香，味辛、苦、微麻。

| 功能主治 | 辛，温。归膀胱经。祛风，散寒，除湿，止痛。用于风寒感冒，巅顶疼痛，风湿痹痛。

| 用法用量 | 内服煎汤，3 ~ 10 g。

| 附 注 | 本种根茎供药用，为我国传统药，散风寒燥湿，用于风寒头痛、寒湿腹痛、泄泻，外用于疥癣、神经性皮炎等皮肤病。

伞形科 Umbelliferae 藁本属 Ligusticum

辽藁本

Ligusticum jeholense (Nakai et Kitagawa) Nakai et Kitagawa

| 植物别名 | 热河藁本。

| 药 材 名 | 藁本（药用部位：根及根茎）。

| 形态特征 | 多年生草本，高 15 ~ 60 cm。根茎短。茎直立，通常单一，中空，表面具纵棱，常带紫色。基生叶在花期时凋落；茎生叶互生，在下部和中部的叶有长柄；叶片全形为广三角形，通常为 3 回三出羽状全裂，最终裂片卵形或广卵形，先端短渐尖，基部楔形或近圆形，边缘有少数缺刻状牙齿，上面绿色，沿脉有细微的乳头状突起，下面灰绿色；茎上部的叶较小，叶柄鞘状，2 回三出羽状全裂。复伞形花序顶生；总苞片少数，早落；伞梗 6 ~ 19；小总苞片锥形，约 10，花梗约 20；萼齿不明显；花瓣 5，白色，椭圆形；雄蕊 5，较

花瓣长，花药黑紫色；子房下位，花柱呈压扁的圆锥形。双悬果椭圆形，分果具 5 果棱，果棱具狭翅，背棱棱槽中具油管 1，侧棱棱槽中具油管 1 ~ 2，合生面具油管 2 ~ 4。花期 7 ~ 9 月，果期 9 ~ 10 月。

| 生境分布 | 生于海拔 1 250 ~ 2 500 m 的林下、草甸及沟边等阴湿处。分布于河北阜平、平泉、涿鹿等。

| 资源情况 | 野生资源一般，栽培资源丰富。药材主要来源于栽培。

| 采收加工 | 秋季茎叶枯萎或翌年春季出苗时采挖，除去泥沙，晒干或烘干。

| 药材性状 | 本品较小，根茎呈不规则的团块状或柱状，长 1 ~ 3 cm，直径 0.6 ~ 2 cm。有多数细长弯曲的根。

| 功能主治 | 辛，温。归膀胱经。祛风，散寒，除湿，止痛。用于风寒感冒，巅顶疼痛，风湿痹痛；外用于疥癣、神经性皮炎等皮肤病。

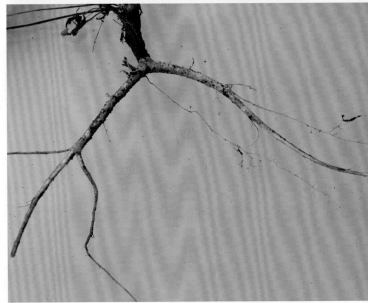

| 用法用量 | 内服煎汤，3 ~ 10 g。外用适量，煎汤洗；或研末调涂。

| 附　注 | 本种的根及根茎可供药用，能散风寒燥湿，用于风寒头痛、寒湿腹痛、泄泻。

伞形科 Umbelliferae 藁本属 Ligusticum

细叶藁本 *Ligusticum tenuissimum* (Nakai) Kitagawa

| 植物别名 | 藁本。

| 药 材 名 | 细叶藁本（药用部位：根及根茎）。

| 形态特征 | 多年生草本，高 60 ～ 100 cm。根分叉，深褐色，有浓烈香气。茎圆柱形，中空，具纵条纹，带紫色，上部分枝呈"之"字形弯曲。基生叶具长柄，早枯；茎下部叶柄长达 20 cm，基部稍扩大成鞘状，上部叶柄渐短至全部成鞘；叶片 3 ～ 4 回三出式羽状全裂；总苞片 1 ～ 2，线形，边缘膜质白色，常早落；伞幅略不等长，内侧粗糙；小总苞片 5 ～ 8，长达 1.5 cm，边缘膜质白色；花梗不等长；萼齿不明显；花瓣白色，倒卵形，先端微凹；花柱后期向下反曲。分生果椭圆形，背棱凸起，侧棱扩大成翅；每棱槽内具油管 1，合生面

具油管 2。花期 8 ～ 9 月，果期 9 ～ 10 月。

| 生境分布 | 生于多石质山坡林下。分布于河北平泉、围场、武安等。

| 资源情况 | 野生资源稀少。药材主要来源于野生。

| 采收加工 | 秋季采挖，除去茎叶，洗净，晒干。

| 药材性状 | 本品表面灰棕褐色，有不规则瘤状突起，常显著肥大。根茎短，呈不规则圆柱状或团块状，罕分枝，长 2 ～ 4 cm，直径 1 ～ 1.5 cm，先端有茎残基和叶柄残基，下端有少数肥大、延长的根。根茎横切面在放大镜下观察不平坦，皮部和髓部类白色，木质部淡棕黄色，皮部具较多裂隙；根断面与根茎相似，无髓。质轻，松软，粉性强。气浓烈芳香，味辛、苦、微甘，稍有麻舌感。断面在荧光灯下显黄绿色荧光。

| 功能主治 | 辛、苦，温。疏风除湿，散寒止痛。用于风寒感冒，感冒夹湿，头痛，风寒湿痹，寒疝痛。

| 用法用量 | 内服煎汤，3 ～ 9 g；或入丸、散剂。外用适量，煎汤洗；或研末调涂。

伞形科 Umbelliferae　岩茴香属 Rupiphila

岩茴香

Rupiphila tachiroei (Franch. & Sav.) Pimenov & Lavrova

| 植物别名 |

细叶藁本。

| 药 材 名 |

岩茴香（药用部位：根。别名：细叶藁本）。

| 形态特征 |

多年生草本，高 15 ~ 30 cm。根颈粗短；根常分叉。茎单一或数条簇生，较纤细，常呈 "之" 字形弯曲，上部分枝，基部被有叶鞘残迹。基生叶具长柄，柄长 6 ~ 7 cm，基部略扩大成鞘，叶片卵形，长 8 ~ 10 cm，宽 5 ~ 7 cm，3 回羽状全裂，末回裂片线形，长 3 ~ 15 mm，宽 0.5 ~ 1 mm，具 1 脉；茎生叶少数，向上渐简化。复伞形花序少数，直径 2 ~ 4 cm；总苞片 2 ~ 4，线状披针形，长 0.5 ~ 1 cm，中下部边缘白色膜质，常早落；伞幅 6 ~ 10，长 1 ~ 1.5 cm；小总苞片 5 ~ 8，线状披针形，长 5 ~ 7 mm，边缘白色膜质；萼齿显著，钻形；花瓣白色，长卵形至卵形，长约 1.5 mm，先端具内折小舌片，基部具爪；花柱基圆锥形，花柱较长，后期向下反曲。分生果卵状长圆形，长 4 mm，宽 1.5 mm，主棱凸出；每棱槽内具油管 1，合生面具油管 2；胚乳腹面平直。花期 7 ~

8 月，果期 8 ~ 9 月。

| **生境分布** | 生于海拔 1 200 ~ 2 500 m 的河岸湿地、石砾荒原及岩石缝间。分布于河北涞源、平泉、涿鹿等。

| **资源情况** | 野生资源一般。药材主要来源于野生。

| **采收加工** | 秋季采挖，除去茎叶，洗净，切片，晒干。

| **药材性状** | 本品呈圆锥形，粗大。表面棕褐色，先端有残留茎痕，有多数支根痕。质坚实，不易折断，断面黄白色，有形成层环。气郁香，味微苦而辛。

| **功能主治** | 辛，温。疏风发表，行气止痛，活血调经。用于伤风感冒，头痛，胸痛，脘腹胀痛，风湿痹痛，月经不调，崩漏，跌打伤肿。

| **用法用量** | 内服煎汤，6 ~ 15 g；或研末。

伞形科 Umbelliferae 葛缕子属 Carum

葛缕子 *Carum carvi* L.

| 药 材 名 |

青海防风（药用部位：根。别名：防风）。

| 形态特征 |

多年生草本，高 30 ~ 70 cm。根圆柱形，长 4 ~ 25 cm，直径 5 ~ 10 mm，表皮棕褐色。茎通常单生，稀 2 ~ 8。基生叶及茎下部叶的叶柄与叶片近等长，或略短于叶片，叶片长圆状披针形，长 5 ~ 10 cm，宽 2 ~ 3 cm，2 ~ 3 回羽状分裂，末回裂片线形或线状披针形，长 3 ~ 5 mm，宽约 1 mm，茎中、上部叶与基生叶同形，较小，无柄或有短柄。总苞片无，稀 1 ~ 3，线形；伞幅 5 ~ 10，极不等长，长 1 ~ 4 cm，无小总苞或偶有 1 ~ 3，线形；小伞形花序有花 5 ~ 15，花杂性，无萼齿，花瓣白色或带淡红色，花梗不等长，花柱长约为花柱基的 2 倍。果实长卵形，长 4 ~ 5 mm，宽约 2 mm，成熟后黄褐色，果棱明显，每棱槽内具油管 1，合生面具油管 2。花果期 5 ~ 8 月。

| 生境分布 |

生于河滩草丛中、林下或高山草甸。分布于河北沽源、滦平、张北等。

| **资源情况** | 野生资源丰富。药材来源于野生。

| **采收加工** | 夏、秋季采挖，除去地上部分及须根，洗去泥沙，稍晾，置沸水中烫后去外皮，晒干或烘干。

| **药材性状** | 本品呈圆柱形或纵剖成条形，略弯曲或呈扭曲状，单一，罕见分歧者。根头部宽大，有明显的凹陷茎基痕。表面稍粗糙，有纵皱纹或沟纹。质坚脆，易折断，断面粗糙，皮层呈土黄色，木质部呈鲜明的黄色。气弱，味微甘而略苦。

| **功能主治** | 辛、甘，温。发表祛风，胜湿止痛。用于风寒感冒，头痛身痛，风湿痹痛，破伤风。

| **用法用量** | 内服煎汤，3 ~ 10 g。

伞形科 Umbelliferae 葛缕子属 Carum

田葛缕子 *Carum buriaticum* Turcz.

| 植物别名 | 丝叶葛缕子。

| 药 材 名 | 狗缨子（药用部位：根）。

| 形态特征 | 多年生草本，高 50 ~ 80 cm。根圆柱形，长达 18 cm，直径 0.5 ~ 2 cm。茎通常单生，稀 2 ~ 5，基部有叶鞘纤维残留物，自茎中、下部以上分枝。基生叶及茎下部叶有柄，长 6 ~ 10 cm，叶片长圆状卵形或披针形，长 8 ~ 15 cm，宽 5 ~ 10 cm，3 ~ 4 回羽状分裂，末回裂片线形，长 2 ~ 5 mm，宽 0.5 ~ 1 mm；茎上部叶通常 2 回羽状分裂，末回裂片细线形，长 5 ~ 10 mm，宽约 0.5 mm。总苞片 2 ~ 4，线形或线状披针形；伞幅 10 ~ 15，长 2 ~ 5 cm；小总苞片 5 ~ 8，披针形；小伞形花序有花 10 ~ 30，无萼齿；花瓣白色。果

实长卵形，长 3 ~ 4 mm，宽 1.5 ~ 2 mm，每棱槽内具油管 1，合生面具油管 2。花果期 5 ~ 10 月。

| **生境分布** | 生于田边、路旁、河岸、林下或山地草丛中。分布于河北蔚县、武安、赞皇等。

| **资源情况** | 野生资源丰富。药材来源于野生。

| **采收加工** | 9 ~ 10 月果实成熟时采挖，洗净，晒干，切段。

| **药材性状** | 本品呈圆锥形或圆柱形，长 10 ~ 20 cm，直径 0.5 ~ 1.5 cm，表面棕灰色，栓皮易碎脱落，具多数疣状突起及横向皱纹。质松脆，易折断，断面平坦，皮部浅棕色，木部黄色。气微，味辛。

| **功能主治** | 苦、辛，寒。归肝经。散风清热，降气化痰。用于感冒头痛，肺热咳嗽，痰多色黄。

| **用法用量** | 内服煎汤，3 ~ 9 g。

| **附　　注** | 本种的形态特征与葛缕子 *Carum carvi* L. 相似，但本种茎基部有叶鞘纤维残留物，基生叶 3 ~ 4 回羽状分裂，末回裂片较细，宽不及 1 mm，有总苞片和小总苞片。

伞形科 Umbelliferae 胡萝卜属 Daucus

胡萝卜
Daucus carota var. *sativa* Hoffm.

| 植物别名 | 红萝卜、甘荀。

| 药 材 名 | 胡萝卜（药用部位：根）、胡萝卜叶（药用部位：基生叶）、胡萝卜子（药用部位：果实）。

| 形态特征 | 一年生或二年生草本。根粗壮，长圆锥形，呈橙红色或黄色。茎直立，高 60 ~ 90 cm，多分枝。叶具长柄，二至三回羽状复叶，裂片线形或披针形，先端尖锐，有小尖头；叶柄基部扩大，形成叶鞘。复伞形花序，花序梗长 10 ~ 55 cm，有糙硬毛；总苞片多数，呈叶状、羽状分裂，裂片线形；伞幅多数，结果时外缘的伞幅向内弯曲；小总苞片 5 ~ 7，不分裂或 2 ~ 3 裂；花通常白色，有时带淡红色；花梗不等长。果实圆卵形，棱上有白色刺毛。花期 4 月。

| **生境分布** | 生于山坡路旁、旷野或田间。分布于河北涉县等。

| **资源情况** | 野生资源一般，栽培资源丰富。药材主要来源于栽培。

| **采收加工** | 胡萝卜：冬季采挖，除去茎叶、须根，洗净。
胡萝卜叶：冬季或春季采收，连根挖出，削取带根头部的叶，洗净，鲜用或晒干。
胡萝卜子：夏季果实成熟时采收，晒干。

| **功能主治** | 胡萝卜：甘、辛，平。归脾、肝、肺经。健脾和中，滋肝明目，化痰止咳，清热解毒。用于脾虚食少，体虚乏力，脘腹痛，泻痢，视物昏花，雀目，咳喘，百日咳，咽喉肿痛，麻疹，水痘，疖肿，烫火伤，痔漏。
胡萝卜叶：辛、甘，平。理气止痛，利水。用于脘腹痛，浮肿，小便不通，淋痛。
胡萝卜子：苦、辛，温。归脾、肾经。燥湿散寒，利水杀虫。用于久痢，久泻，虫积，水肿，宫冷腹痛。

| **用法用量** | 胡萝卜：内服煎汤，30 ~ 120 g；或生食；或捣汁；或煮食。外用适量，煮熟捣敷；或切片烧热敷。
胡萝卜叶：内服煎汤，30 ~ 60 g；或切碎蒸熟食。
胡萝卜子：内服煎汤，3 ~ 9 g；或入丸、散剂。

| **附　注** | 胡萝卜含有一种槲皮素，经常食用可增加冠状动脉血流量，促进肾上腺素合成，有降血压、消炎之功效。胡萝卜种子的含油量达 13%，可驱蛔虫，治疗长久不愈的痢疾。胡萝卜叶可防治水痘与急性黄疸性肝炎。长期饮用胡萝卜汁可预防夜盲症、眼干燥症，使皮肤丰润、皱纹淡化、斑点消除及头发健美。特别是对吸烟的人来说，每天吃点胡萝卜更有预防肺癌的作用。

野胡萝卜

Daucus carota L.

| 植物别名 | 鹤虱草。

| 药 材 名 | 南鹤虱（药用部位：果实。别名：野胡萝卜子）、野胡萝卜根（药用部位：根。别名：鹤虱风根）。

| 形态特征 | 二年生草本，高 15 ~ 120 cm。茎单生，全体有白色粗硬毛。基生叶薄膜质，长圆形，2 ~ 3 回羽状全裂，末回裂片线形或披针形，长 2 ~ 15 mm，宽 0.5 ~ 4 mm，先端尖锐，有小尖头，光滑或有糙硬毛，叶柄长 3 ~ 12 cm；茎生叶近无柄，有叶鞘，末回裂片小或细长。复伞形花序，花序梗长 10 ~ 55 cm，有糙硬毛；总苞有多数苞片，呈叶状，羽状分裂，少有不裂的，裂片线形，长 3 ~ 30 mm；伞幅多数，长 2 ~ 7.5 cm，结果时外缘的伞幅向内弯曲；小总苞片

5 ~ 7，线形，不分裂或 2 ~ 3 裂，边缘膜质，具纤毛；花通常白色，有时带淡红色；花梗不等长，长 3 ~ 10 mm。果实棱上有白色刺毛。花期 5 ~ 7 月。

| 生境分布 | 生于山坡路旁、旷野或田间。分布于河北怀安、灵寿、隆化等。

| 资源情况 | 野生资源丰富。药材主要来源于野生。

| 采收加工 | 南鹤虱：秋季果实成熟时割取果枝，晒干，打下果实，除去杂质。
野胡萝卜根：春季未开花前采挖，除去茎叶，洗净，晒干或鲜用。

| 药材性状 | 南鹤虱：本品为双悬果，呈椭圆形，多裂为分果，分果长 3 ~ 4 mm，宽 1.5 ~ 2.5 mm。表面淡绿棕色或棕黄色，先端有花柱残基，基部钝圆，背面隆起，具 4 窄翅状次棱，翅上密生 1 列黄白色钩刺，刺长约 1.5 mm，次棱间的凹陷处有不明显的主棱，其上散生短柔毛，接合面平坦，有 3 脉纹，具柔毛。种仁类白色，有油性。体轻。搓碎时有特异香气，味微辛、苦。

| 功能主治 | 南鹤虱：苦、辛，平；有小毒。归脾、胃经。杀虫消积。用于蛔虫病，蛲虫病，绦虫病，虫积腹痛，小儿疳积。
野胡萝卜根：甘、辛，凉。归脾、胃、肝经。健脾化滞，凉肝止血，清热解毒。用于脾虚食少，腹泻，惊风，溺血，血淋，咽喉肿痛。

| 用法用量 | 南鹤虱：内服煎汤，6 ~ 9 g；或入丸、散剂。外用适量，煎汤熏洗。
野胡萝卜根：内服煎汤，15 ~ 30 g。外用适量，捣汁涂。

| 附　注 | 胡萝卜与野胡萝卜的区别在于胡萝卜根肉质，长圆锥形，粗肥，呈红色或黄色。

伞形科 Umbelliferae 茴香属 Foeniculum

茴香 *Foeniculum vulgare* Mill.

| 植物别名 |

小茴香、怀香、西小茴。

| 药 材 名 |

小茴香（药用部位：果实）、茴香根（药用部位：根）、茴香茎叶（药用部位：茎叶）。

| 形态特征 |

草本，高 0.4 ~ 2 m。茎直立，光滑，灰绿色或苍白色，多分枝。较下部的茎生叶叶柄长 5 ~ 15 cm，中部或上部的叶柄部分或全部呈鞘状，叶鞘边缘膜质；叶片阔三角形，长 4 ~ 30 cm，宽 5 ~ 40 cm，4 ~ 5 回羽状全裂，末回裂片线形，长 1 ~ 6 cm，宽约 1 mm。复伞形花序顶生与侧生，花序梗长 2 ~ 25 cm；伞幅 6 ~ 29，不等长，长 1.5 ~ 10 cm；小伞形花序有花 14 ~ 39；花梗纤细，不等长；无萼齿；花瓣黄色，倒卵形或近倒卵圆形，长约 1 mm，先端有内折的小舌片，中脉 1；花丝略长于花瓣，花药卵圆形，淡黄色；花柱基圆锥形，花柱极短，向外叉开或贴伏在花柱基上。果实主棱 5，尖锐；每棱槽内具油管 1，合生面具油管 2；胚乳腹面近平直或微凹。花期 5 ~ 6 月，果期 7 ~ 9 月。

| 生境分布 | 生于疏松肥沃的砂壤土中。分布于河北平泉等。

| 资源情况 | 野生资源一般，栽培资源丰富。药材主要来源于栽培。

| 采收加工 | **小茴香**：秋季果实初熟时采割植株，晒干，打下果实，除去杂质。
茴香根：7 月采挖，除去茎叶，洗净，鲜用或晒干。
茴香茎叶：春、夏季割取地上部分，晒干或鲜用。

| 药材性状 | **小茴香**：本品为双悬果，呈圆柱形，有的稍弯曲，长 4 ~ 8 mm，直径 1.5 ~ 2.5 mm。表面黄绿色或淡黄色，两端略尖，先端残留有黄棕色凸起的柱基，基部有时有细小的果柄。分果呈长椭圆形，背面有纵棱 5，接合面平坦而较宽。横切面略呈五边形，背面的四边约等长。有特异香气，味微甘、辛。以粒大饱满、黄绿色、气味浓者为佳。
小茴香茎叶：本品具强烈香气。茎直立，光滑无毛，灰绿色或苍白色，上部分枝开展，表面具细纵沟纹。茎生叶互生；较下部的茎生叶叶柄长 5 ~ 15 cm，中部或上部叶的叶柄具部分或全部皮鞘状，叶鞘边缘膜质；叶片阔三角形，长约 30 cm，宽约 40 cm，4 ~ 5 回羽状全裂；末回裂片丝状，长 1 ~ 6 cm，宽约 1 mm。

| 功能主治 | **小茴香**：辛，温。归肾、膀胱、胃经。散寒止痛，理气和胃。用于寒疝腹痛，睾丸偏坠，痛经，少腹冷痛，脘腹胀痛，食少吐泻。
茴香根：辛、甘，温。温肾和中，行气止痛，杀虫。用于寒疝，耳鸣，胃寒呕逆，腹痛，风寒湿痹，鼻疳，蛔虫病。
茴香茎叶：甘、辛，温。理气和胃，散寒止痛。用于恶心呕吐，疝气，腰痛，痈肿。

| 用法用量 | **小茴香**：内服煎汤，3 ~ 6 g；或入丸、散剂。外用适量，研末调敷；或炒热温熨。
茴香根：内服煎汤，9 ~ 15 g，鲜品加倍；或鲜品捣汁；或浸酒，外用适量，捣敷；或煎汤洗。
茴香茎叶：内服煎汤，10 ~ 15 g，或捣汁浸酒。外用适量，捣敷。

| 附　注 | 本种入药首见于《药性论》。《新修本草》云："叶似老胡荽极细，茎细，高五六尺，丛生。"《本草图经》云："七月生花，头如伞盖，黄色，结实如麦而小，青色。"《本草蒙筌》云："小茴香，家园栽种，类蛇床子，色褐轻虚。"其后《本草纲目》亦有"茴香宿根，深冬生苗作丛，肥茎丝叶"等记载。根据上述植物特征可知，古今所用小茴香的原植物均为伞形科植物茴香，且早有栽培。

伞形科 Umbelliferae 棱子芹属 Pleurospermum

棱子芹
Pleurospermum uralense Hoffmann

| 植物别名 | 乌拉尔棱子芹。

| 药 材 名 | 棱子芹（药用部位：茎叶）、棱子芹根（药用部位：根）。

| 形态特征 | 多年生草本，高达 2 m。根粗壮，直径 2 ~ 3 cm。茎中空，表面有
细纵棱，幼时有毛，后无毛。基生叶或茎下部叶有长柄；叶宽卵状
三角形，长 15 ~ 30 cm，三出 2 回羽状全裂，小裂片窄卵形或窄披
针形，长 2 ~ 6 cm，有缺刻状牙齿，脉上及边缘有糙毛。顶生复伞
形花序直径 10 ~ 20 cm，总苞片多数，线形或披针形，长 2 ~ 8 cm，
羽裂或全缘，外折，脱落；伞幅 20 ~ 60，有糙毛，小总苞片 6 ~ 9，
线状披针形，全缘或分裂；花多数；花梗长 1 ~ 1.2 cm；花瓣白色，
宽卵形。果实卵形，长 0.7 ~ 1 cm，果棱窄翅状，边缘有小钝齿，

密生水泡状突起，每棱槽具油管 1，合生面具油管 2。花期 7 月，果期 8 月。

| 生境分布 | 生于山坡草地或林缘。分布于河北赤城、青龙等。

| 资源情况 | 野生资源丰富。药材来源于野生。

| 采收加工 | **棱子芹：** 夏季采收，晒干。
棱子芹根： 夏季采挖，除去茎叶，洗净，晒干。

| 功能主治 | **棱子芹：** 苦，寒。清热解毒。用于外感发热，梅毒，花和食物中毒。
棱子芹根： 辛、苦，温。燥湿止带。用于带下清稀，蛇咬伤。

| 用法用量 | **棱子芹：** 内服研末，3 ～ 9 g。
棱子芹根： 内服煎汤，3 ～ 9 g；或入丸、散剂。

伞形科 Umbelliferae 迷果芹属 *Sphallerocarpus*

迷果芹 *Sphallerocarpus gracilis* (Bess.) K.-Pol.

| 植物别名 | 小叶山红萝卜。

| 药 材 名 | 迷果芹（药用部位：根及根茎）。

| 形态特征 | 多年生草本，高 50 ~ 120 cm。根块状或圆锥形。茎圆形，多分枝，有细条纹，下部密被或疏生白毛，上部无毛或近无毛。基生叶早落或凋存；茎生叶 2 ~ 3 回羽状分裂，2 回羽片卵形或卵状披针形，长 1.5 ~ 2.5 cm，宽 0.5 ~ 1 cm，先端长尖，基部有短柄或近无柄；末回裂片边缘羽状缺刻或齿裂，通常表面绿色，背面淡绿色，无毛或疏生柔毛；叶柄长 1 ~ 7 cm，基部有阔叶鞘，鞘棕褐色，边缘膜质，被白色柔毛，脉 7 ~ 11；序托叶的柄呈鞘状，裂片细小。复伞形花序顶生和侧生；伞幅 6 ~ 13，不等长，有毛或无；小总苞片

通常 5，长卵形至广披针形，长 1.5 ~ 2.5 mm，宽 1 ~ 2 mm，常向下反曲，边缘膜质，有毛；小伞形花序有花 15 ~ 25；花梗不等长；萼齿细小；花瓣倒卵形，长约 1.2 mm，宽 1 mm，先端有内折的小舌片；花丝与花瓣等长或稍长，花药卵圆形，长约 0.5 mm。果实椭圆状长圆形，长 4 ~ 7 mm，宽 1.5 ~ 2 mm，两侧微扁，背部有 5 凸起的棱，棱略呈波状，棱槽内具油管 2 ~ 3，合生面具油管 4 ~ 6；胚乳腹面内凹。花果期 7 ~ 10 月。

| **生境分布** | 生于海拔 580 ~ 2 800 m 的山坡路旁、村庄附近、菜园地或荒草地上。分布于河北灵寿、迁安、武安等。

| **资源情况** | 野生资源一般。药材主要来源于野生。

| **采收加工** | 秋季挖取根部，洗净泥土，晒干。

| **药材性状** | 本品根茎呈圆柱状，长 7 ~ 9 cm，直径 0.5 ~ 0.7 cm，先端常带有茎残基，表面棕褐色，具纵向细纹理及横向环节，断面黄色，细腻，中空。主根短，直径约 1 cm，下有支根 4 ~ 6，直径 0.1 ~ 0.3 cm，表面棕黄色，具横向棕色皮孔样疤痕及支根痕，断面黄白色，纤维状。气微香，味微麻舌。

| **功能主治** | 甘、辛、苦。祛肾寒，敛黄水。用于痹证，肾寒病，黄水病。

| **用法用量** | 常配方用，6 ~ 9 g。

北京前胡

Peucedanum caespitosum Wolff

| 药 材 名 | 北京前胡（药用部位：根）。

| 形态特征 | 多年生草本，高 20 ~ 60 cm。根颈粗短，存留多数棕色叶鞘纤维，直径 1 ~ 2.5 cm，根圆锥形，通常多分叉，表皮灰褐色。通常数茎，少有单茎，主茎直立，其余数茎呈披散状丛生，多分枝，圆柱形，有显著的纵长条纹，向上条纹更加凸起、稍呈棱角状，光滑无毛，有时略带紫色。基生叶多数，叶柄长 4 ~ 10 cm，有浅槽，基部具宽阔叶鞘，边缘膜质，叶片与叶柄大致等长，叶片卵状长圆形，2 ~ 3 回羽状全裂，第 1 回羽片 4 ~ 7 对，无柄或有短柄，第 2 回羽片具 3 ~ 5 对小羽片，小羽片羽状分裂或全裂，末回裂片线形，先端钝尖，有小尖头，长 5 ~ 10 mm，宽约 1 mm，两面光滑无毛，边缘反卷；茎上部叶无柄，有宽阔叶鞘，叶片小，分裂回数较少；序

托叶具宽阔叶鞘，边缘膜质，叶片细小，3 裂或不裂。伞形花序多分枝，花序梗先端有短毛，主茎中央伞形花序直径 3 ~ 4 cm，其余花序直径约 2 cm，伞幅 10 ~ 12，不等长，花后长 1.1 ~ 1.5 cm，四棱形，有槽且内侧有短粗毛；总苞片 3 ~ 7，卵状披针形，渐尖，长 4 ~ 5 mm，宽 2 ~ 3 mm，边缘宽，白色，膜质；小伞形花序有花 15 ~ 20 或更多，花梗不等长；小总苞片多数，椭圆状披针形，比花梗长，长 4 ~ 6 mm，宽 1 ~ 1.5 mm，边缘膜质，有细柔毛；花瓣倒卵状近圆形，小舌片内折，白色；萼齿短小，但很显著；花柱基圆锥形，花柱细长，弯曲。果实卵状椭圆形，背部扁压，长约 5 mm，宽约 2.5 mm；背棱及中棱线形凸起，侧棱翅状稍厚；果柄粗壮，长 1 ~ 5 mm；棱槽内具油管 1 ~ 2，合生面具油管 2；心皮柄分裂至基部。花期 8 月，果期 9 月。

| 生境分布 | 生于海拔 1 300 ~ 2 500 m 的山坡石隙间。分布于河北怀安等。

| 资源情况 | 野生资源丰富。药材来源于野生。

| 采收加工 | 栽后 2 ~ 3 年秋、冬季采挖，除去地上茎及泥土，晒干或低温干燥。

| 功能主治 | 苦、辛，寒。归肺、脾、肝经。疏散风热，降气化痰。用于外感风热，肺热痰郁，咳喘痰多，痰黄黏稠，呃逆食少，胸膈满闷。

| 用法用量 | 内服煎汤，5 ~ 10 g；或入丸、散剂。

伞形科 Umbelliferae 前胡属 *Peucedanum*

前胡
Peucedanum praeruptorum Dunn

| 植物别名 | 白花前胡、山独活。

| 药 材 名 | 前胡（药用部位：根）。

| 形态特征 | 多年生草本，高 0.6 ~ 1 m。根颈粗壮，直径 1 ~ 1.5 cm，灰褐色，存留多数越年枯鞘纤维；根圆锥形，末端细瘦，常分叉。茎圆柱形，下部无毛，上部分枝多有短毛，髓部充实。基生叶具长柄，叶柄长 5 ~ 15 cm，基部有卵状披针形叶鞘，叶片宽卵形或三角状卵形，三出式 2 ~ 3 回分裂，第 1 回羽片具柄，叶柄长 3.5 ~ 6 cm，末回裂片菱状倒卵形，先端渐尖，基部楔形至截形，无柄或具短柄，边缘具不整齐的 3 ~ 4 粗或圆锯齿，有时下部锯齿呈浅裂或深裂状，长 1.5 ~ 6 cm，宽 1.2 ~ 4 cm，下表面叶脉明显凸起，两面无毛，

或有时在下表面叶脉上及边缘有稀疏短毛；茎下部叶具短柄，叶片形状与基生叶相似；茎上部叶无柄，叶鞘稍宽，边缘膜质，叶片三出分裂，裂片狭窄，基部楔形，中间 1 基部下延。复伞形花序多数，顶生或侧生，伞形花序直径 3.5 ～ 9 cm；花序梗上端多被短毛；总苞片无或 1 至数片，线形；伞幅 6 ～ 15，不等长，长 0.5 ～ 4.5 cm，内侧有短毛；小总苞片 8 ～ 12，卵状披针形，在同一小伞形花序上，宽度和大小常有差异，比花梗长，与果柄近等长，有短糙毛；小伞形花序有花 15 ～ 20；花瓣卵形，小舌片内曲，白色；萼齿不显著；花柱短，弯曲，花柱基圆锥形。果实卵圆形，背部扁压，长约 4 mm，宽约 3 mm，棕色，有稀疏短毛，背棱线形、稍凸起，侧棱呈翅状，比果体窄，稍厚；棱槽内具油管 3 ～ 5，合生面具油管 6 ～ 10；胚乳腹面平直。花期 8 ～ 9 月，果期 10 ～ 11 月。

| 生境分布 | 生于海拔 250 ～ 2 000 m 的山坡林缘、路旁或半阴性的山坡草丛中。分布于河北邢台等。

| 资源情况 | 野生资源较丰富。药材来源于野生。

| 采收加工 | 冬季至翌年春季茎叶枯萎或未抽花茎时采挖，除去须根，洗净，晒干或低温干燥。

| 药材性状 | 本品呈不规则的圆柱形、圆锥形或纺锤形，稍扭曲，下部常有分枝，长 3 ～ 15 cm，直径 1 ～ 2 cm。表面黑褐色或灰黄色，根头部多有茎痕和纤维状叶鞘残基，上端有密集的细环纹，下部有纵沟、纵皱纹及横向皮孔样突起。质较柔软，干者质硬，可折断，断面不整齐，淡黄白色，皮部散有多数棕黄色油点，形成层环纹棕色，射线放射状。气芳香，味微苦、辛。

| 功能主治 | 苦、辛，寒。归肺经。降气化痰，散风清热。用于痰热喘满，痰咳黄稠，风热咳嗽痰多。

| 用法用量 | 内服煎汤，3 ～ 10 g。

伞形科 Umbelliferae 石防风属 Kitagawia

石防风
Kitagawia terebinthacea (Fisch. ex Trevir.) Pimenov

| **植物别名** | 小芹菜、山香菜。

| **药 材 名** | 石防风（药用部位：根）。

| **形态特征** | 多年生草本。根圆柱形或近纺锤形，灰黄色或黑褐色。茎圆柱状，高 30 ~ 80 cm，有分枝，无毛。叶互生；基生叶及茎下部叶具柄，基部鞘状抱茎，叶片 2 回三出式羽状全裂，1 回裂片卵形至披针形，末回裂片披针形，边缘有缺刻状牙齿；茎上部叶简单，鞘狭倒卵形，不膨大。复伞形花序，有小伞形花序 10 ~ 15；小伞形花序梗长 1 ~ 2.5 cm，含花 20 ~ 30；总苞 1 ~ 2 或无，小总苞片数片，丝状线形，较花梗稍短或等长；花瓣 5，白色，先端弯向内方。双悬果卵状椭圆形，长 3 ~ 4 mm，无毛，背棱、中棱肋状，侧棱稍广。花

期夏、秋季。

| **生境分布** | 生于山坡、林缘。分布于河北磁县、滦平、平泉等。

| **资源情况** | 野生资源丰富。药材主要来源于野生。

| **采收加工** | 秋、冬季采挖，洗净晒干。

| **药材性状** | 本品呈圆柱状或类纺锤形，有的分枝。外表灰黄色或黑褐色，接近根头部有环状横纹，以下具纵纹及横列皮孔；顶部有茎基残留。断面类白色，有放射状的轮层。气微香。以干燥、质实、气香者为佳。

| **功能主治** | 苦、辛，寒。归肺、肝经。散风清热，降气祛痰。用于感冒，咳嗽，痰喘，头风眩痛。

| **用法用量** | 内服煎汤，3～9 g；或研末。

| **附　注** | 宽叶石防风 *Peucedanum terebinthaceum* (Fisch.) Fisch. ex Turcz. var. *deltoideum* (Makino ex Yabe) Makino（变种）与本种的区别在于：植株较高大，叶片较宽，呈阔三角状卵形，末回裂片也较宽，边缘锯齿粗大，叶质较硬而厚。

伞形科 Umbelliferae 窃衣属 Torilis

窃衣

Torilis scabra (Thunb.) DC.

| 植物别名 | 华南鹤虱、水防风。

| 药 材 名 | 窃衣（药用部位：全草或果实）。

| 形态特征 | 一年生或多年生草本，高 10 ~ 70 cm。全株有贴生短硬毛。茎单生，有分枝，有细直纹和刺毛。叶卵形，1 ~ 2 回羽状分裂，小叶片披针状卵形，羽状深裂，末回裂片披针形至长圆形，长 2 ~ 10 mm，宽 2 ~ 5 mm，边缘有条裂状粗齿至缺刻或分裂。复伞形花序顶生和腋生，花序梗长 2 ~ 8 cm；总苞片通常无，很少 1，钻形或线形；伞幅 2 ~ 4，长 1 ~ 5 cm，粗壮，有纵棱及向上紧贴的硬毛；小总苞片 5 ~ 8，钻形或线形；小伞形花序有花 4 ~ 12；萼齿细小，三角状披针形，花瓣白色，倒圆卵形，先端内折；花柱基圆锥状，花

柱向外反曲。果实长圆形，长 4 ~ 7 mm，宽 2 ~ 3 mm，有内弯或呈钩状的皮刺，粗糙，每棱槽下方具油管 1。花果期 4 ~ 10 月。

| **生境分布** | 生于海拔 250 ~ 2 200 m 的山坡、林下、河边、荒地或草丛中。分布于河北抚宁、青龙等。

| **资源情况** | 野生资源丰富。药材主要来源于野生。

| **采收加工** | 夏末秋初采收，晒干或鲜用。

| **药材性状** | 本品为长圆形的双悬果，多裂为分果，分果长 3 ~ 4 mm，宽 1.5 ~ 2 mm。表面棕绿色或棕黄色，先端有微凸的残留花柱，基部圆形，常残留小果柄。背面隆起，密生钩刺，刺的长短与排列均不整齐，状似刺猬。接合面凹陷成槽状，中央有 1 脉纹。体轻。搓碎时有特异香气。味微辛、苦。

| **功能主治** | 苦、辛，温。活血消肿，收敛杀虫。用于慢性腹泻，蛔虫病；外用于痈疮溃疡久不收口，滴虫性阴道炎。

| **用法用量** | 内服煎汤，6 ~ 9 g。外用适量，捣汁涂；或煎汤洗。

伞形科 Umbelliferae 窃衣属 Torilis

小窃衣
Torilis japonica (Houtt.) DC.

植物别名

大叶山胡萝卜、破子草。

药材名

窃衣（药用部位：全草或果实。别名：华南鹤虱、水防风）。

形态特征

一年生或多年生草本，高 20 ~ 120 cm。主根细长，圆锥形，棕黄色，支根多数。茎有纵条纹及刺毛。叶柄长 2 ~ 7 cm，下部有窄膜质的叶鞘；叶片长卵形，1 ~ 2 回羽状分裂，两面疏生紧贴的粗毛，第 1 回羽片卵状披针形，长 2 ~ 6 cm，宽 1 ~ 2.5 cm，先端渐窄，边缘羽状深裂至全缘，有长 0.5 ~ 2 cm 的短柄，末回裂片披针形至长圆形，边缘有条裂状的粗齿至缺刻或分裂。复伞形花序顶生或腋生，花序梗长 3 ~ 25 cm，有倒生的刺毛；总苞片 3 ~ 6，长 0.5 ~ 2 cm，通常线形，极少叶状；伞幅 4 ~ 12，长 1 ~ 3 cm，开展，有向上的刺毛；小总苞片 5 ~ 8，线形或钻形，长 1.5 ~ 7 mm，宽 0.5 ~ 1.5 mm；小伞形花序有花 4 ~ 12，花梗长 1 ~ 4 mm，短于小总苞片；萼齿细小，三角形或三角状披针形；花瓣白色、紫红色或蓝紫色，倒圆卵形，先端内折，长与宽均为 0.8 ~ 1.2 mm，外面中间至基部有紧贴的粗毛，花丝长约 1 mm，花药圆卵形，长约 0.2 mm，花柱基部平压状或圆锥形，花柱幼时直立，果实成熟时向外反曲。果实圆卵形，长 1.5 ~ 4 mm，宽 1.5 ~ 2.5 mm，通常有内弯或呈钩状的皮刺，皮刺基部阔展，粗糙；胚乳腹面凹陷；每棱槽具油管 1。花果期 4 ~ 10 月。

| 生境分布 | 生于海拔 150 ~ 3 060 m 的杂木林下、林缘、路旁、河沟边或溪边草丛。分布于河北青龙、涉县、易县等。

| 资源情况 | 野生资源丰富。药材来源于野生。

| 采收加工 | 夏末秋初采收，晒干或鲜用。

| 药材性状 | 本品为长圆形的双悬果，多裂为分果，分果长 3 ~ 4 mm，宽 1.5 ~ 2 mm。表面棕绿色或棕黄色，先端有微凸的残留花柱，基部圆形，常残留小果柄。背面隆起，密生钩刺，刺的长短与排列均不整齐，状似刺猬。接合面凹陷成槽状，中央有 1 脉纹。体轻。搓碎时有特异香气。味微辛、苦。

| 功能主治 | 苦、辛，平。归脾、大肠经。杀虫止泻，收湿止痒。用于虫积腹痛，泻痢，疮疡溃烂，阴痒带下，风湿疹。

| 用法用量 | 内服煎汤，6 ~ 9 g。外用适量，捣汁涂；或煎汤洗。

| 附　　注 | 本种的果实和根可供药用，其中果实含有精油，内服可驱蛔虫，外用可消炎。

伞形科 Umbelliferae 山芹属 Ostericum

大齿山芹

Ostericum grosseserratum (Maxim.) Kitagawa

| 植物别名 | 朝鲜独活、大齿独活、碎叶山芹。

| 药 材 名 | 山水芹菜（药用部位：根）。

| 形态特征 | 多年生草本，高达 1 m。根细长，圆锥状或纺锤形，单一或稍有分枝。茎直立，圆管状，有浅纵沟纹，上部开展，叉状分枝。除花序下稍有短糙毛外，其余部分均无毛。叶有柄，柄长 4 ~ 18 cm，基部有狭长而膨大的鞘，边缘白色，透明；叶片广三角形，薄膜质，2 ~ 3回三出式分裂，第 1 回和第 2 回裂片有短柄；末回裂片无柄或下延成短柄，阔卵形至菱状卵形，长 2 ~ 5 cm，宽 1.5 ~ 3 cm，基部楔形，先端尖锐、长尖或尾尖，中部以下常 2 深裂，边缘有粗大的缺刻状锯齿，常裂至主脉的 1/2 ~ 2/3，齿端圆钝，有白色小突尖，上

部叶有短柄，3 裂，小裂片披针形至长圆形，主脉上有稀疏的刚毛，细脉不明显；最上部叶简化为带小叶的线状披针形叶鞘。复伞形花序直径 2 ～ 10 cm，伞幅 6 ～ 14，不等长，长 1.5 ～ 3 cm，花序梗上部、伞幅及花梗的纵沟上有短糙毛；总苞片 4 ～ 6，线状披针形，是伞幅短 1/4 ～ 1/2；小总苞片 5 ～ 10，钻形，长为花梗的一半；花白色；萼齿三角状卵形，锐尖，宿存；花瓣倒卵形，先端内折；花柱基圆垫状，花柱短，叉开。分生果广椭圆形，长 4 ～ 6 mm，宽 4 ～ 5.5 mm，基部凹入；背棱凸出，尖锐，侧棱为薄翅状，与果体近等宽；棱槽内具油管 1，合生面具油管 2 ～ 4。花期 7 ～ 9 月，果期 8 ～ 10 月。

| 生境分布 | 生于山坡、草地、溪沟旁、林缘灌丛中。分布于河北丰宁、阜平、宽城等。

| 资源情况 | 野生资源丰富。药材来源于野生。

| 采收加工 | 秋季采挖，除去茎叶，洗净，晒干。

| 药材性状 | 本品主根常斜生，圆锥形或狭长圆锥形，常分枝，长 6 ～ 12 cm，直径 0.5 ～ 1.2 cm。表面棕色，具不整齐的纵皱纹，并可见须根及点状须根痕，近根头处可见横环纹；根头部较膨大，常见茎残基及基生叶叶柄残基。质硬脆，折断面皮部淡棕色或黄棕色，较疏松，多具裂隙；木部白色或黄白色。气微，味淡。

| 功能主治 | 辛、甘，温。补中健脾，温肺止咳。用于脾虚泄泻，虚寒咳嗽。

| 用法用量 | 内服煎汤，3 ～ 9 g。

伞形科 Umbelliferae 山芹属 Ostericum

山芹

Ostericum sieboldii (Miq.) Nakai

| **植物别名** | 山芹当走归、山芹独活、小芹当归。

| **药 材 名** | 山芹（药用部位：全草）、山芹根（药用部位：根）。

| **形态特征** | 多年生草本，高 0.5 ~ 1.5 m。主根粗短，有 2 ~ 3 分枝，黄褐色至棕褐色。茎直立，中空，有较深的沟纹，光滑或基部稍有短柔毛，上部分枝，开展。基生叶及上部叶均为 2 ~ 3 回三出式羽状分裂，叶片三角形，长 20 ~ 45 cm，叶柄长 5 ~ 20 cm，基部膨大成扁而抱茎的叶鞘，末回裂片菱状卵形至卵状披针形，长 5 ~ 10 cm，宽 3 ~ 6 cm，急尖至渐尖，边缘有内曲的圆钝齿或缺刻状齿 5 ~ 8 对，通常齿端有锐尖头，基部截形，有时中部深裂，表面深绿色，背面灰白色，两面均无毛，最上部的叶常简化成无叶的叶鞘。复伞形花

序，伞幅 5 ~ 14；花序梗、伞幅和花梗均有短糙毛；花序梗长 3 ~ 7 cm；总苞片 1 ~ 3，长 3 ~ 9.5 mm，线状披针形，先端近钻形，边缘膜质；小伞形花序有花 8 ~ 20，小总苞片 5 ~ 10，线形至钻形；萼齿卵状三角形；花瓣白色，长圆形，基部渐狭成短爪，先端内曲，花柱 2 倍长于扁平的花柱基。果实长圆形至卵形，长 4 ~ 5.5 mm，宽 3 ~ 4 mm，成熟时金黄色，透明，有光泽，基部凹入；背棱细狭，侧棱宽翅状，与果体近等长；棱槽内具油管 1 ~ 3，合生面具油管 4 ~ 6，稀 8。花期 8 ~ 9 月，果期 9 ~ 10 月。

| 生境分布 | 生于海拔较高的山坡、草地、山谷、林缘或林下。分布于河北涞源、滦平、平泉等。

| 资源情况 | 野生资源一般。药材主要来源于野生。

| 采收加工 | 山芹：夏、秋季采收，鲜用或晒干。
山芹根：春、秋季采挖，除去茎叶，洗净，晒干。

| 功能主治 | 山芹：辛、苦，平。解毒消肿。用于乳痈，疮肿。
山芹根：发表散风，祛湿止痛。用于感冒头痛，风湿痹痛，腰膝酸痛。

| 用法用量 | 山芹：外用适量，捣敷。
山芹根：内服煎汤，3 ~ 9 g。

| 附　　注 | 狭叶山芹（变种）*Ostericum sieboldii* var. *praeteritum* (Kitagawa) Huang 与山芹的主要区别在于，该变种的叶通常排列较紧密，大部分较狭，最下部的羽片显著地短，末回裂片通常无柄或有短柄，椭圆形、长卵形或近菱形，长 2.5 ~ 8 cm，宽 1 ~ 3 cm，先端尖或渐尖，基部通常楔形。

伞形科 Umbelliferae 珊瑚菜属 Glehnia

珊瑚菜 *Glehnia littoralis* Fr. Schmidt ex Miq.

| 植物别名 | 海沙参。

| 药 材 名 | 北沙参（药用部位：根。别名：条参）。

| 形态特征 | 多年生草本，全体有灰褐色绒毛。主根圆柱形，茎部分露于地面。基生叶卵形或宽三角状卵形，三出式羽状分裂或 2 ~ 3 回羽状深裂。复伞形花序；花白色。双悬果圆球形或椭圆形，有棕色粗毛。

| 生境分布 | 生于海边沙滩或栽培于肥沃疏松的砂壤土。分布于河北赤城等，河北安国有栽培。

| 资源情况 | 野生资源稀少，栽培资源丰富。药材主要来源于栽培。

| 采收加工 | 夏、秋季采挖，除去须根，洗净，稍晾，置沸水中烫后，除去外皮，

干燥；或洗净直接干燥。

| 药材性状 | 本品呈细长圆柱形，偶有分枝，长 15 ~ 45 cm，直径 0.4 ~ 1.2 cm。表面淡黄白色，略粗糙，偶有残存外皮，不去外皮的表面黄棕色。全体有细纵皱纹和纵沟，并有棕黄色点状细根痕；先端常留有黄棕色根茎残基；上端稍细，中部略粗，下部渐细。质脆，易折断，断面皮部浅黄白色，木部黄色。气特异，味微甘。以根条细长均匀、色白、质坚实者为佳。

| 功能主治 | 甘、苦，寒。归肺、胃经。养阴清肺，益胃生津。用于肺热燥咳，劳嗽痰血，胃阴不足，热病津伤，咽干口渴。

| 用法用量 | 内服煎汤，5 ~ 12 g；或入散、膏剂。

| 附　注 | 本种药材不宜与藜芦同用。

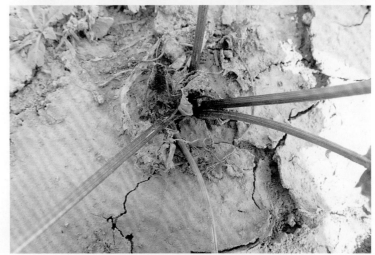

伞形科 Umbelliferae 蛇床属 Cnidium

蛇床
Cnidium monnieri (L.) Cuss.

| 植物别名 | 山胡萝卜、蛇粟。

| 药 材 名 | 蛇床子（药用部位：果实）。

| 形态特征 | 一年生草本，高 10 ~ 60 cm。根圆锥状，较细长。茎直立或斜上，多分枝，中空，表面具深条棱，粗糙。下部叶具短柄，叶鞘短宽，边缘膜质，上部叶叶柄全部鞘状；叶片卵形至三角状卵形，长 3 ~ 8 cm，宽 2 ~ 5 cm，2 ~ 3 回三出式羽状全裂，羽片卵形至卵状披针形，长 1 ~ 3 cm，宽 0.5 ~ 1 cm，先端常略呈尾状，末回裂片线形至线状披针形，长 3 ~ 10 mm，宽 1 ~ 1.5 mm，具小尖头，边缘及脉上粗糙。复伞形花序直径 2 ~ 3 cm；总苞片 6 ~ 10，线形至线状披针形，长约 5 mm，边缘膜质，具细睫毛；伞幅 8 ~ 20，

不等长，长 0.5 ~ 2 cm，棱上粗糙；小总苞片多数，线形，长 3 ~ 5 mm，边缘具细睫毛；小伞形花序具花 15 ~ 20，萼齿无；花瓣白色，先端具内折小舌片；花柱基略隆起，花柱长 1 ~ 1.5 mm，向下反曲。分生果长圆状，长 1.5 ~ 3 mm，宽 1 ~ 2 mm，横剖面近五角形，主棱 5，均扩大成翅；每棱槽内具油管 1，合生面具油管 2，胚乳腹面平直。花期 4 ~ 7 月，果期 6 ~ 10 月。

| **生境分布** | 生于田边、路旁、草地或河边湿地。分布于河北阜平、沽源、平泉等。

| **资源情况** | 野生资源丰富。药材主要来源于野生。

| **采收加工** | 夏、秋季果实成熟时采收，除去杂质，晒干。

| **药材性状** | 本品为双悬果，呈椭圆形，长 2 ~ 4 mm，直径约 2 mm。表面灰黄色或灰褐色，先端有 2 向外弯曲的柱基，基部偶有细梗。分果的背面有薄而凸起的纵棱 5，接合面平坦，有 2 棕色略突起的纵棱线。果皮松脆，揉搓易脱落；种子细小，灰棕色，显油性。气香，味辛凉，有麻舌感。

| **功能主治** | 辛、苦，温；有小毒。归肾经。燥湿祛风，杀虫止痒，温肾壮阳。用于阴痒带下，湿疹瘙痒，湿痹腰痛，肾虚阳痿，宫冷不孕。

| **用法用量** | 内服煎汤，3 ~ 10 g。外用适量，煎汤熏洗；或研末调敷。

伞形科 Umbelliferae 水芹属 Oenanthe

水芹
Oenanthe javanica (Bl.) DC.

| **植物别名** | 野芹菜、水芹菜。

| **药 材 名** | 水芹（药用部位：全草。别名：芹菜）、芹花（药用部位：花）。

| **形态特征** | 多年生湿生或水生草本，全体光滑无毛，具匍匐茎。茎圆柱形，长可达 1 m，中空，直立或由匍匐的基部向上伸直，上部多分枝，常伸出水面，下部每节略胀大，通常生多数白色须根；茎表面绿色，有纵条纹。复叶互生，具柄及叶鞘；着生在茎下部的叶柄长达 10 cm，鞘两边呈膜状，叶片 1 ~ 2 回羽状分裂，小叶或裂片卵圆形至菱状披针形，长 2 ~ 5 cm，宽 1 ~ 2 cm，先端尖，边缘具大小不等的尖齿或圆齿状锯齿，基部两侧不等；着生在茎上部的叶近无柄。复伞形花序顶生，通常与顶生的叶相对；小伞形花序 6 ~ 20；

总苞无，小总苞 2～8，线形；花白色，有柄，丝状而柔；萼齿 5，形小，短尖；花瓣 5，倒卵形，先端向内凹入，基部具短爪；雄蕊 5，花丝长而微弯，花药线形而短；子房下位，2 室，每室有胚珠 1，花柱叉状，基部圆柱形。双悬果椭圆形或近圆锥形，上端有宿存的萼齿和花柱，果棱显著隆起，侧棱较其他 3 棱稍宽，木栓质。花期 4～5 月。

| **生境分布** | 生于浅水低洼湿地或池沼、水沟中。分布于河北隆化、滦平、涉县等。

| **资源情况** | 野生资源丰富，栽培资源丰富。药材主要来源于栽培。

| **采收加工** | 水芹：9～10 月采割地上部分，洗净，除去杂质，晒干。
芹花：6～7 月花开时采收，晒干。

| **药材性状** | 水芹：本品多皱缩成团，茎细而弯曲。匍匐茎节处有须状根。叶皱缩，展平后，基生叶三角形或三角状卵形，1～2 回羽状分裂，最终裂片卵形至菱状披针形，长 2～5 cm，宽 1～2 cm，边缘具不整齐尖齿或圆锯齿，叶柄长 7～15 cm，质脆，易碎。气微香，味微辛、苦。

| **功能主治** | 水芹：甘、辛，平。归肺、胃经。清热解毒，利尿，止血。用于烦渴，浮肿，小便不利，尿血，便血，吐血，高血压。
芹花：苦，寒。退热，降压除湿。用于感冒发热，呕吐腹泻，尿路感染。

| **用法用量** | 水芹：内服煎汤，30～60 g；或捣汁。外用适量，捣敷；或捣汁涂。
芹花：内服煎汤，3～9 g。

| **附　注** | 本种在民间也作药用，有降血压的功效。

密花岩风 *Libanotis condensata* (L.) Crantz

| 植物别名 | 胡芹菜、山胡萝卜。

| 药 材 名 | 山胡萝卜（药用部位：根。别名：胡芹菜）。

| 形态特征 | 多年生草本，高 20 ～ 90 cm。根颈粗，密被棕色枯鞘纤维；根细长，圆柱形，上端直径 0.5 ～ 1 cm，长 10 ～ 25 cm，灰褐色。茎通常单一，圆柱形，基部直径 2 ～ 8 mm，空管状，有明显凸起的条棱和浅纵沟纹，光滑无毛，不分枝，或有时上部有少数分枝。基生叶有柄，柄长 3 ～ 12 cm，基部有边缘膜质的叶鞘，叶片长圆形，长 5 ～ 22 cm，宽 2 ～ 8 cm，2 ～ 3 回羽状全裂，第 1 回羽片无柄，卵形，第 2 回羽片无柄，长圆形或卵形，末回裂片线形，先端渐尖或锐尖，长 2 ～ 15 mm，宽 1 ～ 2 mm，叶轴及两面叶脉上有短硬毛，边缘有

长硬毛。复伞形花序顶生，通常不分枝，偶有 1 ~ 2 分枝；花序梗粗壮，顶部密生糙毛；复伞形花序直径 3 ~ 7 cm；总苞片 6 ~ 10，线形，长 7 ~ 16 mm，宽 0.5 ~ 1 mm，边缘稍膜质，白色，有毛；伞幅 15 ~ 25，粗壮，稍不等长；小伞形花序有花 15 ~ 20 或更多，花梗不等长；小总苞片多数，披针状线形或线形，比花梗长，边缘狭窄、白色、膜质，有长柔毛；花瓣白色，长圆形或倒卵状长圆形，先端小舌片内曲；花柱稍叉开，果期增长，与果实近等长；花柱基圆锥形，黑紫色；萼齿钻形。分生果椭圆形，密生长柔毛，背棱线形，稍凸起，侧棱呈狭翅状；每棱槽内具油管 2 ~ 4，合生面具油管 4。花期 7 ~ 8 月，果期 9 月。

| 生境分布 | 生于海拔 1 400 ~ 2 400 m 的山坡草地、路旁或林中。分布于河北沽源、平泉、张北等。

| 资源情况 | 野生资源丰富。药材来源于野生。

| 采收加工 | 夏季未开花前采挖，除去地上部分，洗净，切片，晒干。

| 药材性状 | 本品呈圆柱形，粗大。表面褐色，先端密被棕色枯鞘纤维，大部可见支根痕。质硬脆，易折断。气微香，味微辛而苦。

| 功能主治 | 祛风通络止痛。用于风湿关节痛，胸痛。

| 用法用量 | 内服煎汤，6 ~ 15 g。

伞形科 Umbelliferae 羊角芹属 Aegopodium

东北羊角芹

Aegopodium alpestre Ledeb.

植物别名

小叶羊角芹。

药 材 名

东北羊角芹（药用部位：茎叶）。

形态特征

多年生草本，高 30 ~ 100 cm。有细长的根茎。茎直立，圆柱形，具细条纹，中空，下部不分枝，上部稍有分枝。基生叶有柄，柄长 5 ~ 13 cm，叶鞘膜质，叶片阔三角形，长 3 ~ 9 cm，宽 3.5 ~ 12 cm，通常三出式 2 回羽状分裂，羽片卵形或长卵状披针形，长 1.5 ~ 3.5 cm，宽 0.7 ~ 2 cm，先端渐尖，基部楔形，边缘有不规则的锯齿或缺刻状分裂，齿端尖，无柄或具极短的柄；最上部的茎生叶小，三出式羽状分裂，羽片卵状披针形，先端渐尖至尾状，边缘有缺刻状的锯齿或不规则浅裂。复伞形花序顶生或侧生，花序梗长 7 ~ 15 cm；无总苞片和小总苞片；伞幅 9 ~ 17，长 2 ~ 4.5 cm；小伞形花序有多数小花，花梗不等长，长 3 ~ 10 mm；萼齿退化；花瓣白色，倒卵形，长 1.2 ~ 2 mm，宽 1 ~ 2 mm，先端微凹，有内折的小舌片；花柱基圆锥形，花柱长约

1.2 mm，向外反折。果实长圆形或长圆状卵形，长 3 ~ 3.5 mm，宽 2 ~ 2.5 mm，主棱明显，棱槽较阔，无油管；分生果横剖面近圆形，胚乳腹面平直；心皮柄先端 2 浅裂。花果期 6 ~ 8 月。

| 生境分布 | 生于杂木林下或山坡草地。分布于河北涞源、涉县、武安等。

| 资源情况 | 野生资源一般。药材来源于野生。

| 采收加工 | 夏季采收，鲜用或晒干。

| 功能主治 | 苦、辛，平。祛风止痛。用于流行性感冒，风湿痹痛，眩晕。

| 用法用量 | 内服煎汤，6 ~ 15 g。外用适量，捣汁搽。

| 附　　注 | 小叶羊角芹 Aegopodium alpestre Ledeb. f. tenuisectum Kitag. 与原变型东北羊角芹的区别在于：该变型的基生叶三出式 3 回羽状分裂，末回裂片披针形至卵状披针形，长 0.5 ~ 1.8 cm，宽 0.2 ~ 1 cm，边缘锐裂至羽状半裂。

伞形科 Umbelliferae 芫荽属 Coriandrum

芫荽
Coriandrum sativum L.

| 植物别名 | 胡荽、香荽、香菜。

| 药材名 | 芫荽茎（药用部位：茎梗）、芫荽子（药用部位：果实。别名：胡荽子）。

| 形态特征 | 一年生或二年生、有强烈气味的草本，高 20 ~ 100 cm。根纺锤形，细长，有多数纤细的支根。茎圆柱形，直立，多分枝，有条纹，通常光滑。根生叶有柄，柄长 2 ~ 8 cm，叶片 1 或 2 回羽状全裂，羽片广卵形或扇形半裂，长 1 ~ 2 cm，宽 1 ~ 1.5 cm，边缘有钝锯齿、缺刻或深裂；上部的茎生叶 3 回至多回羽状分裂，末回裂片狭线形，长 5 ~ 10 mm，宽 0.5 ~ 1 mm，先端钝，全缘。伞形花序顶生或与叶对生，花序梗长 2 ~ 8 cm；伞幅 3 ~ 7，长 1 ~ 2.5 cm；小总苞

片 2 ~ 5，线形，全缘；小伞形花序有孕花 3 ~ 9，花白色或带淡紫色；萼齿通常大小不等，小的卵状三角形，大的长卵形；花瓣倒卵形，长 1 ~ 1.2 mm，宽约 1 mm，先端有内凹的小舌片，辐射瓣长 2 ~ 3.5 mm，宽 1 ~ 2 mm，通常全缘，有 3 ~ 5 脉；花丝长 1 ~ 2 mm，花药卵形，长约 0.7 mm；花柱幼时直立，果实成熟时向外反曲。果实圆球形，背面主棱及相邻的次棱明显；胚乳腹面内凹；油管不明显，或有 1 位于次棱的下方。花果期 4 ~ 11 月。

| 生境分布 | 生于土壤结构好、保肥保水性能强、有机质含量高的土壤中。分布于河北平泉、涉县、永年等。

| 资源情况 | 栽培资源丰富。药材主要来源于栽培。

| 采收加工 | 芫荽茎：春季采收，洗净，晒干。
芫荽子：秋季果实成熟时采收果枝，晒干，打下果实，除去杂质。

| 药材性状 | 芫荽子：果实为 2 小分果合生的双悬果，呈圆球形，直径 3 ~ 5 mm，淡黄棕色至土黄棕色，先端可见极短的柱头残迹，多裂为 2 瓣，周围有残存的花萼 5。表面较粗糙，有 10 不甚明显的波状棱线与 12 明显的纵直棱线相间排列。基部钝圆，有时可见小果柄或果柄痕。小分果背面隆起，腹面中央下凹，具 3 纵行的棱线，中央较直，两侧呈弧形弯曲，有时可见悬果柄。质稍坚硬。气香，用手揉碎，散发出浓烈的特殊香气，味微辣。

| 功能主治 | 芫荽茎：辛，平。归肺、胃经。发表，透疹，开胃。用于感冒鼻塞，痘疹透发不畅，饮食乏味，齿痛。
芫荽子：辛，平。归肺、胃经。发表，透疹，开胃。用于感冒鼻塞，痘疹透发不畅，饮食乏味，齿痛。

| 用法用量 | 芫荽茎：内服煎汤，3 ~ 9 g。外用适量，煎汤喷涂。
芫荽子：内服煎汤，6 ~ 12 g；或入丸、散剂。外用适量，煎汤含漱或熏洗。

| 附　　注 | 本种的茎叶可作蔬菜和调香料，有健胃消食的作用；果实可提芳香油，且有祛风、透疹、健胃、祛痰之效。

伞形科 Umbelliferae 泽芹属 Sium

泽芹
Sium suave Walt.

| **植物别名** | 山藁本。

| **药 材 名** | 苏土藁本（药用部位：地上部分。别名：山藁本）。

| **形态特征** | 多年生草本，高 60 ~ 120 cm，光滑。有成束的纺锤状根和须根。茎直立，粗大，有条纹，具少数分枝，通常在近基部的节上生根。叶片长圆形至卵形，长 6 ~ 25 cm，宽 7 ~ 10 cm，1 回羽状分裂，有羽片 3 ~ 9 对，羽片无柄，疏离，披针形至线形，长 1 ~ 4 cm，宽 0.3 ~ 1.5 cm。基部圆楔形，先端尖，边缘有细锯齿或粗锯齿；上部的茎生叶较小，有 3 ~ 5 对羽片，形状与基部叶相似。复伞形花序顶生和侧生，花序梗粗壮，长 3 ~ 10 cm；总苞片 6 ~ 10，披针形或线形，长 3 ~ 15 mm，尖锐，全缘或有锯齿，反折；小总苞

片线状披针形，长 1 ~ 3 mm，尖锐，全缘；伞幅 10 ~ 20，细长，长 1.5 ~ 3 cm；花白色，花梗长 3 ~ 5 mm；萼齿细小；花柱基短圆锥形。果实卵形，长 2 ~ 3 mm，分生果的果棱肥厚，近翅状；每棱槽内具油管 1 ~ 3，合生面具油管 2 ~ 6；心皮柄的分枝贴近合生面。花期 8 ~ 9 月，果期 9 ~ 10 月。

| **生境分布** | 生于沼泽、湿草甸子、溪边、水边等较潮湿处。分布于河北抚宁、青龙、围场等。

| **资源情况** | 野生资源丰富，栽培资源丰富。药材主要来源于栽培。

| **采收加工** | 夏季采收，鲜用或晒干。

| **药材性状** | 本品茎呈圆柱形，长 60 ~ 100 cm，直径 0.3 ~ 1.5 cm；节明显。表面绿色或棕绿色，有多数纵直纹理及纵脊；质脆，易折断，断面平坦，白色或黄白色；皮部薄，木部狭，髓部大，其间均布满小孔，上部茎中间为大形空洞。叶 1 回羽状分裂，叶片大多脱落，残留的小叶片呈披针形，叶缘有锯齿；叶柄呈管状，基部呈鞘状抱茎。手搓叶片，有清香气，味淡。以茎粗、色绿、香气浓者为佳。

| **功能主治** | 甘，平。归肺、肝经。祛风止痛，降血压。用于感冒，头痛，高血压，头晕。

| **用法用量** | 内服煎汤，6 ~ 15 g。

鹿蹄草科 Pyrolaceae **鹿蹄草属** Pyrola

鹿蹄草
Pyrola calliantha H. Andr.

| **植物别名** | 美花鹿蹄草、河北鹿蹄草。

| **药材名** | 鹿衔草（药用部位：全草。别名：鹿蹄草）。

| **形态特征** | 多年生常绿草本状小半灌木，高 10 ~ 30 cm；根茎细长，横生，斜升，有分枝。叶 4 ~ 7，基生，革质，椭圆形或圆卵形，稀近圆形，长 2.5 ~ 5.2 cm，宽 1.7 ~ 3.5 cm，先端具钝头或圆钝头，基部阔楔形或近圆形，近全缘或有疏齿，上面绿色，下面常有白霜，有时带紫色；叶柄长 2 ~ 5.5 cm，有时带紫色。花葶有 1 ~ 2（~ 4）鳞片状叶，卵状披针形或披针形，长 7.5 ~ 8 mm，宽 4 ~ 4.5 mm，先端渐尖或短渐尖，基部稍抱花葶。总状花序长 12 ~ 16 cm，花密生，倾斜，稍下垂，花冠广开，较大，直径 1.5 ~ 2 cm，白色，

有时稍带淡红色；花梗长 5 ~ 10 mm，腋间有长舌形苞片，长 6 ~ 7.5 mm，宽 1.6 ~ 2 mm，先端急尖；萼片舌形，长 3 ~ 7.5 mm，宽 1.5 ~ 3 mm，先端急尖或钝尖，近全缘；花瓣倒卵状椭圆形或倒卵形，长 6 ~ 10 mm，宽 5 ~ 8 mm；雄蕊 10，花丝无毛，花药长圆柱形，长（2.1 ~）2.5 ~ 4 mm，宽 1 ~ 1.4 mm，有小角，黄色；花柱长 6 ~ 8（~ 10）mm，常带淡红色，倾斜，近直立或上部稍向上弯曲，伸出或稍伸出花冠，先端增粗，有不明显的环状突起，柱头 5 圆裂。蒴果扁球形，高 5 ~ 5.5 mm，直径 7.5 ~ 9 mm。花期 6 ~ 8 月，果期 8 ~ 9 月。

| **生境分布** | 生于海拔 700 ~ 4 100 m 的山地针叶林、针阔叶混交林或阔叶林下。分布于河北滦平、围场、蔚县等。

| **资源情况** | 野生资源丰富。药材主要来源于野生。

| **采收加工** | 全年均可采挖，除去杂质，晒至叶片较软时，堆置至叶片变紫褐色，晒干。

| **药材性状** | 本品根茎细长。茎圆柱形或具纵棱，长 10 ~ 30 cm。叶基生，长卵圆形或近圆形，长 2 ~ 5.2 cm，暗绿色或紫褐色，先端圆或稍尖，全缘或有稀疏的小锯齿，边缘略反卷，上面有时沿脉具白色的斑纹，下面有时具白粉。总状花序有花 4 ~ 10 或更多，花半下垂，萼片 5，舌形或卵状长圆形；花瓣 5，早落；雄蕊 10，花药基部有小角，顶孔开裂；花柱外露，有环状凸起的柱头盘。蒴果扁球形，直径 7 ~ 9 mm，5 纵裂，裂瓣边缘有蛛丝状毛。气微，味淡、微苦。

| **功能主治** | 甘、苦，温。归肝、肾经。祛风湿，强筋骨，止血，止咳。用于风湿痹痛，肾虚腰痛，腰膝无力，月经过多，久咳劳嗽。

| **用法用量** | 内服煎汤，15 ~ 30 g；或研末，6 ~ 9 g。外用适量，捣敷或研末敷；或煎汤洗。

| **附 注** | 本种与普通鹿蹄草的区别在于：叶下面常有白霜；萼片较长，长 3 ~ 7.5 mm，近全缘；花较大，直径 1.5 ~ 2 cm。花期 6 ~ 8 月，果期 8 ~ 9 月。

杜鹃花科 Ericaceae 杜鹃属 Rhododendron

杜鹃

Rhododendron simsii Planch.

| 植物别名 | 山踯躅、山石榴、映山红。

| 药 材 名 | 杜鹃花（药用部位：花）、杜鹃花叶（药用部位：叶）、杜鹃花根（药
用部位：根）、杜鹃花果实（药用部位：果实）。

| 形态特征 | 落叶灌木，高 2（~ 5）m；分枝多而纤细，密被亮棕褐色扁平糙伏
毛。叶革质，常集生于枝端，卵形、椭圆状卵形或倒卵形，或倒卵
形至倒披针形，长 1.5 ~ 5 cm，宽 0.5 ~ 3 cm，先端短渐尖，基部
楔形或宽楔形，边缘微反卷，具细齿，上面深绿色，疏被糙伏毛，
下面淡白色，密被褐色糙伏毛，中脉在上面凹陷、下面凸出；叶柄
长 2 ~ 6 mm，密被亮棕褐色扁平糙伏毛。花芽卵球形，鳞片外面中
部以上被糙伏毛，边缘具睫毛。花 2 ~ 3（~ 6）簇生于枝顶；花梗
长 8 mm，密被亮棕褐色糙伏毛；花萼 5 深裂，裂片三角状长卵形，
长 5 mm，被糙伏毛，边缘具睫毛；花冠阔漏斗形，玫瑰色、鲜红色

或暗红色，长 3.5 ~ 4 cm，宽 1.5 ~ 2 cm，裂片 5，倒卵形，长 2.5 ~ 3 cm，上部裂片具深红色斑点；雄蕊 10，长约与花冠相等，花丝线状；子房卵球形，10 室，密被亮棕褐色糙伏毛，花柱伸出花冠外，无毛。蒴果卵球形，长达 1 cm，密被糙伏毛；花萼宿存。花期 4 ~ 5 月，果期 6 ~ 8 月。

| 生境分布 | 生于海拔 500 ~ 1 200（~ 2 500）m 的山地疏灌丛或松林下。分布于河北滦平、平泉、兴隆等。

| 资源情况 | 野生资源一般，栽培资源丰富。药材主要来源于栽培。

| 采收加工 | 杜鹃花：4 ~ 5 月花盛开时采收，烘干。
杜鹃花叶：春、秋季采收，鲜用或晒干。
杜鹃花根：全年均可采收，洗净，鲜用，或切片，晒干。
杜鹃花果实：8 ~ 10 月果实成熟时采收，晒干。

| 药材性状 | 杜鹃花：本品为皱缩的花，淡红色至玫瑰色、紫色。花冠完整者展开呈宽漏斗状，长 3 ~ 4 cm，5 裂，裂片近倒卵形，雄蕊 10，稀 7 ~ 9，花丝中部有微毛，花药紫色，子房卵圆形。气清香，味酸、甘。
杜鹃花根：本品呈细长圆柱形，弯曲，有分枝。长短不等，直径约 1.5 cm，根头部膨大，有多数木质茎基。表面灰棕色或红棕色，较光滑，有网状细皱纹。木质，坚硬，难折断，断面淡棕色。无臭，味淡。

| 功能主治 | 杜鹃花：甘、酸，平。归肺、肝、胃经。和血，调经，止咳，祛风湿，解疮毒。用于吐血，衄血，崩漏，月经不调，咳嗽，风湿痹痛，痈疖疮毒。
杜鹃花叶：酸，平。清热解毒，止血，化痰止咳。用于痈肿疮毒，荨麻疹，外伤出血，支气管炎。
杜鹃花根：酸、甘，温；有毒。和血止血，消肿止痛。用于月经不调，吐血，衄血，便血，崩漏，痢疾，脘腹疼痛，风湿痹痛，跌打损伤。
杜鹃花果实：甘、辛，温。活血止痛。用于跌打肿痛。

| 用法用量 | 杜鹃花：内服煎汤，9 ~ 15 g。外用适量，捣敷。
杜鹃花叶：内服煎汤，10 ~ 15 g。外用适量，鲜品捣敷；或煎汤洗。
杜鹃花根：内服煎汤，15 ~ 30 g；或浸酒。外用适量，研末敷；或鲜根皮捣敷。
杜鹃花果实：内服研末，1 ~ 2 g。

| 附　注 | 本种与皋月杜鹃 *Rhododendron indicum* (Linn.) Sweet 相似，但不同之处在于后者的雄蕊为 5，叶较小而狭窄，边缘具细圆齿，二者易于区别。

杜鹃花科 Ericaceae 杜鹃属 Rhododendron

迎红杜鹃 *Rhododendron mucronulatum* Turcz.

| **药 材 名** | 迎山红（药用部位：叶。别名：满山红、映山红）。

| **形态特征** | 落叶灌木，高 1 ~ 2 m，分枝多。幼枝细长，疏生鳞片。叶片质薄，椭圆形或椭圆状披针形，长 3 ~ 7 cm，宽 1 ~ 3.5 cm，先端锐尖、渐尖或钝，全缘或有细圆齿，基部楔形或钝，上面疏生鳞片，下面鳞片大小不等，褐色，相距其直径的 2 ~ 4 倍；叶柄长 3 ~ 5 mm。花序腋生于枝顶或假顶生，1 ~ 3 花，先叶开放，伞形着生；花芽鳞宿存；花梗长 5 ~ 10 mm，疏生鳞片；花萼长 0.5 ~ 1 mm，5 裂，被鳞片，无毛或疏生刚毛；花冠宽漏斗状，长 2.3 ~ 2.8 cm，直径 3 ~ 4 cm，淡红紫色，外面被短柔毛，无鳞片；雄蕊 10，不等长，稍短于花冠，花丝下部被短柔毛；子房 5 室，密被鳞片，花柱光滑，

长于花冠。蒴果长圆形，长 1 ~ 1.5 cm，直径 4 ~ 5 mm，先端 5 瓣开裂。花期 4 ~ 6 月，果期 5 ~ 7 月。

| **生境分布** | 生于山地灌丛。分布于河北平泉、青龙等。

| **资源情况** | 野生资源丰富。药材来源于野生。

| **采收加工** | 秋季采收，鲜用或晒干。

| **药材性状** | 本品多反卷，有的皱缩破碎，完整者展平后呈长圆形或卵状披针形，长 2.5 ~ 6 cm，宽 1 ~ 2 cm，先端钝尖或有短尖头，基部宽楔形或钝圆，边缘有细密圆齿或全缘，上面亮绿色，有散生腺鳞，下面淡绿色，腺鳞稍密；叶柄长 3 ~ 5 mm，具鳞斑。革质。气芳香，味涩。以叶片完整、色绿者为佳。

| **功能主治** | 苦，平。解表，化痰，止咳，平喘。用于感冒头痛，咳嗽，哮喘，支气管炎。

| **用法用量** | 内服煎汤，3 ~ 15 g；或浸酒。

杜鹃花科 Ericaceae 杜鹃属 Rhododendron

照山白

Rhododendron micranthum Turcz.

| 植物别名 | 照白杜鹃。

| 药 材 名 | 照山白（药用部位：叶或带叶枝梢）。

| 形态特征 | 常绿灌木，高可达 2.5 m。茎灰棕褐色；枝条细瘦，幼枝被鳞片及细柔毛。叶近革质，倒披针形、长圆状椭圆形至披针形，长 1.5 ~ 6 cm，宽 0.4 ~ 2.5 cm，先端钝、急尖或圆，具小突尖，基部狭楔形，上面深绿色，有光泽，常被疏鳞片，下面黄绿色，被淡棕色或深棕色、有宽边的鳞片，鳞片相互重叠、邻接或相距其直径的 1/2；叶柄长 3 ~ 8 mm，被鳞片。总状花序顶生，有花 10 ~ 28，花密集；花序轴长 1 ~ 2.6 cm；花梗长 0.8 ~ 2 cm，密被鳞片；花小，乳白色；花萼长 1 ~ 3 mm，5 深裂，裂片狭三角状披针形或披针状线形，外

面被鳞片，被缘毛；花冠钟状，长 4 ~ 10 mm，外面被鳞片，内面无毛，花裂片 5，较花管稍长；雄蕊 10，花丝无毛；子房长 1 ~ 3 mm，5 ~ 6 室，密被鳞片，花柱与雄蕊等长或较短，无鳞片。蒴果长圆形，长 4 ~ 8 mm，疏被鳞片。花期 5 ~ 6 月，果期 8 ~ 11 月。

| 生境分布 | 生于海拔 1 000 ~ 3 000 m 的山坡灌丛、山谷、峭壁或岩石上。分布于河北隆化、武安、涿鹿等。

| 资源情况 | 野生资源丰富。药材来源于野生。

| 采收加工 | 夏、秋季采收，晒干。

| 药材性状 | 本品叶多反卷，有的破碎，完整叶片展平后呈长椭圆形或倒披针形，长 2 ~ 5 cm，宽 0.6 ~ 1.5 cm，全缘，上表面暗绿色或棕褐色，有白色腺鳞，下表面淡黄绿色，密被淡棕色腺鳞，叶柄长 2 ~ 5 mm，革质。枝梢圆柱形，先端有短总状花序，外被多数淡棕色卵状苞片。气芳香，味微苦、微辛。以叶片完整、色暗绿者为佳。

| 功能主治 | 酸、辛，温；有毒。祛风，通络，调经止痛，化痰止咳。

| 用法用量 | 内服煎汤，3 ~ 4.5 g。外用适量，捣敷。

| 附　注 | 本种有剧毒，幼叶毒性更强，牲畜误食，易中毒死亡。

报春花科 Primulaceae 报春花属 Primula

胭脂花
Primula maximowiczii Regel

| 药 材 名 | 胭脂花（药用部位：全草）。

| 形态特征 | 多年生草本，全株无粉。根茎短，具多数长根。叶丛基部无鳞片；叶倒卵状椭圆形、狭椭圆形至倒披针形，连柄长（3～）5～20（～27）cm，宽1.5～3（～4）cm，先端钝圆或稍锐尖，基部渐狭窄，边缘具三角形小牙齿，稀近全缘，中肋稍宽，侧脉纤细，不明显；叶柄具膜质宽翅，翅通常甚短，有时与叶柄近等长。花葶稍粗壮，高20～45（～70）cm；伞形花序1～3轮，每轮具6～10（～20）花；苞片披针形，长3～7mm，先端渐尖，基部互相联合；花梗长1～3（～4）cm；花萼狭钟状，长6～10mm，分裂达全长的1/3，裂片三角形，边缘具腺状小缘毛；花冠暗朱红色，花冠

筒管状，裂片狭矩圆形，长 4 ~ 8 mm，宽 2.5 ~ 3 mm，全缘，通常反折贴于花冠筒上；长花柱花：花冠筒长 11 ~ 13 mm，雄蕊着生于花冠筒中下部，距基部 4 ~ 5 mm，花柱近达花冠筒口；短花柱花：花冠筒长 4 ~ 19 mm，雄蕊着生于花冠筒上部，花药先端距筒口约 2 mm，花柱长 3 ~ 4 mm。蒴果稍长于花萼。花期 5 ~ 6 月，果期 7 月。

| **生境分布** | 生于海拔 2 900 m 以下的林下和林缘湿润处。分布于河北涞源、平泉、兴隆等。

| **资源情况** | 野生资源丰富。药材来源于野生。

| **采收加工** | 5 ~ 6 月采收，晒干。

| **药材性状** | 本品须状根多而粗壮，表面黄白色；质脆，易折断，断面淡黄色。叶基生，多皱缩破碎，完整叶片展平后呈矩圆状倒披针形、倒卵状披针形或椭圆形，连柄可长达 25 cm，宽约 4 cm，先端钝圆，基部下延，渐狭成柄，边缘具细牙齿，叶面黄绿色；质脆，易碎。花葶长短不一，黄棕色、暗红紫色或紫色；有时可见伞形花序，1 ~ 3 轮；花紫红色。气微，味淡。

| **功能主治** | 辛，平。祛风定痫，止痛。用于癫痫，头痛。

| **用法用量** | 内服煎汤，15 ~ 30 g。外用适量，鲜品捣敷。

北点地梅 *Androsace septentrionalis* L.

| **植物别名** | 雪山点地梅。 |

| **药材名** | 北方点地梅（药用部位：带根全草。别名：雪山点地梅、喉咙草）。 |

| **形态特征** | 一年生草本。主根直而细长，具少数支根。莲座状叶丛单生，直径 1 ~ 6 cm；叶倒披针形或长圆状披针形，长 5 ~ 30 mm，宽 1.5 ~ 5 mm，先端钝或稍锐尖，下部渐狭，中部以上边缘具稀疏牙齿，上面被极短的毛，下面近无毛。花葶 1 至数枚，直立，高 8 ~ 25（~ 30）cm，下部略带紫红色，具分叉的短毛；伞形花序多花，苞片小，钻形，长 2 ~ 3 mm；花梗长短不等，开花前长 1 ~ 1.7 cm，花后伸长，至果期长 2 ~ 6（~ 10）cm，被短腺毛；花萼钟状或陀螺状，长约 2.5 mm，明显具 5 棱，分裂达全长的 1/3，裂片狭三角 |

形，先端锐尖，颜色较筒部深；花冠白色，筒部短于花萼，裂片通常长圆形，长 1 ~ 1.2 mm，宽 0.6 ~ 1 mm。蒴果近球形，稍长于花萼。花期 5 ~ 6 月，果期 6 ~ 7 月。

| **生境分布** | 生于草原、山地阳坡和沟谷中。分布于河北沽源等。

| **资源情况** | 野生资源丰富。药材来源于野生。

| **采收加工** | 夏、秋季采挖，洗净，晒干。

| **药材性状** | 本品主根直径 0.5 ~ 2 mm，表面黄棕色或灰棕色，有支根或支根痕；质硬而脆，易折断，断面黄白色或淡黄色。叶莲座状丛生，多破碎，完整者呈倒披针形、长圆状披针形或狭菱形，长 8 ~ 10 mm，宽 2 ~ 4 mm，先端钝或稍锐尖，下部渐狭，中部以上边缘具稀疏牙齿，上面被极短的毛。叶面黄绿色；质脆，易碎。花葶长短不一，黄绿色或下部暗紫色，具分叉毛；伞形花序多花；花冠白色。有时可见先端 5 瓣裂的蒴果，浅橙黄色，内有多数种子。气微，味淡。

河北省博野县

| **功能主治** | 苦、辛，寒。清热解毒，消肿止痛。用于风火赤眼，咽喉红肿，疮疡肿痛。

| **用法用量** | 内服煎汤，9 ~ 30 g；或代茶饮。

| **附　　注** | 短葶北点地梅 *Androsace septentrionalis* var. *breviscapa* Kryl.（变种）与北点地梅的区别在于该变种花葶短，高 1 ~ 4 cm，密被短毛和分叉毛；花梗开张，比花葶长，长 2 ~ 5 cm，被稀疏短毛。果期 7 ~ 8 月。

报春花科 Primulaceae 点地梅属 Androsace

点地梅

Androsace umbellata (Lour.) Merr.

| 植物别名 | 喉咙草、铜钱草。

| 药 材 名 | 喉咙草（药用部位：全草或果实）。

| 形态特征 | 一年生或二年生草本。主根不明显，具多数须根。叶全部基生，叶片近圆形或卵圆形，直径 5 ~ 20 mm，先端钝圆，基部浅心形至近圆形，边缘具三角状钝牙齿，两面均被贴伏的短柔毛；叶柄长 1 ~ 4 cm，被开展的柔毛。花葶通常数枚自叶丛中抽出，高 4 ~ 15 cm，被白色短柔毛；伞形花序具 4 ~ 15 花；苞片卵形至披针形，长 3.5 ~ 4 mm；花梗纤细，长 1 ~ 3 cm，果期伸长可达 6 cm，被柔毛并杂生短柄腺体；花萼杯状，长 3 ~ 4 mm，密被短柔毛，分裂近达基部，裂片菱状卵圆形，具 3 ~ 6 纵脉，果期增大，呈星状展

开；花冠白色，直径 4 ~ 6 mm，筒部长约 2 mm，短于花萼，喉部黄色，裂片倒卵状长圆形，长 2.5 ~ 3 mm，宽 1.5 ~ 2 mm。蒴果近球形，直径 2.5 ~ 3 mm，果皮白色，近膜质。花期 2 ~ 4 月，果期 5 ~ 6 月。

| 生境分布 | 生于向阳地、疏林下及林缘、草地等处。分布于河北青龙、涉县、兴隆等。

| 资源情况 | 野生资源丰富。药材来源于野生。

| 采收加工 | 清明前后采收全草，洗净，阴干或晒干。

| 药材性状 | 本品全草呈皱缩状，被白色节状细柔毛。根呈细须状。叶基生，多皱缩碎落，完整者呈近圆形或卵圆形，黄绿色，直径 5 ~ 20 mm，边缘具三角状钝牙齿，两面均被贴伏的短柔毛；叶柄长 1 ~ 4 cm，有白毛。花葶纤细，有的可见顶生伞形花序，小花浅黄色，或已结成球形蒴果，具深裂的宿存萼。质脆，易碎。气微，味辛、微苦。

| 功能主治 | 苦、辛，寒。归肺、肝、脾经。清热解毒，消肿止痛。用于咽喉肿痛，口疮，牙痛，头痛，赤眼，风湿痹痛，哮喘，淋浊，疔疮肿毒，烫火伤，蛇咬伤，跌打损伤。

| 用法用量 | 内服煎汤，9 ~ 15 g；或研末；或浸酒；或代茶饮。外用适量，鲜品捣敷；或煎汤洗；或煎汤含漱。

| 附　　注 | 民间用全草治疗扁桃体炎、咽喉炎、口腔炎和跌打损伤。

报春花科 Primulaceae 假报春属 Cortusa

假报春 *Cortusa matthioli* L.

| 药 材 名 |

假报春（药用部位：全草）。

| 形态特征 |

多年生草本，植株高 20 ~ 25 cm，有时高
达 40 cm。叶基生，近圆形，长 3.5 ~ 8 cm，
宽 4 ~ 8 (~ 9) cm，基部深心形，边缘掌
状浅裂，裂深不超过叶片的 1/4，裂片三角
状半圆形，边缘具不整齐的钝圆或稍锐尖牙
齿，上面深绿色，被疏柔毛或近无毛，下面
淡灰色，被柔毛；叶柄长为叶片的 2 ~ 3 倍，
被柔毛。花葶直立，通常高出叶丛 1 倍，
被稀疏柔毛或近无毛；伞形花序具 5 ~ 8
(~ 10) 花；苞片狭楔形，先端有缺刻状
深齿；花梗纤细，不等长；花萼长 4.5 ~
5 mm，分裂略超过中部，裂片披针形，锐
尖；花冠漏斗状钟形，紫红色，长 8 ~
10 cm，分裂略超过中部，裂片长圆形，先
端钝；雄蕊着生于花冠基部，花药长达
3.5 mm，纵裂，先端具小尖头；花柱长达
8 mm，伸出花冠外。蒴果圆筒形，长于宿
存萼。花期 5 ~ 7 月，果期 7 ~ 8 月。

| 生境分布 |

生于云杉、落叶松林下腐殖质较多的阴处。

分布于河北阜平、武安、涿鹿等。

| **资源情况** | 野生资源丰富。药材来源于野生。

| **采收加工** | 6 ~ 8 月采收，晒干。

| **功能主治** | 甘、微苦，寒。解热镇惊。用于高热，神昏抽搐。

| **用法用量** | 内服煎汤，2 ~ 50 g。

报春花科 Primulaceae 珍珠菜属 Lysimachia

黄连花
Lysimachia davurica Ledeb.

| **药 材 名** | 黄连花（药用部位：带根全草）。

| **形态特征** | 多年生草本。根茎匍匐，茎直立，高 40 ~ 80 cm，上部有细腺毛。叶对生，或 3 ~ 4 轮生，披针形至狭卵形，长 4 ~ 12 cm，宽 0.5 ~ 4 cm，先端锐尖至渐尖，基部钝至近圆形，上面绿色，近无毛，下面常带粉绿色，无毛，仅沿中肋被小腺毛，两面均散生黑色腺点，侧脉通常超过 10 对，网脉明显。总状花序顶生，通常复出而呈圆锥花序；苞片线形，密被小腺毛；花梗长 7 ~ 12 mm；花萼 5 深裂，分裂近达基部，裂片狭卵状三角形，边缘有一圈黑色线条，有腺状缘毛；花冠深黄色，长约 8 mm，5 裂，分裂近达基部，裂片长圆形，先端圆钝，有明显脉纹，内面密布淡黄色小腺体；雄蕊比花冠短，

花丝下半部合生成筒，密被小腺体；花药中着，卵状长圆形，纵裂；子房无毛，花柱长 4 ～ 5 mm。蒴果褐色，直径 2 ～ 4 mm。花期 6 ～ 8 月，果期 8 ～ 9 月。

| **生境分布** | 生于海拔 2 100 m 以下的草甸、林缘和灌丛中。分布于河北赤城、丰宁、围场等。

| **资源情况** | 野生资源一般。药材来源于野生。

| **采收加工** | 7 ～ 8 月采挖，洗净，切段，晒干。

| **功能主治** | 酸，寒。镇静，降血压。用于高血压，头痛，失眠。

| **用法用量** | 内服煎汤，9 ～ 15 g。

狼尾花

Lysimachia barystachys Bunge

| 植物别名 | 珍珠菜、虎尾草。

| 药 材 名 | 狼尾花（药用部位：花）。

| 形态特征 | 多年生草本。具横走的根茎，全株密被卷曲柔毛。茎直立，高30 ～ 100 cm。叶互生或近对生，长圆状披针形、倒披针形至线形，长4 ～ 10 cm，宽 0.6 ～ 2.2 cm，先端钝或锐尖，基部楔形，近无柄。总状花序顶生，花密集，常转向一侧；花序轴起初长 4 ～ 6 cm，后渐伸长，果期长可达 30 cm；苞片线状钻形，花梗长 4 ～ 6 mm，通常稍短于苞片；花萼长 3 ～ 4 mm，分裂近达基部，裂片长圆形，周边膜质，先端圆形，略呈啮蚀状；花冠白色，长 7 ～ 10 mm，基部合生部分长约 2 mm，裂片舌状狭长圆形，宽约 2 mm，先端钝或微凹，

常有暗紫色短腺条；雄蕊内藏，花丝基部约 1.5 mm 联合并贴生于花冠基部，分离部分长约 3 mm，具腺毛；花药椭圆形，长约 1 mm；花粉粒具 3 孔沟，长球形 [（29 ~ 31.5）×（20 ~ 24）μm]，表面近平滑；子房无毛，花柱短，长 3 ~ 3.5 mm。蒴果球形，直径 2.5 ~ 4 mm。花期 5 ~ 8 月，果期 8 ~ 10 月。

| **生境分布** | 生于海拔 2 000 m 以下的草甸、山坡路旁灌丛间。分布于河北邢台及赤城等。

| **资源情况** | 野生资源丰富。药材来源于野生。

| **采收加工** | 花期采挖，阴干或鲜用。

| **功能主治** | 酸、苦，平。活血利水，解毒消肿。用于月经不调，风湿痹痛，水肿，小便不利，咽喉肿痛，乳痈，无名肿毒，跌打损伤。

| **用法用量** | 内服煎汤，15 ~ 30 g；或浸酒；或捣汁。外用适量，捣敷；或研末敷。

报春花科 Primulaceae 珍珠菜属 Lysimachia

狭叶珍珠菜
Lysimachia pentapetala Bunge

| 药 材 名 | 狭叶珍珠菜（药用部位：全草）。

| 形态特征 | 一年生草本，全体无毛。茎直立，高 30 ~ 60 cm，圆柱形，多分枝，密被褐色无柄腺体。叶互生，狭披针形至线形，长 2 ~ 7 cm，宽 0.2 ~ 0.8 cm，先端锐尖，基部楔形，上面绿色，下面粉绿色，有褐色腺点；叶柄短，长约 0.5 mm。总状花序顶生，初时因花密集而呈圆头状，后渐伸长，果期长 4 ~ 13 cm；苞片钻形，长 5 ~ 6 mm；花梗长 5 ~ 10 mm；花萼长 2.5 ~ 3 mm，下部合生，达全长的 1/3 或近 1/2，裂片狭三角形，边缘膜质；花冠白色，长约 5 mm，基部仅合生 0.3 mm，近分离，裂片匙形或倒披针形，先端圆钝；雄蕊比花冠短，花丝贴生于花冠裂片的近中部，分离部分长约 0.5 mm；花

药卵圆形，长约 1 mm；花粉粒具 3 孔沟，表面具网状纹饰；子房无毛，花柱长约 2 mm。蒴果球形，直径 2 ~ 3 mm。花期 7 ~ 8 月，果期 8 ~ 9 月。

| **生境分布** | 生于山坡荒地、路旁、田边或疏林下。分布于河北井陉、涞源、迁西等。

| **资源情况** | 野生资源丰富。药材来源于野生。

| **采收加工** | 秋季采收，鲜用或晒干。

| **功能主治** | 苦、辛，平。归肝、脾经。清热利湿，活血散瘀，解毒消痈。用于水肿，热淋，黄疸，痢疾，风湿热痹，带下，经闭，跌打骨折，外伤出血，乳痈，疔疮，蛇咬伤。

| **用法用量** | 内服煎汤，15 ~ 30 g；或浸酒；或鲜品捣汁。外用适量，煎汤洗；或鲜品捣敷。

白花丹科 Plumbaginaceae 补血草属 Limonium

补血草 *Limonium sinense* (Girard) Kuntze

| 植物别名 | 中华补血草、海蔓荆。

| 药 材 名 | 补血草（药用部位：根）。

| 形态特征 | 多年生草本，高 15 ~ 60 cm，全株（除萼外）无毛。叶基生，倒卵状长圆形、长圆状披针形至披针形，长 4 ~ 12（~ 22）cm，宽 0.4 ~ 2.5（~ 4）cm，先端通常钝或急尖，下部渐狭成扁平的柄。花序伞房状或圆锥状；花序轴通常 3 ~ 5（~ 10），上升或直立，具 4 棱角或沟棱，常由中部以上作数回分枝，末级小枝二棱形；不育枝少，位于分枝的下部或分叉处，通常简单；穗状花序有柄至无柄，排列于花序分枝的上部至先端，由 2 ~ 6（~ 11）小穗组成；小穗含 2 ~ 3（~ 4）花，被第一内苞包裹的 1 ~ 2 花常迟放或不开放；

外苞长 2 ~ 2.5 mm，卵形，第一内苞长 5 ~ 5.5 mm；花萼长 5 ~ 6（ ~ 7）mm，漏斗状，萼筒直径约 1 mm，下半部或全部沿脉被长毛，萼檐白色，宽 2 ~ 2.5 mm（接近萼的中部），开张幅径为 3.5 ~ 4.5 mm，裂片宽短，先端通常钝或急尖，有时微有短尖，常有间生裂片，脉伸至裂片下方而消失，沿脉有或无微柔毛；花冠黄色。在北方花期 7 月上旬至 11 月中旬，在南方花期 4 ~ 12 月。

| 生境分布 | 生于沿海潮湿盐土或砂土中。分布于河北乐亭、北戴河、成安等。

| 资源情况 | 野生资源丰富。药材主要来源于野生。

| 采收加工 | 全年均可采收，洗净，切片，鲜用。

| 功能主治 | 苦、咸，凉。清热，利湿，止血，解毒。用于湿热便血，脱肛，血淋，月经过多，白带，痈肿疮毒。

| 用法用量 | 内服煎汤，15 ~ 30 g，鲜品大剂量可用至 60 g。外用适量，捣敷；或煎汤坐浴。

| 附　　注 | 本种随着生境盐分和气候条件的变化，形体有所变化：花序轴可由细弱、下部偃卧、四棱形的变成粗壮直立而具深沟棱的；小穗开花多少，叶的形状、大小等也有一定幅度的变异。

白花丹科 Plumbaginaceae 补血草属 Limonium

二色补血草
Limonium bicolor (Bunge) Kuntze

| 植物别名 | 矾松、二色匙叶草、二色矾松。

| 药 材 名 | 二色补血草（药用部位：全草或根）。

| 形态特征 | 多年生草本，高 30 ~ 70 cm，全体光滑无毛。叶多根出，匙形或长倒卵形，基部狭成翅柄。花茎有棱，花着生枝端，偏于一侧，数个集为一组，近头状花序，花白色或淡黄色；果实有 5 棱。花期 6 ~ 9 月，果熟期 7 ~ 9 月。

| 生境分布 | 生于平原地区，也见于山坡下部、丘陵和海滨。分布于河北沽源、怀安、乐亭等。

| 资源情况 | 野生资源丰富。药材主要来源于野生。

| 采收加工 | 春、秋、冬季采挖，洗净，晒干。

| 药材性状 | 本品根呈圆柱形，棕褐色。茎丛生，细圆柱形，呈"之"字形弯曲，长 30 ~ 60 cm，光滑无毛，断面中空。叶多脱落，基生叶匙形或长倒卵形，长约 20 cm，宽 1 ~ 4 cm，近全缘，基部渐窄成翅状。外苞片长圆状宽卵形，边缘狭膜质，第一内苞片与外苞片相似，边缘宽膜质。花萼漏斗状，沿脉密生细硬毛，萼檐紫色、粉红色或白色，花冠黄色。气微，味微苦。

| 功能主治 | 甘、苦，温。归脾、肝、膀胱经。益气养血，散瘀止血。用于病后体弱，胃脘痛，消化不良，月经不调，崩漏，带下，尿血，痔血。

| 用法用量 | 内服煎汤，15 ~ 30 g。

| 附　注 | 本种因分布较广，随同生境的变化较大。一般说来，在水分充足而排水良好的条件下，小穗中开放的花多，花序也显得稠密；反之则花序较疏，小穗中能够开放的花也较少。在盐分较重的生境中萼檐紫红色持续的时间较久，花序轴棱角明显并往往出现沟槽；在盐分较少的场所则花萼仅在初放时（甚至仅在花蕾时）呈粉红色，不久即变为白色。在土质疏松、水分适宜而盐分不太多的地方，花序主轴常可变为圆柱状。喜生于含盐的钙质土中或沙地。

君迁子

Diospyros lotus L.

| 植物别名 | 软枣、黑枣、牛奶柿。

| 药 材 名 | 君迁子（药用部位：果实）。

| 形态特征 | 落叶乔木，高可达 30 m，胸高直径可达 1.3 m。树冠近球形或扁球形；树皮灰黑色或灰褐色，深裂或不规则厚块状剥落；小枝褐色或棕色，有纵裂的皮孔；嫩枝通常淡灰色，有时带紫色，平滑或有时有黄灰色短柔毛。冬芽狭卵形，带棕色，先端急尖。叶近膜质，椭圆形至长椭圆形，长 5 ~ 13 cm，宽 2.5 ~ 6 cm，先端渐尖或急尖，基部钝，宽楔形至近圆形；上面深绿色，有光泽，初时有柔毛，但后渐脱落，下面绿色或粉绿色，有柔毛，且在脉上较多，或无毛；中脉在下面平坦或下陷，有微柔毛，在下面凸起，侧脉纤细，每边

7 ～ 10，上面稍下陷，下面略凸起，小脉很纤细，连接成不规则的网状；叶柄长 7 ～ 15（～ 18）mm，有时有短柔毛，上面有沟。雄花 1 ～ 3 腋生，簇生，近无梗，长约 6 mm；花萼钟形，4 裂，偶有 5 裂，裂片卵形，先端急尖，内面有绢毛，边缘有睫毛；花冠壶形，带红色或淡黄色，长约 4 mm，无毛或近无毛，4 裂，裂片近圆形，边缘有睫毛；雄蕊 16，每 2 枚连生成对，腹面 1 较短，无毛；花药披针形，长约 3 mm，先端渐尖；药隔两面均有长毛；子房退化；雌花单生，几无梗，淡绿色或带红色；花萼 4 裂，深裂至中部，外面下部有贴伏粗毛，内面基部有棕色绢毛，裂片卵形，长约 4 mm，先端急尖，边缘有睫毛；花冠壶形，长约 6 mm，4 裂，偶有 5 裂，裂片近圆形，长约 3 mm，反曲；退化雄蕊 8，着生于花冠基部，长约 2 mm，有白色粗毛；子房除先端外无毛，8 室；花柱 4，有时基部有白色长粗毛。果实近球形或椭圆形，直径 1 ～ 2 cm，初熟时为淡黄色，后变为蓝黑色，常被有白色薄蜡层，8 室；种子长圆形，长约 1 cm，宽约 0.6 cm，褐色，侧扁，背面较厚；宿存萼 4 裂，深裂至中部，裂片卵形，长约 6 mm，先端钝圆。花期 5 ～ 6 月，果期 10 ～ 11 月。

| **生境分布** | 生于海拔 500 ～ 2 300 m 的山地、山坡、山谷的灌丛中，或林缘。分布于河北昌黎、永年、赞皇等。

| **资源情况** | 野生资源丰富。药材主要来源于野生。

| **采收加工** | 10 ～ 11 月果实成熟时采收，晒干或鲜用。

| **功能主治** | 甘、涩，凉。清热，止渴。用于烦热消渴。

| **用法用量** | 内服煎汤，15 ～ 30 g。

| **附　注** | 本种的果实、嫩叶均可供提取维生素 C；未熟果实可提制柿漆，供医药和涂料用；树皮可供提取单宁。

柿科 Ebenaceae 柿属 Diospyros

柿
Diospyros kaki Thunb.

| 植物别名 |

柿子。

| 药 材 名 |

柿蒂（药用部位：宿存萼）。

| 形态特征 |

落叶乔木，高达 20 m。冬芽卵圆形，先端钝。叶纸质，卵状椭圆形、倒卵形或近圆形，新叶疏被柔毛，老叶上面深绿色，有光泽，无毛，下面绿色，有柔毛或无毛，中脉在上面凹陷，有微柔毛。雌雄异株，稀雄株有少数雌花，雌株有少数雄花；聚伞花序腋生，雄花序被柔毛或绒毛，有 3（~ 5）花；花萼钟状，两面有毛，4 深裂，裂片卵形，有睫毛；花冠钟形，长不超过花萼的 2 倍，黄白色，被毛，4 裂，裂片卵形或心形，开展；雌花单生于叶腋，花萼绿色，直径约 3 cm 或更大，4 深裂，萼管近球状钟形，肉质，裂片开展，宽卵形或半圆形，花冠淡黄白色或带紫红色，壶形或近钟形，较花萼短小，4 裂，冠管近四棱形，裂片卵形；退化雄蕊 8，有长柔毛。果实形状多样，有球形、扁球形、球形而略呈方形、卵形等；基部通常有棱，嫩时绿色，后变黄色、橙黄色；果肉较脆硬，老熟时

果肉变柔软多汁，呈橙红色或大红色等，有种子数颗；种子褐色，椭圆状，侧扁，在栽培品种中通常无种子或有少数种子；宿存花萼在花后增大增厚，4 裂，方形或近圆形，近平扁，厚革质或干时近木质，外面有伏柔毛，后变无毛，里面密被棕色绢毛，裂片革质，两面无毛，有光泽；果柄粗壮。花期 5 ～ 6 月，果期 9 ～ 10 月。

| **生境分布** | 生于深厚、肥沃、湿润、排水良好的土壤中。分布于河北内丘、兴隆、永年等，河北满城有栽培。

| **资源情况** | 野生资源一般，栽培资源丰富。药材主要来源于栽培。

| **采收加工** | 冬季果实成熟时采摘，食用时收集，洗净，晒干。

| **药材性状** | 本品呈扁圆形，直径 1.5 ～ 2.5 cm。中央较厚，微隆起，有果实脱落后的圆形疤痕，边缘较薄，4 裂，裂片多反卷，易碎；基部有果柄或圆孔状的果柄痕；外表面黄褐色或红棕色，内表面黄棕色，密被细绒毛。质硬而脆。气微，味涩。

| **功能主治** | 苦、涩，平。归胃经。降逆下气。用于呃逆，嗳气，反胃。

| **用法用量** | 内服煎汤，5 ～ 10 g；或入散剂。外用适量，研末敷。

| **附　　注** | 柿子能止血通便，缓和痔疾肿痛，降血压。柿饼可以润脾补胃，润肺止血。柿霜饼和柿霜能润肺生津，祛痰镇咳，清胃热，解酒，疗口疮。生于中性土壤，较能耐寒、耐瘠薄，抗旱性强，不耐盐碱土。

木樨科 Oleaceae 梣属 Fraxinus

白蜡树

Fraxinus chinensis Roxb.

| 植物别名 |

白蜡杆、小叶白蜡、速生白蜡。

| 药 材 名 |

秦皮（药用部位：枝皮或干皮）、白蜡树子（药用部位：果实）。

| 形态特征 |

落叶乔木，高 10 ~ 12 m。树皮灰褐色，纵裂。芽阔卵形或圆锥形，被棕色柔毛或腺毛。小枝黄褐色，粗糙，无毛或疏被长柔毛，旋即秃净，皮孔小，不明显。羽状复叶长 15 ~ 25 cm，叶柄长 4 ~ 6 cm，基部不增厚，叶轴挺直，上面具浅沟，初时疏被柔毛，旋即秃净；小叶 5 ~ 7，硬纸质，卵形、倒卵状长圆形至披针形，长 3 ~ 10 cm，宽 2 ~ 4 cm，顶生小叶与侧生小叶近等大或稍大，先端锐尖至渐尖，基部钝圆或楔形，叶缘具整齐的锯齿，上面无毛，下面无毛或有时沿中脉两侧被白色长柔毛，中脉在上面平坦，侧脉 8 ~ 10 对，在下面凸起，细脉在两面凸起，明显网结，小叶柄长 3 ~ 5 mm。圆锥花序顶生或腋生于枝梢，长 8 ~ 10 cm；花序梗长 2 ~ 4 cm，无毛或被细柔毛，光滑，无皮孔；雌雄异株；雄花密集，花萼小，钟状，长约 1 mm，无花冠，花药与花丝近等长；雌花疏离，花萼大，桶状，长 2 ~ 3 mm，4 浅裂，花柱细长，柱头 2 裂。翅果匙形，长 3 ~ 4 cm，宽 0.4 ~ 0.6 cm，上中部最宽，先端锐尖，常呈犁头状，基部渐狭，翅平展，下延至坚果中部；坚果圆柱形，长约 1.5 cm；宿存萼紧贴于坚果基部，常在一侧开口深裂。花期 4 ~ 5 月，果期 7 ~ 9 月。

| **生境分布** | 生于海拔 800 ~ 1 600 m 的山地杂木林中。分布于河北兴隆、赞皇、涿鹿等。

| **资源情况** | 野生资源一般，栽培资源丰富。药材主要来源于栽培。

| **采收加工** | 秦皮：春、秋季剥取，晒干。

白蜡树子：秋季果实成熟时采摘，去壳，晒干。

| **药材性状** | 秦皮：本品枝皮呈卷筒状或槽状，长 10 ~ 60 cm，厚 1.5 ~ 3 mm；外表面灰白色、灰棕色至黑棕色或相间成斑状，平坦或稍粗糙，并有灰白色圆点状皮孔及细斜皱纹，有的具分枝痕；内表面黄白色或棕色，平滑；质硬而脆，断面纤维性，黄白色；气微，味苦。干皮为长条状块片，厚 3 ~ 6 mm；外表面灰棕色，具龟裂状沟纹及红棕色圆形或横长的皮孔；质坚硬，断面纤维性较强。

白蜡树子：本品呈卵形、椭圆形或肾形，长 6 ~ 8.5 mm，直径 3.5 ~ 5.5 mm。表面黑紫色或灰黑色，皱缩不平，基部有果柄痕或具宿存萼及短梗。体轻。外果皮薄，中果皮较松软，易剥离，内果皮木质，黄棕色，具纵棱，破开后种子通常为 1，肾形，紫黑色，油性。无臭，味甘、微苦、涩。以粒大、饱满、色黑紫者为佳。

| **功能主治** | 秦皮：苦、涩，寒。清热燥湿，收涩止痢，止带，明目。用于湿热泻痢，赤白带下，目赤肿痛，目生翳膜。

白蜡树子：散气止痛，益心止咳，利尿排石。用于胸胁疼痛，神经衰弱，心悸气短，咳嗽气喘，小便不利，阳事不举，不孕症。

| **用法用量** | 秦皮：内服煎汤，6 ~ 12 g。外用适量，煎汤洗。

白蜡树子：内服煎汤，6 ~ 9 g。外用适量，可入蜜膏、汤剂、散剂、阴道栓等。

木犀科 Oleaceae 梣属 Fraxinus

花曲柳

Fraxinus chinensis subsp. *rhynchophylla* (Hance) E. Murray

| 植物别名 | 大叶白蜡。

| 药 材 名 | 花曲柳（药用部位：树皮）。

| 形态特征 | 落叶大乔木，高 12 ~ 15 m。树皮灰褐色，光滑，老时浅裂。冬芽阔卵形，先端尖，黑褐色，具光泽，内侧密被棕色曲柔毛。当年生枝淡黄色，通直，无毛，去年生枝暗褐色，皮孔散生。羽状复叶长15 ~ 35 cm，叶柄长 4 ~ 9 cm，基部膨大，叶轴上面具浅沟，小叶着生处具关节，节上有时簇生棕色曲柔毛；小叶 5 ~ 7，革质，阔卵形、倒卵形或卵状披针形，长 3 ~ 11（~ 15） cm，宽 2 ~ 6（~ 8）cm，营养枝的小叶较宽大，顶生小叶显著大于侧生小叶，下方 1 对最小，先端渐尖、骤尖或尾尖，基部钝圆、阔楔形至心形，

两侧略歪斜或下延至小叶柄，叶缘具不规则粗锯齿，齿尖稍向内弯，有时也呈波状，通常下部近全缘，上面深绿色，中脉略凹入，脉上有时疏被柔毛，下面色淡，沿脉腋被白色柔毛，渐秃净，细脉在两面均凸起，小叶柄长 0.2 ~ 1.5 cm，上面具深槽。圆锥花序顶生或腋生于当年生枝梢，长约 10 cm；花序梗细而扁，长约 2 cm；苞片长披针形，先端渐尖，长约 5 mm，无毛，早落；花梗长约 5 mm；雄花与两性花异株；花萼浅杯状，长约 1 mm，萼齿三角形，无毛；无花冠；两性花具雄蕊 2，长约 4 mm，花药椭圆形，长约 3 mm，花丝长约 1 mm，雌蕊具短花柱，柱头二叉深裂；雄花花萼小，花丝细，长达 3 mm。翅果线形，长约 3.5 cm，宽约 0.5 cm，先端钝圆、急尖或微凹，翅下延至坚果中部，坚果长约 1 cm，略隆起；具宿存萼。花期 4 ~ 5 月，果期 9 ~ 10 月。

| 生境分布 | 生于海拔 1 500 m 以下的山坡、河岸、路旁。分布于河北昌黎、涞源、滦平等。

| 资源情况 | 野生资源一般。药材来源于野生。

| 采收加工 | 春、秋季剥取，除去杂质，洗净，润透后切块或切段，晒干。

| 功能主治 | 苦，寒。清热燥湿，平喘止咳，明目。用于细菌性痢疾，肠炎，带下，慢性支气管炎，目赤肿痛，迎风流泪，银屑病。

| 用法用量 | 内服煎汤，7.5 ~ 15 g；或入丸剂。外用适量，煎汤洗。

木樨科 Oleaceae 梣属 Fraxinus

苦枥白蜡树

Fraxinus rhynchophylla Hance

| 植物别名 | 大叶白蜡树、大叶梣、花曲柳。

| 药 材 名 | 秦皮（药用部位：枝皮或干皮。别名：岑皮、秦白皮、蜡树皮）。

| 形态特征 | 落叶大乔木，高 12 ~ 15 m，树皮灰褐色，光滑，老时浅裂。冬芽
阔卵形，先端尖，黑褐色，具光泽，内侧密被棕色曲柔毛。当年生
枝淡黄色，通直，无毛，去年生枝暗褐色，皮孔散生。羽状复叶长
15 ~ 35 cm；叶柄长 4 ~ 9 cm，基部膨大；叶轴上面具浅沟，小叶
着生处具关节，节上有时簇生棕色曲柔毛；小叶 5 ~ 7 枚，革质，
阔卵形、倒卵形或卵状披针形，长 3 ~ 15 cm，宽 2 ~ 8 cm，营养
枝的小叶较宽大，顶生小叶显著大于侧生小叶，下方 1 对最小，先
端渐尖、骤尖或尾尖，基部钝圆、阔楔形至心形，两侧略歪斜或下

延至小叶柄，叶缘呈不规则粗锯齿，齿尖稍向内弯，有时也呈波状，通常下部近全缘，上面深绿色，中脉略凹入，脉上有时疏被柔毛，下面色淡，沿脉腋被白色柔毛，渐秃净，细脉在两面均凸起；小叶柄长 0.2 ～ 1.5 cm，上面具深槽。圆锥花序顶生或腋生当年生枝梢，长约 10 cm；花序梗细而扁，长约 2 cm；苞片长披针形，先端渐尖，长约 5 mm，无毛，早落；花梗长约 5 mm；雄花与两性花异株；花萼浅杯状，长约 1 mm，萼毛三角形无毛；无花冠；两性花具雄蕊 2 枚，长约 4 mm，花药椭圆形，长约 3 mm，花丝长约 1 mm，雌蕊具短花柱，柱头二叉深裂；雄花花萼小，花丝细，长达 3 mm。翅果线形，长约 3.5 cm，宽约 5 mm，先端钝圆、急尖或微凹，翅下延至坚果中部，坚果长约 1 cm，略隆起；具宿存萼。花期 4 ～ 5 月，果期 9 ～ 10 月。

| **生境分布** | 生于海拔 1 500 m 以下的山坡、河岸、路旁。分布于河北隆化、滦平、兴隆等，河北各地均有栽培。

| **资源情况** | 野生资源一般。药材来源于野生。

| **采收加工** | 春、秋季剥取，晒干。

| **药材性状** | 本品枝皮呈卷筒状或槽状，长 10 ～ 60 cm，厚 1.5 ～ 3 mm；外表面灰白色、灰棕色至黑棕色或相间成斑状，平坦或稍粗糙，并有灰白色圆点状皮孔及细斜皱纹，有的具分枝痕；内表面黄白色或棕色，平滑；质硬而脆，断面纤维性，黄白色；无臭，味苦。干皮为长条状块片，厚 3 ～ 6 mm；外表面灰棕色，有红棕色圆形或横长的皮孔及龟裂状沟纹；质坚硬，断面纤维性较强。

| **功能主治** | 苦、涩，寒。归肝、胆、大肠经。清热燥湿，收涩止痢，止带，明目。用于湿热泻痢，赤白带下，目赤肿痛，目生翳膜。

| **用法用量** | 内服煎汤，6 ～ 12 g。外用适量，煎汤洗。

| **附　注** | 除本种和白蜡树外，还有 2 种梣属植物在不同地区也作为"秦皮"入药。小叶梣 *Fraxinus bungeana* DC. 又名小叶白蜡，分布于内蒙古、河南；秦岭梣 *Fraxinus paxiana* Lingelsh. 又名秦岭白蜡树，分布于陕西、甘肃、湖北、湖南、四川。

木樨科 Oleaceae 梣属 Fraxinus

小叶梣
Fraxinus bungeana DC.

| 植物别名 | 小叶白蜡。

| 药 材 名 | 秦皮（药用部位：树皮）。

| 形态特征 | 落叶小乔木或灌木，高 2 ~ 5 m。树皮暗灰色，浅裂。顶芽黑色，圆
锥形，侧芽阔卵形，内侧密被棕色曲柔毛和腺毛。当年生枝淡黄色，
密被短绒毛，渐秃净；去年生枝灰白色，被稀疏毛或无毛，皮孔细
小，椭圆形，褐色。羽状复叶长 5 ~ 15 cm，叶柄长 2.5 ~ 4.5 cm，
基部增厚，叶轴直，上面具窄沟，被细绒毛；小叶 5 ~ 7，硬纸质，
阔卵形、菱形至卵状披针形，长 2 ~ 5 cm，宽 1.5 ~ 3 cm，顶生小
叶与侧生小叶几等大，先端尾尖，基部阔楔形，叶缘具深锯齿至缺
裂状，两面均光滑无毛，中脉在两面凸起，侧脉 4 ~ 6 对，细脉明

显网结，小叶柄短，长 0.2 ~ 1.5 cm，被柔毛。圆锥花序顶生或腋生于枝梢，长 5 ~ 9 cm，疏被绒毛；花序梗扁平，长约 1.5 cm，被细绒毛，渐秃净；花梗细，长约 3 mm；雄花花萼小，杯状，萼齿尖三角形，花冠白色至淡黄色，裂片线形，长 4 ~ 6 mm，雄蕊与裂片近等长，花药小，椭圆形，花丝细；两性花花萼较大，萼齿锥尖，花冠裂片长达 8 mm，雄蕊明显短，雌蕊具短花柱，柱头 2 浅裂。翅果匙状长圆形，长 2 ~ 3 cm，宽 0.3 ~ 0.5 cm，上中部最宽，先端急尖、钝圆或微凹，翅下延至坚果中下部，坚果长约 1 cm，略扁，花萼宿存。花期 5 月，果期 8 ~ 9 月。

| **生境分布** | 生于海拔 0 ~ 1 500 m 的较干燥向阳处的砂质土壤或岩石缝隙中。分布于河北赤城、阜平、宽城、涞源等。

| **资源情况** | 野生资源丰富。药材来源于野生。

| **采收加工** | 春、秋季剥取，晒干。

| **功能主治** | 苦、涩，寒。归肝、胆、大肠经。清热，消炎解热，收敛止泻。

| **用法用量** | 内服煎汤，6 ~ 12 g。外用适量，煎汤洗。

木樨科 Oleaceae 丁香属 Syringa

暴马丁香

Syringa reticulata subsp. *amurensis* (Ruprecht) P. S. Green & M. C. Chang

| **植物别名** | 暴马子、荷花丁香、白丁香。

| **药 材 名** | 暴马子皮（药用部位：干皮或枝皮）。

| **形态特征** | 落叶小乔木，高 4 ~ 10 m。树皮紫灰褐色，具细裂纹。当年生枝绿色或略带紫晕，疏生皮孔。单叶对生，叶柄长 1 ~ 2.5 cm，无毛；叶片厚纸质，宽卵形、卵形至椭圆状卵形，或为长圆状披针形，长 2.5 ~ 13 cm，宽 1 ~ 6 cm，先端短尾尖至尾状渐尖或锐尖，基部常为圆形。圆锥花序由 1 至多对着生于同一枝条上的侧芽抽生；花序轴具皮孔；花梗长 0 ~ 2 mm；花萼长 1.5 ~ 2 mm，萼齿钝、凸尖或平截；花冠白色，呈辐状，直径 4 ~ 5 mm，花冠管长约 1.5 mm，裂片卵形，长 2 ~ 3 mm，先端锐尖；花丝细长，雄蕊长几乎为花冠

裂片的 2 倍，花药黄色。蒴果长椭圆形，长 1.5 ~ 2 cm，先端常钝或锐尖、凸尖，光滑或具细小皮孔。花期 6 ~ 7 月，果期 8 ~ 10 月。

| 生境分布 | 生于海拔 10 ~ 1 200 m 的山坡灌丛或林边、草地、沟边，或针阔叶混交林中。分布于河北平泉、涉县、围场、武安等。

| 资源情况 | 野生资源丰富。药材来源于野生。

| 采收加工 | 春、秋季剥取，干燥。

| 药材性状 | 本品呈槽状或卷筒状，长短不一，厚 2 ~ 4 mm。外表面暗灰褐色，嫩皮平滑，有光泽，老皮粗糙，有横纹；横向皮孔椭圆形，暗黄色；外皮薄而韧，可横向撕剥，剥落处显暗黄绿色。内表面淡黄褐色。质脆，易折断，断面不整齐。气微香，味苦。

| 功能主治 | 苦，微寒。归肺经。清肺祛痰，止咳平喘。用于咳喘痰多。

| 用法用量 | 内服煎汤，30 ~ 45 g。

| 附　注 | （1）原种 *Syringa reticulata* (Blume) Hara 产于日本，与本变种的区别在于前者的叶片为卵形、宽卵形或卵圆形，基部圆形至浅心形，下面被短柔毛，沿中脉尤密。

（2）长白山区尚盛产本属植物辽东丁香，其树皮也可作暴马子皮入药。

（3）暴马丁香全皮水煎液对胃有刺激性，乙醇及乙酸乙酯提取物则无刺激性。暴马丁香花是一种重要的天然香料原料，具有重要的科学价值和良好的开发前景，其枝叶、树皮和树干等也均具有重要的药用价值，只是功效不同而已，且整株植物具有美化环境的作用，适于栽培。

木樨科 Oleaceae 丁香属 Syringa

红丁香

Syringa villosa Vahl

| 药 材 名 | 红丁香（药用部位：花）。

| 形态特征 | 灌木，高达 4 m。枝直立，粗壮，灰褐色，具皮孔，小枝淡灰棕色，无毛或被微柔毛，具皮孔。叶片卵形、椭圆状卵形、宽椭圆形至倒卵状长椭圆形，长 4 ~ 11（~ 15）cm，宽 1.5 ~ 6（~ 11）cm，先端锐尖或短渐尖，基部楔形或宽楔形至近圆形，上面深绿色，无毛，下面粉绿色，贴生疏柔毛或仅沿叶脉被须状柔毛或柔毛，稀无毛；叶柄长 0.8 ~ 2.5 cm，无毛或略被柔毛。圆锥花序直立，由顶芽抽生，长圆形或塔形，长 5 ~ 13（~ 17）cm，宽 3 ~ 10 cm；花序轴与花梗、花萼无毛，或被微柔毛、短柔毛或柔毛；花序轴具皮孔；花梗长 0.5 ~ 1.5 mm；花芳香；花萼长 2 ~ 4 mm，萼齿锐

尖或钝；花冠淡紫红色、粉红色至白色，花冠管细弱，稀较粗，直径达 3 mm，近圆柱形，长 0.7 ~ 1.5 cm，裂片成熟时呈直角向外展开，卵形或长圆状椭圆形，长 3 ~ 5 mm，先端内弯成兜状而具喙，喙凸出；花药黄色，长约 3 mm，位于花冠管喉部或稍凸出。果实长圆形，长 1 ~ 1.5 cm，宽约 0.6 cm，先端凸尖，皮孔不明显。花期 5 ~ 6 月，果期 9 月。

| **生境分布** | 生于海拔 1 200 ~ 2 200 m 的山坡灌丛或沟边、河旁。分布于河北沽源、涞源、赞皇等。

| **资源情况** | 野生资源丰富。药材来源于野生。

| **采收加工** | 当花蕾由绿色转红时采摘，晒干。

| **功能主治** | 辛，温。归胃、脾、肾经。清心解热，镇咳化痰，顺气平喘。用于头痛，健忘，失眠，慢性支气管炎。

| **用法用量** | 内服煎汤，1.5 ~ 6 g。

木樨科 Oleaceae 丁香属 Syringa

巧玲花
Syringa pubescens Turcz.

| 植物别名 | 小叶丁香、雀舌花、毛丁香。

| 药材名 | 关东丁香（药用部位：叶）。

| 形态特征 | 灌木，高 1 ~ 4 m。树皮灰褐色。小枝带四棱形，无毛，疏生皮孔。叶片卵形、椭圆状卵形、菱状卵形或卵圆形。长 1.5 ~ 8 cm，宽 1 ~ 5 cm，先端锐尖至渐尖或钝，基部宽楔形至圆形，叶缘具睫毛，上面深绿色，无毛，稀疏被短柔毛，下面淡绿色，被短柔毛、柔毛至无毛，常沿叶脉或叶脉基部密被或疏被柔毛，或为须状柔毛；叶柄长 0.5 ~ 2 cm，细弱，无毛或被柔毛。圆锥花序直立，通常由侧芽抽生，稀顶生，长 5 ~ 16 cm，宽 3 ~ 5 cm；花序轴与花梗、花萼略带紫红色，无毛，稀略被柔毛或短柔毛；花序轴明显四棱形；

花梗短；花萼长 1.5 ～ 2 mm，截形或萼齿锐尖、渐尖或钝；花冠盛开前呈紫色，盛开时呈淡紫色，后渐近白色，长 0.9 ～ 1.8 cm，花冠管细弱，近圆柱形，长 0.7 ～ 1.7 cm，裂片展开或反折，长圆形或卵形，长 2 ～ 5 mm，先端略呈兜状而具喙；花药紫色，长约 2.5 mm，位于花冠管中部略上，距喉部 1 ～ 3 mm 处。果实通常为长椭圆形，长 0.7 ～ 2 cm，宽 0.3 ～ 0.5 mm，先端锐尖或具小尖头，或渐尖，皮孔明显。花期 5 ～ 6 月，果期 6 ～ 8 月。

| **生境分布** | 生于海拔 900 ～ 2 100 m 的山坡、山谷灌丛中或河边沟旁。分布于河北阜平、涉县、武安、涿鹿等。 |

| **资源情况** | 野生资源丰富。药材来源于野生。 |

| **采收加工** | 夏、秋季采收，晒干或鲜用。 |

| **功能主治** | 辛、苦，寒。清热解毒，利湿退黄。用于急性黄疸性肝炎。 |

| **用法用量** | 内服煎汤，2 ～ 6 g。 |

| **附　　注** | 关东巧玲花（亚种）*Syringa pubescens* subsp. *patula* (Palibin) M. C. Chang & X. L. Chen 与本种的区别仅在于亚种的叶片先端呈尾状渐尖，常歪斜，或近凸尖，花冠管略呈漏斗状，花药着生于距花冠管喉部 0 ～ 1 mm 处。两者的分布重叠区在辽宁与河北两省交界处，并有中间类型存在。 |

木樨科 Oleaceae 丁香属 Syringa

紫丁香 *Syringa oblata* Lindl.

| **植物别名** | 白丁香、毛紫丁香。

| **药 材 名** | 紫丁香（药用部位：叶及树皮）。

| **形态特征** | 灌木或小乔木，高可达 5 m。树皮灰褐色或灰色。小枝、花序轴、
花梗、苞片、花萼、幼叶两面及叶柄均无毛而密被腺毛。小枝较
粗，疏生皮孔。叶片革质或厚纸质，卵圆形至肾形，宽常大于长，长
2 ~ 14 cm，宽 2 ~ 15 cm，先端短凸尖至长渐尖或锐尖，基部心形、
截形至近圆形，或宽楔形，上面深绿色，下面淡绿色；萌枝上的叶
片常呈长卵形，先端渐尖，基部截形至宽楔形；叶柄长 1 ~ 3 cm。
圆锥花序直立，由侧芽抽生，近球形或长圆形，长 4 ~ 16（ ~ 20）cm，
宽 3 ~ 7（ ~ 10）cm；花梗长 0.5 ~ 3 mm；花萼长约 3 mm，萼齿

渐尖、锐尖或钝；花冠紫色，长 1.1 ~ 2 cm，花冠管圆柱形，长 0.8 ~ 1.7 cm，裂片呈直角开展，卵圆形、椭圆形至倒卵圆形，长 3 ~ 6 mm，宽 3 ~ 5 mm，先端略呈兜状内弯或不内弯；花药黄色，位于距花冠管喉部 0 ~ 4 mm 处。果实倒卵状椭圆形、卵形至长椭圆形，长 1 ~ 1.5（~ 2）cm，宽 0.4 ~ 0.8 cm，先端长渐尖，光滑。花期 4 ~ 5 月，果期 6 ~ 10 月。

| **生境分布** | 生于海拔 300 ~ 2 400 m 的山坡丛林、山沟溪边、山谷路旁及滩地水边。分布于河北阜平、涞源、滦平等。

| **资源情况** | 野生资源一般，栽培资源丰富。药材主要来源于栽培。

| **采收加工** | 夏、秋季采收，晒干或鲜用。

| **功能主治** | 苦，寒。归胃、肝、胆经。清热，解毒，利湿，退黄。用于急性泻痢，黄疸性肝炎，风火眼，疮疡。

| **用法用量** | 内服煎汤，2 ~ 6 g。

木樨科 Oleaceae 连翘属 Forsythia

金钟花
Forsythia viridissima Lindl.

| 植物别名 | 连翘、黄金条。

| 药 材 名 | 金钟花（药用部位：果实、根、叶）。

| 形态特征 | 落叶灌木，高可达3 m。全株除花萼裂片边缘具睫毛外，其余均无毛。小枝绿色或黄绿色，呈四棱形，皮孔明显，具片状髓。叶柄长6 ~ 12 mm；叶片长椭圆形至披针形，或倒卵状长椭圆形，长3.5 ~ 15 cm，宽1 ~ 4 cm，先端锐尖，基部楔形，通常上半部具不规则锐锯齿或粗锯齿，稀近全缘。花1 ~ 3着生于叶腋，先于叶开放；花梗长3 ~ 7 mm；花萼长3.5 ~ 5 mm，裂片绿色，卵形，具睫毛；花冠深黄色，长1.1 ~ 2.5 cm，花冠筒长5 ~ 6 mm，裂片狭长圆形至长圆形，内面基部具橘黄色条纹，反卷；在雄蕊长

3.5 ～ 5 mm 的花中，雌蕊长 5.5 ～ 7 mm；在雄蕊长 6 ～ 7 mm 的花中，雌蕊长约 3 mm。果实卵形或宽卵形，长 1 ～ 1.5 cm，宽 0.6 ～ 1 cm，基部稍圆，先端喙状渐尖，具皮孔；果柄长 3 ～ 7 mm。花期 3 ～ 4 月，果期 8 ～ 11 月。

| 生境分布 | 生于海拔 300 ～ 2 600 m 的山地、谷地、河谷边林缘、溪沟边或山坡路旁灌丛中。分布于河北行唐、乐亭、灵寿等。

| 资源情况 | 野生资源一般。药材来源于野生。

| 采收加工 | 夏、秋季采收果实，晒干。全年可挖取根，洗净，切段，鲜用或晒干。春、夏、秋季均可采集叶，鲜用或晒干。

| 药材性状 | 本品叶多皱缩卷曲，展平后呈椭圆状矩圆形至披针形，长 5 ～ 14 cm，宽 1.5 ～ 4 cm，先端锐尖，基部楔形，边缘上部有锯齿，上表面暗绿色，下表面淡绿色；叶柄长 0.5 ～ 1 cm。气微，味苦。果实呈卵球形，长 1 ～ 1.5 cm，直径约 1 cm，多开裂成 2 分离的果瓣，每瓣中间有残留的膜质中隔，先端向外反卷，基部钝圆。表面黄棕色至黄褐色，有不规则的纵横细脉纹，中部至顶部的纵沟两侧分布多数小瘤点，基部有果柄或果柄痕。质硬脆。气微，味苦。

| 功能主治 | 苦，凉。清热，解毒，散结。用于感冒发热，目赤肿痛。

| 用法用量 | 内服煎汤，10 ～ 15 g，鲜品加倍。外用适量，煎汤洗。

木樨科 Oleaceae 女贞属 Ligustrum

女贞
Ligustrum lucidum Ait.

| **植物别名** | 大叶女贞、冬青、落叶女贞。

| **药 材 名** | 女贞子（药用部位：果实。别名：女贞实、冬青子、白蜡树子）、女贞根（药用部位：根）、女贞皮（药用部位：树皮。别名：女贞树皮）、女贞叶（药用部位：叶。别名：冬青叶、土金刚叶、爆竹叶）。

| **形态特征** | 灌木或乔木，高可达 25 m。树皮灰褐色。枝黄褐色、灰色或紫红色，圆柱形，疏生圆形或长圆形皮孔。叶片常绿，革质，卵形、长卵形或椭圆形至宽椭圆形，长 6 ~ 17 cm，宽 3 ~ 8 cm，先端锐尖至渐尖或钝，基部圆形或近圆形，有时宽楔形或渐狭，叶缘平坦，上面光亮，两面无毛，中脉在上面凹入、下面凸起，侧脉 4 ~ 9 对，

两面稍凸起或有时不明显；叶柄长 1 ~ 3 cm，上面具沟，无毛。圆锥花序顶生，长 8 ~ 20 cm，宽 8 ~ 25 cm；花序梗长 0 ~ 3 cm；花序轴及分枝轴无毛，紫色或黄棕色，果期具棱；花序基部苞片常与叶同型，小苞片披针形或线形，长 0.5 ~ 6 cm，宽 0.2 ~ 1.5 cm，凋落；花无梗或近无梗，长不超过 1 mm；花萼无毛，长 1.5 ~ 2 mm，齿不明显或近截形；花冠长 4 ~ 5 mm，花冠筒长 1.5 ~ 3 mm，裂片长 2 ~ 2.5 mm，反折；花丝长 1.5 ~ 3 mm，花药长圆形，长 1 ~ 1.5 mm；花柱长 1.5 ~ 2 mm，柱头棒状。果实肾形或近肾形，长 7 ~ 10 mm，直径 4 ~ 6 mm，深蓝黑色，成熟时呈红黑色，被白粉；果柄长 0 ~ 5 mm。花期 5 ~ 7 月，果期 7 月至翌年 5 月。

| 生境分布 | 生于海拔 2 900 m 以下的疏、密林中。分布于河北磁县、涉县、永年等。

| 资源情况 | 野生资源一般，栽培资源一般。药材来源于野生或栽培。

| 采收加工 | **女贞子**：冬季果实成熟时采收，除去枝叶，稍蒸或置沸水中略烫后，晒干，或直接晒干。

女贞根：全年均可采挖，洗净，切片，晒干。

女贞皮：全年均可剥取，除去杂质，切片，晒干。

女贞叶：全年均可采收，鲜用或晒干。

| 药材性状 | **女贞子**：本品呈卵形、椭圆形或肾形，长 6 ~ 8.5 mm，直径 3.5 ~ 5.5 mm；表面黑紫色或灰黑色，皱缩不平，基部有果柄痕或具宿存萼及短梗；体轻；外果皮薄，中果皮较松软，易剥离，内果皮木质，黄棕色，具纵棱，破开后种子通常为 1，肾形，紫黑色，油性。气微，味甘、微苦、涩。

女贞叶：本品呈卵形至卵状披针形，长 5 ~ 14 cm，宽 3.5 ~ 6 cm；先端渐尖至锐尖，基部阔楔形，全缘；上表面深绿色，有光泽；下表面可见细小腺点，可见凸起的主脉；叶柄长 1 ~ 2 cm，上面有一凹沟槽；叶片革质，易折断。气微，味微苦。

| 功能主治 | **女贞子**：甘、苦，凉。归肝、肾经。滋补肝肾，明目乌发。用于肝肾阴虚，眩晕耳鸣，腰膝酸软，须发早白，目暗不明，内热消渴，骨蒸潮热。

女贞根：苦，平。归肺、肝经。行气活血，止咳喘，祛湿浊。用于哮喘，咳嗽，闭经，带下。

女贞皮：微苦，凉。归肝经。强筋健骨。用于腰膝酸痛，两脚无力，烫火伤。

女贞叶：微苦，平。归肝经。祛风，明目，消肿，止痛。用于头晕昏痛，风热赤眼，疮肿溃烂，烫伤，口疮。

| 用法用量 | **女贞子**：内服煎汤，6 ~ 12 g。

女贞根：内服炖肉，45 g；或浸酒。

女贞皮：内服煎汤，30 ~ 60 g；或浸酒。外用适量，研末调敷；或熬膏涂。

女贞叶：内服煎汤，10 ~ 15 g。

| 附　注 | Léveille 根据朝鲜标本发表的 *Ligustrum taquetii* Lévl. 无疑是本种的异名，因其果实为肾形，而 *Ligustrum japonicum* Thunb. 的果实为椭圆形。

木樨科 Oleaceae 素馨属 Jasminum

迎春花

Jasminum nudiflorum Lindl.

| **植物别名** | 重瓣迎春。 |

| **药材名** | 迎春花（药用部位：花）、迎春花根（药用部位：根）、迎春花叶（药用部位：叶）。 |

| **形态特征** | 落叶灌木，直立或匍匐，高 0.3 ~ 5 m，枝条下垂。枝稍扭曲，光滑无毛，小枝四棱形，棱上多少具狭翼。叶对生，三出复叶，小枝基部常具单叶；叶轴具狭翼，叶柄长 3 ~ 10 mm，无毛；叶片和小叶片幼时两面稍被毛，老时仅叶缘具睫毛；小叶片卵形、长卵形或椭圆形、狭椭圆形，稀倒卵形，先端锐尖或钝，具短尖头，基部楔形，叶缘反卷，中脉在上面微凹入、下面凸起，侧脉不明显；顶生小叶片较大，长 1 ~ 3 cm，宽 0.3 ~ 1.1 cm，无柄或基部延伸成短柄；侧生小叶片长 0.6 ~ 2.3 cm，宽 0.2 ~ 1.1 cm，无柄；单叶为卵形或 |

椭圆形，有时近圆形，长 0.7 ～ 2.2 cm，宽 0.4 ～ 1.3 cm。花单生于去年生小枝的叶腋，稀生于小枝先端；苞片小叶状，披针形、卵形或椭圆形，长 3 ～ 8 mm，宽 1.5 ～ 4 mm；花梗长 2 ～ 3 mm；花萼绿色，裂片 5 ～ 6 枚，窄披针形，长 4 ～ 6 mm，宽 1.5 ～ 2.5 mm，先端锐尖；花冠黄色，直径 2 ～ 2.5 cm，花冠筒长 0.8 ～ 2 cm，基部直径 1.5 ～ 2 mm，向上渐扩大，裂片 5 ～ 6，长圆形或椭圆形，长 0.8 ～ 1.3 cm，宽 0.3 ～ 0.6 cm，先端锐尖或圆钝。花期 6 月。

| 生境分布 | 生于海拔 800 ～ 2 000 m 的山坡灌丛中。分布于河北乐亭等。

| 资源情况 | 野生资源丰富，栽培资源丰富。药材来源于栽培。

| 采收加工 | 迎春花：4 ～ 5 月开花时采收，鲜用或晾干。
迎春花根：全年均可采挖，洗净泥土，切片或段，晒干。
迎春花叶：夏、秋季采收，鲜用或晒干。

| 药材性状 | 迎春花：本品皱缩成团，展开后，可见狭窄的黄绿色叶状苞片；萼片 5 ～ 6，条形或长圆状披针形，与萼筒等长或较长；花冠棕黄色，直径约 2 cm；花冠筒长 1 ～ 1.5 cm，裂片通常 5 ～ 6，倒卵形或椭圆形，约为花冠筒长的 1/2。气清香，味微涩。
迎春花叶：本品多卷曲皱缩，展平后呈卵形或矩圆状卵形，长 1 ～ 3 cm，先端凸尖，边缘有短睫毛，下面无毛，灰绿色。气微香，味微苦、涩。

| 功能主治 | 迎春花：苦、辛，平。归肾、膀胱经。清热解毒，活血消肿。用于发热头痛，咽喉肿痛，小便热痛，恶疮肿毒，跌打损伤。
迎春花根：苦，平。清热息风，活血调经。用于肺热咳嗽，小儿惊风，月经不调。
迎春花叶：苦，寒。清热，利湿，解毒。用于感冒发热，小便淋痛，外阴瘙痒，肿毒恶疮，跌打损伤，刀伤出血。

| 用法用量 | 迎春花：内服煎汤，10 ～ 15 g；或研末。外用适量，捣敷；或调麻油搽。
迎春花根：内服煎汤，15 ～ 30 g。外用适量，研末敷；或调敷。
迎春花叶：内服煎汤，10 ～ 20 g。外用适量，煎汤洗；或捣敷。

| 附　注 | 垫状迎春（变种）*Jasminum nudiflorum* var. *pulvinatum* (W. W. Smith) Kobuski 与本种的区别在于变种为小灌木，具密集错综的分枝，呈垫状，侧枝多而短，植株高 0.3 ～ 1.2 m，当年生小枝纤细，直径约 1 mm，先端无叶，近刺状，花冠筒长 0.8 ～ 1.4 cm，果实卵形，长约 6 mm，直径 3 ～ 4 mm，果柄长达 1.5 cm。花期 4 ～ 9 月，果期 5 ～ 9 月。

龙胆科 Gentianaceae 扁蕾属 Gentianopsis

扁蕾

Gentianopsis barbata (Fröel.) Ma

药材名

扁蕾（药用部位：全草）。

形态特征

一年生或二年生草本，高 8 ~ 40 cm。茎单生，直立，近圆柱形，下部单一，上部有分枝，条棱明显，有时带紫色。基生叶多对，常早落，匙形或线状倒披针形，长 0.7 ~ 4 cm，宽 0.4 ~ 1 cm，先端圆形，边缘具乳突，基部渐狭成柄，中脉在下面明显，叶柄长达 0.6 cm；茎生叶 3 ~ 10 对，无柄，狭披针形至线形，长 1.5 ~ 8 cm，宽 0.3 ~ 0.9 cm，先端渐尖，边缘具乳突，基部钝，分离，中脉在下面明显。花单生于茎或分枝先端；花梗直立，近圆柱形，有明显的条棱，长达 15 cm，果期更长；花萼筒状，稍扁，略短于花冠，或与花冠筒等长，裂片 2 对，不等长，异形，具白色膜质边缘，外对线状披针形，长 7.5 ~ 20 mm，基部宽 2 ~ 3 mm，先端尾状渐尖，内对卵状披针形，长 6 ~ 12 mm，基部宽 4 ~ 6 mm，先端渐尖，萼筒长 10 ~ 18 mm，口部宽 6 ~ 10 mm；花冠筒状漏斗形，筒部黄白色，檐部蓝色或淡蓝色，长 2.5 ~ 5 cm，口部宽达 12 mm，裂片椭圆形，长 6 ~ 12 mm，宽 6 ~ 8 mm，先端圆形，有小尖头，边缘有小齿，下部两侧有短的细条裂齿；腺体近球形，下垂；花丝线形，长 8 ~ 12 mm，花药黄色，狭长圆形，长约 3 mm；子房具柄，狭椭圆形，长 2.5 ~ 3 cm，花柱短，长 1 ~ 1.5 mm，子房柄长 2 ~ 4 mm。蒴果具短柄，与花冠等长；种子褐色，矩圆形，长约 1 mm，表面有密生的指状突起。花果期 7 ~ 9 月。

| 生境分布 | 生于海拔 700 ~ 4 400 m 的水沟边、山坡草地、林下、灌丛中、沙丘边缘。分布于河北怀安、涞源、涉县、蔚县等。

| 资源情况 | 野生资源丰富。药材来源于野生。

| 采收加工 | 夏、秋季花期时采收，除去杂质，阴干。

| 药材性状 | 本品根呈圆锥形，具须根，淡黄色，直径约 2 mm。茎类四棱形，直径 2 ~ 4 mm，节部稍膨大，表面绿色或紫褐色，质脆，易折断，断面中空。叶对生，多脱落破碎，完整叶条形或条状倒披针形，长 2 ~ 6 cm，宽 0.2 ~ 0.6 cm，先端渐尖，基部略抱茎，全缘，背面主脉明显。花萼管状钟形，长 1.2 ~ 2.5 cm，萼裂片披针形或条状披针形；花冠管状皱缩，管部淡黄色，檐部淡蓝色，裂片 4。蒴果狭矩圆形。种子椭圆形，棕褐色，密被小疣状突起。气微，味苦。

| 功能主治 | 苦，寒。清热解毒，消肿止痛。用于外感发热，肝炎，胆囊炎，头痛目赤，外伤肿痛，疮疖肿痛。

| 用法用量 | 内服煎汤，3 ~ 6 g。

| 附　注 | 本种在地格达三味汤散、肋柱花四味汤散、利胆八味散、地格达四味散、伊赫哈日十二味散、土木香十味汤散等经典蒙药处方中作为君药配伍使用。

龙胆科 Gentianaceae 花锚属 Halenia

花锚 Halenia corniculata (L.) Cornaz

| **植物别名** | 西伯利亚花锚。

| **药 材 名** | 花锚（药用部位：全草。别名：甲地然果、金锚）。

| **形态特征** | 一年生草本，直立，高 20 ~ 70 cm。根具分枝，黄色或褐色。茎近四棱形，具细条棱，自基部起分枝。基生叶倒卵形或椭圆形，长 1 ~ 3 cm，宽 0.5 ~ 0.8 cm，先端圆或钝尖，基部楔形、渐狭成宽扁的叶柄，柄长 1 ~ 1.5 cm，通常早枯萎；茎生叶椭圆状披针形或卵形，长 3 ~ 8 cm，宽 1 ~ 1.5 cm，先端渐尖，基部宽楔形或近圆形，全缘，有时粗糙，密生乳突，叶片上面幼时常密生乳突，后脱落，叶脉 3，在下面沿脉疏生短硬毛，无柄或具极短而宽扁的叶柄，柄长 1 ~ 3 mm，两边疏被短硬毛。聚伞花序顶生和腋生；花梗长

0.5 ~ 3 cm；花 4 基数，直径 1.1 ~ 1.4 cm；花萼裂片狭三角状披针形，长 5 ~ 8 mm，宽 1 ~ 1.5 mm，先端渐尖，具 1 脉，两边及脉粗糙，被短硬毛；花冠黄色，钟形，花冠筒长 4 ~ 5 mm，裂片卵形或椭圆形，长 5 ~ 7 mm，宽 3 ~ 5 mm，先端具小尖头，距长 4 ~ 6 mm；雄蕊内藏，花丝长 2 ~ 3 mm，花药近圆形，直径约 0.8 mm；子房纺锤形，长约 6 mm，无花柱，柱头 2 裂，外卷。蒴果卵圆形，淡褐色，长 11 ~ 13 mm，先端 2 瓣开裂；种子褐色，椭圆形或近圆形，长 1 ~ 1.4 mm，宽或直径约 1 mm。花果期 7 ~ 9 月。

| 生境分布 | 生于海拔 200 ~ 1 750 m 的山坡草地、林下及林缘。分布于河北围场、蔚县、涿鹿等。

| 资源情况 | 野生资源丰富。药材来源于野生。

| 采收加工 | 秋季花期时采收，洗净，晾干，切段，揉搓出香气，阴干。

| 药材性状 | 本品呈长短不等的短节。茎长 0.4 ~ 4.8 cm，直径 1 ~ 3 mm，中空，表面绿色，微具翅，节上有对生残叶柄。叶暗绿色，皱缩易碎，完整者为卵形、椭圆形或卵状披针形，长 2 ~ 3.3 cm，宽 0.6 ~ 1.2 cm，无柄，全缘，叶背有 3 明显的纵脉。花皱缩，花冠蓝色或浅黄棕色，花梗细长，长 0.2 ~ 2 cm，花萼 4 深裂，绿色，花冠 4 深裂，基部具 4 距。体轻，质软。气微，味苦、微涩。

| 功能主治 | 苦，寒。清热利湿，平肝利胆。用于急性黄疸性肝炎，胆囊炎，头晕头痛，牙痛。

| 用法用量 | 常配方用，9 ~ 15 g。

| 附　注 | 花锚为藏药，又名甲地然果，是一种"藏茵陈"类的药用植物，泛称"藏茵陈"。

辐状肋柱花 *Lomatogonium rotatum* (L.) Fries ex Nym.

| 植物别名 | 辐花侧蕊、肋柱花。

| 药 材 名 | 肋柱花（药用部位：全草）。

| 形态特征 | 一年生草本，高 15 ～ 40 cm。茎不分枝或自基部有少数分枝，近四棱形，直立，绿色或常带紫色。叶无柄，狭长披针形、披针形至线形，长达 43 mm，宽 1.5 ～ 4 mm，枝及上部叶较小，先端急尖，基部钝，半抱茎，中脉在两面明显。花 5 基数，顶生和腋生，直径 2 ～ 3 cm，花梗直立或斜伸，四棱形，不等长，长达 8 cm；花萼较花冠稍短或等长，裂片线形或线状披针形，稍不整齐，长 8 ～ 22（～ 27）mm，先端急尖，花冠淡蓝色，具深色脉纹，裂片椭圆状披针形或椭圆形，一般长 1.5 ～ 2.5 cm，先端钝或急尖，基部两侧各具 1 腺窝，腺窝

管形，边缘具不整齐的裂片状流苏；花丝线形，长 6 ~ 8 mm，花药蓝色，狭矩圆形，长 3 ~ 4.5 mm；子房无柄，长 12 ~ 14 mm，柱头小，三角形，下延至子房下部。蒴果狭椭圆形或倒披针状椭圆形，与花冠等长或稍长；种子淡褐色，圆球形，直径 0.3 ~ 0.4 mm，光滑。花果期 8 ~ 9 月。

| 生境分布 | 生于海拔 1 400 ~ 4 200 m 的水沟边、山坡草地。分布于河北赤城、丰宁、宽城等。

| 资源情况 | 野生资源丰富。药材来源于野生。

| 采收加工 | 夏、秋季采收，晒干。

| 药材性状 | 本品根呈细圆柱形，有多数须根，黄色，断面黄白色。茎具 4 纵棱，有分枝，节明显，节间长 2 ~ 7 cm，表面黄绿色或紫褐色；质脆，易折断，断面中空。叶多破碎，完整者展平后呈条形或条状披针形，先端尖，基部略抱茎，全缘，下面有一凸起的脉纹，绿色。聚伞花序，具花梗，长 2 ~ 5 cm，具 4 棱，萼片 5，狭条形，先端尖，花冠淡蓝紫色，裂片 5，长圆状椭圆形，具 7 深色脉纹。蒴果条形，浅棕褐色，先端 2 裂。气微香，味苦。

| 功能主治 | 苦，寒。清热利湿，解毒。用于黄疸性肝炎，外感头痛发热。

| 用法用量 | 内服煎汤，10 ~ 15 g。

| 附　注 | 本种系蒙医临床常用药，该属植物和龙胆科中的龙胆属和獐牙菜属植物在藏药中疗效类同。

龙胆科 Gentianaceae 肋柱花属 Lomatogonium

肋柱花

Lomatogonium carinthiacum (Wulf.) Reichb.

| 植物别名 |

加地侧蕊。

| 药材名 |

肋柱花（药用部位：全草）。

| 形态特征 |

一年生草本，高达 30 cm。茎下部多分枝。基生叶早落，莲座状，叶片匙形，长 1.5 ～ 2 cm，基部窄缩成短柄；茎生叶披针形、椭圆形或卵状椭圆形，长 0.4 ～ 2 cm，宽 0.3 ～ 0.7 cm，先端钝或尖，基部楔形，无柄。聚伞花序或花生于枝顶；花 5 基数；萼筒长不及 1 mm，裂片卵状披针形或椭圆形，长 4 ～ 8（～ 11）mm，边缘微粗糙；花冠蓝色，裂片椭圆形或卵状椭圆形，长 0.8 ～ 1.4 cm，先端尖，基部两侧各具 1 管形腺窝，下部浅囊状，上部具裂片状流苏；花药蓝色，长圆形，长 2 ～ 2.5 mm。蒴果圆柱形，与花冠等长或稍长，无柄。种子近圆形，褐色。花期 8 ～ 10 月。

| 生境分布 |

生于海拔 430 ～ 5 400 m 的山坡草地、灌丛草甸、河滩草地、高山草甸。分布于河北沽

源、内丘、蔚县等。

| **资源情况** | 野生资源丰富。药材来源于野生。

| **采收加工** | 夏、秋季花开时采收，除去杂质，晒干。

| **药材性状** | 本品根呈细圆柱形，多须根，表面黄色，断面黄白色。茎类圆柱形，具 4 棱，有节，节间长 2 ~ 7 cm，上部多分枝，表面黄绿色或紫褐色；质脆，易折断，断面中空。叶对生，多破碎，完整者呈条形或条状披针形，长 1 ~ 2 cm，宽 0.2 ~ 0.5 cm，绿色，先端尖，基部略抱茎，全缘，无柄，背面主脉明显。花序顶生或腋生，聚伞花序组成复总状；花具长梗，长 2 ~ 5 cm，具 4 棱；花萼 5，狭条形，长 6 ~ 15 mm，宽 1 ~ 2 mm，先端尖，不等长；花冠淡紫色，裂片 5，矩圆状椭圆形，先端尖。蒴果条形，淡棕色。气微香，味苦。

| **功能主治** | 苦，寒。清热，疗伤，健胃。用于胆痞，黄疸，消化不良，肝胆热病。

| **用法用量** | 内服煎汤，3 ~ 6 g。

| **附　　注** | 目前临床上所用肋柱花均来源于野生植株，但近年来其生境遭受破坏，再加上人为采集时往往将整株挖走，留下的植株除被牛、马啃食外，在 8 月中上旬秋季打草时也一并被割走，导致其种群数量锐减。

龙胆科 Gentianaceae 龙胆属 Gentiana

笔龙胆 *Gentiana zollingeri* Fawcett

植物别名

绍氏龙胆。

药材名

笔龙胆（药用部位：全草）。

形态特征

一年生草本，高 3 ～ 6 cm。茎直立，紫红色，光滑，自基部起分枝，稀不分枝。叶卵圆形或卵圆状匙形，长 10 ～ 13 mm，宽 3 ～ 8 mm，先端钝圆或圆形，具小尖头，边缘软骨质，平滑或有不明显的细乳突，两面光滑，叶脉 1 ～ 3，在两面均明显，中脉在下面呈脊状凸起，叶柄光滑，长 1 ～ 2 mm；有时最上部叶狭窄，披针形或狭椭圆形，长 7 ～ 9 mm，宽 1.5 ～ 2 mm，先端渐尖，有短小尖头，边缘膜质，宽，有不明显的细乳突，中脉在下面呈脊状凸起；基生叶在花期不枯萎，与茎生叶相似而较小；茎生叶常密集，覆瓦状排列，稀疏离。花多数，单生于小枝先端，小枝密集成伞房状，稀单花顶生；花梗紫色，光滑，长 1 ～ 2.5 mm，藏于上部叶中；花萼漏斗形，长 7 ～ 9 mm，裂片狭三角形或卵状椭圆形，长 3.5 ～ 4.5 mm，先端急尖，具短小尖头，边缘膜质，平滑，中脉在背面呈脊状凸起，并向萼筒作短的下延，弯缺截形；花冠淡蓝色，外面具黄绿色宽条纹，漏斗形，长 14 ~ 18 mm，裂片卵形，长 2.5 ~ 3 mm，先端钝，褶卵形或宽矩圆形，长 1 ~ 1.5 mm，先端钝，浅 2 裂或有不整齐的细齿；雄蕊着生于花冠筒中部，整齐，花丝丝状钻形，长 4 ~ 5 mm，花药矩圆形，长 1.5 ~ 2 mm；子房椭圆形，长 4.5 ~ 5.5 mm，先端钝，基部渐狭，柄长 2.5 ~ 3.5 mm，花柱线形，长 1.5 ~ 2 mm，柱头外反，2 裂，裂片矩圆形。蒴果外露或内藏，倒卵状矩圆形，长 6 ~ 7 mm，先端圆形，具宽翅，两侧边缘有狭翅，柄长达 10 mm；种子褐色，椭圆形，长 0.3 ~ 0.4 mm，表面具细网纹。花果期 4 ~ 6 月。

| 生境分布 | 生于海拔 500 ~ 1 650 m 的草甸、灌丛中、林下。分布于河北涉县等。

| 资源情况 | 野生资源丰富。药材来源于野生。

| 采收加工 | 夏、秋季采收，洗净，晒干或鲜用。

| 功能主治 | 苦，寒。活血止痛，健脾消食。用于跌打损伤，消化不良。

| 用法用量 | 内服煎汤，3 ~ 10 g。外用适量，鲜品捣敷。

龙胆科 Gentianaceae 龙胆属 Gentiana

鳞叶龙胆
Gentiana squarrosa Ledeb.

| 植物别名 | 石龙胆、鳞片龙胆、岩龙胆。

| 药 材 名 | 石龙胆（药用部位：全草。别名：蓝花地丁、紫花地丁、鬼点灯）。

| 形态特征 | 一年生草本，高 2 ~ 8 cm。茎黄绿色或紫红色，密被黄绿色乳突，有时夹杂有紫色乳突，自基部起多分枝，枝铺散，斜升。叶先端钝圆或急尖，具短小尖头，基部渐狭，边缘厚软骨质，密生细乳突，两面光滑，中脉白色软骨质，在下面凸起，密生细乳突，叶柄白色膜质，边缘具短睫毛，背面具细乳突，仅联合成长 0.5 ~ 1 mm 的短筒；基生叶大，在花期枯萎，宿存，卵形、卵圆形或卵状椭圆形；茎生叶小，外反，密集或疏离，长于或短于节间，倒卵状匙形或匙形。花多数，单生于小枝先端；花梗黄绿色或紫红色，密被黄绿

色乳突，有时夹杂有紫色乳突，藏于或大部分藏于最上部叶中；花萼倒锥状筒形，外面具细乳突，萼筒常具白色膜质和绿色叶质相间的宽条纹，裂片外反，绿色，叶状，整齐，卵圆形或卵形，先端钝圆或钝，具短小尖头，基部圆形，突然收缩成爪，边缘厚软骨质，密生细乳突，两面光滑，中脉白色厚软骨质，在下面突起，并向萼筒下延成短脊或否，密生细乳突，弯缺宽，截形；花冠蓝色，筒状漏斗形，裂片卵状三角形，先端钝，无小尖头，褶卵形，先端钝，全缘或边缘有细齿；雄蕊着生于花冠筒中部，整齐，花丝丝状，花药矩圆形；子房宽椭圆形，先端钝圆，基部渐狭成柄，柄粗，长 0.5 ~ 1 mm，花柱柱状，连柱头长 1 ~ 1.5 mm，柱头 2 裂，外反，半圆形或宽矩圆形。蒴果外露，倒卵状矩圆形，先端圆形，有宽翅，两侧边缘有狭翅，基部渐狭成柄，柄粗壮，直立，长达 8 mm；种子黑褐色，椭圆形或矩圆形，表面有白色、光亮的细网纹。花果期 4 ~ 9 月。

| 生境分布 | 生于海拔 110 ~ 4 200 m 的山坡、山谷、山顶、干草原、河滩、荒地、路边、灌丛中及高山草甸。分布于河北沽源、武安、兴隆等。

| 资源情况 | 野生资源丰富。药材来源于野生。

| 采收加工 | 春末夏初采收开花的全草，洗净，晒干或鲜用。

| 药材性状 | 本品卷曲。根细小，棕色。茎纤细，近四棱，多分枝，表面灰黄色或黄绿色，密被短线毛；质脆，易折断，断面黄色。叶对生，基部合生成筒而抱茎，脱落或破碎，完整者呈倒卵形或披针形，先端反卷，具芒刺，边缘软骨质，表面黄绿色或灰绿色；质脆，易碎。单花顶生，花萼钟状，5 裂，裂片卵形，先端有芒刺；花冠钟状，长约 8 mm，裂片 5，卵形，先端锐尖，褶三角形，淡黄色。

| 功能主治 | 苦、辛，寒。归心、肝经。解毒消痈，清热利湿。用于疔疮疖肿，瘰疬，无名肿毒，蛇咬伤，肠痈，目赤肿痛，黄疸，带下。

| 用法用量 | 内服煎汤，10 ~ 15 g，鲜品 15 ~ 30 g。外用适量，鲜品捣敷；或干品研末调敷。痈疽已溃及虚寒者忌用。

龙胆
Gentiana scabra Bunge

| 植物别名 |

龙胆草、草龙胆、山龙胆。

| 药 材 名 |

龙胆（药用部位：根及根茎。别名：观音草、龙胆草、四叶胆）。

| 形态特征 |

多年生草本，高 30 ~ 60 cm。根茎平卧或直立，短缩或长达 5 cm，具多数粗壮、略肉质的须根。花枝单生，直立，黄绿色或紫红色，中空，近圆形，具条棱，棱上具乳突，稀光滑。枝下部叶膜质，淡紫红色，鳞片形，长 4 ~ 6 mm，先端分离，中部以下联合成筒状抱茎；中、上部叶近革质，无柄，卵形或卵状披针形至线状披针形，长 2 ~ 7 cm，宽 2 ~ 3 cm，有时宽仅约 0.4 cm，愈向茎上部叶愈小，先端急尖，基部心形或圆形，边缘微外卷，粗糙，上面密生极细的乳突，下面光滑，叶脉 3 ~ 5，在上面不明显，在下面凸起，粗糙。花多数，簇生于枝顶和叶腋；无花梗；苞片 2，披针形或线状披针形，与花萼近等长，长 2 ~ 2.5 cm；萼筒倒锥状筒形或宽筒形，长 10 ~ 12 mm，裂片常外反或开展，不整齐，线形或线状披针形，长

8 ~ 10 mm，先端急尖，边缘粗糙，中脉在背面凸起，弯缺截形；花冠蓝紫色，有时喉部具多数黄绿色斑点，筒状钟形，长 4 ~ 5 cm，裂片卵形或卵圆形，长 7 ~ 9 mm，先端有尾尖，全缘，褶偏斜，狭三角形，长 3 ~ 4 mm，先端急尖或 2 浅裂；雄蕊着生于花冠筒中部，整齐，花丝钻形，长 9 ~ 12 mm，花药狭矩圆形，长 3.5 ~ 4.5 mm；子房狭椭圆形或披针形，长 1.2 ~ 1.4 cm，两端渐狭或基部钝，柄粗，长 0.9 ~ 1.1 cm，花柱短，连柱头长 3 ~ 4 mm，柱头 2 裂，裂片矩圆形。蒴果内藏，宽椭圆形，长 2 ~ 2.5 cm，两端钝，柄长达 1.5 cm；种子褐色，有光泽，线形或纺锤形，长 1.8 ~ 2.5 mm，表面具增粗的网纹，两端具宽翅。花果期 5 ~ 11 月。

| 生境分布 | 生于海拔 400 ~ 1 700 m 的山坡草地、路边、河滩、灌丛中、林缘及林下。分布于河北赤城、蔚县等。

| 资源情况 | 野生资源一般，栽培资源丰富。药材来源于栽培。

| 采收加工 | 春、秋季采挖，洗净，干燥。

| 药材性状 | 本品根茎呈不规则的块状，长 1 ~ 3 cm，直径 0.3 ~ 1 cm，表面暗灰棕色或深棕色，上端有茎痕或残留茎基，周围和下端着生多数细长的须根。根圆柱形，略扭曲，长 10 ~ 20 cm，直径 0.2 ~ 0.5 cm，表面淡黄色或黄棕色，上部多有显著的横皱纹，下部较细，有纵皱纹及支根痕。质脆，易折断，断面略平坦，皮部黄白色或淡黄棕色，木部色较浅，呈点状环列。气微，味甚苦。

| 功能主治 | 苦，寒。归肝、胆经。清热燥湿，泻肝胆火。用于湿热黄疸，阴肿阴痒，带下，湿疹瘙痒，肝火目赤，耳鸣耳聋，胁痛口苦，强中，惊风抽搐。

| 用法用量 | 内服煎汤，3 ~ 6 g。

| 附　注 | 在东北地区及山东尚用条叶龙胆作龙胆入药。条叶龙胆叶线状披针形至披针形，长 9 ~ 10 cm，宽 1.2 ~ 2 cm；花萼裂片不等长，花冠裂片呈三角形锐尖。

龙胆科 Gentianaceae 龙胆属 Gentiana

秦艽 Gentiana macrophylla Pall.

| **植物别名** | 秦纠、秦爪、大叶秦艽。

| **药 材 名** | 秦艽（药用部位：根。别名：秦胶、秦爪、大艽）。

| **形态特征** | 多年生草本，高 30 ~ 60 cm，全株光滑无毛，基部被枯存的纤维状叶鞘包裹。须根多条，扭结或黏结成一圆柱形的根。枝少数丛生，直立或斜升，黄绿色或有时上部带紫红色，近圆形。莲座丛叶卵状椭圆形或狭椭圆形，长 6 ~ 28 cm，宽 2.5 ~ 6 cm，先端钝或急尖，基部渐狭，边缘平滑，叶脉 5 ~ 7，在两面均明显，并在下面凸起，叶柄宽，长 3 ~ 5 cm，包被于枯存的纤维状叶鞘中；茎生叶椭圆状披针形或狭椭圆形，长 4.5 ~ 15 cm，宽 1.2 ~ 3.5 cm，先端钝或急尖，基部钝，边缘平滑，叶脉 3 ~ 5，在两面均明显，并在下面凸起，

无叶柄或叶柄长达 4 cm。花多数，无花梗，簇生于枝顶，呈头状，或腋生作轮状；萼筒膜质，黄绿色或有时带紫色，长（3 ~）7 ~ 9 mm，一侧开裂成佛焰苞状，先端截形或圆形，萼齿 4 ~ 5，稀 1 ~ 3，甚小，锥形，长 0.5 ~ 1 mm；花冠筒部黄绿色，冠檐蓝色或蓝紫色，壶形，长 1.8 ~ 2 cm，裂片卵形或卵圆形，长 3 ~ 4 mm，先端钝或钝圆，全缘，褶整齐，三角形、长 1 ~ 1.5 mm 或截形，全缘；雄蕊着生于花冠筒中下部，整齐，花丝线状钻形，长 5 ~ 6 mm，花药矩圆形，长 2 ~ 2.5 mm；子房无柄，椭圆状披针形或狭椭圆形，长 9 ~ 11 mm，先端渐狭，花柱线形，连柱头长 1.5 ~ 2 mm，柱头 2 裂，裂片矩圆形。蒴果内藏或先端外露，卵状椭圆形，长 15 ~ 17 mm；种子红褐色，有光泽，矩圆形，长 1.2 ~ 1.4 mm，表面具细网纹。花果期 7 ~ 10 月。

| **生境分布** | 生于海拔 400 ~ 2 400 m 的河滩、路旁、水沟边、山坡草地、草甸、林下及林缘。分布于河北丰宁、涞源、平泉、涿鹿等。

| **资源情况** | 野生资源稀少，栽培资源丰富。药材来源于栽培。

| **采收加工** | 春、秋季采挖，除去泥沙，晒软，堆置"发汗"，至表面呈红黄色或灰黄色时，摊开晒干；或不经"发汗"直接晒干。

| **药材性状** | 本品呈类圆柱形，上粗下细，扭曲不直，长 10 ~ 30 cm，直径 1 ~ 3 cm。表面黄棕色或灰黄色，有纵向或扭曲的纵皱纹，先端有残存茎基及纤维状叶鞘。质硬而脆，易折断，断面略显油性，皮部黄色或棕黄色，木部黄色。气特异，味苦、微涩。

| **功能主治** | 辛、苦，平。归胃、肝、胆经。祛风湿，清湿热，止痹痛，退虚热。用于风湿痹痛，中风半身不遂，筋脉拘挛，骨节酸痛，湿热黄疸，骨蒸潮热，小儿疳积发热。

| **用法用量** | 内服煎汤，3 ~ 10 g。

| **附　　注** | 近年来，人们对秦艽的药用需求量日益增加，导致野生种遭到过度采挖，使野生秦艽资源处于濒危状态，秦艽被列为国家三级重点保护野生药材。秦艽资源蕴藏量下降导致市场供应偏紧，因此，进行秦艽人工栽培研究意义重大。

龙胆科 Gentianaceae 獐牙菜属 Swertia

瘤毛獐牙菜

Swertia pseudochinensis Hara

| **植物别名** | 假中原享乐菜、假中原西伯菜。

| **药 材 名** | 当药（药用部位：全草）。

| **形态特征** | 一年生草本，高 10 ~ 40 cm。茎直立，细瘦，单一或分枝；枝四棱形，带紫色。叶对生，无柄，叶片线状披针形，长 2 ~ 4 cm，宽达 0.6 cm，先端渐尖，茎部渐狭，下面中脉明显凸起。圆锥状复聚伞花序具多花，开展；花梗直立，四棱形，长约 2 cm；花萼绿色，5 裂，裂片线形，长 1.5 cm，先端渐尖，背面中脉明显凸起；花冠蓝紫色，直径达 2 cm，5 裂，裂片披针形；花瓣具深色条纹，先端锐尖，基部有腺窝 2，长圆形，沟状，基部浅囊状，边缘具长柔毛状流苏；雄蕊 5，花丝线形；子房狭椭圆形，无柄，花柱短，不明显，柱头 2

裂，裂片半圆形。花期 8 ~ 9 月。

| 生境分布 | 生于海拔 500 ~ 1 600 m 的山坡、河滩、林下、灌丛中。分布于河北邢台及平泉、涉县等地。

| 资源情况 | 野生资源丰富。药材来源于野生。

| 采收加工 | 夏、秋季采挖，除去杂质，晒干。

| 药材性状 | 本品长 10 ~ 40 cm。根呈长圆锥形，长 2 ~ 7 cm，表面黄色或黄褐色，断面类白色。茎方柱形，常具狭翅，多分枝，直径 1 ~ 2.5 mm；表面黄绿色或黄棕色带紫色，节处略膨大；质脆，易折断，断面中空。叶对生，无柄；叶片多皱缩或破碎，完整者展平后呈条状披针形，长 2 ~ 4 cm，宽 0.3 ~ 0.6 cm，先端渐尖，基部狭，全缘。圆锥状聚伞花序顶生或腋生；花萼 5 深裂，裂片线形；花冠淡蓝紫色或暗黄色，5 深裂，裂片内侧基部有 2 腺体，腺体周围有长毛。蒴果椭圆形。气微，味苦。以花多、味苦者为佳。

| 功能主治 | 苦，寒。归肝、胃、大肠经。清湿热，健胃。用于湿热黄疸，胁痛，痢疾，腹痛，食欲不振。

| 用法用量 | 内服煎汤，6 ~ 12 g，儿童酌减。

| 附　注 | 本种在华北地区可供药用，治疗黄疸性肝炎有显效；对细菌性痢疾、消化不良等也有疗效。

龙胆科 Gentianaceae 獐牙菜属 Swertia

北方獐牙菜

Swertia diluta (Turcz.) Benth. et Hook. f.

| 植物别名 | 中国当药、北方享乐菜、北方西伯菜。

| 药 材 名 | 淡花当药（药用部位：全草。别名：獐牙菜、水黄连）。

| 形态特征 | 一年生草本，高 20 ～ 70 cm。根黄色。茎直立，四棱形，棱上具窄翅，基部直径 2 ～ 4 mm，多分枝，枝细瘦，斜升。叶无柄，线状披针形至线形，长 10 ～ 45 mm，宽 1.5 ～ 9 mm，两端渐狭，下面中脉明显凸起。圆锥状复聚伞花序具多数花；花梗直立，四棱形，长达 1.5 cm；花 5 基数，直径 1 ～ 1.5 cm；花萼绿色，长于或等于花冠，裂片线形，长 6 ～ 12 mm，先端锐尖，背面中脉明显；花冠浅蓝色，裂片椭圆状披针形，长 6 ～ 11 mm，先端急尖，基部有腺窝 2，窄矩圆形，沟状，边缘具长柔毛状流苏；花丝线形，长达 6 mm，花

药狭矩圆形，长约 1.6 mm；子房无柄，椭圆状卵形至卵状披针形，花柱粗短，柱头 2 裂，裂片半圆形。蒴果卵形，长达 1.2 cm；种子深褐色，矩圆形，长 0.6 ~ 0.8 mm，表面具小瘤状突起。花果期 8 ~ 10 月。

| **生境分布** | 生于海拔 150 ~ 2 600 m 的阴湿山坡、林下、田边、谷地。分布于河北磁县、阜平、涉县等。

| **资源情况** | 野生资源丰富。药材来源于野生。

| **采收加工** | 7 ~ 10 月采收，洗净，晒干或鲜用。

| **药材性状** | 本品长 20 ~ 40 cm。茎纤细，多分枝，具 4 棱，浅黄色，有时略呈紫褐色。叶对生，多皱缩，完整者呈披针形或长椭圆形，长 2 ~ 4 cm，宽 0.3 ~ 1 cm，先端尖，基部楔形，全缘，无柄。有时在顶部或叶腋可见聚伞花序。花冠淡蓝紫色，5 深裂，基部内侧有 2 腺体，其边缘有流苏状毛。气微，味微苦。

| **功能主治** | 苦，寒。归肝、胃、大肠经。清热解毒，利湿健胃。用于骨髓炎，咽喉炎，扁桃体炎，结膜炎，肝炎，消化不良，痢疾，疮痈疥癣，毒蛇咬伤。

| **用法用量** | 内服煎汤，5 ~ 15 g；或研末冲服。外用适量，捣敷；或捣搽。

| **附 注** | 本种在中国西北地区民间被广泛用作治疗肝炎的草药。

夹竹桃
Nerium oleander L.

| 植物别名 | 红花夹竹桃、柳叶桃树、洋桃。

| 药 材 名 | 夹竹桃（药用部位：叶及枝皮。别名：柳叶树、洋桃梅、四季红）。

| 形态特征 | 常绿直立大灌木，高达 5 m。枝条灰绿色，含水液；嫩枝条具棱，被微毛，老时毛脱落。叶 3 ~ 4，轮生，下枝为对生，窄披针形，先端急尖，基部楔形，叶缘反卷，长 11 ~ 15 cm，宽 2 ~ 2.5 cm；叶面深绿色，无毛，叶背浅绿色，有多数洼点，幼时被疏微毛，老时毛渐脱落；中脉在叶面凹陷，在叶背凸起，侧脉两面扁平，纤细，密生而平行，每边达 120，直达叶缘；叶柄扁平，基部稍宽，长 5 ~ 8 mm，幼时被微毛，老时毛脱落；叶柄内具腺体。聚伞花序顶生，着花数朵，芳香；总花梗长约 3 cm，被微毛；花梗长 7 ~

10 mm；苞片呈披针形，长 7 mm，宽 1.5 mm；花萼 5 深裂，红色，披针形，长 3 ～ 4 mm，宽 1.5 ～ 2 mm，外面无毛，内面基部具腺体；花冠深红色或粉红色，栽培演变有白色或黄色，花冠为单瓣时呈 5 裂，其花冠为漏斗状，长和直径均约 3 cm，花冠筒呈圆筒形，上部扩大成钟形，长 1.6 ～ 2 cm，花冠筒内面被长柔毛，花冠喉部具 5 宽鳞片状副花冠，每副花冠先端撕裂，并伸出花冠喉部之外，花冠裂片倒卵形，先端圆形，长 1.5 cm，宽 1 cm；花冠为重瓣时呈 15 ～ 18 枚，裂片组成 3 轮，内轮为漏斗状，外面 2 轮为辐状，分裂至基部或每 2 ～ 3 基部联合，裂片长 2 ～ 3.5 cm，宽 1 ～ 2 cm，每花冠裂片基部具长圆形且先端撕裂的鳞片；雄蕊着生于花冠筒中部以上，花丝短，被长柔毛，花药呈箭头状，内藏，与柱头连生，基部具耳，先端渐尖，药隔延长成丝状，被柔毛；无花盘；心皮 2，离生，被柔毛，花柱呈丝状，长 7 ～ 8 mm，柱头近圆球形，先端凸尖；每心皮有胚珠多颗。蓇葖果 2，离生，平行或并连，长圆形，两端较窄，长 10 ～ 23 cm，直径 6 ～ 10 mm，绿色，无毛，具细纵条纹；种子长圆形，基部较窄，先端钝，褐色，种皮被锈色短柔毛，先端具黄褐色绢质种毛；种毛长约 1 cm。花期几全年，夏、秋季最盛；果期一般在冬、春季，栽培者很少结果。

| **生境分布** | 常在公园、风景区、路旁或河旁、湖旁周围栽培，在长江以北地区栽培者须在温室越冬。分布于河北秦皇岛等。

| **资源情况** | 野生资源丰富。药材主要来源于野生。

| **采收加工** | 对二至多年生的植株，结合整枝修剪，采集叶片及枝皮，晒干或炕干。

| **药材性状** | 本品叶呈窄披针形，长可达 15 cm，宽约 2 cm，先端渐尖，基部楔形，全缘，稍反卷，上面深绿色，下面淡绿色，主脉于下面凸起，侧脉细密而平行；叶柄长约 5 mm。厚革质而硬。气特异，味苦。

| **功能主治** | 苦，寒；有大毒。归心经。强心利尿，祛痰定喘，镇痛，祛瘀。用于心力衰竭，喘咳，癫痫，跌打肿痛，血瘀经闭。

| **用法用量** | 内服煎汤，0.3 ～ 0.9 g；或研末，0.05 ～ 0.1 g。外用适量，捣敷；或制成酊剂外涂。

夹竹桃科 Apocynaceae 罗布麻属 Apocynum

罗布麻 *Apocynum venetum* L.

| **植物别名** | 茶叶花、野麻、泽漆麻。

| **药 材 名** | 罗布麻叶（药用部位：叶）。

| **形态特征** | 直立半灌木，一般高约2m，最高可达4m，具乳汁。枝条对生或互生，呈圆筒形，光滑无毛，紫红色或淡红色。叶对生，仅在分枝处近对生，叶片呈椭圆状披针形或卵圆状长圆形，长1～5（～8）cm，宽0.5～1.5（～2.2）cm，先端急尖至钝，具短尖头，基部急尖至钝，叶缘具细牙齿，两面均无毛；叶脉纤细，在叶背微凸或扁平，在叶面则不明显，侧脉每边10～15，在叶缘前网结；叶柄长3～6mm；叶柄间具腺体，老时脱落。通常顶生圆锥状聚伞花序，一至多歧，有时腋生，花梗长约4mm，被短柔毛；苞片膜质，呈披针形，

长约 4 mm, 宽约 1 mm; 小苞片长 1 ~ 5 mm, 宽约 0.5 mm; 花萼 5, 深裂, 裂片呈披针形或卵圆状披针形, 两面均被短柔毛, 边缘膜质, 长约 1.5 mm, 宽约 0.6 mm; 花冠呈圆筒状钟形, 紫红色或粉红色, 两面密被颗粒状突起, 花冠筒长 6 ~ 8 mm, 直径 2 ~ 3 mm, 花冠裂片基部向右覆盖, 裂片呈卵圆状长圆形, 稀宽三角形, 先端钝或浑圆, 与花冠筒等长, 长 3 ~ 4 mm, 宽 1.5 ~ 2.5 mm, 每裂片内外均具 3 明显的紫红色脉纹; 雄蕊着生于花冠筒基部, 与副花冠裂片互生, 长 2 ~ 3 mm, 花药呈箭头状, 先端渐尖, 隐藏于花喉内, 背部隆起, 腹部粘生于柱头基部, 基部具耳, 耳通常平行, 有时紧接或辏合, 花丝短, 密被白茸毛; 雌蕊长 2 ~ 2.5 mm, 花柱短, 上部膨大, 下部缩小, 柱头基部呈盘状, 先端钝, 2 裂, 子房由 2 离生心皮所组成, 被白色茸毛, 每心皮有胚珠多数, 着生于子房腹缝线的侧膜胎座上; 花盘呈环状, 肉质, 先端不规则 5 裂, 基部合生, 环绕子房, 着生于花托上。蓇葖果 2, 平行或叉生, 下垂, 呈箸状圆筒形, 长 8 ~ 20 cm, 直径 2 ~ 3 mm, 先端渐尖, 基部钝, 外果皮棕色, 无毛, 有纸纵纹; 种子多数, 呈卵圆状长圆形, 黄褐色, 长 2 ~ 3 mm, 直径 0.5 ~ 0.7 mm, 先端有白色、绢质的种毛, 种毛长 1.5 ~ 2.5 mm; 子叶呈长卵圆形, 与胚根近等长, 长约 1.3 mm。花期 4 ~ 9 月, 盛开期 6 ~ 7 月, 果期 7 ~ 12 月, 成熟期 9 ~ 10 月。

| 生境分布 | 生于盐碱荒地和沙漠边缘、河流两岸、冲积平原及戈壁荒滩上等。分布于河北昌黎、迁西、涉县等。

| 资源情况 | 野生资源较丰富, 现已有引种栽培驯化。药材主要来源于野生。

| 采收加工 | 用种子繁殖的罗布麻第 1 年在 8 月采收 1 次, 以后每年 6 月和 9 月各采收 1 次。第 1 次采收在初花期前, 在距根部 15 ~ 20 cm 处割下; 第 2 次从近地处割下全株。取割下来的枝条, 趁鲜时摘下叶片, 炒制; 阴干、晒干后打下叶片。

| 药材性状 | 本品多皱缩卷曲, 有的破碎, 完整叶片展平后呈椭圆状披针形或卵圆状披针形, 长 2 ~ 5 cm, 宽 0.5 ~ 2 cm; 淡绿色或灰绿色, 先端钝, 有小芒尖, 基部钝圆或楔形, 边缘具细牙齿, 常反卷, 两面无毛, 叶脉于下表面凸起; 叶柄细, 长约 4 mm; 质脆。气微, 味淡。以完整、色绿者为佳。

| 功能主治 | 甘、苦, 凉。归肝经。平肝安神, 清热利水。用于眩晕, 心悸失眠, 浮肿尿少。

| 用法用量 | 内服煎汤, 6 ~ 12 g。

夹竹桃科 Apocynaceae 络石属 Trachelospermum

络石

Trachelospermum jasminoides (Lindl.) Lem.

| **植物别名** | 石龙藤、耐冬、白花藤。

| **药 材 名** | 络石藤（药用部位：带叶藤茎。别名：云丹、云珠、明石）。

| **形态特征** | 常绿木质藤本，长达 10 m，具乳汁、茎赤褐色，圆柱形，有皮孔；幼枝被黄色柔毛，老渐无毛。叶革质或近革质，椭圆形、卵状椭圆形或宽倒卵形，长 2 ~ 10 cm，宽 1 ~ 4.5 cm，先端锐尖至渐尖，有时微凹或有小凸尖，基部渐狭至钝，叶面无毛，叶背疏被短柔毛，老渐无毛；叶面中脉凹陷，侧脉扁平，叶背中脉凸起，侧脉每边 6 ~ 12 条，扁平或凸起；叶柄较短，被短柔毛；叶柄和叶腋外腺体呈钻形，长约 1 mm。腋生或顶生二歧聚伞花序，花朵组成圆锥状，与叶等长或较叶长；花白色，气芳香；总花梗长 2 ~ 5 cm，被柔毛；

苞片及小苞片呈狭披针形，长 1 ~ 2 mm；花萼 5，深裂，裂片呈线状披针形，顶部反卷，长 2 ~ 5 mm，外面被长柔毛和缘毛，内面无毛，基部具鳞片状腺体 10；花蕾先端钝，花冠筒呈圆筒形，中部稍膨大，外部无毛，内部在喉部及雄蕊着生处被短柔毛，长 5 ~ 10 mm，花冠裂片长 5 ~ 10 mm，无毛；雄蕊着生于花冠筒中部，腹部贴生于柱头上，花药呈箭头状，基部具耳，隐藏在花喉内；花盘环状，5 裂，与子房等长；子房由 2 离生心皮组成，无毛，花柱呈圆柱状，柱头呈卵圆形，先端全缘；每心皮有胚珠多颗，着生于 2 并生的侧膜胎座上。蓇葖果双生，叉开，无毛，呈线状披针形，先端渐尖，长 10 ~ 20 cm，宽 0.3 ~ 1 cm；种子多枚，褐色，呈线形，长 1.5 ~ 2 cm，直径约 2 mm，先端被白色绢质种毛；种毛长 1.5 mm。花期 3 ~ 7 月，果期 7 ~ 12 月。

| **生境分布** | 生于山野、溪边、路旁、林缘或杂木林中，常缠绕于树上或攀缘于墙壁上、岩石上，亦移栽于园圃，以供观赏。分布于河北磁县、阜平、涉县等。

| **资源情况** | 野生资源丰富。药材来源于野生。

| **采收加工** | 冬季至翌年春季采割，除去杂质，晒干。

| **药材性状** | 本品茎呈圆柱形，弯曲，多分枝，长短不一，直径 1 ~ 5 mm；表面红褐色，有点状皮孔和不定根；质硬；断面淡黄白色，常中空。叶对生，有短柄；叶片展平后呈椭圆形或卵状披针形，长 1 ~ 8 cm，宽 0.7 ~ 3.5 cm；全缘，略反卷，上表面暗绿色或棕绿色，下表面颜色较淡；革质。气微，味微苦。

| **功能主治** | 苦，微寒。归心、肝、肺经。祛风通络，凉血消肿。用于风湿热痹，筋脉拘挛，腰膝酸痛，喉痹，痈肿，跌打损伤。

| **用法用量** | 内服煎汤，6 ~ 12 g。

| **附　　注** | （1）通过考察和研究，笔者发现我国部分地区将夹竹桃科植物石血的干燥带叶藤茎混作络石藤药用，并发现 2020 年版《中国药典》在"络石藤"一药的性状项下关于茎表面有"不定根"、叶片"卵状披针形"等的描述，实为络石藤的混淆品种石血的特征。

（2）我国民间用本品来治疗关节炎、肌肉痹痛、跌打损伤、产后腹痛等；安徽地区用本品来治疗血吸虫腹水病。本品乳汁有毒，对心脏有害。

夹竹桃科 Apocynaceae 长春花属 Catharanthus

长春花
Catharanthus roseus (L.) G. Don

| 植物别名 | 日日草、日日新、雁来红。

| 药 材 名 | 长春花（药用部位：全草。别名：雁来红、日日新、四时春）。

| 形态特征 | 亚灌木，有分枝，高 60 cm，有汁液，全株无毛或被微毛。茎近方形，有条纹，灰绿色；节间长 1 ~ 3.5 cm。叶膜质，呈倒卵状长圆形，长 3 ~ 4 cm，宽 1.5 ~ 2.5 cm，先端钝圆，有短尖头，基部广楔形至楔形，渐狭成叶柄；叶脉扁平，在叶背略隆起，侧脉约 8 对。聚伞花序顶生或腋生，花 2 ~ 3；花萼 5 深裂，无腺体或腺体不明显，萼片披针形或钻状渐尖，长约 3 mm；花冠红色，高脚碟状，花冠筒圆筒状，长约 2.6 cm，内面具疏柔毛，喉部紧缩，具刚毛；花冠裂片呈宽倒卵形，长和宽均约 1.5 cm；雄蕊着生于花冠筒的上

半部，花药隐藏于花喉之内，与柱头离生；子房为 2 离生心皮所组成，胚珠多数，花柱丝状，柱头头状。果实蓇葖双生，直立，平行或略叉开，长约 2.5 cm，直径 3 mm；外果皮厚纸质，有条纹，被柔毛；种子黑色，长圆状圆筒形，两端截形，具有颗粒状小瘤。花果期几全年。

| **生境分布** | 生于路旁、河旁或湖旁周围。分布于河北丰宁等。

| **资源情况** | 栽培资源丰富。药材来源于栽培。

| **采收加工** | 当年 9 月下旬至 10 月上旬采收，选晴天收割地上部分，先切除植株茎部木质化硬茎，再切段，晒干。

| **药材性状** | 本品长 30 ~ 50 cm。主根圆锥形，略弯曲。茎枝绿色或红褐色，类圆柱形，有棱，折断面纤维性，髓部中空。叶对生，皱缩，展平后呈倒卵形或长圆形，长 3 ~ 4 cm，宽 1.5 ~ 2.5 cm，先端钝圆，具短尖，基部楔形，深绿色或绿褐色，羽状脉明显；叶柄甚短。枝端或叶腋有花，花冠呈高脚碟形，长约 3 cm，淡红色或紫红色。气微，味微甘、苦。以叶片多、带花者为佳。

| **功能主治** | 苦，寒。归肝、肾经。解毒抗癌，清热平肝。用于多种恶性肿瘤，高血压，痈肿疮毒，烫伤。

| **用法用量** | 内服煎汤，5 ~ 10 g。或将提取物制成注射剂静脉注射。外用适量，捣敷；或研末调敷。

| **附 注** | 本种性喜高温、高湿，耐半阴，不耐严寒，最适宜温度为 20 ~ 33 ℃，喜光，忌湿怕涝，一般土壤均可栽培。

萝摩科 Asclepiadaceae 鹅绒藤属 Cynanchum

白首乌

Cynanchum bungei Decne.

| **植物别名** | 何首乌、山葫芦、野山药。

| **药 材 名** | 白首乌（药用部位：块根。别名：泰山首乌、白木香、和平参）。

| **形态特征** | 攀缘性半灌木。块根粗壮。茎纤细而韧，被微毛。叶对生，戟形，长 3 ~ 8 cm，基部宽 1 ~ 5 cm，先端渐尖，基部呈心形，两面被粗硬毛，以叶上面较密，侧脉约 6 对。伞形聚伞花序腋生，比叶短；花萼裂片披针形，基部内面腺体通常无或少数；花冠白色，裂片长圆形；副花冠 5 深裂，裂片呈披针形，内面中间有舌状片；花粉块每室 1，下垂；柱头基部呈五角状，先端全缘。蓇葖果单生或双生，披针形，无毛，向端部渐尖，长 9 cm，直径 1 cm；种子卵形，长 1 cm，直径 5 mm；种毛白色，绢质，长 4 cm。花期 6 ~ 7 月，果

期 7 ~ 10 月。

| 生境分布 | 生于海拔 1 500 m 以下的山坡、山谷或河坝、路边的灌丛中及岩石缝隙中。分布于河北行唐、怀安、井陉等。

| 资源情况 | 野生资源一般，栽培资源丰富。药材来源于栽培。

| 采收加工 | 春初或秋末采挖，除去外皮，直接晒干，或切片，晒干。

| 药材性状 | 本品呈纺锤形或不规则的团块状，长 3 ~ 10 cm，直径 1.5 ~ 4 cm；表面类白色，多沟纹，凹凸不平，并有横向疤痕及须根痕；体轻，切片大小不一，切面类白色，粉性，有辐射状纹理及裂隙。气微，味微甘、苦。

| 功能主治 | 苦、甘，微温。补肝肾，强筋骨，益精血。用于肝肾不足所致的腰膝酸软，失眠，健忘。

| 用法用量 | 内服煎汤，6 ~ 12 g。

| 附　注 | 本种的块根肉质多浆，栓皮层层剥落，质坚，色白，味苦、甘、涩，为山东泰山一带的四大名药之一，是滋补珍品。

萝藦科 Asclepiadaceae 鹅绒藤属 *Cynanchum*

白薇
Cynanchum atratum Bunge

| 植物别名 | 薇草、知微老、老瓜瓢根。

| 药 材 名 | 白薇（药用部位：根及根茎。别名：老君须、老虎瓢根、东白薇）。

| 形态特征 | 直立多年生草本，高 50 cm。根须状，有浓烈香气。叶呈卵形或长卵圆形，长 5 ～ 8 cm，宽 3 ～ 4 cm，先端渐尖或急尖，基部圆形，两面被有白色绒毛，叶背及脉上较密；侧脉 6 ～ 7 对。聚伞花序，无总花梗，生于茎的四周，着花 8 ～ 10；花深紫色，花冠直径约 10 mm；花萼外面被绒毛，内面基部有小腺体 5；花冠呈辐状，外面有短柔毛，并具缘毛；副花冠 5 裂，裂片呈盾状，圆形，与合蕊柱等长，花药先端具一圆形的薄膜；花粉块每室 1，下垂，长圆状膨胀；柱头扁平。膏葖果单生，先端渐尖，基部钝形，中间膨大，长

9 cm，直径 5 ~ 10 mm；种子扁平，种毛白色，长约 3 cm。花期 4 ~ 8 月，果期 6 ~ 8 月。

| 生境分布 | 生于海拔 100 ~ 1 800 m 的河边、干荒地及草丛中、山沟、林下草地。分布于河北滦平、平泉、平山等。

| 资源情况 | 野生资源一般。药材主要来源于野生。

| 采收加工 | 春、秋季采挖，洗净，干燥。

| 药材性状 | 本品根茎粗短，有结节，多弯曲。上面有圆形的茎痕，下面及两侧簇生多数细长的根，根长 10 ~ 25 cm，直径 0.1 ~ 0.2 cm。表面棕黄色。质脆，易折断，断面皮部黄白色，木部黄色。气微，味微苦。以根色黄棕、粗壮、条匀、断面白色实心者为佳。

| 功能主治 | 苦、咸，寒。归胃、肝、肾经。清热凉血，利尿通淋，解毒疗疮。用于温病发热，阴虚发热，骨蒸劳热，产后血虚发热，热淋，血淋，痈疽肿毒。

| 用法用量 | 内服煎汤，5 ~ 10 g。

| 附　　注 | （1）白薇药材基本来源于野生，且其价格和需求量又连年攀升，导致白薇野生资源逐渐匮乏。建议河北开展野生白薇的驯化工作，以增加白薇药材的供应量，同时保护野生药材资源。

（2）2020 年版《中国药典》收载的白薇为萝摩科植物白薇 Cynanchum atratum Bunge 或蔓生白薇 Cynanchum versicolor Bunge 的干燥根和根茎。

萝藦科 Asclepiadaceae 鹅绒藤属 Cynanchum

变色白前

Cynanchum versicolor Bunge

| 植物别名 | 白龙须、蔓生白薇、白花牛皮消。

| 药 材 名 | 白薇（药用部位：根。别名：老君须、老虎飘根、东白薇）。

| 形态特征 | 半灌木。茎下部直立、上部缠绕，全株被绒毛。叶对生，纸质，宽卵形或椭圆形，长 7 ~ 10 cm，宽 3 ~ 6 cm，先端急尖，基部呈圆形或近心形，两面被黄色绒毛，边缘具绿毛；侧脉 6 ~ 8 对。聚伞花序腋生，近无总花梗，着花 10 或更多；花序梗被绒毛，长仅 1 mm，稀 10 mm；花萼外面被柔毛，内面基部具 5 极小的腺体，裂片呈狭披针形，渐尖；花冠初呈黄白色，渐变为黑紫色，干枯时呈暗褐色，钟状辐形；副花冠极低，短于合蕊冠，裂片呈三角形；花药近菱状四方形；花粉块每室 1，长圆形，下垂；柱头略凸，先

端 2 裂，不明显。蓇葖果单生，宽披针形，长 5 cm，直径 1 cm，先端渐尖；种子呈宽卵形，暗褐色，长 5 mm，宽 3 mm；种毛白色，绢质，长 2 cm。花期 5 ～ 8 月，果期 7 ～ 9 月。

| 生境分布 | 生于海拔 100 ～ 500 m 的花岗岩石山上的灌丛中及溪流旁。分布于河北磁县、青龙、武安等。

| 资源情况 | 野生资源稀少。药材主要来源于野生。

| 采收加工 | 春、秋季采挖，洗净，干燥。

| 药材性状 | 本品根茎粗短，有结节，多弯曲。上面有圆形的茎痕，下面及两侧簇生多数细长的根，根长 10 ～ 25 cm，直径 0.1 ～ 0.2 cm。表面棕黄色。质脆，易折断，断面皮部黄白色，木部黄色。气微，味微苦。

| 功能主治 | 苦、咸，寒。归胃、肝、肾经。清热凉血，利尿通淋，解毒疗疮。用于温病发热，阴虚发热，骨蒸劳热，产后血虚发热，热淋，血淋，痈疽肿毒。

| 用法用量 | 内服煎汤，5 ～ 10 g。

| 附　注 | 由于本种具有重要的药用价值，且可用于制作家畜、家禽的饲料添加剂，其需求量较大，使本种的野生资源迅速减少，现已很难采到野生的变色白前。为满足需求，已计划开展人工栽培。

萝藦科 Asclepiadaceae 鹅绒藤属 Cynanchum

地梢瓜 Cynanchum thesioides (Freyn) K. Schum.

| 植物别名 | 地梢花、女青。

| 药 材 名 | 地梢瓜（药用部位：种子。别名：牛梢瓜、盘龙草、地瓜子）。

| 形态特征 | 直立半灌木。地下茎单轴横生；茎自基部多分枝。叶对生或近对生，线形，长 3 ~ 5 cm，宽 0.2 ~ 0.5 cm，叶背中脉隆起。伞形聚伞花序腋生；花萼外面被柔毛；花冠绿白色；副花冠杯状，裂片三角状披针形，渐尖，高过药隔的膜片。蓇葖纺锤形，先端渐尖，中部膨大，长 5 ~ 6 cm，直径 2 cm；种子扁平，暗褐色；种毛白色，绢质，长 2 cm。花期 5 ~ 8 月，果期 8 ~ 10 月。

| 生境分布 | 生于海拔 200 ~ 2 000 m 的山坡、沙丘或干旱山谷、荒地、田边等。

分布于河北磁县、阜平、行唐等。

| **资源情况** | 野生资源丰富。药材来源于野生。

| **采收加工** | 夏、秋季种子成熟时采收，除去杂质，晒干。

| **药材性状** | 本品呈卵圆形，扁平，长 6 ~ 10 mm，宽 4 ~ 5 mm；表面棕色至棕褐色，一端钝圆，另一端平截，边缘薄；一面略凹，中间有 1 深色纵线，约占全长的 2/3，并有放射状纹理；另一面略凸，有细小的线点状纹理。剥去种皮，胚乳明显，子叶 2。气微，味苦。

| **功能主治** | 甘，凉。清虚火，益气，生津，下乳。用于虚火上炎，咽喉疼痛，气阴不足，神疲健忘，虚烦口渴，头昏失眠，产后体虚，乳汁不足。

| **用法用量** | 内服煎汤，1 ~ 3 g。

萝摩科 Asclepiadaceae 鹅绒藤属 Cynanchum

鹅绒藤 *Cynanchum chinense* R. Br.

| **植物别名** | 祖子花。

| **药 材 名** | 鹅绒藤（药用部位：乳汁、根。别名：羊奶角角、祖马花、老牛肿）。

| **形态特征** | 缠绕草本，全株被短柔毛。主根圆柱状，长约 20 cm，直径约 5 mm，干后灰黄色。叶对生，薄纸质，宽三角状心形，长 4 ~ 9 cm，宽 4 ~ 7 cm，先端锐尖，基部呈心形，叶面深绿色，叶背苍白色，两面均被短柔毛，脉上较密；侧脉约 10 对，在叶背略为隆起。二歧伞形聚伞花序腋生，着花约 20；花萼外面被柔毛；花冠白色，裂片呈长圆状披针形；副花冠二型，杯状，上端裂成 10 丝状体，分为 2 轮，外轮约与花冠裂片等长，内轮略短；花粉块每室 1，下垂；花柱头略为凸起，先端 2 裂。蓇葖果双生或仅有 1 发育，细圆柱状，

向端部渐尖，长 11 cm，直径 5 mm；种子长圆形，种毛白色，绢质。花期 6 ~ 8月，果期 8 ~ 10 月。

| 生境分布 | 生于海拔 500 m 以下的山坡向阳灌丛中或路旁、河畔、田埂边。分布于河北涞源、乐亭、内丘等。

| 资源情况 | 野生资源丰富。药材来源于野生。

| 采收加工 | 夏、秋季随采乳汁随用；根挖出后洗净，晒干。

| 药材性状 | 本品根呈圆柱形，长约 20 cm。表面灰黄色，平滑或有细皱纹，栓皮易剥离，剥离处显灰白色。质脆，易折断，断面不平坦，黄色，中空。气微，味淡。

| 功能主治 | 苦，寒。归肝经。清热解毒，消积健脾，利水消肿。用于小儿食积，疳积，胃炎，十二指肠溃疡，肾炎性水肿，寻常疣。

| 用法用量 | 内服煎汤，15 g，外用适量，浆汁外涂。

萝藦科 Asclepiadaceae 鹅绒藤属 Cynanchum

隔山消

Cynanchum wilfordii (Maxim.) Hook. F

| **植物别名** | 过山飘、无梁藤、隔山撬。

| **药材名** | 隔山消（药用部位：块根。别名：白首乌、山瓜蒌、隔山撬）。

| **形态特征** | 多年生草质藤本。肉质根近纺锤形，灰褐色，长约10 cm，直径2 cm。茎被单列毛。叶对生，薄纸质，卵形，长5～6 cm，宽2～4 cm，先端短渐尖，基部呈耳状心形，两面被微柔毛，干时叶面常呈黑褐色，叶背淡绿色；基脉3～4，放射状；侧脉4对。聚伞花序呈半球形，花15～20；花序梗被单列毛，花长2 mm，直径5 mm；花萼外面被柔毛，裂片呈长圆形；花冠淡黄色，辐状，裂片呈长圆形，先端近钝形，外面无毛，内面被长柔毛；副花冠比合蕊柱短，裂片近四方形，先端截形，基部紧狭；花粉块每室1，长圆

形，下垂；花柱细长，柱头略突起。蓇葖果单生，披针形，向端部渐尖，基部紧狭，长 12 cm，直径 1 cm；种子暗褐色，卵形，长 7 mm，种毛白色，绢质，长 2 cm。花期 5 ~ 9 月，果期 7 ~ 10 月。

| **生境分布** | 生于海拔 800 ~ 1 300 m 的山坡、山谷、灌丛中或路边草地。分布于河北保定及蔚县等。

| **资源情况** | 野生资源丰富。药材来源于野生。

| **采收加工** | 秋、冬季采收，洗净，切片，晒干。

| **药材性状** | 本品呈圆柱形或纺锤形，微弯曲。表面白色或黄白色，具纵皱纹及横长皮孔，栓皮破裂处显黄白色木部。质坚硬，折断面不平坦，灰白色，微带粉状。气微，味苦、甜。

| **功能主治** | 甘、微苦，微温。归肝、肾、脾经。补肝肾，强筋骨，健脾胃，解毒。用于肝肾两虚所致的头昏眼花、失眠健忘、须发早白、阳痿、遗精、腰膝酸软，脾虚不运，脘腹胀满，食欲不振，泄泻，产后乳少，鱼口疮毒。

| **用法用量** | 内服煎汤，9 ~ 15 g。外用适量，鲜品捣敷。

| **附　注** | 东北延边地区称本种的块根为"白首乌"，本种与山东泰山地区所产的白首乌 *Cynanchum bungei* Decne. 为不同种植物。

萝藦科 Asclepiadaceae 鹅绒藤属 Cynanchum

合掌消
Cynanchum amplexicaule (Sieb. et Zucc.) Hemsl.

| 药 材 名 | 合掌消（药用部位：根及根茎。别名：抱茎白前、土胆草、野豆蕉）。

| 形态特征 | 多年生直立草本，高 50 ~ 100 cm。全株流白色乳液，除花萼、花冠被微毛外，其余部分无毛。根呈须状。叶薄纸质，无柄，倒卵状椭圆形，先端急尖，基部下延近抱茎，上部叶小，下部叶大，小者长 1.5 ~ 2.5 cm，宽 0.7 ~ 1 cm，大者长 4 ~ 6 cm，宽 2 ~ 4 cm。多歧聚伞花序顶生及腋生，花直径 5 mm；花冠黄绿色或棕黄色；副花冠 5 裂，扁平；花粉块每室 1，下垂。蓇葖果单生，刺刀形，长 5 cm，直径 5 mm。花期春、夏季，果期秋季。

| 生境分布 | 生于海拔 100 ~ 1 000 m 的山坡草地或田边、湿草地及沙滩草丛中。分布于河北阜平、武安等。

| 资源情况 | 野生资源丰富。药材来源于野生。

| 采收加工 | 夏、秋季采挖，洗净，晒干或鲜用。

| 药材性状 | 本品根茎呈圆柱形，粗短，呈结节状，上面有圆形、凹陷的茎痕或残存茎基，下面簇生多数细长的根。根长约 20 cm，直径不及 1 mm，弯曲，表面黄棕色，具细纵纹。质较脆，易折断，断面平坦。气特异，味微苦。

| 功能主治 | 苦、辛，平。归肺、脾经。祛风湿，清热解毒，行气活血。用于风湿痹痛，偏头痛，腰痛，月经不调，乳痈。

| 用法用量 | 内服煎汤，15 ~ 30 g。外用适量，捣敷；或研末调敷。

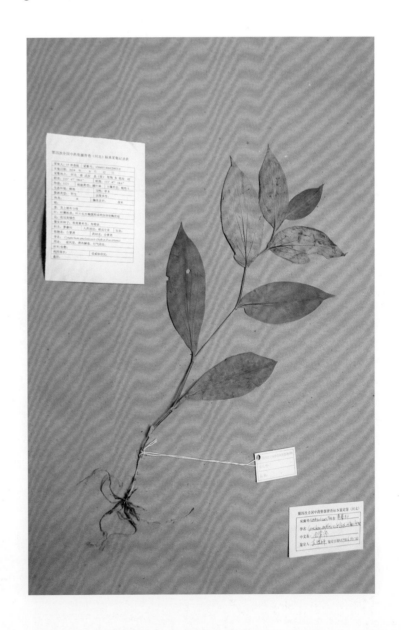

萝摩科 Asclepiadaceae 鹅绒藤属 Cynanchum

华北白前
Cynanchum mongolicum (Maximowicz) Hemsley

| 植物别名 | 牛心朴子。

| 药 材 名 | 牛心朴（药用部位：根及根茎）。

| 形态特征 | 多年生直立草本，高达 50 cm。根呈须状。除茎被单列柔毛及幼嫩部分有微毛外，其余部分无毛，单茎或略有分枝。叶对生，薄纸质，卵状披针形，长 3 ~ 10 cm，宽 1 ~ 3 cm，先端渐尖，基部呈宽楔形；侧脉约 4 对，在边缘网结，有时有边毛；叶柄长约 5 mm，先端腺体成群。伞形聚伞花序腋生，长约 2 cm，比叶短，着花少于 10；花萼 5 深裂，内面基部有小腺体 5；花冠紫红色，裂片卵状长圆形；花粉块每室 1，下垂；副花冠肉质，裂片呈龙骨状，在花药基部贴生；柱头圆形，略为凸起。蓇葖果双生，狭披针形，向端部

长渐尖，基部紧窄，外果皮有细直纹，长约 7 cm，直径 5 mm；种子黄褐色，扁平，长圆形，长约 5 mm，宽 3 mm，种毛白色，绢质，长 2 cm。花期 5～7 月，果期 6～8 月。

| 生境分布 | 生于山岭旷野。分布于河北阜平、蔚县、武安等。

| 资源情况 | 野生资源丰富。药材来源于野生。

| 采收加工 | 夏、秋季采收，切段，晒干。

| 功能主治 | 辛、甘，微温。归肺经。泻肺降气，下痰止嗽。用于肺气壅实之咳嗽痰多，气逆喘促，胃脘疼痛，小儿疳积，跌打损伤。

| 用法用量 | 内服煎汤，3～10 g；或入丸、散剂。

萝藦科 Asclepiadaceae 鹅绒藤属 Cynanchum

牛皮消

Cynanchum auriculatum Royle ex Wight

| 植物别名 | 飞来鹤、耳叶牛皮消、隔山消。

| 药 材 名 | 牛皮消（药用部位：块根）。

| 形态特征 | 蔓性半灌木，具乳汁。茎被微柔毛。根肥厚，呈块状。叶对生，膜质，心形至卵状心形，长 4 ~ 12 cm，宽 3 ~ 10 cm，上面深绿色，下面灰绿色，被微毛。聚伞花序伞房状，有花达 30；花萼裂片卵状矩圆形；花冠白色，辐状，裂片反折，内面被疏柔毛；副花冠呈浅杯状，先端具椭圆形裂片，钝头，肉质，每裂片内面中部有三角形的舌状鳞片；花粉块每室 1，下垂；柱头圆锥状，顶部 2 裂。蓇葖果双生，刺刀形，长 8 cm，直径 1 cm；种子呈卵状椭圆形，先端具白色绢质种毛。花期 6 ~ 9 月，果期 7 ~ 11 月。

| 生境分布 | 生于低海拔的沿海地区和海拔 3 500 m 的山坡林缘、路旁灌丛中或河流、水沟边潮湿地。分布于河北阜平、内丘、赞皇等。

| 资源情况 | 野生资源丰富。药材来源于野生。

| 采收加工 | 夏、秋季采挖，除去栓皮，洗净，晒干。

| 药材性状 | 本品呈长圆柱形、长纺锤形或结节状圆柱形，略弯曲，长短不等，有的可长达 50 cm，直径 0.8 ~ 4 cm。表面黄褐色或淡黄棕色，有时残留棕色至棕黑色的栓皮，有明显的纵皱纹及横长皮孔。质坚硬而脆，易折断，断面较平坦，类白色或黄白色，粉性，可见众多呈放射状排列的黄色小孔。气微，味微甘而后苦。

| 功能主治 | 甘、苦，微温。归脾、胃、肺经。健胃导滞，解毒利湿。用于食积，腹痛，腹胀，胃脘痛，急、慢性胁痛，腹水，腰腿疼痛。

| 用法用量 | 内服煎汤，9 ~ 15 g。

萝藦科 Asclepiadaceae 鹅绒藤属 Cynanchum

雀瓢

Cynanchum thesioides var. *australe* (Maxim.) Tsiang et P. T. Li

| 植物别名 |

地瓜瓜、浮瓢果。

| 药 材 名 |

地梢瓜（药用部位：全草）。

| 形态特征 |

直立半灌木。地下茎单轴横生，茎柔弱，分枝较少，茎端通常伸长且缠绕。叶对生或近对生，线形或线状长圆形，长 3 ~ 5 cm，宽 0.2 ~ 0.5 mm，叶背中脉隆起。伞形聚伞花序腋生，花较小、多数；花萼外面被柔毛；花冠绿白色；副花冠呈杯状，裂片呈三角状披针形，渐尖，高过药隔的膜片。蓇葖果纺锤形，先端渐尖，中部膨大，长 5 ~ 6 cm，直径 2 cm；种子扁平，暗褐色，长 8 mm，种毛白色，绢质，长 2 cm。花期 3 ~ 8 月，果期 8 ~ 10 月。

| 生境分布 |

生于水沟旁及河岸边或山坡、路旁的灌丛草地上。分布于河北邢台及阜平、永年等。

| 资源情况 |

野生资源丰富。药材来源于野生。

| **采收加工** | 7～8月采收，晒干或鲜用。

| **功能主治** | 甘、微辛，温。强壮，行气活血，消肿解毒。用于肾虚遗精，乳汁不足；外用于疮疖肿毒，虫蛇咬伤。

| **用法用量** | 内服煎汤，15～25 g。

| **附　　注** | 野生雀瓢经过驯化栽培，种子发芽率较高，出苗快，且对土壤湿度的要求并不高，能成片、成丛生长，对地面覆盖率较高，且1年种植多年受益。

萝摩科 Asclepiadaceae 鹅绒藤属 Cynanchum

太行白前
Cynanchum taihangense Tsiang et Zhang

| 植物别名 |

细梗白前。

| 药 材 名 |

太行白前（药用部位：根）。

| 形态特征 |

草质藤本。须根丛生。茎单生，中空，下部直立，上部略缠绕，被微毛，高达 1 m。叶纸质，偶见革质，椭圆形，长 15 cm，宽 7 cm，基部呈楔形，先端短渐尖，叶面在叶脉上被微毛，叶背被绒毛，叶柄长 1.5 cm；中间的叶长 10 cm，宽 4.5 cm，先端渐尖，叶柄长 1 cm；上部的叶长 5.5 cm，宽 1.8 cm，先端渐尖，叶柄长不及 1 cm。花序腋间生，二至五出，比叶短，着花约 8；花序梗长 2 ~ 4.5 cm，略被微毛；花直径 7 mm；花萼裂片呈狭三角形，长 2 mm，宽 0.5 mm，先端渐狭，外面被微毛，有缘毛，内面无毛，在弯缺处有小腺体；花冠裂片黄绿色，长圆形，长 5 mm，宽 2 mm，先端圆形，无毛；副花冠 5 裂，比合蕊柱短，裂片呈三角状半圆形；雄蕊呈长方形，下部略小，先端膜片呈三角形；花粉块长圆形，与着粉腺等长；柱头呈圆形，先端近扁平。花期 6 ~ 8 月。

| 生境分布 | 生于山地灌丛中。分布于河北丰宁、阜平、武安等。

| 资源情况 | 野生资源稀少。药材来源于野生。

| 采收加工 | 秋季采挖，洗净，晒干。

| 功能主治 | 辛、苦，微温。归肺经。降气，消痰，止咳。用于肺气壅实，咳嗽痰多，胸满喘急。

| 用法用量 | 内服煎汤，3 ~ 9 g。

萝藦科 Asclepiadaceae 鹅绒藤属 Cynanchum

徐长卿

Cynanchum paniculatum (Bunge) Kitagawa

| 植物别名 |

尖刀儿苗、铜锣草、线香草。

| 药 材 名 |

徐长卿（药用部位：根及根茎。别名：观音竹、天竹香、一线香）。

| 形态特征 |

多年生直立草本，高达 1 m。根须状，多至 50 余条。茎不分枝，稀从根部发出几条，无毛或被微毛。叶对生，纸质，披针形至条形，长 5 ~ 13 cm，宽 5 ~ 15 mm，两端锐尖，两面无毛或上面具疏柔毛，叶缘有睫毛；侧脉不明显。圆锥状聚伞花序生于顶生的叶腋内，长达 7 cm，有花 10 或更多；花萼内面腺体有或无；花冠黄绿色，近辐状，裂片长达 4 mm，宽 3 mm；副花冠裂片 5，基部增厚，先端钝；花粉块每室 1，下垂；子房椭圆状，柱头五角形，先端略凸起。蓇葖果单生，刺刀形，长 6 cm，直径 6 mm；种子矩圆形，先端具白色绢质种毛，长 1 cm。

| 生境分布 |

生于山坡及草丛中。分布于河北抚宁、阜平、行唐等。

| 资源情况 | 野生资源丰富。药材来源于野生。

| 采收加工 | 秋季采挖，除去杂质，阴干。

| 药材性状 | 本品根茎呈不规则柱状，有盘节，长 0.5 ～ 3.5 cm，直径 2 ～ 4 mm；有的先端带有残茎，细圆柱形，长约 2 cm，直径 1 ～ 2 mm，断面中空；根茎节处周围着生多数根。根呈细长圆柱形，弯曲，长 10 ～ 16 cm，直径 1 ～ 1.5 mm；表面淡黄白色至淡棕黄色或棕色，具微细的纵皱纹，并有纤细的须根。质脆，易折断，断面粉性，皮部类白色或黄白色，形成层环淡棕色，木部细小。气香，味微辛、凉。

| 功能主治 | 辛，温。归肝、胃经。祛风，化湿，止痛，止痒。用于风湿痹痛，胃痛胀满，牙痛，腰痛，跌扑伤痛，风疹，湿疹。

| 用法用量 | 内服煎汤，3 ～ 12 g，后下。

| 附　　注 | 现代临床用于镇痛，或治疗慢性支气管炎，对麻疹、接触性皮炎等皮肤病亦有很好的疗效；此外，还可治疗毒蛇咬伤、带状疱疹。

萝摩科 Asclepiadaceae 鹅绒藤属 Cynanchum

竹灵消 Cynanchum inamoenum (Maxim.) Loes.

| **植物别名** | 白龙须、老君须、雪里蟠桃。

| **药 材 名** | 老君须（药用部位：地上部分）。

| **形态特征** | 直立草本。根须状。基部分枝甚多；茎干后中空，被单列柔毛。叶薄膜质，广卵形，长 4 ~ 5 cm，宽 1.5 ~ 4 cm，先端急尖，基部近心形，在脉上近无毛或仅被微毛，有边毛；侧脉约 5 对。伞形聚伞花序，近顶部互生，着花 8 ~ 10；花黄色，长和直径均约 3 mm；花萼裂片披针形，急尖，近无毛；花冠辐状，无毛，裂片卵状长圆形，钝头；副花冠较厚，裂片三角形，短急尖；花药在先端具 1 圆形膜片；花粉块每室 1，下垂，柄短，近平行，着粉腺近椭圆形；柱头扁平。蓇葖果双生，稀单生，狭披针形，向端部长渐尖，长

6 cm，直径 5 mm。花期 5 ～ 7 月，果期 7 ～ 10 月。

| **生境分布** | 生于海拔 100 ～ 3 500 m 的山地疏林、灌丛中或山顶、山坡草地上。分布于河北涞源、滦平等。

| **资源情况** | 野生资源丰富。药材来源于野生。

| **采收加工** | 秋末采集，除去杂质，晒干。

| **功能主治** | 苦、咸，寒。清热利胆，涩肠止泻。用于痢疾和胆病引起的头痛、发热、腹泻、厌油、纳呆。

| **用法用量** | 配方或单用，3 ～ 9 g。

| **附　　注** | 本种的根亦可药用，能除烦清热、散毒、通疝气，民间用其治疗妇女血厥、产后虚烦、妊娠遗尿、疔疮及淋巴炎等。

萝藦科 Asclepiadaceae 鹅绒藤属 Cynanchum

紫花合掌消 *Cynanchum amplexicaule* var. *castaneum* Makino

| **植物别名** | 合掌消、合掌草、合掌硝。

| **药 材 名** | 合掌消（药用部位：全草或根。别名：抱茎白前、土胆草、野豆蕉）。

| **形态特征** | 多年生直立草本，高 50 ~ 100 cm。全株含白色乳液，除花萼、花冠被微毛外，其余部分无毛。根须状。叶薄纸质，无柄，倒卵状椭圆形，先端急尖，基部下延近抱茎，上部叶小，长 1.5 ~ 2.5 cm，宽 0.7 ~ 1 cm，下部叶大，长 4 ~ 6 cm，宽 2 ~ 4 cm。多歧聚伞花序顶生及腋生，花直径 5 mm；花冠紫色；副花冠 5 裂，扁平；花粉块每室 1，下垂。蓇葖果单生，刺刀形，长 5 cm。花期 5 ~ 9 月，果期 7 月以后。

| 生境分布 | 生于海拔 100 ～ 1 000 m 的山坡草地或田边、湿草地及沙滩草丛中。分布于河北平、武安等地。

| 资源情况 | 野生资源丰富。药材来源于野生。

| 采收加工 | 夏、秋季采挖，洗净，晒干或鲜用。

| 药材性状 | 本品根茎呈圆柱形，粗短，呈结节状，上面有圆形、凹陷的茎痕或残存茎基，下面簇生多数细长的根。根长约 20 cm，直径不及 1 mm，弯曲；表面黄棕色，具细纵纹。质较脆，易折断，断面平坦。气特异，味微苦。

| 功能主治 | 苦、辛，平。归肺、脾经。祛风湿，清热解毒，行气活血。用于风湿痹痛，偏头痛，腰痛，月经不调，乳痈。

| 用法用量 | 内服煎汤，15 ～ 30 g。外用适量，捣敷；或研末调敷。

| 附　注 | 部分地区将本种的根及根茎作"白薇"药用。

萝藦科 Asclepiadaceae 杠柳属 Periploca

杠柳

Periploca sepium Bunge

| 植物别名 | 北五加皮、羊奶子、羊角条。

| 药 材 名 | 香加皮（药用部位：根皮。别名：北五加皮、五加皮、杠柳皮）。

| 形态特征 | 落叶蔓性灌木，高可达 1.5 m。主根圆柱状，外皮灰棕色，内皮浅黄色。具乳汁。除花外，全株无毛。茎皮灰褐色。小枝通常对生，有细条纹，具皮孔。叶卵状长圆形，长 5 ~ 9 cm，宽 1.5 ~ 2.5 cm，先端渐尖，基部楔形，叶面深绿色，叶背淡绿色；中脉在叶面扁平，在叶背微凸起，侧脉纤细，两面扁平，每边 20 ~ 25；叶柄长约 3 mm。聚伞花序腋生，着花数朵；花序梗和花梗细弱；花萼裂片卵圆形，长 3 mm，宽 2 mm，先端钝，花萼内面基部有 10 小腺体；花冠紫红色，辐状，张开直径 1.5 cm，花冠筒短，约长 3 mm，裂片

长圆状披针形，长 8 mm，宽 4 mm，中间加厚、呈纺锤形，反折，内面被长柔毛，外面无毛；副花冠环状，10 裂，其中 5 裂延伸、丝状、被短柔毛，先端向内弯；雄蕊着生于副花冠内面，并与其合生，花药彼此粘连并包围柱头，背面被长柔毛；心皮离生，无毛，每心皮有胚珠多个，柱头盘状凸起；花粉器匙形，四合花粉藏在载粉器内，着粉腺粘连在柱头上。蓇葖果 2，圆柱状，长 7 ~ 12 cm，直径约 5 mm，无毛，具有纵条纹；种子长圆形，长约 7 mm，宽约 1 mm，黑褐色，先端具白色绢质种毛，种毛长 3 cm。花期 5 ~ 6 月，果期 7 ~ 9 月。

| **生境分布** | 生于平原及低山丘的林缘、沟坡、河边沙地或地埂等。分布于河北磁县、阜平、赞皇等。

| 资源情况 | 野生资源丰富。药材主要来源于野生。

| 采收加工 | 春、秋季采挖根，剥取根皮，晒干。

| 药材性状 | 本品呈卷筒状或槽状，少数呈不规则的块片状，长 3 ~ 10 cm，直径 1 ~ 2 cm，厚 0.2 ~ 0.4 cm。外表面灰棕色或黄棕色，栓皮松软，常呈鳞片状，易剥落；内表面淡黄色或淡黄棕色，较平滑，有细纵纹。体轻，质脆，易折断，断面不整齐，黄白色。有特异香气，味苦。

| 功能主治 | 辛、苦，温；有毒。归肝、肾、心经。利水消肿，祛风湿，强筋骨。用于下肢浮肿，心悸气短，风寒湿痹，腰膝酸软。

| 用法用量 | 内服煎汤，3 ~ 6 g。

| 附　注 | （1）香加皮与五加皮混用的现象由来已久。香加皮以"北五加皮"之名始载于《中药志》，其原植物杠柳早在《救荒本草》中便以"木羊角科"之名有所记载，但何时充作五加皮使用尚无从考证。1977 年版《中国药典》已将五加皮、香加皮区分收载，但直到现在中药市场及临床中还有将五加皮和香加皮混用的情况。然而香加皮有毒，五加皮无毒，两者的规范用量也各不相同，因此临床使用、管理时须严格区分，相关部门应当加大监督管理力度。

（2）传统认为"兖州等地香加皮质量最佳"，但如今兖州等地基本已不出产香加皮了，河南开封、新乡及河北赤城也已不出产香加皮。现在主要以山西、河北出产香加皮较多，且多分布于山区、荒地。

（3）香加皮的使用量呈逐年上升的趋势，且产量越来越大，但主要以野生为主。因为其基原多生长在荒地、沙地、干旱山坡、沟边等劣质土壤中，适应性极强，具有很好地防止水土流失的作用，现多用于固沙、护沙以防水土流失，应当尽快建立香加皮 GAP 规范化种植基地，一方面能够满足市场需求，另一方面又有利于保护环境。

萝藦科 Asclepiadaceae 萝藦属 Metaplexis

萝藦
Metaplexis japonica (Thunb.) Makino

| **植物别名** | 芄兰、斫合子、白环藤。

| **药材名** | 萝藦（药用部位：全草或根。别名：奶浆草、奶浆藤）、天浆壳（药用部位：果壳。别名：羊角、刺猬瓜、天将壳）。

| **形态特征** | 多年生草质藤本，长达 8 m，具乳汁。茎圆柱状，下部木质化，上部较柔韧，表面淡绿色，有纵纹，幼时密被短柔毛，老时被毛渐脱落。叶膜质，卵状心形，长 5 ~ 12 cm，先端短渐尖，基部心形，叶耳圆形，长 1 ~ 2 cm，两叶耳展开或紧接，叶面绿色，叶背粉绿色，两面无毛，或幼时被微毛，老时被毛脱落；侧脉每边 10 ~ 12，在叶背略明显；叶柄长，长 3 ~ 6 cm，先端具丛生腺体。总状聚伞花序腋生或腋外生，具长总花梗；总花梗长 6 ~ 12 cm，被短柔

毛；花梗长 8 mm，被短柔毛，着花通常 13 ~ 15；小苞片膜质，披针形，长
3 mm，先端渐尖；花蕾圆锥状，先端尖；花萼裂片披针形，长 5 ~ 7 mm，宽
2 mm，外面被微毛；花冠白色，有淡紫红色斑纹，近辐状，花冠筒短，花冠裂
片披针形，张开，先端反折，基部向左覆盖，内面被柔毛；副花冠环形，着生
于合蕊冠上，短 5 裂，裂片兜状；雄蕊连生成圆锥状，并包围雌蕊，花药先端
具白色膜片；花粉块卵圆形，下垂；子房无毛，柱头延伸成 1 长喙，先端 2 裂。
蓇葖果叉生，纺锤形，平滑无毛，直径 2 cm，先端急尖，基部膨大；种子扁平，
卵圆形，长 5 mm，宽 3 mm，有膜质边缘，褐色，先端具白色绢质种毛，种毛
长 1.5 cm。花期 7 ~ 8 月，果期 9 ~ 12 月。

| **生境分布** | 生于林边荒地、山脚、河边、路旁灌丛中。分布于河北滦平、平泉、迁安等。

| 资源情况 | 野生资源丰富。药材来源于野生。

| 采收加工 | 萝藦：夏末采收全草，除去杂质，扎成小把，晒干。
天浆壳：秋季采收成熟果实，沿裂缝剥开，除去种子，晒干。

| 药材性状 | 萝藦：本品为细长的草质藤本，基部有须根，偶有质地坚硬的细圆柱形根茎。须根细圆柱形，不均匀地膨大，直径 2 ～ 7 mm，表面淡黄白色；质脆，易折断，断面不平坦，皮部淡黄白色，木部淡黄色，皮部与木部间有 1 淡棕黄色环，可见众多管孔。藤茎细长圆柱形，长达 5 m 以上，直径 1 ～ 5 mm；表面黄绿色或淡黄色，有纵向扭曲的细棱，节稍膨大，具对生叶痕或叶；质脆，易折断，折断时一侧皮部常粘连成纤维状，断面淡黄白色，中空，木质部有不规则排列的小管孔。叶易脱落，皱缩，破碎，完整叶片展平后呈卵状心形，长 4 ～ 11 cm，宽 2.5 ～ 9 cm，全缘，先端渐尖或钝尖，基部心形，叶柄长 1.5 ～ 5 cm。气微，味淡。
天浆壳：本品对开分瓣呈舟状，有的为压扁状，长 6 ～ 11 cm，宽 3 ～ 5 cm，厚约 1 mm，先端尖而反卷，基部钝圆，微凹，有圆形的果柄或果柄痕；外表面黄绿色，具细密纹理及疣状突起；内表面淡黄色或黄褐色，平滑而带光泽。质较软而韧，不易折断，断面外果皮纤维性强，中果皮浅褐色，疏松，内果皮脆而易碎。气微，味微咸。

| 功能主治 | 萝藦：甘、辛，平。补益精气，通乳，解毒。用于虚损劳伤，阳痿，带下，乳汁不通，丹毒，疮疖。
天浆壳：辛、甘，温。宣肺化痰，止咳平喘，透疹。用于咳嗽痰多，气喘，麻疹不透。

| 用法用量 | 萝藦：内服煎汤，15 ～ 30 g。
天浆壳：内服煎汤，6 ～ 10 g。

西草科 Rubiaceae 拉拉藤属 Galium

北方拉拉藤 Galium boreale L.

| **药 材 名** | 砧草（药用部位：全草）。

| **形态特征** | 多年生直立草本，高 20 ~ 65 cm。茎有 4 棱角，无毛或有极短的毛。叶纸质或薄革质，4 轮生，狭披针形或线状披针形，长 1 ~ 3 cm，宽 0.1 ~ 0.4 cm，先端钝或稍尖，基部楔形或近圆形，边缘常稍反卷，两面无毛，边缘有微毛；基出脉 3，在下面常凸起，在上面常凹陷；无柄或具极短的柄。聚伞花序顶生和生于上部叶腋，常在枝顶结成圆锥花序式，花密集；花小；花梗长 0.5 ~ 1.5 mm；花萼被毛；花冠白色或淡黄色，直径 3 ~ 4 mm，辐状，花冠裂片卵状披针形，长 1.5 ~ 2 mm；花丝长约 1.4 mm，花柱 2 裂至近基部。果实小，直径 1 ~ 2 mm，果爿单生或双生，密被白色、稍弯的糙硬毛；果柄长 1.5 ~ 3.5 mm。花期 5 ~ 8 月，果期 6 ~ 10 月。

| 生境分布 | 生于海拔 750 ~ 3 900 m 的山坡、沟旁、草地的草丛、灌丛或林下。分布于河北沽源、涿鹿等。

| 资源情况 | 野生资源丰富。药材来源于野生。

| 采收加工 | 秋季采收，切段，晒干。

| 功能主治 | 苦，寒。清热解毒，祛风活血。用于肺炎咳嗽，肾炎性水肿，腰腿疼痛，经闭，痛经，带下，疮癣。

| 用法用量 | 内服煎汤，15 ~ 30 g。外用适量，捣敷；或煎汤洗。

| 附 注 | 变种茜砧草 *Galium boreale* var. *rubioides* (L.) Celak. 与本种的区别在于本变种叶卵状披针形或卵形，叶下面至少在脉上有疏柔毛或粗糙；萼管和果实无毛；花果期 7 ~ 9 月。

茜草科 Rubiaceae 拉拉藤属 Galium

拉拉藤

Galium aparine L. var. *echinospermum* (Wallroth) Cuf.

| **植物别名** | 猪殃殃、爬拉殃、八仙草。

| **药 材 名** | 八仙草（药用部位：全草。别名：小茜草、细茜草、锯子草）。

| **形态特征** | 多枝、蔓生或攀缘状草本，通常高 30 ~ 90 cm。茎有 4 角棱；棱上、叶缘、叶脉上均有倒生的小刺毛。叶纸质或近膜质，6 ~ 8 轮生，稀 4 ~ 5，带状倒披针形或长圆状倒披针形，长 1 ~ 5.5 cm，宽 0.1 ~ 0.7 cm，先端有针状凸尖头，基部渐狭，两面常有紧贴的刺状毛，常萎软状，干时常卷缩，具 1 脉，近无柄。聚伞花序腋生或顶生，少至多花，花小，4 基数，有纤细的花梗；花萼被钩毛，萼檐近平截；花冠黄绿色或白色，辐状，裂片长圆形，长不及 1 mm，镊合状排列；子房被毛，花柱 2 裂至中部，柱头头状。果实干燥，有 1 或 2 近球状的分果爿，直径达 5.5 mm，肿胀，密被钩毛；果柄直，长可达 2.5 cm，

较粗，每一爿有一平凸的种子。花期 3 ~ 7 月，果期 4 ~ 11 月。

| 生境分布 | 生于海拔 20 ~ 4 600 m 的山坡、旷野、沟边、河滩、田中、林缘、草地。分布于河北易县、涿鹿等。

| 资源情况 | 野生资源一般。药材来源于野生。

| 采收加工 | 秋季采收，鲜用或晒干。

| 药材性状 | 本品纤细，易破碎，表面灰绿色或绿褐色。茎具 4 棱，直径 1 ~ 1.5 mm，棱上有多数倒生刺，质脆，易折断，断面中空。叶 6 ~ 8 轮生，无柄叶片多卷缩破碎，完整者展平后呈披针形或条状披针形，长约 2 cm，宽 0.2 ~ 0.4 mm，边缘及下表面中脉有倒生小刺。聚伞花序腋生或顶生，花小，易脱落。果实小，常呈二半球形，密生白色钩毛。气微，味淡。

| 功能主治 | 辛、微苦，微寒。清热解毒，利尿通淋，消肿止痛。用于痈疽肿毒，乳腺炎，阑尾炎，水肿，感冒发热，痢疾，尿路感染，尿血，牙龈出血，刀伤出血。

| 用法用量 | 内服煎汤，15 ~ 30 g；或捣汁饮。外用适量，捣敷。

| 附 注 | 原拉拉藤（新拟）拉丁名为 *Galium aparine* L.。其下共有 1 个原变种和 3 个变种。《中国药典》中拉丁名也为 *Galium aparine* L.。依据《中国植物志》的检索表，可推断出 3 种情况：其一，如 1977 年版《中国药典》所列为原拉拉藤大种，则作为法定的鉴定依据，猪殃殃有 4 种来源，即 1 个原变种和 3 个变种，这将使得该药材的使用品种极其混乱；其二，如为原拉拉藤（原变种），则拉丁名就应为 *Galium aparine* L. var. *aparine*，而该品种我国不产，只分布于欧洲、亚洲西部和北美洲，故不应属于该种；其三，如为原拉拉藤（新拟）下的 3 个变种——拉拉藤、猪殃殃或光果拉拉藤，则依据上文所述的性状（果实小，常呈二半球形，密生白色钩毛），可先判定光果拉拉藤（果实无毛）不应是《中国药典》所述品种之一。综上所述，《中国药典》中猪殃殃来源可能为原拉拉藤（新拟）下的变种拉拉藤或猪殃殃。

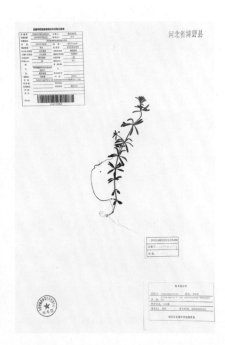

茜草科 Rubiaceae 拉拉藤属 Galium

蓬子菜 *Galium verum* L.

| 植物别名 | 铁尺草、黄米花。

| 药 材 名 | 蓬子菜（药用部位：全草。别名：黄米花、鸡肠草）。

| 形态特征 | 多年生近直立草本，基部稍木质，高25～45 cm。茎有4角棱，被短柔毛或秕糠状毛。叶纸质，6～10轮生，线形，通常长1.5～3 cm，宽1～1.5 mm，先端短尖，边缘极反卷，常卷成管状，上面无毛，稍有光泽，下面有短柔毛，稍苍白，干时常变黑色，具1脉，无柄。聚伞花序顶生和腋生，较大，多花，通常在枝顶结成带叶的长可达15 cm、宽可达12 cm的圆锥花序；总花梗密被短柔毛；花小，稠密；花梗有疏短柔毛或无毛，长1～2.5 mm；萼管无毛；花冠黄色，辐状，无毛，直径约3 mm，花冠裂片卵形或长圆形，先端稍钝，长约

1.5 mm；花药黄色，花丝长约 0.6 mm；花柱长约 0.7 mm，先端 2 裂。果实小，果爿双生，近球状，直径约 2 mm，无毛。花期 4 ~ 8 月，果期 5 ~ 10 月。

| 生境分布 | 生于海拔 40 ~ 4 000 m 的山地、河滩、旷野、沟边、草地、灌丛或林下。分布于河北滦平、平泉、迁安等。

| 资源情况 | 野生资源丰富。药材来源于野生。

| 采收加工 | 夏、秋季采收，鲜用或晒干。

| 药材性状 | 本品根呈圆柱形，弯曲，主根不明显，支根多条丛生于根茎，长约 15 cm，直径 0.2 ~ 0.5 cm；表面灰褐色或浅棕褐色，有细皱纹，外皮剥落处显出橙黄色木质部。质稍硬。断面类白色或灰黄色，用放大镜观察可见多数小孔，并有同心排列的橙黄色环纹。气微，味淡。

| 功能主治 | 辛，寒。清热解毒，活血通经，祛风止痒。用于肝炎，腹水，咽喉肿痛，疮疖肿毒，跌打损伤，妇女经闭，带下，毒蛇咬伤，荨麻疹，稻田性皮炎。

| 用法用量 | 内服煎汤，10 ~ 15 g。外用适量，捣敷；或熬膏涂。

茜草科 Rubiaceae 拉拉藤属 Galium

四叶葎 *Galium bungei* Steud.

| **植物别名** | 小拉马藤、散血丹、细中叶葎。

| **药 材 名** | 四叶草（药用部位：全草。别名：米拉拉藤、冷水丹、风车草）。

| **形态特征** | 多年生丛生直立草本，高 5 ~ 50 cm。有红色丝状根。茎有 4 角棱，不分枝或稍分枝，常无毛或节上有微毛。叶纸质，4 轮生，叶形变化较大，同一株上部与下部的叶形常不同，叶呈卵状长圆形、卵状披针形、披针状长圆形或线状披针形，长 0.6 ~ 3.4 cm，宽 0.2 ~ 0.6 cm，先端尖或稍钝，基部楔形，中脉和边缘常有刺状硬毛，有时两面亦有糙伏毛，具 1 脉，近无柄或有短柄。聚伞花序顶生和腋生，稠密或稍疏散，总花梗纤细，常 3 歧分枝，再形成圆锥状花序；花小；花梗纤细，长 1 ~ 7 mm；花冠黄绿色或白色，幅

状，直径 1.4 ~ 2 mm，无毛，花冠裂片卵形或长圆形，长 0.6 ~ 1 mm。果爿近球状，直径 1 ~ 2 mm，通常双生，有小疣点、小鳞片或短钩毛，稀无毛；果柄纤细，常比果实长，长可达 9 mm。花期 4 ~ 9 月，果期 5 月至翌年 1 月。

| 生境分布 | 生于海拔 50 ~ 2 520 m 的山地、丘陵、旷野、田间、沟边的林中、灌丛或草地。分布于河北阜平、武安等。

| 资源情况 | 野生资源丰富。药材来源于野生。

| 采收加工 | 夏、秋季花期采集鲜用或晒干。

| 功能主治 | 甘、苦，平。归肝、脾经。清热解毒，利尿，消肿。用于尿路感染，赤白带下，痢疾，痈肿，跌打损伤。

| 用法用量 | 内服煎汤，15 ~ 30 g。外用适量，鲜品捣敷。

| 附　注 | 硬毛四叶葎（变种）*Galium bungei* Steud. var. *hispidum* (Kitag.) Cuf. 与本种的区别在于本变种茎被柔毛，毛的长度比茎的直径短；花期 4 ~ 6 月，果期 5 ~ 9 月。

茜草科 Rubiaceae 拉拉藤属 *Galium*

猪殃殃 *Galium spurium* L.

| 植物别名 |

八仙草、爬拉殃、光果拉拉藤。

| 药 材 名 |

猪殃殃（药用部位：地上部分）。

| 形态特征 |

多枝、蔓生或攀缘状草本，植株矮小、细弱。茎有 4 角棱；棱上、叶缘、叶脉上均有倒生的小刺毛。叶纸质或近膜质，6 ~ 8 轮生，稀为 4 ~ 5，带状倒披针形或长圆状倒披针形，长 1 ~ 5.5 cm，宽 0.1 ~ 0.7 cm。先端有针状凸尖头，基部渐狭，两面常有紧贴的刺状毛，常萎软状，干时常卷缩，具 1 脉，近无柄。聚伞花序腋生或顶生，常单花，花小，4 基数，有纤细的花梗；花萼被钩毛，萼檐近平截；花冠黄绿色或白色，辐状，裂片长圆形，长不及 1 mm，镊合状排列；子房被毛，花柱 2 裂至中部，柱头头状。果实干燥，有 1 或 2 近球状的分果爿，直径达 5.5 mm，肿胀，密被钩毛；果柄直，长可达 2.5 cm，较粗。花期 3 ~ 7 月，果期 4 ~ 9 月。

| 生境分布 |

生于海拔 20 ~ 4 600 m 的山坡、旷野、沟边、河滩、田中、林缘、草地。分布于河北阜平、灵寿、滦平等。

| 资源情况 | 野生资源丰富。药材来源于野生。

| 采收加工 | 夏季花果期采收，除去泥沙，晒干或鲜用。

| 药材性状 | 本品茎细长，呈方柱形，多分枝，直径约 1 mm，干缩后具纵棱，表面深褐色或绿褐色，棱上有倒生的小刺；质脆，易折断，断面中空。叶 6 ~ 8，轮生，无柄；叶片多卷缩，破碎，完整者展平后呈披针形或条状倒披针形，长 1 ~ 2 cm，宽 0.2 ~ 0.4 cm，边缘及下表面有倒生小刺。聚伞花序腋生或顶生，花小，易脱落。果实小，2 心皮稍分离，各呈半球形，深褐色或绿褐色，密生白色钩毛。气微，味淡。

| 功能主治 | 辛，微寒。清热解毒，利尿消肿，止血。用于水肿，尿路感染，痢疾，便血尿血，跌扑损伤，痈肿疔疮，虫蛇咬伤。

| 用法用量 | 内服煎汤，15 ~ 30 g。外用适量，鲜品捣敷。

| 附　　注 | 本种与拉拉藤 *Galium aparine* var. *echinospermum* (Wallr.) Cuf. 的区别在于本种植株矮小、细弱；花序常单花；花期 3 ~ 7 月，果期 4 ~ 9 月。

茜草科 Rubiaceae 茜草属 Rubia

茜草
Rubia cordifolia L.

| 药 材 名 | 茜草（药用部位：根及根茎）。

| 形态特征 | 草质攀缘藤本，通常长 1.5 ~ 3.5 m。根茎及其节上的须根均为红色；茎数至多条，从根茎的节上发出，细长，方柱形，有 4 棱，棱上具倒生皮刺，中部以上多分枝。叶通常 4 轮生，纸质，披针形或长圆状披针形，长 0.7 ~ 3.5 cm，先端渐尖，有时钝尖，基部心形，边缘有齿状皮刺，两面粗糙，脉上有微小皮刺；基出脉 3，极少外侧有 1 对很小的基出脉；叶柄通常长 1 ~ 2.5 cm，有倒生皮刺。聚伞花序腋生和顶生，多回分枝，有花 10 余朵至数十朵，花序和分枝均细瘦，有微小皮刺；花冠淡黄色，干时淡褐色，盛开时花冠檐部直径 3 ~ 3.5 mm，花冠裂片近卵形，微伸展，长约 1.5 mm，外面无毛。

果实球形，直径通常 4 ~ 5 mm，成熟时橘黄色。花期 8 ~ 9 月，果期 10 ~ 11 月。

| **生境分布** | 生于疏林、林缘、灌丛或草地上。分布于河北隆化、滦平、内丘等。

| **资源情况** | 野生资源丰富。药材来源于野生。

| **采收加工** | 春、秋季采挖，除去泥沙，干燥。

| **药材性状** | 本品根茎呈结节状，丛生粗细不等的根。根呈圆柱形，略弯曲，长 10 ~ 25 cm，直径 0.2 ~ 1 cm；表面红棕色或暗棕色，具细纵皱纹和少数细根痕；皮部脱落处呈黄红色。质脆，易折断，断面平坦，皮部狭，紫红色，木质部宽广，浅黄红色，导管孔多数。气微，味微苦，久嚼刺舌。

| **功能主治** | 苦，寒。归肝经。凉血，祛瘀，止血，通经。用于吐血，衄血，崩漏，外伤出血，瘀阻经闭，关节痹痛，跌扑肿痛。

| **用法用量** | 内服煎汤，6 ~ 10 g。

茜草科 Rubiaceae 茜草属 *Rubia*

中国茜草 *Rubia chinensis* Regel et Maack

| 植物别名 | 大砧草。

| 药 材 名 | 中国茜草（药用部位：根及根茎）。

| 形态特征 | 多年生直立草本，高 30 ~ 60 cm。具有发达的紫红色须根。茎通常数条丛生，较少单生，不分枝或少分枝，具 4 直棱，棱上被上向钩状毛，有时老茎上的毛脱落。叶 4 轮生，薄纸质或近膜质，卵形至阔卵形，或椭圆形至阔椭圆形，先端短渐尖或渐尖，基部圆或阔楔尖，很少呈不明显心形，边缘有密缘毛，上面近无毛或基出脉上被短硬毛，下面被白色柔毛，叶通常长 4 ~ 9 cm，宽 2 ~ 4 cm；基出脉 5 或 7，纤细，两面微凸起；叶柄长 0.5 ~ 2 cm，上部叶有时近无柄。聚伞花序排成圆锥花序式，顶生和在茎的上部腋生，

通常结成大型、带叶的圆锥花序，花序轴和分枝均较纤细，无毛或被柔毛，长 15 ～ 30 cm；苞片披针形，长 1.5 ～ 2 mm；花梗长 2 ～ 5 mm，稍纤细；萼筒近球形，直径约 0.8 mm，干时黑色，无毛；花冠白色，干后变黄色，质地薄，花冠筒长 0.2 ～ 0.4 mm，裂片 5 ～ 6，卵形或近披针形，长 1.7 ～ 2 mm，有明显的 3 脉，先端尾尖；雄蕊 5 ～ 6，生于花冠筒近基部，花丝长 0.1 ～ 0.2 mm，花药长 0.1 mm。浆果近球形，直径约 4 mm，黑色。花期 5 ～ 7 月，果期 9 ～ 10 月。

| 生境分布 | 生于海拔 200 ～ 1 330 m 的山地林下、林缘和草甸。分布于河北阜平、迁安、武安等。

| 资源情况 | 野生资源丰富。药材来源于野生。

| 采收加工 | 春、秋季采挖，除去泥沙，干燥。

| 功能主治 | 苦，寒。归肝经。凉血，祛瘀，止血，通经。用于吐血，衄血，崩漏，外伤出血，瘀阻经闭，关节痹痛，跌扑肿痛。

| 用法用量 | 内服煎汤，6 ～ 10 g。

花葱
Polemonium coeruleum Linnaeus

植物别名

鱼翅菜、手参、电灯花。

药材名

花葱（药用部位：全草或根。别名：电灯花）。

形态特征

多年生草本。根匍匐，圆柱状，多纤维状须根。茎直立，高 0.5 ~ 1 m，无毛或被疏柔毛。羽状复叶互生，茎下部叶长可达 20 cm 或更多，茎上部叶长 7 ~ 14 cm，小叶 11 ~ 21，互生，长卵形至披针形，长 1.5 ~ 4 cm，宽 0.5 ~ 1.4 cm，先端锐尖或渐尖，基部近圆形，全缘，两面有疏柔毛或近无毛，无小叶柄；叶柄通常长 1.5 ~ 8 cm，生下部者长，生上部者短或无柄，与叶轴同被疏柔毛或近无毛。聚伞圆锥花序顶生或上部叶腋生，疏生多花；花梗长 3 ~ 5（~ 10）mm，连同总梗密生短腺毛或疏生长腺毛；花萼钟状，长 5 ~ 8 mm，被短腺毛或疏长腺毛，裂片长卵形、长圆形或卵状披针形，先端锐尖或具钝头，稀钝圆，与萼筒近等长；花冠紫蓝色，钟状，长 1 ~ 1.8 cm，裂片倒卵形，先端圆或偶渐狭，或略尖，边缘有疏或密的缘毛，或无缘毛；雄蕊着生于花冠筒基部之上，通常与花冠近等长，花药卵圆形，花丝基部簇生黄白色柔毛；子房球形，柱头稍伸出花冠之外。蒴果卵形，长 5 ～ 7 mm。种子褐色，纺锤形，长 3 ～ 3.5 mm，种皮具有膨胀性的黏液细胞，干后膜质，似种子有翅。

| 生境分布 | 生于海拔（1 000 ～）1 700 ～ 3 700 m 的山坡草丛、山谷疏林下、山坡路边灌丛或溪流附近湿处。分布于河北青龙、阜平、蔚县等。

| 资源情况 | 野生资源稀少。药材来源于野生。

| 采收加工 | 夏季花尚未开放时采收，洗净，切段，晒干。

| 功能主治 | 微苦，平。化痰，安神，止血。用于咳嗽痰多，癫痫，失眠，咯血，吐血，便血，月经过多。

| 用法用量 | 内服煎汤，3 ～ 10 g。

旋花科 Convolvulaceae 打碗花属 *Calystegia*

打碗花
Calystegia hederacea Wall.

| **植物别名** | 燕覆子、盘肠参、兔耳草。

| **药 材 名** | 面根藤（药用部位：全草或根。别名：兔儿苗、狗儿秧、盘肠参）。

| **形态特征** | 一年生草本。全体不被毛，植株通常矮小，高 8 ～ 30（～ 40）cm，常自基部分枝，具细长、白色的根。茎细，平卧，有细棱。基部叶片呈长圆形，长 2 ～ 3（～ 5.5）cm，宽 1 ～ 2.5 cm，先端圆，基部戟形，上部叶片 3 裂，中裂片呈长圆形或长圆状披针形，侧裂片近三角形，全缘或 2 ～ 3 裂，叶片基部呈心形或戟形；叶柄长 1 ～ 5 cm。花 1，腋生，花梗长于叶柄，有细棱；苞片呈宽卵形，长 0.8 ～ 1.6 cm，先端钝或锐尖至渐尖；萼片长圆形，长 0.6 ～ 1 cm，先端钝，具小短尖头，内萼片稍短；花冠淡紫色或淡红色，钟状，

长 2 ～ 4 cm，冠檐近截形或微裂；雄蕊近等长，花丝基部扩大，贴生于花冠筒基部，被小鳞毛；子房无毛，柱头 2 裂，裂片长圆形，扁平。蒴果卵球形，长约 1 cm，宿存萼片与之近等长或稍短。种子黑褐色，长 4 ～ 5 mm，表面有小疣状突起。

| **生境分布** | 生于平原至高海拔的各处。分布于河北灵寿、滦平、内丘、平泉等。

| **资源情况** | 野生资源丰富。药材来源于野生。

| **采收加工** | 夏、秋季采收，洗净，鲜用或晒干。

| **功能主治** | 甘、微苦，平。归肝、肾经。健脾，利湿，调经。用于脾胃虚弱，消化不良，小儿吐乳、疳积，五淋，带下，月经不调。

| **用法用量** | 内服煎汤，10 ～ 30 g。

旋花科 Convolvulaceae 打碗花属 Calystegia

藤长苗

Calystegia pellita (Ledeb.) G. Don

| 植物别名 |

狗儿秧、狗藤花、野兔子苗。

| 药 材 名 |

藤长苗（药用部位：全草）。

| 形态特征 |

多年生草本，根细长。茎缠绕或下部直立，圆柱形，有细棱，密被灰白色或黄褐色长柔毛，有时毛较少。叶呈长圆形或长圆状线形，长 4 ~ 10 cm，宽 0.5 ~ 2.5 cm，先端钝圆或锐尖，具小短尖头，基部圆形、截形或微呈戟形，全缘，两面被柔毛，通常背面沿中脉密被长柔毛，有时两面毛较少，叶脉在背面稍突起；叶柄长 0.2 ~ 1.5（~ 2）cm，毛被同茎。花腋生，单一，花梗短于叶，密被柔毛；苞片卵形，长 1.5 ~ 2.2 cm，先端钝，具小短尖头，外面密被褐黄色短柔毛，有时被毛较少，具有如叶脉般的中脉和侧脉；萼片近等长，长 0.9 ~ 1.2 cm，长圆状卵形，上部具黄褐色缘毛；花冠淡红色，漏斗状，长 4 ~ 5 cm，冠檐于瓣中带先端被黄褐色短柔毛；雄蕊花丝基部扩大，被小鳞毛；子房无毛，2 室，每室胚珠 2，柱头 2 裂，裂片长圆形，扁平。蒴果近球形，直径约 6 mm。种子卵圆形，无毛。

| **生境分布** | 生于海拔 380 ~ 700（~ 1 700）m 的平原路边、田边杂草中或山坡草丛。分布于河北邢台及丰宁等。

| **资源情况** | 野生资源丰富。药材来源于野生。

| **采收加工** | 夏、秋季采收，洗净，鲜用或晒干。

| **功能主治** | 益气利尿，强筋壮骨，活血祛瘀。

| **用法用量** | 内服煎汤，10 ~ 30 g。

| **附　　注** | 本种的毛被、叶形、叶柄长短有变异，有叶形大、叶柄长，则毛被少的趋势。

茑萝松 *Quamoclit pennata* Voigt

| 植物别名 | 茑萝、锦屏封、金丝线。

| 药 材 名 | 茑萝松（药用部位：全草或根。别名：金凤毛、女罗、锦屏封）。

| 形态特征 | 一年生缠绕草本，细弱，无毛。叶卵形或长圆形，长 2 ~ 10 cm，宽 1 ~ 6 cm，羽状深裂至中脉，具 10 ~ 18 对线形至丝状而平展的细裂片，裂片先端锐尖；叶柄长 8 ~ 40 mm，基部常具假托叶。花序腋生，由少数花组成聚伞花序；总花梗大多超过叶，长 1.5 ~ 10 cm；花直立，花梗较花萼长，长 9 ~ 20 mm，在果时增厚成棒状；萼片绿色，稍不等长，椭圆形至长圆状匙形，外面 1 稍短，长约 5 mm，先端钝而具小凸尖；花冠高脚碟状，长 2.5 cm 以上，深红色，无毛，花冠筒细弱，上部稍膨大，冠檐开展，直径 1.7 ~

2 cm，5浅裂；雄蕊及花柱伸出，花丝基部具毛；子房无毛。蒴果卵形，长7～8 mm，4室，4瓣裂，隔膜宿存，透明。种子4，卵状长圆形，长5～6 mm，黑褐色。

| **生境分布** | 生于山坡、路边、沟谷、草丛、灌丛和林下。分布于河北承德、保定等。

| **资源情况** | 野生资源丰富。药材来源于野生。

| **采收加工** | 夏、秋季采收，晒干；或随采随用。

| **药材性状** | 本品多缠绕成团。茎纤细，黄绿色，光滑无毛。叶枯绿色，互生，多皱缩，完整者展平后长3～6 cm，羽状细裂，裂片条状，有的基部再2裂，枯绿色，质脆易碎。有的可见聚伞花序，花条形，湿润后花冠筒较长，外表面淡红色，先端膨大，5浅裂，呈五角星状，深红色。气微，味淡。

| **功能主治** | 甘，寒。清热解毒，凉血止血。用于耳疔，痔漏，蛇咬伤。

| **用法用量** | 内服煎汤，15～30 g，鲜品大剂量可用至90 g。外用适量，捣敷。

| **附　注** | 本种广泛分布于我国秦岭以南地区，其对生长环境的要求不严，易于栽培。

旋花科 Convolvulaceae 番薯属 Ipomoea

番薯

Ipomoea batatas (L.) Lamarck

植物别名	甘薯、金薯。
药 材 名	番薯（药用部位：块根。别名：金薯、红薯、山芋）、番薯藤（药用部位：地上部分）。
形态特征	一年生草本。地下部分具圆形、椭圆形或纺锤形的块根，块根的形状、皮色和肉色因品种或土壤不同而异。茎平卧或上升，偶有缠绕，多分枝，圆柱形或具棱，绿色或紫色，被疏柔毛或无毛，茎节易生不定根。叶片的形状、颜色常因品种不同而异，有时在同一植株上亦具有不同叶形，通常为宽卵形，长 4 ~ 13 cm，宽 3 ~ 13 cm，全缘或 3 ~ 5（~ 7）裂，裂片宽卵形、三角状卵形或线状披针形，叶片基部心形或近平截，先端渐尖，两面被疏柔毛或近无毛，叶色有浓绿色、黄绿色、紫绿色等，顶叶的颜色为品种的特征之一；叶柄

长短不一，长 2.5 ~ 20 cm，被疏柔毛或无毛。聚伞花序腋生，有（1 ~ ）3 ~ 7
花聚集成伞形，花序梗长 2 ~ 10.5 cm，稍粗壮，无毛或有时被疏柔毛；苞片小，
披针形，长 2 ~ 4 mm，先端芒尖或骤尖，早落；花梗长 2 ~ 10 mm；萼片长圆
形或椭圆形，不等长，外萼片长 7 ~ 10 mm，内萼片长 8 ~ 11 mm，先端骤然
成芒尖状，无毛或疏生缘毛；花冠粉红色、白色、淡紫色或紫色，钟状或漏斗状，
长 3 ~ 4 cm，外面无毛；雄蕊及花柱内藏，花丝基部被毛；子房 2 ~ 4 室，被
毛或有时无毛。开花习性随品种和生长条件不同而异，有的品种容易开花，有
的品种在气候干旱时会开花，在气温高、日照短的地区常见开花，在温度较低
的地区很少开花。蒴果卵形或扁圆形，由假隔膜分为 4 室。种子 1 ~ 4，通常 2，
无毛。由于属于异花授粉，自花授粉常不结实，所以有时只见开花，不见结果。

| **生境分布** | 生于山坡、路边、沟谷、草丛、灌丛和林下。河北多地均有栽培。分布于河北
易县、永年等。

| **资源情况** | 野生资源一般，栽培资源丰富。药材主要来源于栽培。

| **采收加工** | 番薯：秋、冬季采挖，洗净，切片，晒干。
番薯藤：秋、冬季茎叶茂盛时采割，除去泥沙，干燥。

| **药材性状** | 番薯：本品常为类圆形斜切片，宽 2 ~ 4 cm，厚约 2 mm，偶见未去净的淡红
色或灰褐色外皮。切面白色或淡黄白色，粉性，可见淡黄棕色的筋脉点或线纹，
近皮部可见 1 圈淡黄棕色的环纹，质柔软，具弹性，可手弯成瓣状而不折断。
气清香，味甘甜。
番薯藤：本品茎呈扁圆柱形或圆柱形，略扭曲，有的分枝，长 20 ~ 150 cm，直
径 0.3 ~ 0.5 cm；表面淡棕色至棕褐色，有纵纹；质硬，易折断，断面髓部多中
空。叶互生，多皱缩，完整叶片展平后呈宽卵形或心状卵形，长 5 ~ 11 cm，宽
5 ~ 10 cm；全缘或分裂，先端渐尖，基部截形至心形；上表面灰绿色或棕褐色，
下表面色较浅，主脉明显；叶柄长 5 ~ 15 cm。有的带花，花紫红色或白色。蒴
果少见。气微，味甘、微涩。

| **功能主治** | 番薯：甘，平。归脾、肾经。补中和血，益气生津，宽肠胃，通便。
番薯藤：甘、涩，微凉。清热解毒，消肿止痛，止血。用于各种毒蛇咬伤，痈
疮，吐泻，便血，崩漏，乳汁不通。

| **用法用量** | 番薯：内服适量，生食或煮食。外用适量，捣敷。
番薯藤：内服煎汤，15 ~ 24 g。外用适量，生品捣汁涂。

旋花科 Convolvulaceae 番薯属 Ipomoea

牵牛

Ipomoea nil (Linn.) Roth

| 植物别名 | 牵牛花、喇叭花、筋角拉子。

| 药材名 | 牵牛子（药用部位：种子。别名：草金铃、黑牵牛、黑丑）。

| 形态特征 | 一年生缠绕草本。茎上被倒向的短柔毛，杂有倒向或开展的长硬毛。叶宽卵形或近圆形，深或浅地3裂，偶5裂，长4～15 cm，宽4.5～14 cm，基部圆，心形，中裂片长圆形或卵圆形，渐尖或骤尖，侧裂片较短，三角形，裂口锐或圆，叶面或疏或密被微硬的柔毛；叶柄长2～15 cm，毛被同茎。花腋生，单一或通常2着生于花序梗顶，花序梗长短不一，长1.5～18.5 cm，通常短于叶柄，有时较长，毛被同茎；苞片线形或叶状，被开展的微硬毛；花梗长2～7 mm；小苞片线形；萼片近等长，长2～2.5 cm，披针状

线形，内面 2 稍狭，外面被开展的刚毛，基部更密，有时也杂有短柔毛；花冠漏斗状，长 5 ~ 8（ ~ 10）cm，蓝紫色或紫红色，花冠管色淡；雄蕊及花柱内藏；雄蕊不等长；花丝基部被柔毛；子房无毛，柱头头状。蒴果近球形，直径 0.8 ~ 1.3 cm，3 瓣裂。种子卵状三棱形，黑褐色或米黄色，被褐色短绒毛。

| 生境分布 |　生于海拔 100 ~ 200（ ~ 1 600）m 的山坡灌丛、干燥河谷路边、园边宅旁、山地路边。分布于河北抚宁、巨鹿、沙河等。

| 资源情况 |　野生资源一般。药材来源于野生。

| 采收加工 |　秋末果实成熟、果壳未开裂时采割植株，晒干，打下种子，除去杂质。

| 药材性状 |　本品似橘瓣状，长 4 ~ 8 mm，宽 3 ~ 5 mm。表面灰黑色或淡黄白色，背面有 1 浅纵沟，腹面棱线的下端有 1 点状种脐，微凹。质硬，横切面可见淡黄色或黄绿色、皱缩折叠的子叶，微显油性。气微，味辛、苦，有麻舌感。

| 功能主治 |　苦，寒；有毒。归肺、肾、大肠经。泻水通便，消痰涤饮，杀虫攻积。用于水肿胀满，二便不通，痰饮积聚，气逆喘咳，虫积腹痛。

| 用法用量 |　内服煎汤，3 ~ 6 g；或入丸、散剂，每次 1.5 ~ 3 g。

旋花科 Convolvulaceae 番薯属 Ipomoea

圆叶牵牛

Ipomoea purpurea Lam.

| **植物别名** | 牵牛花、喇叭花、连簪簪。

| **药材名** | 牵牛子（药用部位：种子。别名：草金铃、黑牵牛、黑丑）。

| **形态特征** | 一年生缠绕草本。茎上被倒向的短柔毛，杂有开展的长硬毛。叶圆心形或宽卵状心形，长 4 ~ 18 cm，宽 3.5 ~ 16.5 cm，基部圆，心形，先端锐尖、渐尖，通常全缘，偶有 3 裂，两面疏或密被刚伏毛；叶柄长 2 ~ 12 cm，毛被同茎。花腋生，单一或 2 ~ 5 着生于花序梗先端成伞形聚伞花序，花序梗比叶柄短或近等长，长 4 ~ 12 cm，毛被同茎；苞片线形，长 6 ~ 7 mm，被开展的长硬毛；花梗长 1.2 ~ 1.5 cm，被倒向短柔毛及长硬毛；萼片近等长，长 1.1 ~ 1.6 cm，外面 3 长椭圆形，渐尖，内面 2 线状披针形，外面均被开

展的硬毛，基部更密；花冠漏斗状，长 4 ~ 6 cm，紫红色、红色或白色，花冠管通常白色，瓣中带于内面色深，外面色淡；雄蕊与花柱内藏；雄蕊不等长，花丝基部被柔毛；子房无毛，3 室，每室胚珠 2，柱头头状；花盘环状。蒴果近球形，直径 9 ~ 10 mm，3 瓣裂。种子卵状三棱形，黑褐色或米黄色，被极短的糠秕状毛。

| 生境分布 | 生于海拔 2 800 m 以下的田边、路边、宅旁或山谷内。分布于河北万全、涉县、峰峰矿区等。

| 资源情况 | 野生资源丰富。药材来源于野生。

| 采收加工 | 秋末果实成熟、果壳未开裂时采割植株，晒干，打下种子，除去杂质。

| 药材性状 | 本品似橘瓣状，长 4 ~ 8 mm，宽 3 ~ 5 mm。表面灰黑色或淡黄白色，背面有 1 浅纵沟，腹面棱线的下端有 1 点状种脐，微凹。质硬，横切面可见淡黄色或黄绿色、皱缩折叠的子叶，微显油性。气微，味辛、苦，有麻舌感。

| 功能主治 | 苦，寒；有毒。归肺、肾、大肠经。泻水通便，消痰涤饮，杀虫攻积。用于水肿胀满，二便不通，痰饮积聚，气逆喘咳，虫积腹痛。

| 用法用量 | 内服煎汤，3 ~ 6 g；或入丸、散剂，每次 1.5 ~ 3 g。

| 附　注 | 本种原产于美洲热带地区，被广泛引种于世界各地，或已成为归化植物。1890 年我国已有栽培。本种适应性较强，故分布广泛，目前已成为庭院常见杂草，有时危害草坪和灌木。

金灯藤 Cuscuta japonica Choisy

| 植物别名 | 大菟丝子、日本菟丝子、金灯笼。

| 药 材 名 | 大菟丝子（药用部位：种子。别名：吐丝子、龙须子、黄丝子）、
菟丝（药用部位：全草。别名：金线草、黄丝草、盘死豆）。

| 形态特征 | 一年生寄生缠绕草本。茎较粗壮，肉质，直径 1 ~ 2 mm，黄色，常
带紫红色瘤状斑点，无毛，多分枝，无叶。花无柄或几无柄，形成
穗状花序，长达 3 cm，基部常多分枝；苞片及小苞片鳞片状，卵圆
形，长约 2 mm，先端尖，全缘，沿背部增厚；花萼碗状，肉质，长
约 2 mm，5 裂几达基部，裂片卵圆形或近圆形，等长或不等长，先
端尖，背面常有紫红色瘤状突起；花冠钟状，淡红色或绿白色，长
3 ~ 5 mm，先端 5 浅裂，裂片卵状三角形，钝，直立或稍反折；雄

蕊 5，着生于花冠喉部裂片之间，花药卵圆形，黄色，花丝无或几无；鳞片 5，长圆形，边缘流苏状，着生于花冠筒基部，伸长至花冠筒中部或中部以上；子房球状，平滑，无毛，2 室，花柱细长，合生为 1，与子房等长或稍长，柱头 2 裂。蒴果卵圆形，长约 5 mm，近基部周裂。种子 1 ~ 2，光滑，褐色。花期 8 月，果期 9 月。

| **生境分布** | 寄生于草本或灌木上。分布于河北磁县、内丘、蔚县等。

| **资源情况** | 野生资源丰富。药材来源于野生。

| **采收加工** | **大菟丝子**：秋季果实成熟时采收，干燥，打下种子，除去杂质。
菟丝：秋季采收，晒干或鲜用。

| **药材性状** | **大菟丝子**：本品呈类圆球形或略显三棱形，直径 2 ~ 3 mm。表面黄棕色、棕褐色或淡黄色，微凹陷，种脐圆形，色稍淡。质坚硬，用指甲不易压碎。气微，味微涩，嚼之微有黏滑感。
菟丝：本品干燥茎多缠绕成团，呈棕黄色，柔细，直径约 1 mm。叶退化成鳞片状，多脱落。花簇生于茎节，呈球形。果实圆形或扁球形，大小不一，棕黄色。气微，味苦。

| **功能主治** | **大菟丝子**：甘，温。归肝、肾、脾经。补肝益肾，固精缩尿，安胎，明目，止泻。用于阳痿遗精，尿后余沥，夜尿频数或遗尿，腰膝酸软，目昏耳鸣，肾虚胎漏，胎动不安，脾肾虚泻；外用于白癜风。
菟丝：苦、甘，平。清热解毒，凉血止血，健脾利湿。用于痢疾，黄疸，吐血，便血，血崩，淋浊，带下，便溏，目赤肿痛，咽喉肿痛，痈疽肿毒，痱子。

| **用法用量** | **大菟丝子**：内服煎汤，6 ~ 12 g。外用适量，煎汤洗；或捣敷；或捣汁涂。
菟丝：内服煎汤，9 ~ 15 g；或研末。外用适量，煎汤洗；或捣敷；或捣汁涂、滴。

| **附　　注** | 本种的种子药用，功效同"菟丝子"。其寄生习性对一些木本植物造成危害。

南方菟丝子

Cuscuta australis R. Br.

| 植物别名 | 女萝、金线藤、飞扬藤。

| 药 材 名 | 菟丝子（药用部位：种子。别名：吐丝子、龙须子、黄丝子）、金丝草（药用部位：茎）、菟丝（药用部位：全草。别名：金线草、黄丝草、盘死豆）。

| 形态特征 | 一年生寄生草本。茎缠绕，金黄色，纤细，直径约 1 mm，无叶。花序侧生，少花或多花簇生成小伞形或小团伞花序，总花序梗近无；苞片及小苞片均小，鳞片状；花梗稍粗壮，长 1 ~ 2.5 mm；花萼杯状，基部联合，裂片 3 ~ 4 ~ 5，长圆形或近圆形，通常不等大，长 0.8 ~ 1.8 mm，先端圆；花冠乳白色或淡黄色，杯状，长约 2 mm，裂片卵形或长圆形，先端圆，约与花冠管近等长，直立，

宿存；雄蕊着生于花冠裂片弯缺处，比花冠裂片稍短；鳞片小，边缘短流苏状；子房扁球形，花柱 2，等长或稍不等长，柱头球形。蒴果扁球形，直径 3 ~ 4 mm，下半部为宿存花冠所包，成熟时不规则开裂，不为周裂；种子通常 4，淡褐色，卵形，长约 1.5 mm，表面粗糙。

| 生境分布 | 寄生于海拔 50 ~ 2 000 m 的田边和路旁的豆科、菊科蒿属、马鞭草科牡荆属等草本或小灌木上。分布于河北井陉、平泉、平山、武安等。

| 资源情况 | 野生资源丰富。药材来源于野生。

| 采收加工 | 菟丝子：秋季果实成熟时采收植株，晒干，打下种子，除去杂质。
金丝草：夏、秋季采收，晒干。
菟丝：秋季采收，晒干或鲜用。

| 药材性状 | 菟丝子：本品呈类球形，直径 1 ~ 2 mm。表面灰棕色至棕褐色，粗糙，种脐线形或扁圆形。质坚实，不易以指甲压碎。气微，味淡。
金丝草：本品纤细，棕黄色，直径不逾 1 mm，多缠结成团。表面具纵皱纹，节处多分枝，有结节状的吸盘。气微甘，味淡。
菟丝：本品干燥茎多缠绕成团，呈棕黄色，柔细，直径约 1 mm。叶退化成鳞片状，多脱落。花簇生于茎节，呈球形。果实圆形或扁球形，大小不一，棕黄色。气微，味苦。

| 功能主治 | 菟丝子：辛、甘，平。归肝、肾、脾经。补益肝肾，固精缩尿，安胎，明目，止泻；外用消风祛斑。用于肝肾不足所致的腰膝酸软、阳痿遗精、遗尿尿频，肾虚胎漏，胎动不安，目昏耳鸣，脾肾虚泻；外用于白癜风。
金丝草：甘，平。利水消肿。用于水肿胀满。
菟丝：苦、甘，平。清热解毒，凉血止血，健脾利湿。用于痢疾，黄疸，吐血，便血，血崩，淋浊，带下，便溏，目赤肿痛，咽喉肿痛，痈疽肿毒，痱子。

| 用法用量 | 菟丝子：内服煎汤，6 ~ 12 g。外用适量，研末调敷。
金丝草：内服煎汤，4.5 ~ 9 g。
菟丝：内服煎汤，9 ~ 15 g；或研末。外用适量，煎汤洗；或捣敷；或捣汁涂、滴。

| 附 注 | 本亚属植物 *Cuscuta campestris* Yuncker 与本种的区别在于花冠裂片宽三角形，先端锐尖，常反折。

旋花科 Convolvulaceae 菟丝子属 Cuscuta

欧洲菟丝子 *Cuscuta europaea* L.

| 植物别名 | 大菟丝子、苜蓿菟丝子、金灯藤。

| 药 材 名 | 欧洲菟丝子（药用部位：种子）。

| 形态特征 | 一年生寄生草本。茎缠绕，带黄色或带红色，纤细，毛发状，直径不超过 1 mm，无叶。花序侧生，少花或多花密集成团伞花序，花梗长 1.5 mm 或更短；花萼杯状，中部以下联合，裂片 4 ～ 5，有时不等大，三角状卵形，长 1.5 mm；花冠淡红色，壶形，长 2.5 ～ 3 mm，裂片 4 ～ 5，三角状卵形，通常外反，宿存；雄蕊着生于花冠凹缺微下处，花药卵圆形，花丝比花药长；鳞片薄，倒卵形，着生于花冠基部之上、花丝之下，先端 2 裂或不分裂，边缘流苏较少；子房近球形，花柱 2，柱头棒状，下弯或叉开，与花柱近等长，花柱和

柱头短于子房。蒴果近球形，直径约 3 mm，上部覆以宿存的花冠，成熟时整齐地周裂。种子通常 4，淡褐色，椭圆形，长约 1 mm，表面粗糙。

| 生境分布 | 寄生于海拔 840 ~ 3 100 m 的路边草丛阳处、河边、山地的菊科、豆科、藜科等草本植物上。分布于河北沙河等。

| 资源情况 | 野生资源稀少。药材来源于野生。

| 采收加工 | 秋季果实成熟时采收植株，晒干，打下种子，除去杂质。

| 功能主治 | 辛、甘、平。归肝、肾、脾经。补益肝肾，固精缩尿，安胎，明目，止泻；外用消风祛斑。用于肝肾不足所致的腰膝酸软、阳痿遗精、遗尿尿频，肾虚胎漏，胎动不安，目昏耳鸣，脾肾虚泻；外用于白癜风。

| 用法用量 | 内服煎汤，6 ~ 12 g。外用适量，研末调敷。

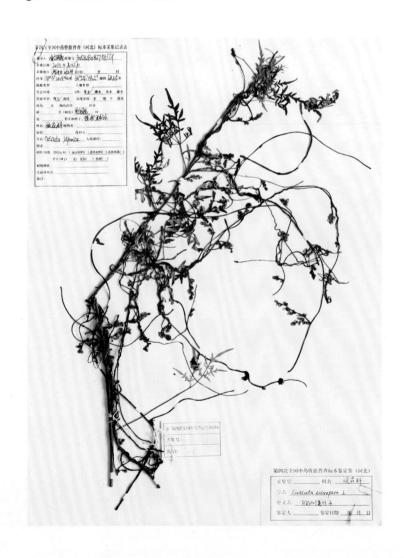

菟丝子 *Cuscuta chinensis* Lam.

| 植物别名 | 豆阁王、山麻子、无根草。

| 药 材 名 | 菟丝子（药用部位：种子。别名：吐丝子、龙须子、黄丝子）、金丝草（药用部位：茎）、菟丝（药用部位：全草。别名：金线草、黄丝草、盘死豆）。

| 形态特征 | 一年生寄生草本。茎缠绕，黄色，纤细，直径约 1 mm，无叶。花序侧生，少花或多花簇生成小伞形或小团伞花序，近无总花序梗；苞片及小苞片小，鳞片状；花梗稍粗壮，长约 1 mm；花萼杯状，中部以下联合，裂片三角形，长约 1.5 mm，先端钝；花冠白色，壶形，长约 3 mm，裂片三角状卵形，先端锐尖或钝，向外反折，宿存；雄蕊着生于花冠裂片弯缺微下处；鳞片长圆形，边缘长流苏状；子房

近球形，花柱 2，等长或不等长，柱头球形。蒴果球形，直径约 3 mm，几乎全为宿存的花冠所包围，成熟时整齐地周裂。种子 2 ~ 4，淡褐色，卵形，长约 1 mm，表面粗糙。

| 生境分布 | 寄生于海拔 200 ~ 3 000 m 的田边、山坡阳处、路边灌丛或海边沙丘的豆科、菊科、蒺藜科等多种植物上。分布于河北内丘、平山、迁西等。

| 资源情况 | 野生资源丰富。药材主要来源于野生。

| 采收加工 | 菟丝子：秋季果实成熟时采收植株，晒干，打下种子，除去杂质。
金丝草：夏、秋季采收，晒干。
菟丝：秋季采收，晒干或鲜用。

| 药材性状 | 菟丝子：本品呈类球形，直径 1 ~ 2 mm。表面灰棕色至棕褐色，粗糙，种脐线形或扁圆形。质坚实，不易以指甲压碎。气微，味淡。
金丝草：本品茎纤细，棕黄色，直径不逾 1 mm，多缠结成团。表面具纵皱纹，节处多分枝，有结节状的吸盘。气微甘，味淡。
菟丝：本品干燥茎多缠绕成团，呈棕黄色，柔细，直径约 1 mm。叶退化成鳞片状，多脱落。花簇生于茎节，呈球形。果实圆形或扁球形，大小不一，棕黄色。气微，味苦。

| 功能主治 | 菟丝子：辛、甘，平。归肝、肾、脾经。补益肝肾，固精缩尿，安胎，明目，止泻；外用消风祛斑。用于肝肾不足所致的腰膝酸软、阳痿遗精、遗尿尿频，肾虚胎漏，胎动不安，目昏耳鸣，脾肾虚泻；外用于白癜风。
金丝草：甘，平。利水消肿。用于水肿胀满。
菟丝：苦、甘，平。清热解毒，凉血止血，健脾利湿。用于痢疾，黄疸，吐血，便血，血崩，淋浊，带下，便溏，目赤肿痛，咽喉肿痛，痈疽肿毒，痱子。

| 用法用量 | 菟丝子：内服煎汤，6 ~ 12 g。外用适量，研末调敷。
金丝草：内服煎汤，4.5 ~ 9 g。
菟丝：内服煎汤，9 ~ 15 g；或研末。外用适量，煎汤洗；或捣敷；或捣汁涂、滴。

| 附　注 | 近年来，随着菟丝子临床需求的不断增加，加之菟丝子资源主要为野生，且年产量有限，导致菟丝子供不应求。

旋花科 Convolvulaceae 旋花属 Convolvulus

刺旋花
Convolvulus tragacanthoides Turcz.

| 植物别名 | 木旋花。

| 药 材 名 | 刺旋花（药用部位：全草）。

| 形态特征 | 匍匐有刺亚灌木。全体被银灰色绢毛，高 4 ~ 10（~ 15）cm。茎
密集分枝，呈披散垫状；小枝坚硬，具刺。叶狭线形，稀倒披针形，
长 0.5 ~ 2 cm，宽 0.5 ~ 0.4（~ 0.6）mm，先端圆形，基部渐狭，
无柄，均密被银灰色绢毛。花 2 ~ 5（~ 6）密生于枝端，稀单花，
花枝有时伸长，无刺，花梗长 2 ~ 5 mm，密被半贴生绢毛；萼片
长 5 ~ 7（~ 8）mm，椭圆形或长圆状倒卵形，先端短渐尖，或骤
细成尖端，外面被棕黄色毛；花冠漏斗形，长 15 ~ 25 mm，粉红色，
具 5 密生毛的瓣中带，5 浅裂；雄蕊 5，不等长，花丝丝状，无毛，

基部扩大，较花冠短一半；雌蕊较雄蕊长，子房有毛，2 室，每室胚珠 2，花柱丝状，柱头 2，线形。蒴果球形，有毛，长 4 ~ 6 mm。种子卵圆形，无毛。花期 5 ~ 7 月。

| **生境分布** | 生于石缝中及戈壁滩。分布于河北涿鹿等。

| **资源情况** | 野生资源丰富。药材来源于野生。

| **采收加工** | 夏、秋季采收，洗净，鲜用，或切段，晒干。

| **功能主治** | 辛，温；有毒。归肾经。调经，健脾益胃，利尿。用于月经不调，带下，脾胃虚弱，消化不良，糖尿病。

| **用法用量** | 内服煎汤，6 ~ 10 g。外用适量，浸酒涂。

旋花科 Convolvulaceae 旋花属 Convolvulus

田旋花 Convolvulus arvensis L.

| **植物别名** | 中国旋花、箭叶旋花、扶田秧。

| **药 材 名** | 田旋花（药用部位：全草或花。别名：燕子草、白花藤、田福花）。

| **形态特征** | 多年生草本。根茎横走，茎平卧或缠绕，有条纹及棱角，无毛或上部被疏柔毛。叶卵状长圆形至披针形，长 1.5 ~ 5 cm，宽 1 ~ 3 cm，先端钝或具小短尖头，基部大多呈戟形，或箭形及心形，全缘或 3 裂，侧裂片展开，微尖，中裂片卵状椭圆形、狭三角形或披针状长圆形，微尖或近圆；叶柄较叶片短，长 1 ~ 2 cm；叶脉羽状，基部掌状。花序腋生，总梗长 3 ~ 8 cm，单花或有时 2 ~ 3 花至多花，花梗较花萼长得多；苞片 2，线形，长约 3 mm；萼片有毛，长 3.5 ~ 5 mm，稍不等，2 外萼片稍短，长圆状椭圆形，钝，具短缘

毛，内萼片近圆形，钝或稍凹，多少具小短尖头，边缘膜质；花冠宽漏斗形，长 15 ~ 26 mm，白色或粉红色，或白色、具粉红色或红色的瓣中带，或粉红色、具红色或白色的瓣中带，5 浅裂；雄蕊 5，稍不等长，较花冠短一半，花丝基部扩大，具小鳞毛；雌蕊较雄蕊稍长，子房有毛，2 室，每室 2 胚珠，柱头 2，线形。蒴果卵状球形或圆锥形，无毛，长 5 ~ 8 mm。种子 4，卵圆形，无毛，长 3 ~ 4 mm，暗褐色或黑色。

| **生境分布** | 生于耕地及荒坡草地上。分布于河北沽源、行唐、井陉等。

| **资源情况** | 野生资源丰富。药材来源于野生。

| **采收加工** | 夏、秋季采收全草，洗净，鲜用，或切段，晒干。6 ~ 8 月开花时摘取花，鲜用或晾干。

| **药材性状** | 本品多皱缩卷曲成团状，根茎细长，具须根。茎细圆柱形，具棱角及条纹，上部被疏毛。叶互生，多卷曲或脱落，完整者展平后呈三角状卵形、卵状长圆形或狭披针形，宽 0.4 ~ 3 cm，先端钝圆，具小尖头，基部戟形、心形或箭形，全缘。花序腋生，花 1 ~ 3；花冠宽漏斗状，白色或粉红色，花梗细弱，长 3 ~ 8 cm。蒴果类球形。种子 4，黑褐色。气微，味咸。

| **功能主治** | 辛，温；有毒。祛风，止痛，止痒。用于风湿痹痛，牙痛，神经性皮炎。

| **用法用量** | 内服煎汤，6 ~ 10 g。外用适量，浸酒涂。

银灰旋花 *Convolvulus ammannii* Desr.

| 植物别名 | 小旋花、亚氏旋花、彩木。

| 药 材 名 | 小旋花（药用部位：全草。别名：彩木）。

| 形态特征 | 多年生草本。根茎短，木质化，茎少数或多数，高 2 ~ 10（~ 15）cm，平卧或上升，枝和叶密被贴生（稀半贴生）银灰色绢毛。叶互生，线形或狭披针形，长 1 ~ 2 cm，宽 0.1 ~ 0.4 cm，先端锐尖，基部狭，无柄。花单生于枝端，具细花梗，长 0.5 ~ 7 cm；萼片 5，长 4 ~ 7 mm，外萼片长圆形或长圆状椭圆形，近锐尖或稍渐尖；内萼片较宽，椭圆形，渐尖，密被贴生银色毛；花冠小，漏斗状，长 9 ~ 15 mm，淡玫瑰色或白色、带紫色条纹，有毛，5 浅裂；雄蕊 5，较花冠短一半，基部稍扩大；雌蕊无毛，较雄蕊稍长，子房 2 室，每

室胚珠 2，花柱 2 裂，柱头 2，线形。蒴果球形，2 裂，长 4 ~ 5 mm。种子 2 ~ 3，卵圆形，光滑，具喙，淡褐红色。

| **生境分布** | 生于干旱山坡草地或路旁。分布于河北怀安、张北、涿鹿等。

| **资源情况** | 野生资源丰富。药材来源于野生。

| **采收加工** | 夏、秋季采收，切段，晒干。

| **药材性状** | 本品长 2 ~ 12 cm，地上部分被银灰色丝状毛。根茎短，木质化。茎多分枝，细弱而弯曲；质脆，易折断。叶互生，多皱缩或脱落，完整者展平后呈条形或狭披针形，长 1 ~ 2 cm，先端尖，基部狭；无柄。花小，单生于枝端，具细花梗；花冠漏斗状，淡紫色或白色。蒴果球形，2 裂。种子 2 ~ 3，卵圆形，淡褐红色，光滑。气微，味辛。

| **功能主治** | 辛，温。解表，止咳。用于感冒，咳嗽。

| **用法用量** | 内服煎汤，6 ~ 10 g。

旋花科 Convolvulaceae 鱼黄草属 Merremia

北鱼黄草
Merremia sibirica (Linn.) Hall. f.

| 植物别名 | 北茉栾藤、西伯利亚鱼黄草、钻之灵。

| 药 材 名 | 北鱼黄草（药用部位：全草。别名：钻芝灵、小瓠花）、铃当子（药用部位：种子）。

| 形态特征 | 缠绕草本，植株各部分近无毛。茎圆柱状，具细棱。叶卵状心形，长 3 ~ 13 cm，宽 1.7 ~ 7.5 cm，先端长渐尖或尾状渐尖，基部心形，全缘或稍呈波状，侧脉 7 ~ 9 对，纤细，近平行射出，近边缘弧曲向上；叶柄长 2 ~ 7 cm，基部具小耳状假托叶。聚伞花序腋生，有（1 ~)3 ~ 7 花，花序梗通常比叶柄短，有时超出叶柄，长 1 ~ 6.5 cm，明显具棱或狭翅；苞片小，线形；花梗长 0.3 ~ 0.9（~ 1.5）cm，向上增粗；萼片椭圆形，近相等，长 0.5 ~ 0.7 cm，先端明显具钻

状短尖头，无毛；花冠淡红色，钟状，长 1.2 ～ 1.9 cm，无毛，冠檐具三角形裂片；花药不扭曲；子房无毛，2 室。蒴果近球形，先端圆，高 5 ～ 7 mm，无毛，4 瓣裂。种子 4 或较少，黑色，椭圆状三棱形，先端钝圆，无毛。

| 生境分布 | 生于海拔 600 ～ 2 800 m 的路边、田边、山地草丛或山坡灌丛。分布于河北内丘等。

| 资源情况 | 野生资源丰富。药材来源于野生。

| 采收加工 | 北鱼黄草：夏季采收，洗净，鲜用或晒干。
铃当子：秋季采收果实，晒干，打下种子，除去杂质。

| 药材性状 | 铃当子：本品呈卵形，多为圆球体的 1/4，长 4 ～ 6 mm，宽 3 ～ 5 mm。表面灰褐色，被金黄色鳞片状非腺毛，脱落处粗糙，呈小凹点状。背面弓形隆起，中央有浅纵沟，腹面具 1 棱线，种脐明显，在棱线与背面交界处呈缺刻状。质硬，横切面淡黄色，可见 2 皱缩折叠的子叶。气微，味微辛、辣。

| 功能主治 | 北鱼黄草：辛、微苦，微寒。活血解毒。用于劳伤疼痛，疔疮。
铃当子：泻下消积。用于大便秘结，食积腹胀。

| 用法用量 | 北鱼黄草：内服煎汤，3 ～ 10 g。外用适量，捣敷。
铃当子：内服研末，1.5 ～ 3 g。

| 附　注 | 囊毛鱼黄草（变种）*Merremia sibirica* (Linn.) Hall. f. var. *vesiculosa* C. Y. Wu 与本种的区别在于蒴果较大，圆锥状卵形，先端钝尖，高 9 ～ 14 mm，直径 6 ～ 8 mm；种子长椭圆状三棱形，长 6 ～ 8 mm，密被囊状毛。大籽鱼黄草（变种）*Merremia sibirica* (L.) Hall. f. var. *macrosperma* C. C. Huang 与本种的区别在于蒴果宽卵圆形而先端锐尖；种子较大，长 4 ～ 7 mm，先端钝尖，无毛。毛籽鱼黄草（变种）*Merremia sibirica* (L.) Hall. f. var. *trichosperma* C. C. Huang 与本种的区别在于种子被糠秕状鳞片毛，长约 4 mm；花常白色，冠檐裂片钝圆；果实卵状圆锥形，高 8 ～ 10 mm。

紫草科 Boraginaceae 斑种草属 Bothriospermum

斑种草

Bothriospermum chinense Bge.

| 药 材 名 |

斑种草（药用部位：全草）。

| 形态特征 |

一年生草本，稀为二年生，高 20 ～ 30 cm，密生开展或向上的硬毛。根为直根，细长，不分枝。茎数条丛生，直立或斜升，由中部以上分枝或不分枝。基生叶及茎下部叶具长柄，匙形或倒披针形，通常长 3 ～ 6 cm，稀达 12 cm，宽 1 ～ 1.5 cm，先端圆钝，基部渐狭为叶柄，边缘皱波状或近全缘，上下两面均被基部具基盘的长硬毛及伏毛；茎中部及上部叶无柄，长圆形或狭长圆形，长 1.5 ～ 2.5 cm，宽 0.5 ～ 1 cm，先端尖，基部楔形或宽楔形，上面被向上贴伏的硬毛，下面被硬毛及伏毛。花序长 5 ～ 15 cm，具苞片；苞片卵形或狭卵形；花梗短，花期长 2 ～ 3 mm，果期伸长；花萼长 2.5 ～ 4 mm，外面密生向上开展的硬毛及短伏毛，裂片披针形，裂至近基部；花冠淡蓝色，长 3.5 ～ 4 mm，檐部直径 4 ～ 5 mm，裂片圆形，长、宽均 1 mm，喉部有 5 先端深 2 裂的梯形附属物；花药卵圆形或长圆形，长约 0.7 mm，花丝极短，着生于花冠筒基部以上 1 mm 处；花柱短，长约为花萼的

1/2。小坚果肾形，长约 2.5 mm，有网状折皱及稠密的粒状突起，腹面有椭圆形的横向凹陷。4 ~ 6 月开花。

| 生境分布 | 生于海拔 100 ~ 1 600 m 的荒野路边、山坡草丛及竹林下。分布于河北峰峰矿区等。

| 资源情况 | 野生资源丰富。药材来源于野生。

| 采收加工 | 夏、秋季采收，洗净，鲜用或晒干。

| 功能主治 | 微苦，凉。归胃、大肠经。清热燥湿，解毒消肿。用于湿疮，湿疹。

| 用法用量 | 内服煎汤，9 ~ 15 g。

紫草科 Boraginaceae 斑种草属 *Bothriospermum*

多苞斑种草
Bothriospermum secundum Maxim.

| 药 材 名 | 野山蚂蟥（药用部位：全草。别名：山蚂蟥、毛萝菜）。

| 形态特征 | 一年生或二年生草本，高 25 ～ 40 cm。具直伸的根。茎单一或数条丛生，由基部分枝，分枝通常细弱，稀粗壮，开展或向上直伸，被向上开展的硬毛及伏毛。基生叶具柄，倒卵状长圆形，长 2 ～ 5 cm，先端钝，基部渐狭为叶柄；茎生叶长圆形或卵状披针形，长 2 ～ 4 cm，宽 0.5 ～ 1 cm，无柄，两面均被基部具基盘的硬毛。花序生于茎顶及腋生于枝条先端，长 10 ～ 20 cm，花与苞片依次排列，而各偏于一侧；苞片长圆形或卵状披针形，长 5 ～ 15 mm，宽 0.3 ～ 0.5 mm，被硬毛及短伏毛；花梗长 2 ～ 3 mm，果期不增长或稍增长，下垂；花萼长 2.5 ～ 3 mm，外面密生硬毛，裂片披针形，裂至基部；花冠蓝色至淡蓝色，长 3 ～ 4 mm，檐部直

径约 5 mm，裂片圆形，喉部附属物梯形，高约 0.8 mm，先端微凹；花药长圆形，长与附属物近相等，花丝极短，着生于花冠筒基部以上 1 mm 处；花柱圆柱形，极短，约为花萼的 1/3，柱头头状。小坚果卵状椭圆形，长约 2 mm，密生疣状突起，腹面有纵向椭圆形的环状凹陷。花期 5 ~ 7 月。

| 生境分布 | 生于海拔 250 ~ 2 100 m 的山坡、道旁、河床、农田路边及山坡林缘灌木林下、山谷溪边阴湿处等。分布于河北邢台及武安、赞皇等。

| 资源情况 | 野生资源丰富。药材来源于野生。

| 采收加工 | 春、夏季采收，除去杂质，鲜用或晒干。

| 功能主治 | 苦，凉。归肺、肝经。祛风，利水，解疮毒。用于水肿，疮毒。

| 用法用量 | 内服煎汤，3 ~ 9 g。外用适量，煎汤洗。

紫草科 Boraginaceae 附地菜属 Trigonotis

钝萼附地菜 *Trigonotis peduncularis* var. *amblyosepala* (Nakai & Kitagawa) W. T. Wang

| 药 材 名 | 钝萼附地菜（药用部位：全草）。

| 形态特征 | 一年生或二年生草本。茎多条丛生，斜升或铺散，高 7 ~ 40 cm，基部多分枝，被短伏毛。基生叶密集，铺散，有长柄，叶片通常匙形或狭椭圆形；茎下部叶似基生叶，狭椭圆形、狭卵形、长圆状倒卵形或椭圆形，长 1 ~ 2.5（~ 3）cm，宽 0.5 ~ 1 cm，先端圆钝，基部楔形，两面被短伏毛，有短柄；茎上部叶较短而狭，几无柄。花序生于茎及小枝先端，幼时卷曲，后渐次延伸，长达 20 cm，只在基部具数个叶状苞片；花梗细弱，花期长 3 ~ 5 mm，果期长达 10 mm，平伸或斜上；花萼 5 深裂，裂片倒卵状长圆形或狭匙形，先端圆钝，花期直立，长约 1.3 mm，果期开展，长达 3.5 mm；花冠蓝色，筒部长约 1.5 mm，檐部直径 3.5 ~ 4 mm，裂片宽倒卵形，

长约 2 mm，平展，先端圆钝，喉部附属物 5，黄色；花药椭圆形，黄色，长约 0.6 mm，先端具短尖；子房 4 裂，花柱短，长约 0.6 mm，先端具头状柱头。小坚果 4，直立，斜三棱锥状四面体形，长约 1 mm，有短毛，背面凸起，呈三角状卵形，先端尖，具 3 锐棱，腹面两侧面近等大，基底面较小且略凸起，内侧具短柄，柄较粗，向一侧弯曲。早春即开花，花果期较长。

| **生境分布** | 生于低山坡草地、林缘、灌丛或田间、荒野。分布于河北灵寿、滦平、辛集等。

| **资源情况** | 野生资源丰富。药材来源于野生。

| **采收加工** | 初夏采收，鲜用或晒干。

| **功能主治** | 清热，消炎，止痛。

| **用法用量** | 内服煎汤，15 ~ 30 g；或研末。外用适量，捣敷。

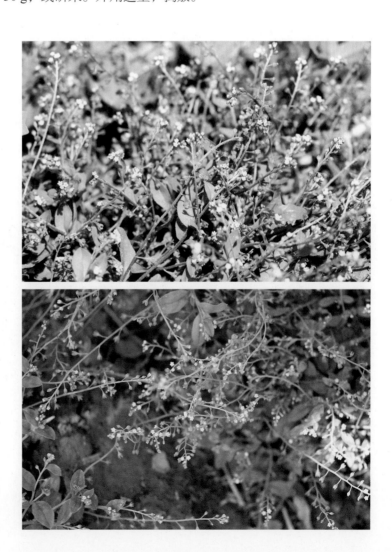

附地菜

Trigonotis peduncularis (Trev.) Benth. ex Baker et Moore

| **植物别名** | 地胡椒、黄瓜香。

| **药 材 名** | 附地菜（药用部位：全草。别名：鸡肠、鸡肠草、地胡椒）。

| **形态特征** | 一年生或二年生草本。茎通常多条丛生，稀单一，密集，铺散，高 5 ~ 30 cm，基部多分枝，被短糙伏毛。基生叶呈莲座状，有叶柄，叶片匙形，长 2 ~ 5 cm，先端圆钝，基部楔形或渐狭，两面被糙伏毛；茎上部叶长圆形或椭圆形，无叶柄或具短柄。花序生于茎先端，幼时卷曲，后渐次伸长，长 5 ~ 20 cm，通常占全茎的 1/2 ~ 4/5，只在基部具 2 ~ 3 叶状苞片，其余部分无苞片；花梗短，花后伸长，长 3 ~ 5 mm，先端与花萼连接部分变粗成棒状；花萼裂片卵形，长 1 ~ 3 mm，先端急尖；花冠淡蓝色或粉色，筒部甚短，檐部直

径 1.5 ~ 2.5 mm，裂片平展，倒卵形，先端圆钝，喉部附属物 5，白色或带黄色；花药卵形，长 0.3 mm，先端具短尖。小坚果 4，斜三棱锥状四面体形，长 0.8 ~ 1 mm，有短毛或平滑无毛，背面三角状卵形，具 3 锐棱，腹面两侧面近等大而基底面略小，凸起，具短柄，柄长约 1 mm，向一侧弯曲。早春开花，花期甚长。

| **生境分布** | 生于平原、丘陵的草地、林缘、田间及荒地。分布于河北隆尧、峰峰矿区等。

| **资源情况** | 野生资源丰富。药材来源于野生。

| **采收加工** | 初夏采收，鲜用或晒干。

| **药材性状** | 本品多皱缩成团。湿润展开后，根呈细长圆锥形。茎 1 至数条，纤细，多分枝，基部淡紫棕色，上部枯绿色，有短髓毛。基生叶有长柄，叶片椭圆状卵形，长可达 2 cm，两面有糙毛；茎生叶几无柄，叶片稍小。总状花序细长，长可达 20 cm，可见类白色或蓝色小花。有时具四面体形的小坚果。有青草气，味微苦、涩。

| **功能主治** | 辛、苦，平。归心、肝、脾、肾经。行气止痛，解毒消肿。用于胃痛吐酸，痢疾，热毒痈肿，手脚麻木。

| **用法用量** | 内服煎汤，15 ~ 30 g；或研末。外用适量，捣敷。

| **附　　注** | 大花附地菜（变种）*Trigonotis peduncularis* var. *macrantha* W. T. Wang 与本种的区别在于花冠大，直径 5 ~ 6 mm，筒部较长而粗，直径约 2 mm。

紫草科 Boraginaceae 鹤虱属 Lappula

鹤虱 *Lappula myosotis* Moench

| 药 材 名 | 鹤虱（药用部位：果实）。

| 形态特征 | 一年生或二年生草本。茎直立，高 30 ~ 60 cm，中部以上多分枝，密被白色短糙毛。基生叶长圆状匙形，全缘，先端钝，基部渐狭成长柄，长达 7 cm（包括叶柄），宽 0.3 ~ 0.9 mm，两面密被有白色基盘的长糙毛；茎生叶较短而狭，披针形或线形，扁平或沿中肋纵折，先端尖，基部渐狭，无叶柄。花序在花期短，果期伸长，长 10 ~ 17 cm；苞片线形，较果实稍长；花梗果期伸长，长约 3 mm，直立而被毛；花萼 5 深裂，几达基部，裂片线形，急尖，有毛，花期长 2 ~ 3 mm，果期增大成狭披针形，长约 5 mm，星状开展或反折；花冠淡蓝色，漏斗状至钟状，长约 4 mm，檐部直径 3 ~ 4 mm，

裂片长圆状卵形，喉部附属物呈梯形。小坚果卵状，长 3 ～ 4 mm，背面狭卵形或长圆状披针形，通常有颗粒状疣状突起，稀平滑或沿中线龙骨状突起上有小棘突，边缘有 2 行近等长的锚状刺，内行刺长 1.5 ～ 2 mm，基部不联合，外行刺较内行刺稍短或近等长，通常直立，小坚果腹面通常具棘状突起或有小疣状突起；花柱伸出小坚果，但不超过小坚果上方之刺。花果期 6 ～ 9 月。

| **生境分布** | 生于草地等。分布于河北隆尧县等。

| **资源情况** | 野生资源丰富。药材来源于野生。

| **采收加工** | 秋季果实成熟时采收果枝，干燥，打下果实，除去杂质，再干燥。

| **功能主治** | 杀虫消积。用于虫积腹痛，小儿疳积。

| **用法用量** | 内服煎汤，3 ～ 10 g；或入丸、散剂。外用适量，煎汤冲洗。

紫草科 Boraginaceae 鹤虱属 Lappula

卵盘鹤虱

Lappula redowskii (Hornem.) Greene

| **植物别名** | 蒙古鹤虱、中间鹤虱。

| **药 材 名** | 卵盘鹤虱（药用部位：果实）。

| **形态特征** | 一年生草本。主根单一，粗壮，圆锥形，长约7 cm。茎高达 60 cm，直立，通常单生，中部以上多分枝，小枝斜升，密被灰色糙毛。茎生叶较密，线形或狭披针形，长2～5 cm，宽0.2～0.4 mm，扁平或沿中肋纵向对折，直立，先端钝，两面有具基盘的长硬毛，但上面毛较稀疏。花序生于茎或小枝先端，果期伸长，长5～20 cm；苞片下部者叶状，上部者渐小，呈线形，比果实稍长；花梗直立，花后稍伸长，下部者长2～3 mm，上部者较短；花萼5深裂，裂片线形，长约3 mm，果期增大，长达5 mm，星状开

展；花冠蓝紫色至淡蓝色，钟状，长 3 ～ 3.5 mm，较花萼稍长，筒部短，长约 1 mm，檐部直径约 3 mm，裂片长圆形，喉部缢缩，附属物生于花冠筒中部以上。果实宽卵形或近球状，长约 3 mm；小坚果宽卵形，长 2.5 ～ 3 mm，具颗粒状突起，边缘具 1 行锚状刺，刺长 1 ～ 1.5 mm，平展，基部略增宽，相互邻接或离生，小坚果腹面常具折皱；花柱短，长仅 0.5 mm，隐藏于小坚果间。花果期 5 ～ 8 月。

| **生境分布** | 生于荒地、田间、草原、沙地及干旱山坡等。分布于河北秦皇岛、张家口及遵化等。

| **资源情况** | 野生资源丰富。药材来源于野生。

| **采收加工** | 秋季果实成熟时采摘，晒干，除去杂质。

| **功能主治** | 辛，平；有毒。驱虫止痒。用于蛔虫病，蛲虫病，虫积腹痛。

| **用法用量** | 内服煎汤，15 ～ 25 g；或入丸、散剂。

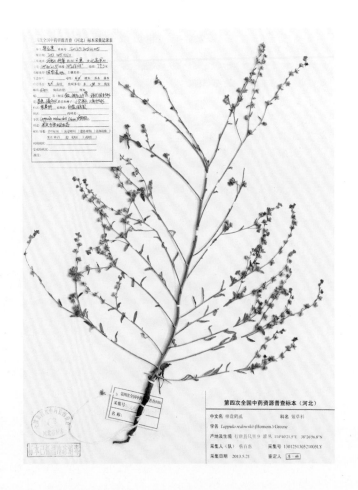

紫草科 Boraginaceae 琉璃草属 Cynoglossum

大果琉璃草

Cynoglossum divaricatum Stephan ex Lehm.

| **药 材 名** | 琉璃草根（药用部位：根）。

| **形态特征** | 多年生草本，高 25 ~ 100 cm。具红褐色粗壮直根。茎直立，中空，具肋棱，由上部分枝，分枝开展，被向下贴伏的柔毛。基生叶和茎下部叶长圆状披针形或披针形，长 7 ~ 15 cm，宽 2 ~ 4 cm，先端钝或渐尖，基部渐狭成柄，灰绿色，两面均密生贴伏的短柔毛；茎中部及上部叶无柄，狭披针形，被灰色短柔毛。花序顶生及腋生，长约 10 cm，花稀疏，集为疏松的圆锥状花序；苞片狭披针形或线形；花梗细弱，花期前长 3 ~ 10 mm，花后伸长，果期长 2 ~ 4 cm，下弯，密被贴伏柔毛；花萼长 2 ~ 3 mm，外面密生短柔毛，裂片卵形或卵状披针形，果期几不增大，向下反折；花冠蓝紫色，长约

3 mm，檐部直径 3 ～ 5 mm，深裂至下 1/3 处，裂片卵圆形，先端微凹，喉部梯形附属物 5，附属物长约 0.5 mm；花药卵球形，长约 0.6 mm，着生于花冠筒中部以上；花柱肥厚，扁平。小坚果卵形，长 4.5 ～ 6 mm，宽约 5 mm，密生锚状刺，背面平，腹面中部以上有卵圆形的着生面。花期 6 ～ 7 月，果实 8 月成熟。

| 生境分布 | 生于海拔 525 ～ 2 500 m 的干山坡、草地、沙丘、石滩及路边。分布于河北阳原等。

| 资源情况 | 野生资源丰富。药材来源于野生。

| 采收加工 | 春、秋季采挖，晒干。

| 功能主治 | 淡，寒。清热解毒。用于扁桃体炎，疮疖痈肿。

| 用法用量 | 内服煎汤，15 ～ 25 g。

紫草科 Boraginaceae 琉璃草属 Cynoglossum

琉璃草

Cynoglossum furcatum Wallich

| 植物别名 | 大琉璃草、叉花倒提壶。

| 药材名 | 铁箍散（药用部位：根、叶。别名：狗屎花、蓝布裙、白母猪油子）。

| 形态特征 | 一年生直立草本，高 40 ~ 60 cm，稀达 80 cm。茎单一或数条丛生，密被黄褐色糙伏毛。基生叶及茎下部叶具柄，长圆形或长圆状披针形，长 12 ~ 20 cm（包括叶柄），宽 3 ~ 5 cm，先端钝，基部渐狭，上下两面密生贴伏毛；茎上部叶无柄，狭小，被密伏毛。花序顶生及腋生，分枝钝角叉状分开，无苞片，果期延长成总状；花梗长 1 ~ 2 mm，果期较花萼短，密生贴伏的糙伏毛；花萼长 1.5 ~ 2 mm，果期稍增大，长约 3 mm，裂片卵形或卵状长圆形，外面密被短糙毛；花冠蓝色，漏斗状，长 3.5 ~ 4.5 mm，檐部直径 5 ~

7 mm，裂片长圆形，先端圆钝，喉部梯形附属物 5，附属物长约 1 mm，先端微凹，边缘密生白柔毛；花药长圆形，长约 1 mm，宽 0.5 mm，花丝基部扩张，着生于花冠筒上 1/3 处；花柱肥厚，略四棱形，果期前长约 1 mm，果期长达 2.5 mm。小坚果卵球形，长 2 ~ 3 mm，直径 1.5 ~ 2.5 mm，背面突，密生锚状刺，边缘无翅边或稀中部以下具翅边。花果期 5 ~ 10 月。

| **生境分布** | 生于海拔 300 ~ 3 040 m 的林间草地、向阳山坡及路边。分布于河北平泉等。

| **资源情况** | 野生资源一般。药材来源于野生。

| **采收加工** | 春、秋季采收，晒干或鲜用。

| **功能主治** | 苦，凉。归心经。清热解毒，散瘀止血。用于疮疖痈肿，崩漏，咯血，跌打肿痛，外伤出血，毒蛇咬伤。

| **用法用量** | 内服煎汤，9 ~ 12 g。外用适量，捣敷；或研末敷。

牛舌草
Anchusa italica Retz.

| 药 材 名 | 牛舌草（药用部位：叶）。

| 形态特征 | 多年生草本。茎直立，高可达 1 m，通常不分枝或上部花序分枝，密生具基盘的白色长硬毛。基生叶和茎下部叶长圆形至倒披针形，长 10 ~ 30 cm，宽 5 ~ 6 cm，全缘，两面被贴伏的硬毛，先端短渐尖或急尖，基部渐狭成柄；茎上部叶无柄，较小。花序顶生及腋生，分枝，果期伸长，花序轴、苞片、花梗及花萼均被密糙伏毛；苞片线形至线状披针形；花梗近直立，果期前长 1 ~ 3 mm，果期伸长达 1 cm；花萼长 10 ~ 13 mm，5 裂至近基部，裂片线状披针形，先端渐尖，果期长约 1.8 cm；花冠蓝色，长达 2 cm，筒部与萼等长或稍长，微弯曲，无毛，檐部直径约 1.2 cm，裂片近圆形，宽约 5 mm，

喉部附属物画笔状，扁平，长约 2 mm；雄蕊着生于喉部之下，内藏，花药长约 3 mm，花丝长约 2.5 mm；花柱长 1.1 ~ 1.3 cm，稍伸出喉部，柱头头状，微 2 裂。小坚果长约 6 mm，有明显的网状折皱及小疣点。

| 生境分布 | 生于平原绿洲、田野、路边。分布于河北乐亭、灵寿等。

| 资源情况 | 野生资源丰富。药材来源于野生。

| 采收加工 | 4 ~ 5 月采收，鲜用或晒干。

| 功能主治 | 清热解毒，杀虫止痒。用于乳痈，疮疡肿毒，疥癣。

| 用法用量 | 内服煎汤，3 ~ 10 g。外用适量，捣敷。

紫草科 Boraginaceae 勿忘草属 Myosotis

勿忘草
Myosotis alpestris F. W. Schmidt

| 植物别名 | 勿忘我、星辰花、补血草。

| 药 材 名 | 勿忘草（药用部位：全草）。

| 形态特征 | 多年生草本。茎直立，单一或数条簇生，高 20 ~ 45 cm，通常具分枝，疏生开展的糙毛，有时被卷毛。基生叶和茎下部叶有柄，狭倒披针形、长圆状披针形或线状披针形，长达 8 cm，宽 0.5 ~ 1.2 cm，先端圆或稍尖，基部渐狭，下延成翅，两面被糙伏毛，毛基部具小形的基盘；茎中部以上叶无柄，较短而狭。花序在花期短，花后伸长，长达 15 cm，无苞片；花梗较粗，在果期直立，长 4 ~ 6 mm，与花萼等长或稍长，密生短伏毛，花萼果期前长 1.5 ~ 2.5 mm，果期增大，长 4 ~ 5 mm，深裂为花萼长度的 2/3 ~ 3/4，裂片披针形，

先端渐尖，密被伸展或具钩的毛；花冠蓝色，直径 6 ～ 8 mm，筒部长约 2.5 mm，裂片 5，近圆形，长约 3.5 mm，喉部附属物 5，高约 0.5 mm，花药椭圆形，先端具圆形的附属物。小坚果卵形，长约 2 mm，宽 1 mm，暗褐色，平滑，有光泽，周围具狭边，而先端较明显，基部无附属物。

| **生境分布** | 生于山地林缘或林下、山坡、山谷草地等。分布于河北沽源、怀安、平泉等。

| **资源情况** | 野生资源一般。药材来源于野生。

| **采收加工** | 春、秋季采挖，除去杂质，干燥。

| **功能主治** | 甘，寒。归肝、脾、肾经。清热解毒，清心明目，养阴补肾。用于肺风粉刺，疔疮疖肿，皮肤粗糙，视物昏花，大便秘结，小便短黄等。

| **用法用量** | 内服煎汤，9 ～ 20 g。

田紫草
Lithospermum arvense L.

植物别名	麦家公。
药 材 名	田紫草（药用部位：全草）。
形态特征	一年生草本。根稍含紫色物质。茎通常单一，高 15 ～ 35 cm，自基部或仅上部分枝，有短糙伏毛。叶无柄，倒披针形至线形，长 2 ～ 4 cm，宽 0.3 ～ 0.7 mm，先端急尖，两面均有短糙伏毛。聚伞花序生于枝上部，长可达 10 cm，苞片与叶同形而较小；花序排列稀疏，有短花梗；花萼裂片线形，长 4 ～ 5.5 mm，通常直立，两面均有短伏毛，果期长可达 11 mm，且基部稍硬化；花冠高脚碟状，白色，有时蓝色或淡蓝色，筒部长约 4 mm，外面稍有毛，檐部长约为筒部的一半，裂片卵形或长圆形，直立或稍开展，长约 1.5 mm，稍

不等大，喉部无附属物，但有5延伸到筒部的毛带；雄蕊着生于花冠筒下部，花药长约1 mm；花柱长1.5 ～ 2 mm，柱头头状。小坚果三角状卵球形，长约3 mm，灰褐色，有疣状突起。花果期4 ～ 8月。

| 生境分布 |　生于丘陵、低山草坡或田边。分布于河北涿鹿等。

| 资源情况 |　野生资源丰富。药材来源于野生。

| 采收加工 |　春、秋季采挖，除去杂质，干燥。

| 功能主治 |　凉血活血，清热解毒。用于温热斑疹，湿热黄疸，紫癜，吐血，衄血，尿血，淋浊，热结便秘，烧伤，湿疹，丹毒，痈疡。

| 用法用量 |　内服煎汤，5 ～ 10 g。

紫草科 Boraginaceae 紫草属 Lithospermum

紫草
Lithospermum erythrorhizon Sieb. et Zucc.

|药材名| 紫草（药用部位：根）。

|形态特征| 多年生草本。根富含紫色物质。茎通常 1 ~ 3，直立，高 40 ~ 90 cm，有贴伏和开展的短糙伏毛，上部有分枝，枝斜升并常稍弯曲。叶无柄，卵状披针形至宽披针形，长 3 ~ 8 cm，宽 0.7 ~ 1.7 cm，先端渐尖，基部渐狭，两面均有短糙伏毛，脉在叶下面凸起，沿脉有较密的糙伏毛。花序生于茎和枝上部，果期前长 2 ~ 6 cm，果期延长；苞片与叶同形而较小；花萼裂片线形，果期前长约 4 mm，果期可达 9 mm，背面有短糙伏毛；花冠白色，长 7 ~ 9 mm，外面稍有毛，筒部长约 4 mm，檐部与筒部近等长，裂片宽卵形，长 2.5 ~ 3 mm，开展，全缘或微波状，先端有时微凹，喉部附属物半球形，

无毛；雄蕊着生于花冠筒中部稍上，花丝长约 0.4 mm，花药长 1 ~ 1.2 mm；花柱长 2.2 ~ 2.5 mm，柱头头状。小坚果卵球形，乳白色或带淡黄褐色，长约 3.5 mm，平滑，有光泽，腹面中线凹陷成纵沟。花果期 6 ~ 9 月。

| 生境分布 | 生于山坡草地。分布于河北赞皇、阜平、涞源等。

| 资源情况 | 野生资源丰富。药材来源于野生。

| 采收加工 | 春、秋季采挖，除去杂质，干燥。

| 功能主治 | 清热凉血，活血，解毒透疹。用于温病血热毒盛，斑疹紫黑，麻疹不透，疮疡，湿疹，烫火伤。

| 用法用量 | 内服煎汤，5 ~ 10 g。外用适量，熬膏；或用植物油浸泡涂、搽。

| 附　　注 | 本种与小花紫草 *Lithospermum officinale* L. 有较近的亲缘关系。1936 年，Handel-Mazzetti 将本种降为后者的亚种。在研究了 2 个种的大量标本之后，除了看到本种与后者具有在检索表中所反映的不同点之外，还发现后者在我国甘肃中部、宁夏和内蒙古有一个间断的地区，而且与本种之间没有过渡类型和杂交后代，在药用价值上也截然不同。因此，认为本种应为一个独立种。

紫草科 Boraginaceae 紫筒草属 Stenosolenium

紫筒草

Stenosolenium saxatile (Pall.) Turcz.

|**药 材 名**| 紫筒草（药用部位：全草）。

|**形态特征**| 多年生草本。根细锥形，根皮紫褐色，稍含紫红色物质。茎通常数条，直立或斜升，高 10 ～ 25 cm，不分枝或上部有少数分枝，密生开展的长硬毛和短伏毛。基生叶和下部叶匙状线形或倒披针状线形，近花序的叶披针状线形，长 1.5 ～ 4.5 cm，宽 0.3 ～ 0.8 cm，两面密生硬毛，先端钝或微钝，无柄。花序顶生，逐渐延长，密生硬毛；苞片叶状；短花梗长约 1 mm；花萼长约 7 mm，密生长硬毛，裂片钻形，果期直立，基部包围果实；花冠蓝紫色，紫色或白色，长 1 ～ 1.4 cm，外面有稀疏短伏毛，花冠筒细，明显较檐部长，通常稍弧曲，檐部直径 5 ～ 7 mm，裂片开展；雄蕊螺旋状着生于花冠筒中部之上，内藏；花柱长约为花冠筒的 1/2，先端 2 裂，柱头

球形。小坚果的短柄长约 0.5 mm，着生面居短柄的底面。花果期 5 ～ 9 月。

| **生境分布** | 生于低山、丘陵及平原地区的草地、路旁、田边等。分布于河北阳原、峰峰等。

| **资源情况** | 野生资源丰富。药材来源于野生。

| **采收加工** | 夏季采收，晒干。

| **功能主治** | 苦，温。祛风除湿。用于关节疼痛。

| **用法用量** | 内服煎汤，15 g；或入散剂。

| **附　　注** | 长期服用可加桑椹 15 g 同煎，效果更好。

马鞭草科 Verbenaceae 大青属 Clerodendrum

臭牡丹

Clerodendrum bungei Steud.

| 植物别名 | 臭八宝、臭梧桐、矮桐子。

| 药 材 名 | 臭牡丹根（药用部位：根。别名：臭枫根）、臭牡丹（药用部位：茎叶。别名：大红袍、臭八宝、矮童子）。

| 形态特征 | 灌木，高 1 ~ 2 m，植株有臭味。花序轴、叶柄密被褐色、黄褐色或紫色脱落性的柔毛；小枝近圆形，皮孔显著。叶片纸质，宽卵形或卵形，长 8 ~ 20 cm，宽 5 ~ 15 cm，先端尖或渐尖，基部宽楔形、截形或心形，边缘具粗或细锯齿，侧脉 4 ~ 6 对，表面散生短柔毛，背面疏生短柔毛和散生腺点或无毛，基部脉腋有数个盘状腺体；叶柄长 4 ~ 17 cm。伞房状聚伞花序顶生，密集；苞片叶状，披针形或卵状披针形，长约 3 cm，早落或花时不落，早落后在花序梗上残

留凸起的痕迹，小苞片披针形，长约 1.8 cm；花萼钟状，长 2～6 mm，被短柔毛及少数盘状腺体，萼齿三角形或狭三角形，长 1～3 mm；花冠淡红色、红色或紫红色，花冠管长 2～3 cm，裂片倒卵形，长 5～8 mm；雄蕊及花柱均凸出花冠外，花柱短于、等于或稍长于雄蕊，柱头 2 裂，子房 4 室。核果近球形，直径 0.6～1.2 cm，成熟时蓝黑色。花果期 5～11 月。

| **生境分布** | 生于海拔 2 500 m 以下的山坡、林缘、沟谷、路旁、灌丛润湿处。分布于河北康保等。

| **资源情况** | 野生资源丰富。药材来源于野生。

| 采收加工 | 臭牡丹根：夏、秋季采挖，洗净，切片，晒干。
臭牡丹：夏季采集，晒干。

| 药材性状 | 臭牡丹：本品茎呈圆柱形，长 1 ~ 1.5 m，直径 0.3 ~ 1.2 cm。表面灰棕色至灰褐色，皮孔点状或稍呈纵向延长，节处叶痕呈凹点状；质硬，不易折断，断面皮部棕色，薄，木质部灰黄色，髓部白色。叶片多皱缩破碎，完整者展平后呈宽卵形，长 7 ~ 20 cm，宽 6 ~ 15 cm，先端渐尖，基部截形或心形，边缘有细锯齿；上表面棕褐色至棕黑色，疏被短柔毛，下表面色稍淡，无毛或仅脉上有毛，基部脉腋处可见黑色、疤痕状的腺体；叶柄黑褐色，长 3 ~ 6 cm。气臭，味微苦、辛。

| 功能主治 | 臭牡丹根：辛、苦，温。归肝、脾、肾、肺经。行气健脾，祛风除湿，解毒消肿，降血压。用于食滞腹胀，头昏，虚咳，久痢脱肛，肠痔下血，淋浊，带下，风湿痛，脚气，痈疽肿毒，漆疮，高血压。
臭牡丹：辛、苦，平。归心、胃、大肠经。解毒消肿，祛风除湿，平肝潜阳。用于眩晕，痈疽，疔疮，乳痈，痔疮，湿疹，丹毒，风湿痹痛，高血压。

| 用法用量 | 臭牡丹根：内服煎汤，15 ~ 30 g；或浸酒。外用适量，煎汤熏洗。
臭牡丹：内服煎汤，10 ~ 15 g，鲜品 30 ~ 60 g；或捣汁；或入丸剂。外用适量，煎汤熏洗；或捣敷；或研末调敷。

| 附　注 | 大萼臭牡丹（新拟）*Clerodendrum bungei* Steud. var. *megacalyx* C. Y. Wu ex S. L. Chen 与本种的主要区别在于：花序稍疏展，花萼特大，长约 1 cm，萼齿三角形，长约 3 mm。

马鞭草科 Verbenaceae 大青属 *Clerodendrum*

海州常山 *Clerodendrum trichotomum* Thunb.

| 植物别名 | 香楸、后庭花、追骨风。

| 药 材 名 | 臭梧桐子（药用部位：果实。别名：凤眼子、矮桐子、岩桐子）、
臭梧桐（药用部位：嫩枝及叶。别名：臭桐、臭芙蓉、地梧桐）、
臭梧桐花（药用部位：带有宿萼的花。别名：龙船花、后庭花）、
臭梧桐根（药用部位：根。别名：芙蓉根）。

| 形态特征 | 灌木或小乔木，高 1.5 ~ 10 m。幼枝、叶柄、花序轴等多少被黄
褐色柔毛或近无毛，老枝灰白色，具皮孔，髓白色，有淡黄色、薄
片状的横隔。叶片纸质，卵形、卵状椭圆形或三角状卵形，长 5 ~
16 cm，宽 2 ~ 13 cm，先端渐尖，基部宽楔形至截形，偶有心形，
表面深绿色，背面淡绿色，两面幼时被白色短柔毛，老时表面光滑

无毛，背面仍被短柔毛或无毛，或沿脉毛较密，侧脉 3 ~ 5 对，全缘或有时边缘具波状齿；叶柄长 2 ~ 8 cm。伞房状聚伞花序顶生或腋生，通常二歧分枝，疏散，末次分枝着花 3，花序长 8 ~ 18 cm，花序梗长 3 ~ 6 cm，多少被黄褐色柔毛或无毛；苞片叶状，椭圆形，早落；花萼蕾时绿白色，后紫红色，基部合生，中部略膨大，有 5 棱脊，先端 5 深裂，裂片三角状披针形或卵形，先端尖；花香，花冠白色或带粉红色，花冠筒细，长约 2 cm，先端 5 裂，裂片长椭圆形，长 5 ~ 10 mm，宽 3 ~ 5 mm；雄蕊 4，花丝与花柱均伸出花冠外；花柱较雄蕊短，柱头 2 裂。核果近球形，直径 6 ~ 8 mm，包藏于增大的宿萼内，成熟时外果皮蓝紫色。花果期 6 ~ 11 月。

| 生境分布 | 生于海拔 2 400 m 以下的山坡灌丛中。分布于河北赞皇、平山等。

| 资源情况 | 野生资源一般。药材来源于野生。

| 采收加工 | 臭梧桐子：9 ～ 10 月果实成熟时采收，晒干或鲜用。

臭梧桐：夏、秋季结果前采摘，晒干。

臭梧桐花：7 ～ 9 月采收，晒干。

臭梧桐根：秋季采挖，洗净，切片，晒干或鲜用。

| 药材性状 | 臭梧桐：本品小枝呈类圆形或略带方形，直径约 3 mm，黄绿色，有纵向细皱纹，具黄色点状皮孔，密被短茸毛，稍老者茸毛脱落；质脆，易折断，断面木质部淡黄色，髓部白色。叶对生，多皱缩卷曲，或破碎，完整者展平后呈广卵形或椭圆形，长 7 ～ 15 cm，宽 5 ～ 9 cm，先端渐尖，基部阔楔形或截形，全缘或具波状齿，上面灰绿色，下面黄绿色，两面均有短柔毛；叶柄长 2 ～ 8 cm，密被短柔毛。气异臭，味苦、涩。

臭梧桐花：本品花排列成伞房状聚伞花序。花萼棕黄色至褐黄色，下部合生，5 裂，裂片卵形或卵状长椭圆形；花冠类白色至淡红色，下部合生成细管状，5 裂，裂片长椭圆形；雄蕊 4，二强，花丝伸出；花柱伸出，柱头分叉。气微，味苦。

臭梧桐根：本品呈圆柱形或不规则块状。外表面呈淡黄棕色或灰褐色，有纵皱纹。质轻而坚硬，不易折断，断面淡黄白色，有环纹。气微弱，味淡、微苦。

| 功能主治 | 臭梧桐子：苦、微辛，平。归肺、肝经。祛风，止痛，平喘。用于风湿痹痛，牙痛，气喘。

臭梧桐：苦、甘，平。归胃、大肠经。祛风除湿，平肝潜阳，止痛截疟。用于风湿痹痛，半身不遂，眩晕，疟疾；外用于痈疽疮疥。

臭梧桐花：苦，寒。祛风湿，平喘。用于气喘，风湿痹痛，疝气。

臭梧桐根：苦，寒。祛风，止痛，降血压。用于风湿痹痛，高血压。

| 用法用量 | 臭梧桐子：内服煎汤，10 ～ 15 g。外用适量，捣敷。

臭梧桐：内服煎汤，10 ～ 15 g，鲜品 30 ～ 60 g；或浸酒；或入丸、散剂。外用适量，煎汤洗；或捣敷；或研末掺或调敷。

臭梧桐花：内服煎汤，5 ～ 10 g；或研末；或浸酒。

臭梧桐根：内服煎汤，10 ～ 15 g；或捣汁冲服。

马鞭草科 Verbenaceae 牡荆属 Vitex

单叶蔓荆

Vitex rotundifolia Linnaeus f.

| 药 材 名 | 蔓荆子（药用部位：果实。别名：荆子、万荆子、蔓青子）。

| 形态特征 | 落叶灌木。茎匍匐，节处常生不定根。罕为小乔木，高 1.5 ~ 5 m，有香味；小枝四棱形，密生细柔毛。通常三出复叶，有时在侧枝上可有单叶，单叶对生，叶柄长 1 ~ 3 cm；叶片倒卵形或近圆形，先端通常钝圆或有短尖头，基部楔形，全缘，长 2.5 ~ 5 cm，宽 1.5 ~ 3 cm，表面绿色，无毛或被微柔毛，背面密被灰白色绒毛，侧脉约 8 对，两面稍隆起，小叶无柄或有时中间小叶基部下延成短柄。圆锥花序顶生，长 3 ~ 15 cm，花序梗密被灰白色绒毛；花萼钟形，先端 5 浅裂，外面有绒毛；花冠淡紫色或蓝紫色，长 6 ~ 10 mm，外面及喉部有毛，花冠筒内有较密的长柔毛，先端 5 裂，二唇形，下唇中间裂片较大；雄蕊 4，伸出花冠外；子房无毛，密

生腺点；花柱无毛，柱头 2 裂。核果近圆形，直径约 5 mm，成熟时黑色；果萼宿存，外被灰白色绒毛。花期 7 ~ 8 月，果期 8 ~ 10 月。

| **生境分布** | 生于沙滩、海边及湖畔。分布于河北山海关、北戴河、蔚县等。

| **资源情况** | 野生资源丰富。药材来源于野生。

| **采收加工** | 秋季果实成熟时采收，除去杂质，晒干。

| **药材性状** | 本品呈球形，直径 4 ~ 6 mm。表面灰黑色或黑褐色，被灰白色粉霜状茸毛，有纵向浅沟 4，先端微凹，基部有灰白色宿萼及短果柄。萼长为果实的 1/3 ~ 2/3，先端 5 齿裂，其中 2 裂较深，密被茸毛。体轻，质坚韧，不易破碎，横切面可见 4 室，每室有种子 1。气特异而芳香，味淡、微辛。

| **功能主治** | 辛、苦，微寒。归膀胱、肝、胃经。疏散风热，清利头目。用于风热感冒，头痛，齿龈肿痛，目赤多泪，目暗不明，头晕目眩。

| **用法用量** | 内服煎汤，5 ~ 10 g。

| **附　注** | 本变种单叶蔓荆与原变种蔓荆 *Vitex trifolia* L. 仅在营养器官上有差异，花、果实的特征基本相似，原变种的叶型不稳定，具不完全 3 小叶，有时在侧枝上可有单叶存在；本变种通过栽培，茎基部着土可生不定根，而上部消失，根据这一性状，作为变种处理较为合适。

马鞭草科 Verbenaceae 牡荆属 Vitex

荆条

Vitex negundo var. *heterophylla* (Franch.) Rehd.

| **植物别名** | 荆棵、黄荆条。

| **药 材 名** | 荆条（药用部位：根）。

| **形态特征** | 灌木或小乔木。小枝四棱形，密生灰白色绒毛。掌状复叶，小叶 5，少有 3；小叶片长圆状披针形至披针形，先端渐尖，基部楔形，边缘有缺刻状锯齿，浅裂至深裂，表面绿色，背面密被灰白色绒毛；中间小叶长 4 ~ 13 cm，宽 1 ~ 4 cm，两侧小叶依次变小；若具 5 小叶，则中间 3 小叶有柄，最外侧的 2 小叶无柄或近无柄。聚伞花序排列成圆锥花序式，顶生，长 10 ~ 27 cm，花序梗密生灰白色绒毛；花萼钟状，先端 5 齿裂，外有灰白色绒毛；花冠淡紫色，外有微柔毛，先端 5 裂，二唇形；雄蕊伸出花冠筒外；子房近无毛。

核果近球形，直径约 2 mm；宿存萼与果实近等长。花期 4～6 月，果期 7～10 月。

| 生境分布 | 生于山坡路旁。分布于河北阳原、邢台、怀来等。

| 资源情况 | 野生资源丰富。药材来源于野生。

| 采收加工 | 全年均可采挖，以夏、秋季采挖为好，洗净，切段，晒干。

| 功能主治 | 苦、微辛，平。归肺、肝、脾经。润肺清热，利水通淋。用于肺热咳嗽，百日咳，鼻衄，淋证。

| 用法用量 | 内服煎汤，15～25 g，鲜品 50～100 g。

| 附　　注 | 本种的茎叶可治疗久痢，种子为清凉性镇静、镇痛药，根可以驱蛲虫，花和枝叶可提取芳香油。

马鞭草科 Verbenaceae 莸属 Caryopteris

蒙古莸 *Caryopteris mongholica* Bunge

| **植物别名** | 兰花茶、山狼毒、白沙蒿。

| **药材名** | 蓝花茶（药用部位：嫩茎叶。别名：饿死鬼、吃不饱草、蓝花菜）。

| **形态特征** | 落叶小灌木，常自基部分枝，高 0.3 ~ 1.5 m。嫩枝紫褐色，圆柱形，有毛，老枝毛渐脱落。叶片厚纸质，线状披针形或线状长圆形，全缘，很少有稀齿，长 0.8 ~ 4 cm，宽 2 ~ 7 mm，表面深绿色，稍被细毛，背面密生灰白色绒毛；叶柄长约 3 mm。聚伞花序腋生，无苞片和小苞片；花萼钟状，长约 3 mm，外面密生灰白色绒毛，5 深裂，裂片阔线形至线状披针形，长约 1.5 mm；花冠蓝紫色，长约 1 cm，外面被短毛，5 裂，下唇中裂片较长、大，边缘流苏状，花冠管长约 5 mm，管内喉部有细长柔毛；雄蕊 4，几等长，与花柱均伸出花

冠筒外；子房长圆形，无毛，柱头 2 裂。蒴果椭圆状球形，无毛，果瓣具翅。花果期 8 ~ 10 月。

| **生境分布** | 生于海拔 1 100 ~ 1 250 m 的干旱坡地、沙丘荒野及干旱碱质土壤中。分布于河北迁安等。

| **资源情况** | 野生资源丰富。药材来源于野生。

| **采收加工** | 春季采收，切碎，晒干或鲜用。

| **药材性状** | 本品茎枝呈圆柱形，稍扭曲，长短不一，直径 1 ~ 4 mm，表面紫褐色，有细纵纹及灰绿色叶痕。叶多脱落破碎，完整者展平后呈条形或条状披针形，长 1 ~ 4 cm，宽 2 ~ 7 mm，先端渐尖，基部楔形，全缘，上面淡绿色，下面灰绿色，两面均有短绒毛；叶柄长约 3 mm。可见腋生聚伞花序，花皱缩成团，暗紫色。叶、花揉搓后有香气，味稍苦。

| **功能主治** | 辛、甘，温。理气消食，利水消肿。用于饮食不消，脘腹胀满，浮肿，小便不利，风湿腰腿疼痛。

| **用法用量** | 内服煎汤，10 ~ 15 g。外用适量，捣敷；或煎汤洗。

马鞭草科 Verbenaceae 莸属 Caryopteris

莸

Caryopteris divaricata Maxim.

| **植物别名** | 叉枝莸、雁金草。

| **药 材 名** | 莸(药用部位：全草)。

| **形态特征** | 多年生草本，高约 80 cm。茎方形，疏被柔毛或无毛。叶片膜质，卵圆形、卵状披针形至长圆形，长 2 ~ 14 cm，宽 1.2 ~ 5 cm，先端渐尖至尾尖，基部近圆形或楔形，下延成翼，边缘具粗齿，两面疏生柔毛或背面的毛较密，侧脉 3 ~ 5 对；叶柄长 0.5 ~ 2 cm。二歧聚伞花序腋生，花序梗长 2 ~ 3 (~ 11) cm，疏被柔毛，苞片披针形至线形；花萼杯状，外面被柔毛，果期前长 2 ~ 4 mm，结果时增大近 1 倍，先端 5 浅裂，裂齿三角形，长 0.6 ~ 1 mm；花冠紫色或红色，长 1 ~ 2 cm，外面被疏毛，喉部疏生柔毛，先端 5 裂，裂

片全缘，下唇中裂片较大，花冠筒长 1 ～ 1.5 cm；雄蕊 4，与花柱均伸出花冠筒外；子房无毛，有或无腺点。蒴果黑棕色，4 瓣裂，无毛，无翅，有网纹。花期 7 ～ 8 月，果期 8 ～ 9 月。

| 生境分布 | 生于海拔 660 ～ 2 900 m 的山坡草地或疏林。分布于河北磁县、阜平、涉县等。

| 资源情况 | 野生资源稀少。药材来源于野生。

| 采收加工 | 夏、秋季采收，切段，晒干或鲜用。

| 功能主治 | 清暑解表，利湿解毒。用于夏季感冒，中暑，热淋，带下，外伤出血。

| 用法用量 | 内服煎汤，15 ～ 30 g。外用适量，捣敷。

马鞭草科 Verbenaceae 四棱草属 Schnabelia

三花莸

Schnabelia terniflora (Maxim.) P. D. Cantino

| 植物别名 |

风寒草、金线风、六月寒。

| 药 材 名 |

六月寒（药用部位：全草。别名：大风寒草、红花野芝麻、野薄荷）。

| 形态特征 |

直立亚灌木，常自基部分枝，高 15 ~ 60 cm。茎方形，密生灰白色向下弯曲的柔毛。叶片纸质，卵圆形至长卵形，长 1.5 ~ 4 cm，宽 1 ~ 3 cm，先端尖，基部阔楔形至圆形，两面具柔毛和腺点，以背面较密，边缘具规则的钝齿，侧脉 3 ~ 6 对；叶柄长 0.2 ~ 1.5 cm，被柔毛。聚伞花序腋生，花序梗长 1 ~ 3 cm，通常 3 花，偶有 1 或 5 花，花梗长 3 ~ 6 mm；苞片细小，锥形；花萼钟状，长 8 ~ 9 mm，两面有柔毛和腺点，5 裂，裂片披针形；花冠紫红色或淡红色，长 1.1 ~ 1.8 cm，外面疏被柔毛和腺点，先端 5 裂，二唇形，裂片全缘，下唇中裂片较大，圆形；雄蕊 4，与花柱均伸出花冠管外；子房先端被柔毛，花柱长于雄蕊。蒴果成熟后 4 瓣裂，果瓣倒卵状舟形，无翅，表面明显凹凸成网纹，密被糙毛。花果期 6 ~ 9 月。

| 生境分布 | 生于海拔 550 ～ 2 600 m 的山坡、平地或水沟边、河边。分布于河北鹿泉、磁县、涉县等地。 |

| 资源情况 | 野生资源丰富。药材来源于野生。 |

| 采收加工 | 夏季采收，洗净，晒干或鲜用。 |

| 功能主治 | 辛、微苦，平。归肺经。疏风解表，宣肺止咳。用于感冒，咳嗽，百日咳，目翳外障，烫火伤。 |

| 用法用量 | 内服煎汤，10 ～ 15 g。外用适量，捣敷；或研末调敷。 |

| 附　注 | 短梗三花莸（新拟）*Caryopteris terniflora* Maxim. f. *brevipedunculata* P'ei et S. L. Chen 与本种的区别在于花序梗短，长仅 0.1 ～ 0.3 cm，花梗长 0.5 ～ 2 mm；花萼长 4 ～ 5 mm，裂片三角状披针形；花冠长约 2 cm 等。 |

唇形科 Labiatae 百里香属 Thymus

百里香 *Thymus mongolicus* Ronn.

| 植物别名 | 地角花、地椒叶、千里香。

| 药 材 名 | 地椒（药用部位：全草。别名：地花椒、百里香、山椒）。

| 形态特征 | 半灌木。茎多数，匍匐或上升；不育枝从茎的末端或基部生出，匍匐或上升，被短柔毛；花枝高（1.5 ~）2 ~ 10 cm，在花序下密被向下弯曲或稍平展的疏柔毛，下部毛变短而疏，具 2 ~ 4 对叶，基部有脱落的先出叶。叶为卵圆形，长 4 ~ 10 mm，宽 2 ~ 4.5 mm，先端钝或稍锐尖，基部楔形或渐狭，全缘或稀有 1 ~ 2 对小锯齿，两面无毛，侧脉 2 ~ 3 对，在下面微凸起，腺点多少明显，叶柄明显，靠下部的叶柄长约为叶片的 1/2，靠上部的则较短；苞叶与叶同形，边缘下部 1/3 具缘毛。花序头状，多花或少花，花具短梗；

花萼管状钟形或狭钟形，长 4 ~ 4.5 mm，下部被疏柔毛，上部近无毛，下唇较上唇长或与上唇近相等，上唇齿短，齿不超过上唇全长的 1/3，三角形，具缘毛或无毛；花冠紫红色、紫色或淡紫色、粉红色，长 6.5 ~ 8 mm，被疏短柔毛，花冠筒伸长，长 4 ~ 5 mm，向上稍增大。小坚果近圆形或卵圆形，压扁状，光滑。花期 7 ~ 8 月。

| 生境分布 | 生于海拔 1 100 ~ 3 600 m 的多石山地、斜坡、山谷、山沟、路旁及杂草丛中。分布于河北平泉、青龙、涉县等。

| 资源情况 | 野生资源一般。药材主要来源于野生。

| 采收加工 | 夏、秋季花盛开时采收，除去杂质，阴干。

| 药材性状 | 本品茎呈方柱形，略弯曲，多分枝，长 5 ~ 15 cm，直径约 0.1 cm；表面紫红色或灰棕色，节明显，下部节上有细根。叶对生，近无柄，叶片展平后呈卵圆形，长 3 ~ 10 cm，宽 1.5 ~ 4 cm，全缘，微反卷，上表面绿色，下表面灰绿色，两面密布腺点。小花序顶生，密集成头状；花冠暗紫红色或棕色。气芳香，味辛。

| 功能主治 | 辛，平；有小毒。祛风解表，行气健脾，温中止痛。用于风寒咳嗽，头痛，牙痛，周身疼痛，腹胀冷痛，消化不良，呕吐泄泻。

| 用法用量 | 内服煎汤，9 ~ 12 g；或研末；或浸酒。外用适量，研末敷；或煎汤洗。

| 附　注 | 地椒始载于《嘉祐本草》，后《证类本草》载于草部，云："出上党郡，其苗覆地蔓生，茎叶甚细，花作小朵，色紫白，因旧茎而生。"《本草纲目》转载于果部，按曰"出北地，即蔓椒之小者，贴地生叶，形小，味微辛"，并附图。考其图文，应属唇形科植物百里香或展毛地椒。

唇形科 Labiatae 百里香属 Thymus

地椒

Thymus quinquecostatus Cêlak.

药 材 名	地椒（药用部位：全草）。
形态特征	半灌木。茎斜升或近水平伸展，疏被向下弯曲的疏柔毛；不育枝从茎基部或直接从根茎长出，通常比花枝少；花枝多数，多紫红色，彼此靠近，高 3 ~ 15 cm，从茎上或茎的基部长出，直立或上升，具有多数节间，通常比叶短，在基部的先出叶通常脱落，花序以下密被向下弯曲的白色疏柔毛，毛在花枝下部较短而变疏。叶长圆状椭圆形或长圆状披针形，稀卵圆形或卵状披针形，长 7 ~ 13 mm，宽 1.5 ~ 4.5 mm，先端钝或锐尖，基部渐狭成短柄，全缘，边缘外卷，沿边缘下 1/2 处或仅在基部具长缘毛，近革质，两面无毛，侧脉 2 ~ 3 对，粗，下面腺点小且多而密，明显；苞叶与叶同形，边缘下 1/2 被长缘毛。轮伞花序紧密组成头状花序，或稍伸长成长圆状的头状

花序；花梗长达 4 mm，密被向下弯曲的短柔毛；花萼管状钟形，长 5 ~ 6 mm，上面无毛，下面被平展的疏柔毛，上唇稍长于下唇或与下唇近等长，上唇的齿披针形，长约为全唇的 1/2 或稍短，被缘毛或近无缘毛；花冠长 6.5 ~ 7 mm，花冠筒比花萼短，紫红色，外被柔毛，散生腺点，上唇直立，先端微凹，下唇 3 裂，近相等。小坚果近球形，黄褐色，无毛。花期 8 月，果期 9 ~ 10 月。

| **生境分布** | 生于海拔 600 ~ 900 m 的山坡、海边低丘上。分布于河北昌黎、抚宁、沽源等。

| **资源情况** | 野生资源丰富。药材来源于野生。

| **采收加工** | 7 ~ 8 月采收，洗净，鲜用或晒干。

| **功能主治** | 辛，平；有小毒。祛风止咳，健脾行气，利湿通淋。用于感冒头痛，咳嗽，百日咳，脘腹疼痛，消化不良，呕吐腹泻，牙痛，小便涩痛，湿疹瘙痒，疮痈肿痛。

| **用法用量** | 内服煎汤，9 ~ 12 g；或研末；或浸酒。外用适量，研末撒；或煎汤洗。

| **附　注** | 展毛变种 Thymus quinquecostatus Cêlak. var. *przewalskii* (Kom.) Ronn. 与本种的区别在于叶无毛，宽卵状披针形，长 10 ~ 12 mm，宽 4 ~ 5 mm，具 7 ~ 9 脉；花序轴密被十分平展的毛，毛短于花序轴直径。亚洲变种 Thymus quinquecostatus Cêlak. var. *asiaticus* (Kitagawa) C. Y. Wu et Y. C. Huang 与本种的区别在于叶披针形或线状披针形，宽通常不超过 2 mm。

唇形科 Labiatae 薄荷属 Mentha

薄荷
Mentha canadensis Linnaeus

| 植物别名 |

野薄荷、南薄荷、野仁丹草。

| 药 材 名 |

薄荷（药用部位：地上部分）。

| 形态特征 |

多年生芳香草本。茎直立，高 20 ~ 80 cm，下部数节具纤细的须根及水平匍匐的根茎，锐四棱形，多分枝，具槽，被逆生的长柔毛及腺点，质脆，易折断。单叶对生，叶片长圆状披针形、披针形、椭圆形或卵状披针形，稀长圆形，长 3 ~ 7 cm，宽 1 ~ 3 cm，先端锐尖或渐尖，基部楔形至近圆形，边缘在基部以上疏生粗大的牙齿状锯齿，侧脉 5 ~ 6 对，上面绿色，沿脉密生微柔毛，下面淡绿色，两面被疏柔毛及黄色腺点；叶柄长 2 ~ 15 mm。轮伞花序腋生，球形，直径 18 mm，愈向茎顶，则节间、叶及花序愈小，具梗或无梗，具梗时梗长达 3 mm，被微柔毛；花梗纤细；总梗上有小苞片数枚，线状披针形，具缘毛；花萼管状钟形或钟形，长 2 ~ 3 mm，外被微柔毛及腺点，内面无毛，具 10 脉，萼齿 5，狭三角状钻形，边缘有纤毛；花冠淡紫色至白色，略被微柔

毛，冠檐 4 裂，上裂片先端 2 裂，较大，其余 3 裂片近等大；雄蕊 4，前对较长，常伸出花冠外或包于花冠筒内，花丝丝状，无毛，花药卵圆形，2 室，室平行；花柱略超出雄蕊，先端近相等 2 浅裂，裂片钻形；花盘平顶。小坚果 4，卵圆形，黄褐色，具小腺窝。花期 7 ~ 9 月，果期 10 月。

| 生境分布 | 生于海拔 3 500 m 以下的海沟旁、路边及山野湿地。分布于河北邢台及阜平、兴隆等。

| 资源情况 | 野生资源一般，栽培资源丰富。药材主要来源于栽培。

| 采收加工 | 夏、秋季茎叶茂盛或花开至 3 轮时，选晴天，分次采割，晒干或阴干。

| 药材性状 | 本品茎呈方柱形，有对生分枝，长 15 ~ 40 cm，直径 0.2 ~ 0.4 cm；表面紫棕色或淡绿色，棱角处具茸毛，节间长 2 ~ 5 cm；质脆，断面白色，髓部中空。叶对生，有短柄；叶片皱缩卷曲，完整者展平后呈宽披针形、长椭圆形或卵形，长 2 ~ 7 cm，宽 1 ~ 3 cm；上表面深绿色，下表面灰绿色，稀被茸毛，有凹点状腺鳞。轮伞花序腋生，花萼钟状，先端 5 齿裂，花冠淡紫色。揉搓后有特殊清凉香气，味辛、凉。

| 功能主治 | 辛，凉。归肺、肝经。疏散风热，清利头目，利咽，透疹，疏肝行气。用于风热感冒，风温初起，头痛，目赤，喉痹，口疮，风疹，麻疹，胸胁胀闷。

| 用法用量 | 内服煎汤，3 ~ 6 g，后下；或入丸、散剂。外用适量，煎汤洗；或捣汁涂敷。

| 附　注 | 薄荷以江苏产者质量最优，为"道地药材"。《图经本草》曰："生江浙间，彼人多以作茶饮之。"《本草纲目》记载："今人药用，多以苏州者为胜。""薄荷，人多栽莳。吴、越、川、湖人多以代茶。苏州所莳者，茎小而气芳，江西者稍粗，川蜀者更粗，入药以苏产为胜。"由此可知，明代苏、赣、蜀已广为家种，迄今该三省仍为薄荷的主产地，以江苏南通产的"苏薄荷"质优，畅销国内外。

唇形科 Labiatae 糙苏属 Phlomoides

串铃草

Phlomoides mongolica (Turcz.) Kamelin & A. L. Budantzev

| 植物别名 | 毛尖茶、野洋芋。

| 药 材 名 | 串铃草（药用部位：全草或根。别名：毛尖茶、野洋芋）。

| 形态特征 | 多年生草本。根木质，粗厚，须根常作圆形、长圆形或纺锤形块根状增粗。茎高 40 ~ 70 cm，不分枝或具少数分枝，被具节疏柔毛或平展具节刚毛，节上较密。基生叶卵状三角形至三角状披针形，长 4 ~ 13.5 cm，宽 2.7 ~ 7 cm，先端钝，基部心形，边缘为圆齿状；茎生叶同形，通常较小；苞叶三角形或卵状披针形，下部的远超出花序，向上渐变小而较花序为短，叶片上面榄绿色，疏被中枝特长的星状刚毛及单毛，或被稀疏刚毛至近无毛，下面色略淡，被疏或较密的星状柔毛，或被丛生刚毛，稀被单刚毛。轮伞花序多花密集，

多数，彼此分离；苞片线状钻形，长约 12 mm，与花萼等长，坚硬，上弯，先端刺状，被平展具节缘毛；花萼管状，长约 1.4 cm，宽约 6 mm，外面脉上被平展具节刚毛，余部被尘状微柔毛，齿圆形，长约 1.2 mm，先端微凹，具长 2.5 ~ 3 mm 的刺尖，齿间具 2 小齿，边缘被疏柔毛；花冠紫色，长约 2.2 cm，花冠筒外面在中下部无毛，内面具毛环，冠檐二唇形，上唇长约 1 cm，外面被星状短柔毛，背部被具节长柔毛，边缘流苏状，自内面被髯毛，下唇长约 1 cm，宽约 1 cm，3 圆裂，中裂片圆倒卵形，先端微凹，长约 6 mm，宽约 7 mm，侧裂片卵形，较小，边缘均为不整齐的细齿状；雄蕊内藏，花丝被毛，后对基部在毛环稍上处具反折、短距状的附属器；花柱先端不等 2 裂。小坚果先端被毛。花期 5 ~ 9 月，果期在 7 月以后。

| **生境分布** | 生于海拔 770 ~ 2 200 m 的山坡草地上。分布于河北平山、蔚县、张北等。

| **资源情况** | 野生资源丰富。药材来源于野生。

| **采收加工** | 夏、秋季采收全草，洗净，切段，晒干。秋后花萎谢后采挖根，洗净，切片，晒干。

| **功能主治** | 甘、苦，温。祛风除湿，活血止痛。用于风湿性关节炎，感冒，跌打损伤，体虚发热。

| **用法用量** | 内服煎汤，3 ~ 10 g。

唇形科 Labiatae 糙苏属 Phlomoides

大叶糙苏
Phlomoides maximowiczii (Regel) Kamelin & Makhm.

| 植物别名 |

野苏子、大丁黄、山苏子。

| 药 材 名 |

山苏子根（药用部位：根。别名：丁黄草、
大丁草、苏木账子）。

| 形态特征 |

多年生草本，高 80 ～ 100 cm。茎直立，上
部具分枝，四棱形，疏被向下的短硬毛。基
生叶阔卵形，先端渐尖，基部浅心形，边缘
锯齿状或牙齿状；下部的茎生叶同形，变小，
长 9 ～ 15 cm，宽 8 ～ 10 cm，上部的茎叶
更小；下部的苞叶卵状披针形，边缘锐锯齿
状，最上部的苞叶长 2 ～ 3 cm，宽 1 ～ 2 cm，
全缘或为向上的牙齿状，均超过轮伞花序，
仅最上部的与之相等；叶片薄纸质，上面橄
绿色，被极疏的短硬毛，下面色较淡，被中
枝较长的星状疏柔毛；下部的茎生叶叶柄
长 7 ～ 9 cm，上部的长 2 ～ 3 cm，苞叶近
无柄。轮伞花序多花，具长 1 ～ 2 mm 的总
梗，彼此分离；苞片披针形或狭披针形，长
9 ～ 10 mm，与花萼等长或超更长，边缘被
具节缘毛；花萼管状，上部略扩展，长 8 ～
10 mm，外面脉上被平展具节刚毛，齿截状，

先端具极短的小刺尖，内面被微柔毛及毛束；花冠粉红色，长约 2 cm，花冠筒外面在上部背面被白色疏柔毛，余部无毛，内面具斜向间断的毛环，冠檐二唇形，上唇长约 9 mm，外面密被具节长绵毛及中枝特长的星状短绒毛，边缘为不整齐的小齿状，自内面密被髯毛，下唇外面被疏柔毛，长约 5 mm，宽约 7 mm，3 圆裂，中裂片较大，阔卵形，侧裂片较小，卵形；雄蕊内藏，花丝上部具长毛，后对基部在毛环上具斜展的短距状附属器；花柱先端不等 2 裂，子房裂片先端被短柔毛。花期 7 ~ 8 月。

| 生境分布 | 生于林缘或河岸。分布于河北抚宁、平泉等。

| 资源情况 | 野生资源丰富。药材来源于野生。

| 采收加工 | 初夏、秋季采挖，洗净，鲜用，或切片，晒干。

| 功能主治 | 苦、辛，凉。清热解毒。用于疮疖，无名肿毒。

| 用法用量 | 内服煎汤，10 ~ 20 g。外用适量，捣敷。

| 附　　注 | 本种根为民间草药，能清热消肿，治疗疮疖。

糙苏
Phlomoides umbrosa (Turcz.) Kamelin & Makhm.

| 植物别名 |

小兰花烟、山芝麻、白莶。

| 药 材 名 |

糙苏（药用部位：全草或根）。

| 形态特征 |

多年生草本。根粗壮，红褐色，须根肉质，常数个集生。茎直立，四棱形，多分枝，具浅槽，疏被向下的短硬毛，有时上部被星状柔毛。叶对生，叶片近圆形、圆卵形至卵状长圆形，长 5.2 ~ 12 cm，宽 2.5 ~ 12 cm，先端急尖或渐尖，基部浅心形或圆形，边缘有具胼胝尖的锯齿状牙齿，或有不整齐的圆齿，叶上面为橄绿色，且疏被伏毛和星状柔毛，下面颜色较淡，被毛同叶上面，但有时较密；叶柄长 1 ~ 12 cm，密被短硬毛；苞叶呈长卵形，超出花序。轮伞花序通常 4 ~ 8 花，多数，着生于主茎及分枝上；苞片线状钻形，常呈紫红色，较坚硬，被星状毛、近无毛或边缘有具节缘毛；花萼管状，长约 10 mm，外面被星状柔毛，萼齿先端具小刺尖，边缘被丛毛；花冠通常粉红色，长约 1.7 cm，常具红色斑点，唇形，外面除背部上方被短柔毛外，余部无毛，冠檐二唇形，

上唇外面被绢状柔毛，边缘具不整齐的小齿，下唇外面除边缘无毛外，密被绢状柔毛，3 裂，裂片近圆形或卵形，中裂片较大；雄蕊 4，内藏，前对较长，后对基部无附属物，花丝无毛，无附属器，花药 2 室；雌蕊子房 2，合生，花柱单一，柱头 2 裂。小坚果无毛。花期 6 ～ 9 月，果期 7 ～ 10 月。

| 生境分布 | 生于海拔 200 ～ 2 500 m 的疏林下、草丛、林缘、路旁草坡或山谷阴湿处。分布于河北涞源、灵寿、蔚县等。

| 资源情况 | 野生资源丰富，栽培资源丰富。药材来源于栽培。

| 采收加工 | 夏、秋季采收，晒干。

| 药材性状 | 本品根粗，须根肉质。茎呈方柱形，长 50 ～ 150 cm，多分枝，表面绿褐色，具浅槽，疏被硬毛；质硬而脆，断面中央有髓。叶对生，皱缩，展平后呈近圆形、圆卵形或卵状长圆形，长 5.2 ～ 12 cm，先端急尖，基部浅心形或圆形，边缘具锯齿，两面疏被短柔毛；叶柄长 1 ～ 12 cm，疏被毛。轮伞花序密被白色毛；苞片线状钻形，紫红色；花萼宿存，呈蜂窝状。气微香，味涩。

| 功能主治 | 辛，平。祛风化痰，利湿除痹，祛痰，解毒消肿。用于感冒，咳嗽痰多，风湿痹痛，跌打损伤，疮痈肿毒。

| 用法用量 | 内服煎汤，3 ～ 10 g。

| 附　注 | （1）有地区认为糙苏有补肝肾、壮腰膝、安胎的功效。
（2）狭萼变种 *Phlomis umbrosa* Turcz. var. *stenocalyx* (Diels) 与本种的区别在于叶薄，轮伞花序明显具总梗，较松散，苞片极纤细，花具梗，花萼长约 8 mm，宽约 3 mm，干后通常紫褐色。卵叶变种 *Phlomis umbrosa* var. *ovalifolia* (C. Y. Wu) C. L. Xiang & H. Peng 与本种的区别在于叶卵形，基部近楔形至浅心形，下面常被星状短柔毛，稀为星状短绒毛，花萼密被星状短柔毛，齿常较长。

唇形科 Labiatae 刺蕊草属 Pogostemon

水珍珠菜 *Pogostemon auricularius* (L.) Hassk.

| 植物别名 |

牛触臭、毛射草、毛水珍珠菜。

| 药 材 名 |

水毛射（药用部位：全草。别名：毛水珍珠草、毛射草、蛇尾草）。

| 形态特征 |

一年生草本。茎高 0.4 ~ 2 m，基部平卧，节上生根，上部上升，多分枝，具槽，密被黄色平展长硬毛。叶长圆形或卵状长圆形，长 2.5 ~ 7 cm，宽 1.5 ~ 2.5 cm，先端钝或急尖，基部圆形或浅心形，稀楔形，边缘具整齐的锯齿，草质，上面榄绿色，下面色较淡，两面被黄色糙硬毛，下面满布凹陷腺点，侧脉 5 ~ 6 对，与中脉在上面平坦、下面明显；叶柄短，稀长达 1.2 cm，密被黄色糙硬毛，上部叶近无柄。穗状花序长 6 ~ 18 cm，花期先端尾状渐尖，直径约 1 cm，连续，有时基部间断；苞片卵状披针形，常与花冠等长，边缘具糙硬毛；花萼钟形，小，长、宽均约 1 mm，仅萼齿边缘具疏柔毛，其余部分无毛，但具黄色小腺点，萼齿 5，短三角形，长约为萼筒的 1/4；花冠淡紫色至白色，长约为花萼长之 2.5 倍，

无毛；雄蕊 4，伸出部分具髯毛；花柱不超出雄蕊，先端相等 2 浅裂；花盘环状。小坚果近球形，直径约 0.5 mm，褐色，无毛。花果期 4 ～ 11 月。

| **生境分布** | 生于海拔 300 ～ 1 700 m 的疏林下湿润处或溪边潮湿处。分布于河北迁安等。

| **资源情况** | 野生资源稀少。药材来源于野生。

| **采收加工** | 7 ～ 10 月采收，洗净，鲜用或晒干。

| **功能主治** | 苦、辛，凉。散风清热，祛湿解毒，消肿止痛。用于感冒发热，惊风，风湿痛，肠伤寒，疝气，疮肿湿烂，湿疹，小儿胎毒，毒蛇咬伤。

| **用法用量** | 内服煎汤，10 ～ 30 g。外用适量，捣敷；或取汁涂；或煎汤洗。

唇形科 Labiatae 地笋属 Lycopus

地笋

Lycopus lucidus Turcz.

植物别名

地参、地藕、泽兰。

药材名

地笋（药用部位：根茎。别名：地瓜、地蚕子、地笋子）。

形态特征

多年生草本，高 0.6 ~ 1.7 m。根茎横走，具节，节上密生须根，先端肥大、呈圆柱形，节上具鳞叶及少数须根，或侧生有肥大、具鳞叶的地下枝。茎直立，通常不分枝，四棱形，具槽，绿色，常于节上多少带紫红色，无毛，或在节上疏生小硬毛。叶具极短柄或近无柄，长圆状披针形，多少弧弯，通常长 4 ~ 8 cm，宽 1.2 ~ 2.5 cm，先端渐尖，基部渐狭，边缘具锐尖粗牙齿状锯齿，两面或上面具光泽，亮绿色，两面均无毛，下面具凹陷的腺点，侧脉 6 ~ 7 对，与中脉在上面不显著、下面凸出。轮伞花序无梗，圆球形，花时直径 1.2 ~ 1.5 cm，多花密集，其下承以小苞片；小苞片卵圆形至披针形，先端刺尖，位于外侧者超过花萼，长达 5 mm，具 3 脉，位于内侧者，长 2 ~ 3 mm，短于或等于花萼，具 1 脉，边缘均具小纤毛；花萼钟形，长 3 mm，两面无毛，外面具腺点，萼齿 5，披针状三角形，长 2 mm，具刺尖头，边缘具小缘毛；花冠白色，长 5 mm，外面在冠檐上具腺点，内面在喉部具白色短柔毛，花冠筒长约 3 mm，冠檐呈不明显二唇形，上唇近圆形，下唇 3 裂，中裂片较大；雄蕊仅前对能育，超出花冠，先端略下弯，花丝丝状，无毛，花药卵圆形，2 室，室略叉开，后对雄蕊退化，丝状，先端棍棒状；花柱伸出花冠，先端相等 2 浅裂，裂片线形；花盘平顶。小坚果倒卵圆状四边形，基部略狭，长 1.6 mm，宽 1.2 mm，褐色，边缘加厚，背面平，腹面具棱，有腺点。花期 6 ~ 9 月，果期 8 ~ 11 月。

| 生境分布 | 生于海拔 320 ~ 2 100 m 的沼泽地、水边、沟边等潮湿处。分布于河北抚宁、隆化、滦平等。

| 资源情况 | 野生资源丰富。药材来源于野生。

| 采收加工 | 秋、冬季采挖，洗净，干燥。

| 药材性状 | 本品呈长纺锤形，稍扁，略弯曲，长 4 ~ 10 cm，直径 0.3 ~ 2 cm。表面黄棕色至棕褐色，皱缩，有微隆起的环节，节间长 0.3 ~ 1 cm，节上可见膜质鳞叶或须根。体轻，质稍韧，易折断，断面黄白色或棕黄色。气微，味甘、微苦。

| 功能主治 | 甘、辛，平。归心、肝、脾、胃经。化瘀止血，益气利水。用于衄血，吐血，产后腹痛，黄疸，水肿，带下，气虚乏力。

| 用法用量 | 内服煎汤，4 ~ 9 g；或浸酒。外用适量，捣敷；或浸酒涂。

| 附 注 | 地笋之名始载于《嘉祐本草》，书中云："地笋……即泽兰根也。"清代《植物名实图考》"芳草类"记载："地笋。生云南山阜，根有横纹如蚕，傍多细须，绿茎红节，长叶深齿"，并有附图。对照上述图文，可确认为地瓜儿苗无疑。

唇形科 Labiatae 地笋属 Lycopus

毛叶地瓜儿苗

Lycopus lucidus Turcz. var. *hirtus* Regel

| **植物别名** | 毛叶地笋。

| **药 材 名** | 泽兰（药用部位：全草。别名：地瓜儿苗）。

| **形态特征** | 多年生草本，高可达 1.7 m。具多节的圆柱状地下横走根茎，其节上有鳞片和须根，先端膨大成圆柱形。茎直立，不分枝，茎棱上被向上的小硬毛，节上密被硬毛。叶披针形或长圆形，长 5 ～ 10 cm，宽 1.5 ～ 4 cm，暗绿色，上面密被细刚毛状硬毛，叶缘具缘毛，下面主要在肋及脉上被刚毛状硬毛，两端渐狭，边缘具锐齿。轮伞花序无梗，球形，多花密集，花时直径 1.2 ～ 1.5 cm；小苞片卵圆形至披针形，先端刺尖；花萼钟形，长 3 mm，外面有腺点，萼齿 5，披针状三角形，具刺尖，边缘具小缘毛；花冠白色，长约 5 mm，外

面冠檐具腺点，喉部有白色短柔毛，花冠筒长约 3 mm，冠檐呈不明显二唇形，上唇近圆形，下唇 3 裂，中裂片较大；雄蕊仅前对能育，超出花冠外，花丝丝状，花药卵圆形，2 室，室略叉开；花柱伸出花冠，先端相等 2 浅裂；花盘平顶。小坚果倒卵圆状四边形，基部略狭，长 1.6 mm，宽 1.2 mm，褐色，腹面有腺点。花期 6 ~ 9 月，果期 8 ~ 11 月。

| 生境分布 | 生于海拔 2 100 m 以下的沼泽地、山野低洼地、水边等潮湿处。分布于河北宽城、灵寿、围场等。

| 资源情况 | 野生资源一般，栽培资源丰富。药材主要来源于栽培。

| 采收加工 | 茎叶生长茂盛时采收，割取地上部分切段，晒干；9 ~ 10 月采挖地下根茎，晒干。

| 药材性状 | 本品茎呈方柱形，少分枝，四面均有浅纵沟，长 50 ~ 100 cm，直径 0.2 ~ 0.6 cm；表面黄绿色或带绿色，节处紫色明显，有白色茸毛；质脆，断面黄白色，髓部中空。叶对生，有短柄，叶片多皱缩，展平后呈披针形或长圆形，长 5 ~ 10 cm，上表面黑绿色，下表面灰绿色，密具腺点；两面均有短毛，先端尖，边缘有锯齿。轮伞花序腋生成轮状，花冠多脱落，苞片及花萼宿存，小苞片披针形，有缘毛，花萼钟形，5 齿。气微，味淡。

| 功能主治 | 苦、辛，微温。归肝、脾经。活血调经，祛瘀消痈，利水消肿。用于月经不调，经闭，痛经，产后瘀血腹痛，疮痈肿毒，水肿腹水。

| 用法用量 | 内服煎汤，6 ~ 12 g；或入丸、散剂。外用适量，鲜品捣敷；或煎汤熏洗。

| 附　　注 | （1）泽兰药食两用，为妇科要药，能通经利尿，对产前、产后诸病有效。根茎通称地笋，可食用。因需求量较大，野生资源难以满足需要，需通过人工栽培满足市场需求。

（2）地笋 *Lycopus lucidus* Turcz. 与本种相似，不同之处在于地笋茎及叶无毛。分布于东北、河北、贵州等。贵州遵义称之为"麻泽兰"，陕西称之为"草泽兰"，河北称之为"土泽兰"。《救荒本草》和《本草图翼》所绘的泽兰图即为此种。《中国植物志》描述该植物为地瓜儿苗的硬毛变种，并没有毛叶地瓜儿苗这一植物名，《河北植物志》描述该种为地瓜儿苗的变种毛地笋，也没有毛叶地瓜儿苗这一名称。

风轮菜

Clinopodium chinense (Benth.) O. Ktze

| 植物别名 | 野薄荷、山薄荷、九层塔。

| 药 材 名 | 断血流（药用部位：地上部分。别名：大叶香薷、荫风轮、山藿香）。

| 形态特征 | 多年生草本。茎基部匍匐生根，上部上升，多分枝，高可达1 m，四棱形，具细条纹，密被短柔毛及腺微柔毛。叶卵圆形，不偏斜，先端急尖或钝，基部圆形或阔楔形，边缘具大小相等的圆齿状锯齿，坚纸质，上面榄绿色，密被平伏短硬毛，下面灰白色，被疏柔毛，脉上尤密，侧脉5 ~ 7对，与中肋在上面微凹陷、下面隆起，网脉在下面清晰可见；叶柄长3 ~ 8 mm，腹凹背凸，密被疏柔毛。轮伞花序多花密集，半球状，位于下部者直径达3 cm，最上部者直径1.5 cm，彼此远隔；苞叶叶状，向上渐小至苞片状，苞片针状，极细，

无明显中肋，长 3 ~ 6 mm，多数，被柔毛状缘毛及微柔毛；总梗长 1 ~ 2 mm，分枝多数；花梗长约 2.5 mm，与总梗及花序轴被柔毛状缘毛及微柔毛；花萼狭管状，常染紫红色，长约 6 mm，具 13 脉，外面主要沿脉上被疏柔毛及腺微柔毛，内面在齿上被疏柔毛，果时基部一边稍膨胀，上唇 3 齿，齿近外反，长三角形，先端具硬尖，下唇 2 齿，齿稍长，直伸，先端具芒尖；花冠紫红色，长约 9 mm，外面被微柔毛，内面在下唇下方喉部具 2 列毛茸，花冠筒伸出，向上渐扩大，至喉部宽近 2 mm，冠檐二唇形，上唇直伸，先端微缺，下唇 3 裂，中裂片稍大；雄蕊 4，前对稍长，均内藏或前对微露出，花药 2 室，室近水平叉开；子房无毛，花柱微露出，先端不相等 2 浅裂，裂片扁平；花盘平顶。小坚果倒卵形，长约 1.2 mm，宽约 0.9 mm，黄褐色。花期 5 ~ 8 月，果期 8 ~ 10 月。

| 生境分布 | 生于海拔 1 000 m 以下的山坡、路边、沟谷、草丛、灌丛、林下。分布于河北丰宁、抚宁、阜平等。

| 资源情况 | 野生资源一般。药材来源于野生。

| 采收加工 | 夏季开花前采收，除去泥沙，晒干。

| 药材性状 | 本品茎呈方柱形，四面凹成槽状，分枝对生，长 30 ~ 90 cm，直径 1.5 ~ 4 mm；上部密被灰白色茸毛，下部毛较稀疏或近无毛，节间长 2 ~ 8 cm，表面灰绿色或绿褐色；质脆，易折断，断面不平整，中央有髓或中空。叶对生，有柄，叶片多皱缩、破碎，完整者展平后呈卵形，长 2 ~ 5 cm，宽 1.5 ~ 3.2 cm，边缘具疏锯齿，上表面绿褐色，下表面灰绿色，两面均密被白色茸毛。气微香，味涩、微苦。

| 功能主治 | 微苦、涩，凉。归肝经。收敛止血。用于崩漏，尿血，鼻衄，牙龈出血，创伤出血。

| 用法用量 | 内服煎汤，9 ~ 15 g。外用适量，研末敷。

| 附　注 | （1）风轮菜始载于《救荒本草》，书中记载："苗高二尺余，方茎四棱，色淡绿、微白。叶似荏子叶而小，又似威灵仙叶微宽，边有锯齿叉，两叶对生，而叶节间又生子，叶极小，四叶相攒对生。开淡粉红花。其叶微苦。"从该描述中可看出，古代所用风轮菜与现今唇形科风轮菜大致相符。
（2）《河北植物志》中未收录本种，但在第四次全国中药资源普查中，发现河北有风轮菜野生资源分布。
（3）有研究发现，本种可解雷公藤中毒。

唇形科 Labiatae　黄芩属 Scutellaria

并头黄芩
Scutellaria scordifolia Fisch. ex Schrank

| **植物别名** | 山麻子、头巾草。

| **药 材 名** | 头巾草（药用部位：全草。别名：山麻子、半枝莲）。

| **形态特征** | 根茎斜行或近直伸，节上生须根。茎直立，高 12 ~ 36 cm，四棱形，基部直径 1 ~ 2 mm，常带紫色，在棱上疏被上曲的微柔毛，或几无毛，不分枝，或具或多或少、或长或短的分枝。叶具很短的柄或近无柄，柄长 1 ~ 3 mm，腹凹背凸，被小柔毛；叶片三角状狭卵形、三角状卵形或披针形，长 1.5 ~ 3.8 cm，宽 0.4 ~ 1.4 cm，先端多钝，稀微尖，基部浅心形，近截形，边缘多具浅锐牙齿，稀生少数不明显的波状齿，极少近全缘，上面绿色，无毛，下面色较淡，沿中脉及侧脉疏被小柔毛，有时几无毛，具多数凹点，有时不具凹点，侧

脉约 3 对，上面凹陷，下面明显凸起。花单生于茎上部的叶腋内，偏向一侧；花梗长 2 ~ 4 mm，被短柔毛，近基部有 1 对长约 1 mm 的针状小苞片；花时花萼长 3 ~ 4 mm，被短柔毛及缘毛，盾片高约 1 mm，果时花萼长 4.5 mm，盾片高 2 mm；花冠蓝紫色，长 2 ~ 2.2 cm，外面被短柔毛，内面无毛，花冠筒基部浅囊状膝曲，宽约 2 mm，向上渐宽，至喉部宽达 6.5 mm，冠檐二唇形，上唇盔状，内凹，先端微缺，下唇中裂片圆状卵圆形，先端微缺，最宽处 7 mm，两侧裂片卵圆形，先端微缺，宽 2.5 mm；雄蕊 4，均内藏，前对较长，具能育半药，退化半药明显，后对较短，具全药，药室裂口具髯毛，花丝扁平，前对内侧、后对两侧下部被疏柔毛；子房 4 裂，裂片等大，花柱细长，先端锐尖，微裂；花盘前方隆起，后方延伸成短子房柄。小坚果黑色，椭圆形，长 1.5 mm，直径 1 mm，具瘤状突起，腹面近基部具果脐。花期 6 ~ 8 月，果期 8 ~ 9 月。

| 生境分布 | 生于海拔 2 100 m 以下的草地或湿草甸。分布于河北赞皇等。

| 资源情况 | 野生资源较丰富。药材主要来源于野生。

| 采收加工 | 7 ~ 9 月采收，鲜用或晒干。

| 功能主治 | 苦，凉。清热利湿，解毒消肿。用于肝炎，肝硬化，腹水，阑尾炎，乳腺炎，虫蛇咬伤，跌打损伤。

| 用法用量 | 内服煎汤，15 ~ 30 g；或绞汁。外用适量，鲜品捣敷。

| 附　注 | 本种的变种较多，均作并头黄芩使用，其主要区别在于毛被及叶型的变化，常用的有以下几种。

（1）雾灵山变种。该变种与本种的区别在于茎上部和叶上面被较密的毛，并且为有节的长伏毛。主要分布于北京、山西、河北承德，生于海拔 1 500 ~ 1 650 m 的落叶林下。

（2）微柔毛变种。该变种与本种的区别在于茎沿棱上有较密的上曲微柔毛，叶上面疏被紧贴的微柔毛，下面除叶脉外也被有紧贴的微柔毛。分布于河北、山西、内蒙古、黑龙江、天津等地，生于海拔 1 400 m 以下的山地草坡或草甸上。

（3）喜沙变种。该变种与本种的区别在于茎棱上疏被倒向的微柔毛；叶披针状线形至线形，长 1.4 ~ 4 cm，宽 2 ~ 6 cm，先端极钝，全缘或具少数远离的小圆齿，上面无毛，下面只在脉上疏被微柔毛，密生凹点。分布于河北康保、张北及黑龙江、辽宁、内蒙古等地，生于海拔 1 400 m 以下的沙地上。

（4）多毛变种。该变种与本种的区别在于茎密被上曲的短柔毛，尤其在棱及茎上部；叶两面密被紧贴的短柔毛，花萼及花冠密被短柔毛，有时混生腺点。分布于青海、甘肃、陕西、山西、河南，生于海拔 1 475 ~ 1 900 m 的山地草坡或松林下。

唇形科 Labiatae 黄芩属 Scutellaria

韩信草

Scutellaria indica L.

| **植物别名** | 三合香、顺经草、偏向花。

| **药 材 名** | 韩信草（药用部位：全草。别名：耳挖草、金茶匙、大韩信草）。

| **形态特征** | 多年生草本。根茎短，向下生出多数簇生的纤维状根，向上生出 1 至多数茎。茎高 12 ～ 28 cm，上升直立，四棱形，通常带暗紫色，被微柔毛，尤以茎上部及沿棱角处为密集，不分枝或多分枝。叶草质至近坚纸质，心状卵圆形或圆状卵圆形至椭圆形，长 1.5 ～ 2.6 （～ 3）cm，宽 1.2 ～ 2.3 cm，先端钝或圆，基部圆形、浅心形至心形，边缘密生整齐的圆齿，两面被微柔毛或糙伏毛，尤以下面为甚；叶柄长 0.4 ～ 1.4（～ 2.8）cm，腹平背凸，密被微柔毛。花对生，在茎或分枝顶上排列成长 4 ～ 8（～ 12）cm 的总状花序；

花梗长 2.5 ~ 3 mm，与花序轴均被微柔毛；最下 1 对苞片叶状，卵圆形，长达 1.7 cm，边缘具圆齿，其余苞片均细小，卵圆形至椭圆形，长 3 ~ 6 mm，宽 1 ~ 2.5 mm，全缘，无柄，被微柔毛；花萼花时长约 2.5 mm，被硬毛及微柔毛，果时增大，盾片花时高约 1.5 mm，果时竖起，增大 1 倍；花冠蓝紫色，长 1.4 ~ 1.8 cm，外面疏被微柔毛，内面仅唇片被短柔毛，花冠筒前方基部膝曲，其后直伸，向上逐渐增大，至喉部宽约 4.5 mm，冠檐二唇形，上唇盔状，内凹，先端微缺，下唇中裂片圆状卵圆形，两侧中部微内缢，先端微缺，具深紫色斑点，两侧裂片卵圆形；雄蕊 4，二强；花丝扁平，中部以下具小纤毛；花盘肥厚，前方隆起；子房光滑，4 裂，子房柄短，花柱细长。成熟小坚果栗色或暗褐色，卵形，长约 1 mm，直径不到 1 mm，具瘤，腹面近基部具 1 果脐。花果期 2 ~ 6 月。

| **生境分布** | 生于海拔 1 500 m 以下的山地或丘陵地、疏林下、路旁空地及草地上。分布于河北阜平、武安等。

| **资源情况** | 野生资源丰富。药材来源于野生。

| **采收加工** | 春、夏季采收，洗净，鲜用或晒干。

| **药材性状** | 本品根丛生，纤细。茎呈类四方形，少分枝，直径 0.2 ~ 0.4 cm；表面灰棕色或黄棕色，多具纵棱线，密被白色茸毛；质脆，断面髓部常中空。叶对生，有短柄；叶片多皱缩，展平后呈圆形或卵圆形，长 1 ~ 2.5 cm，宽 0.8 ~ 1.5 cm；先端钝，基部心形，边缘有钝锯齿；灰绿色或暗绿色，两面密被白色茸毛。总状花序顶生，花冠已脱落，残留的花萼呈钟状，萼筒背上生有囊状盾鳞，呈"耳挖"状。气微，味微苦、咸。

| **功能主治** | 辛、苦，寒。归心、肝、肺经。清热解毒，活血止痛，止血消肿。用于痈肿疔毒，肺痈，肠痈，瘰疬，毒蛇咬伤，肺热咳喘，牙痛，喉痹，咽痛，筋骨疼痛，吐血，咯血，便血，跌打损伤，创伤出血，皮肤瘙痒。

| **用法用量** | 内服煎汤，10 ~ 15 g；或捣汁，鲜品 30 ~ 60 g；或浸酒。外用适量，捣敷；或煎汤洗。

| **附 注** | 本种的适应性及生活力很强，变异亦较大，可根据其习性分为 2 个变型。①原变型 *Scutellaria indica* L. f. *indica*，茎通常单一；②多枝变型 *Scutellaria indica* L. f. *ramosa* C. Y. Wu et C. Chen，植株略高大，茎多分枝。

唇形科 Labiatae 黄芩属 Scutellaria

京黄芩 *Scutellaria pekinensis* Maxim.

| 植物别名 | 丹参、筋骨草、北京黄芩。

| 药 材 名 | 京黄芩（药用部位：根）。

| 形态特征 | 一年生草本。根茎细长。茎高 24 ~ 40 cm，直立，四棱形，直径 0.8 ~ 1.5 mm，绿色，基部通常带紫色，不分枝或分枝，疏被上曲的白色小柔毛，以茎上部者较密。叶草质，卵圆形或三角状卵圆形，长 1.4 ~ 4.7 cm，宽 1.2 ~ 3.5 cm，先端锐尖至钝，有时圆形，基部截形、截状楔形至近圆形，边缘具浅而钝的 2 ~ 10 对牙齿，两面疏被伏贴的小柔毛，下面以沿各脉上较密，侧脉 3 ~ 4 对，斜升，与中脉在上面不明显，于下面凸出；叶柄长（0.3 ~ ）0.5 ~ 2 cm，疏被上曲的小柔毛。花对生，排列成顶生、长 4.5 ~ 11.5 cm 的总状花

序；花长约 2.5 mm，与花序轴密被上曲的白色小柔毛；苞片除花序上最下 1 对
较大且呈叶状外，余均细小，狭披针形，长 3 ~ 7 mm，宽 1 ~ 2 mm，全缘，
疏被短柔毛；花萼花时长约 3 mm，果时增大，长 4 mm，密被小柔毛，盾片花
时高 1.5 mm，果时高 4 mm；花冠蓝紫色，长 1.7 ~ 1.8 cm，外被具腺小柔毛，
内面无毛，花冠筒前方基部略呈膝曲状，中部宽 1.5 mm，向上渐宽，至喉部宽
达 5 mm，冠檐二唇形，上唇盔状，内凹，先端微缺，下唇中裂片宽卵圆形，两
侧中部微内缢，先端微缺，两侧裂片卵圆形；雄蕊 4，二强，花丝扁平，中部
以下被纤毛；花盘肥厚，前方隆起；子房光滑，无毛，子房柄短，花柱细长。
成熟小坚果栗色或黑栗色，卵形，直径约 1 mm，具瘤，腹面中下部具 1 果脐。
花期 6 ~ 8 月，果期 7 ~ 10 月。

| **生境分布** | 生于海拔 600 ~ 1 800 m 的石坡、潮湿谷地或林下。分布于河北抚宁、宽城、涿鹿等。

| **资源情况** | 野生资源丰富。药材来源于野生。

| **采收加工** | 春、秋季采挖，除去茎叶、须根及泥沙，晒半干后撞去粗皮，干燥。

| **功能主治** | 苦，寒。清热燥湿，凉血安胎。用于温热病。

| **用法用量** | 内服煎汤，3 ~ 10 g。

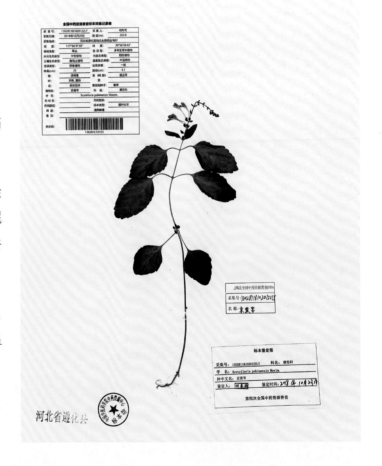

唇形科 Labiatae 黄芩属 Scutellaria

狭叶黄芩
Scutellaria regeliana Nakai

| 药 材 名 | 狭叶黄芩（药用部位：根）。

| 形态特征 | 多年生草本。根茎直伸或斜行，纤细，在节上生须根及匍枝。茎直立，高 26 ～ 30 cm，四棱形，具沟，基部直径 1.2 ～ 1.5 mm，被上曲、短小的柔毛，通常在棱上较密集，一般不分枝，偶有自基部生出的长而靠贴的分枝，通常分枝不多，中部节间长 2.5 ～ 4 cm。叶具极短的柄，柄粗壮，长 0.5 ～ 1 mm，腹凹背凸，密被很短的小柔毛，叶片披针形或三角状披针形，长 1.7 ～ 3.3 cm，宽 3 ～ 6 mm，先端钝，基部呈不明显浅心形或近截形，全缘但稍内卷，上面密被微糙毛，下面密被微柔毛，脉上尤著，有分散的细粒状腺体，侧脉约 3 对，与中脉在上面凹陷、下面凸起。花单生于

茎中部以上的叶腋内，偏向一侧，花梗长约 4 mm，密被微柔毛，基部有 1 对长 1.5 mm、被疏柔毛的针状小苞片；花时花萼长 4 mm，外面密被短柔毛，盾片很小，高约 0.5 mm，果时花萼长 6 mm，盾片高 1 mm。花冠紫色，长 2 ~ 2.3（~ 2.5）cm，外面被短柔毛，内面在花冠筒囊状膨大部分上方及上唇与两侧裂片接合处疏被柔毛，花冠筒基部宽 1.5 mm，至喉部宽达 8 mm，冠檐二唇形，上唇盔状，先端微缺，下唇中裂片大，近扁圆形，宽 9 mm，全缘，两侧裂片长圆形，宽 3.5 mm；雄蕊 4，均内藏，前对较长，具能育半药，退化半药不明显，后对较短，具全药，药室裂口具髯毛，花丝扁平，前对内侧、后对两侧中部被疏柔毛；子房 4 裂，裂片等大，花柱细长，扁平，先端锐尖，微裂；花盘环状，前方微膨大，后方延伸成长 0.5 mm 的子房柄，子房与花盘间有白色泡状体。小坚果黄褐色，卵球形，长 1.25 mm，宽 1 mm，具瘤状突起，腹面基部具果脐。花期 6 ~ 7 月，果期 7 ~ 9 月。

| **生境分布** | 生于海拔 480 ~ 1 000 m 的河岸或沼泽地。分布于河北抚宁、沽源、平山等。

| **资源情况** | 野生资源丰富。药材来源于野生。

| **采收加工** | 春、秋季采挖，除去茎叶、须根及泥沙，晒半干后撞去粗皮，干燥。

| **功能主治** | 苦，寒。清热燥湿，凉血安胎。用于温热病。

| **用法用量** | 内服煎汤，3 ~ 10 g。

唇形科 Labiatae 活血丹属 Glechoma

白透骨消
Glechoma biondiana (Diels) C. Y. Wu et C. Chen

| 药 材 名 | 白透骨消（药用部位：全草。别名：连钱草、活血丹、见肿消）。

| 形态特征 | 多年生草本，高 15 ~ 30 cm。全体被具节的长柔毛，具较长的匍匐茎，上升，逐节生根。茎四棱形，基部有时带紫色。叶草质，茎中部的最大，心形，长 2 ~ 4.2 cm，宽 1.9 ~ 3.8 cm，先端急尖，通常具针状小尖头，基部心形，具长方形基凹，边缘具卵形粗圆齿，齿先端钝，两面被具节长柔毛，下面通常带紫色，叶柄长 1.2 ~ 2.5 cm，被长柔毛；茎基部的叶片同形而较小，叶柄细长，长约为叶片之 3 倍。聚伞花序通常 3 花，呈轮伞花序；苞片及小苞片线形，长约 4 mm，具缘毛；花萼管状，微弯，长 1 ~ 1.2 cm，外面被长柔毛及微柔毛，内面无毛，齿 5，略呈二唇形，上唇 3 齿，较长，下唇 2 齿，稍短，齿均呈狭三角形，长 4 ~ 5 mm，先端渐尖成芒状，

边缘被缘毛；花冠粉红色至淡紫色，钟形，长 2 ~ 2.4 cm，外面被疏长柔毛，内面仅在下唇中裂片下方被长柔毛，花冠筒自花萼喉部向上渐宽大，至喉部宽达 6 mm，冠檐二唇形，上唇直立，宽卵形，先端凹入，下唇伸长，斜展，3 裂，中裂片最大，扇形，先端微凹，两侧裂片卵形；雄蕊 4，后对着生于上唇下面近喉部，短于上唇，前对着生于下唇侧裂片下方花冠筒中部，长仅达花冠筒喉部，花丝细长，长 2.5 ~ 4 mm，花药 2 室，室叉开；子房 4 裂，无毛，花柱细长，花时与上唇等长，先端 2 裂；花盘杯状，裂片不明显，前方呈指状膨大。成熟小坚果长圆形，深褐色，具小凹点，无毛，基部略呈三棱形，果脐位于基部。花期 4 ~ 5 月，果期 5 ~ 6 月。

| **生境分布** | 生于海拔 1 000 ~ 1 700 m 的溪边和林缘阴湿、肥沃的土地上。分布于河北邢台及阜平、武安等。

| **资源情况** | 野生资源丰富。药材来源于野生。

| **采收加工** | 5 ~ 7 月采收，晒干。

| **功能主治** | 辛，温。祛风活血，利湿解毒。用于风湿痹痛，跌打损伤，肺痈，黄疸，急性肾炎，尿道结石，疟腮。

| **用法用量** | 内服煎汤，15 ~ 60 g。

唇形科 Labiatae 活血丹属 *Glechoma*

活血丹

Glechoma longituba (Nakai) Kupr

| 植物别名 | 退骨草、透骨草、通骨消。

| 药 材 名 | 连钱草（药用部位：地上部分。别名：活血丹、金钱草、金钱薄荷）。

| 形态特征 | 多年生草本。具匍匐茎，上升，逐节生根。茎高 10 ~ 20（~ 30）cm，四棱形，基部通常呈淡紫红色，几无毛，幼嫩部分被疏长柔毛。叶草质，下部者较小，叶片心形或近肾形，叶柄长为叶片的 1 ~ 2 倍；上部者较大，叶片心形，宽 2 ~ 3 cm，先端急尖或钝三角形，基部心形，边缘具圆齿或粗锯齿状圆齿，上面被疏粗伏毛或微柔毛，叶脉不明显，下面常带紫色，被疏柔毛或长硬毛，常仅限于脉上，脉隆起，被长柔毛。轮伞花序通常具 2 花，稀具 4 ~ 6 花；苞片及小苞片线形，长达 4 mm，被缘毛；花萼管状，长 9 ~ 11 mm，外

面被长柔毛，尤以沿肋上为多，内面多少被微柔毛，齿 5，上唇 3 齿，较长，下唇 2 齿，略短，齿卵状三角形，长为萼长的 1/2，先端芒状，边缘具缘毛；花冠淡蓝色、蓝色至紫色，下唇具深色斑点，花冠筒直立，上部渐膨大成钟形，有长筒与短筒两型，长筒者长 1.7 ~ 2.2 cm，短筒者通常藏于花萼内，长 1 ~ 1.4 cm，外面多少被长柔毛及微柔毛，内面仅下唇喉部被疏柔毛或几无毛，冠檐二唇形，上唇直立，2 裂，裂片近肾形，下唇伸长，斜展，3 裂，中裂片最大，肾形，较上唇片大 1 ~ 2 倍，先端凹入，两侧裂片长圆形，宽为中裂片之半；雄蕊 4，内藏，无毛，后对着生于上唇下，较长，前对着生于两侧裂片下方花冠筒中部，较短；花药 2 室，略叉开；子房 4 裂，无毛，花柱细长，无毛，略伸出，先端近相等 2 裂；花盘杯状，微斜，前方呈指状膨大。成熟小坚果深褐色，长圆状卵形，长约 1.5 mm，宽约 1 mm，先端圆，基部略呈三棱形，无毛，果脐不明显。花期 4 ~ 5 月，果期 5 ~ 6 月。

| **生境分布** | 生于海拔 50 ~ 2 000 m 的林缘、疏林下、草地上、溪边等阴湿处。分布于河北内丘、沙河、灵寿等。

| **资源情况** | 野生资源丰富。药材来源于野生。

| **采收加工** | 春至秋季采收，除去杂质，晒干。

| **药材性状** | 本品长 10 ~ 20 cm，疏被短柔毛。茎呈方柱形，细而扭曲；表面黄绿色或紫红色，节上有不定根；质脆，易折断，断面常中空。叶对生，叶片多皱缩，展平后呈肾形或近心形，长 1 ~ 3 cm，宽 1.5 ~ 3 cm，灰绿色或绿褐色，边缘具圆齿；叶柄纤细，长 4 ~ 7 cm。轮伞花序腋生，花冠二唇形，长达 2 cm。搓之气芳香，味微苦。

| **功能主治** | 辛、微苦，微寒。归肝、肾、膀胱经。利湿通淋，清热解毒，散瘀消肿。用于热淋、石淋，湿热黄疸，疮痈肿痛，跌打损伤。

| **用法用量** | 内服煎汤，15 ~ 30 g。外用适量，煎汤洗。

藿香

Agastache rugosa (Fisch. et Mey.) O. Ktze.

植物别名

苏藿香、叶藿香、鱼子苏。

药 材 名

藿香（药用部位：地上部分。别名：土藿香、猫把、青茎薄荷）。

形态特征

多年生草本。茎直立，高 0.5 ~ 1.5 m，四棱形，直径达 7 ~ 8 mm，上部被极短的细毛，下部无毛，在上部具能育的分枝。叶心状卵形至长圆状披针形，长 4.5 ~ 11 cm，宽 3 ~ 6.5 cm，向上渐小，先端尾状长渐尖，基部心形，稀截形，边缘具粗齿，纸质，上面榄绿色，近无毛，下面色略淡，被微柔毛及点状腺体；叶柄长 1.5 ~ 3.5 cm。轮伞花序具多花，在主茎或侧枝上组成顶生密集的圆筒形穗状花序，穗状花序长 2.5 ~ 12 cm，直径 1.8 ~ 2.5 cm；花序基部的苞叶长不超过 5 mm，宽 1 ~ 2 mm，披针状线形，长渐尖，苞片形状与之相似，较小，长 2 ~ 3 mm；轮伞花序具短梗，总梗长约 3 mm，被腺微柔毛；花萼管状倒圆锥形，长约 6 mm，宽约 2 mm，被腺微柔毛及黄色小腺体，多少染成浅紫色或紫红色，喉部微

斜，萼齿三角状披针形，后 3 齿长约 2.2 mm，前 2 齿稍短；花冠淡紫蓝色，长约 8 mm，外被微柔毛，花冠筒基部宽约 1.2 mm，微超出萼，向上渐宽，至喉部宽约 3 mm，冠檐二唇形，上唇直伸，先端微缺，下唇 3 裂，中裂片较宽大，长约 2 mm，宽约 3.5 mm，平展，边缘波状，基部宽，侧裂片半圆形；雄蕊伸出花冠，花丝细，扁平，无毛；花柱与雄蕊近等长，丝状，先端相等的 2 裂，花盘厚环状，子房裂片顶部具绒毛。成熟小坚果卵状长圆形，长约 1.8 mm，宽约 1.1 mm，腹面具棱，先端具短硬毛，褐色。花期 6 ~ 9 月，果期 9 ~ 11 月。

| **生境分布** | 生于山坡、草地、路旁等处。分布于河北青龙、蔚县、迁西等。

| **资源情况** | 野生资源丰富，栽培资源丰富。药材主要来源于栽培。

| **采收加工** | 夏、秋季枝叶茂盛或花初开时采割，阴干，或切段，阴干。

| **药材性状** | 本品地上部分长 30 ~ 90 cm，常对折或切断扎成束。茎呈四方柱形，多分枝，直径 0.2 ~ 1 cm，四角有棱脊，四面凹下，呈纵沟；表面暗绿色或黄绿色，有纵皱纹，毛茸稀少或光滑；节明显，节间长 3 ~ 10 cm，常有叶柄脱落的痕迹；老茎木质化，易折断，断面白色，髓部中空。叶对生；叶片深绿色或灰绿色，多皱缩或破碎，完整者展平后呈卵形，长 2 ~ 8 cm，宽 1 ~ 6 cm，先端尖锐，基部心形或圆形，边缘具钝锯齿，上表面深绿色，下表面灰绿色，两面微具毛茸，薄而脆；有时枝端有穗状轮伞花序，圆柱状，土棕色。气芳香，味淡而微凉。

| **功能主治** | 辛，微温。归肺、脾、胃经。祛暑解表，化湿和胃。用于夏令感冒，寒热头痛，胸脘痞闷，呕吐泄泻，妊娠呕吐，鼻渊，手足癣。

| **用法用量** | 内服煎汤，6 ~ 10 g；或入丸、散剂。外用适量，煎汤洗；或研末搽。

| **附 注** | （1）藿香，习称"土藿香"，见载于《滇南本草》等著作。卢之颐的《本草乘雅半偈》记载："叶似荏苏，边有锯齿。七月擢穗，作花似蓼，房似假苏，子似芜蔚。"所描述的即为本品藿香。

（2）《中国药典》未收载本种，收载了本种的同科不同属植物广藿香 *Pogostemon cablin* (Blanco) Benth.。本种为唇形科藿香属植物，广藿香为唇形科刺蕊草属植物，二者最根本的区别在于：本种的花期为 6 ~ 9 月，而广藿香的花期为 1 ~ 2 月，且其很少开花结子。本种药材（藿香）以茎枝色绿、叶多、香气浓者为佳品。

（3）本种的茎叶经蒸馏后所得到的芳香水成为藿香露，亦可作药用。《纲目拾遗》中以"清暑，正气"来描述其功效，《中药成方配本》记载它可以"芳香宣浊。治暑湿气滞，胸闷呕恶"。

唇形科 Labiatae 筋骨草属 *Ajuga*

白苞筋骨草

Ajuga lupulina Maxim.

| 植物别名 | 甜格缩缩草、白毛夏枯草、轮花筋骨草。

| 药 材 名 | 忽布筋骨草（药用部位：全草）。

| 形态特征 | 多年生草本，具地下走茎。茎粗壮，直立，高 18 ~ 25 cm，四棱形，具槽，沿棱及节上被白色具节长柔毛。叶柄具狭翅，基部抱茎，边缘具缘毛；叶片纸质，披针状长圆形，长 5 ~ 11 cm，宽 1.8 ~ 3 cm，先端钝或稍圆，基部楔形，下延，边缘疏生波状圆齿或几全缘，具缘毛，上面无毛或被极少的疏柔毛，下面仅叶脉被长柔毛或仅近先端有星散疏柔毛。穗状聚伞花序由多数轮伞花序组成；苞叶大，向上渐小，白黄色、白色或绿紫色，卵形或阔卵形，长 3.5 ~ 5 cm，宽 1.8 ~ 2.7 cm，先端渐尖，基部圆形，抱轴，全缘，上面被长柔毛，下面

仅叶脉或有时仅先端被疏柔毛。花梗短,被长柔毛;花萼钟状或略呈漏斗状,长 7 ~ 9 mm,基部前方略膨大,具 10 脉,其中 5 脉不甚明显,萼齿 5,狭三角形,长为花萼之半或较长,整齐,先端渐尖,边缘具缘毛;花冠白色、白绿色或白黄色,具紫色斑纹,狭漏斗状,长 1.8 ~ 2.5 cm,外面被疏长柔毛,花冠筒基部前方略膨大,内面具毛环,从前方向下弯,冠檐二唇形,上唇小,直立,2 裂,裂片近圆形,下唇延伸,3 裂,中裂片狭扇形,长约 6.5 mm,先端微缺,侧裂片长圆形,长约 3 mm。雄蕊 4,二强,着生于花冠筒中部,伸出,花丝细,挺直,被长柔毛或疏柔毛,花药肾形,1 室;花柱无毛,伸出,较雄蕊略短,先端 2 浅裂,裂片细尖,花盘杯状,裂片近相等,不明显,前方微膨大,子房 4 裂,被长柔毛。小坚果倒卵状或倒卵长圆状三棱形,背部具网状皱纹,腹部中间微微隆起,具 1 大果脐,而果脐几达腹面之半。花期 7 ~ 9 月,果期 8 ~ 10 月。

| **生境分布** | 生于海拔 1 900 ~ 3 200 m 的河滩沙地、高山草地或陡坡石缝中,少见于海拔 1 300 m 以下或海拔 3 500 m 以上的地区。分布于河北涞源、蔚县、平山等。

| **资源情况** | 野生资源较少。药材主要来源于野生。

| **采收加工** | 7 ~ 9 月开花期采收,洗净,晒干。

| **药材性状** | 本品根细而多,类白色或淡黄白色;易折断,断面不平整。茎四棱形,扭曲,长 18 ~ 25 cm,沿棱及节上被白色的长柔毛,断面中央有一个小圆孔。叶片多皱缩,破碎;完整叶片呈披针状长圆形,长 5 ~ 11 cm;苞片大,淡黄色或黄白

色，皱缩。花萼漏斗状，具 10 脉；花冠狭漏斗状，类白色至淡黄色，具紫色斑纹；雄蕊 4，二强，着生花冠筒中部。气清香，味苦。

| 功能主治 |　苦，寒。清热解毒，凉血消肿。用于外感风热，高热神昏，吐衄，面瘫口㖞，高血压，肺热咳喘，肺痈，泻痢腹痛，肝炎，尿路结石，肠痈，目赤肿痛，咽喉肿痛，梅毒，疮疖肿毒，跌打瘀肿，外伤出血，毒蛇咬伤。

| 用法用量 |　内服煎汤，9～15 g。外用适量，捣敷；或研末调敷。

| 附　　注 |　（1）《中国药典》未收载本种，收载了本种的同属植物金疮小草 *Ajuga decumbens* Thunb.。在形态特征方面，白苞筋骨草的苞片较花长，通常为白黄色、白色或带紫色，而金疮小草的苞片较花短或等长，绿色或绿紫色。在功能主治方面，二者均味苦，性寒，具清热解毒、凉血消肿之功，但白苞筋骨草还有平肝的作用。

（2）本种生境独特，分布范围和蕴藏量较少，加之受旅游开发及放牧等因素的影响，本种的蕴藏量更是大幅度减少。如果本种的野生资源持续被大量利用，这很容易导致本种濒危甚至灭绝，因此，应尽快开展野生变家种工作，如此既能保护本种的野生资源，也能满足药用的需求。

筋骨草

Ajuga ciliata Bunge

| 植物别名 | 四枝春。

| 药材名 | 筋骨草（药用部位：全草。别名：毛缘筋骨草、缘毛筋骨草、透骨草）。

| 形态特征 | 多年生草本。根部膨大，须根多数。茎直立，高 25 ~ 40 cm，四棱形，紫红色或绿紫色，基部略木质化，通常无毛，幼嫩部分具灰白色长柔毛。叶片卵状椭圆形或狭椭圆形，长 4 ~ 7.5 cm，宽 2 ~ 4 cm，先端钝尖或急尖，基部楔形，下延，边缘具不整齐的粗锯齿，具缘毛，叶上面被疏糙伏毛，下面被糙伏毛或疏柔毛。轮伞花序具多花，聚集于先端，呈假穗状花序；苞片大，叶状，卵形，有时呈紫红色；花萼漏斗状钟形，长 7 ~ 8 mm，齿的外面有长柔毛和缘毛，具 10 脉，

萼齿 5，长三角形，近相等；花冠紫色，具有蓝色条纹，冠檐二唇形，上唇短，直立，先端圆钝，微缺，下唇增大，且伸长，3 裂，中裂片大，倒心形，侧裂片线状长圆形；雄蕊 4，二强，稍超出花冠；花盘环状，前裂片指状膨大；花柱粗壮，花丝细弱，超出雄蕊，先端 2 浅裂，裂片细尖，子房无毛。小坚果长圆状或卵状三棱形，背部具网状皱纹，腹部隆起，果脐大，几占整个腹面。花期 4 ~ 8 月，果期 7 ~ 9 月。

| 生境分布 | 生于海拔 340 ~ 1 800 m 的山谷沟边、阴湿草地、林下及路旁草丛中。分布于河北沙河、磁县、涉县等。

| 资源情况 | 野生资源丰富。药材主要来源于野生。

| 采收加工 | 5 ~ 8 月花开时采收，洗净，晒干或鲜用。

| 药材性状 | 本品长 10 ~ 35 cm，根细小，暗黄色，地上部分灰黄色或黄绿色，密被白色柔毛。细茎丛生，质较柔韧，不易折断。叶对生，多皱缩、破碎，完整叶片展平后呈匙形或倒卵状披针形，长 3 ~ 6 cm，宽 1.5 ~ 2.5 cm，绿褐色，边缘有波状粗齿，叶柄具狭翅。轮伞花序腋生，小花二唇形，黄棕色。气微，味苦。

| 功能主治 | 苦，寒。归肺经。清热解毒，凉血消肿。用于咽喉肿痛，肺热咯血，跌打肿痛。

| 用法用量 | 内服煎汤，15 ~ 30 g。外用适量，捣敷。

| 附　注 | （1）《中国药典》未收载本种，收载了本种的同属植物金疮小草 *Ajuga decumbens* Thunb.。二者的区别在于：本种的花萼仅齿外面被疏柔毛或缘毛，而金疮小草的花萼外面全部被毛。

（2）《植物名实图考》中描述："筋骨草产南康平野，春时铺地生。叶紫，花白，俚医用之，养筋和血散寒，酒煎服。"该书描述的筋骨草开白色花，而现今筋骨草开紫色花，并有蓝色条纹。笔者推测，该书所载的筋骨草与现今的筋骨草可能不是同一种植物，或者是同一种植物，但性状发生了改变。

唇形科 Labiatae 荆芥属 Nepeta

荆芥
Nepeta cataria L.

| 植物别名 | 樟脑草、凉薄荷、大茴香。

| 药 材 名 | 荆芥（药用部位：地上部分。别名：假苏、鼠蓂、姜芥）。

| 形态特征 | 多年生植物。茎坚强，基部木质化，多分枝，高 40 ~ 150 cm，基部近四棱形，上部钝四棱形，具浅槽，被白色短柔毛。叶卵状至三角状心形，长 2.5 ~ 7 cm，宽 2.1 ~ 4.7 cm，先端钝至锐尖，基部心形至截形，边缘具粗圆齿或牙齿，草质，上面黄绿色，被极短硬毛，下面色略发白，被短柔毛但在脉上较密，侧脉 3 ~ 4 对，斜上升，在上面微凹陷，下面隆起；叶柄长 0.7 ~ 3 cm，细弱。花序为聚伞状，下部的腋生，上部的组成连续或间断的、较疏松或极密集的顶生分枝圆锥花序，聚伞花序呈二歧状分枝；苞叶叶状，或上部的变小而

呈披针状，苞片、小苞片钻形，细小；花萼花时管状，长约 6 mm，直径 1.2 mm，外被白色短柔毛，内面仅萼齿被疏硬毛，萼齿锥形，长 1.5 ~ 2 mm，后齿较长，花后花萼增大成瓮状，纵肋十分清晰；花冠白色，下唇有紫点，外被白色柔毛，内面在喉部被短柔毛，长约 7.5 mm，花冠筒极细，直径约 0.3 mm，自萼筒内骤然扩展成宽喉，冠檐二唇形，上唇短，长约 2 mm，宽约 3 mm，先端具浅凹，下唇 3 裂，中裂片近圆形，长约 3 mm，宽约 4 mm，基部心形，边缘具粗牙齿，侧裂片呈圆裂片状；雄蕊内藏，花丝扁平，无毛；花柱线形，先端 2 等裂；花盘杯状，裂片明显；子房无毛。小坚果卵形，几三棱状，灰褐色，长约 1.7 mm，直径约 1 mm。花期 7 ~ 9 月，果期 9 ~ 10 月。

| **生境分布** | 生于海拔 2 500 m 以下的宅旁或灌丛中。分布于河北赤城、围场、蔚县等。

| **资源情况** | 野生资源一般。药材主要来源于野生。

| **采收加工** | 夏、秋季花开到顶、穗绿时采割，除去杂质，晒干。

| **药材性状** | 本品茎呈方柱形，上部有分枝，长 50 ~ 80 cm，直径 0.2 ~ 0.4 cm；表面淡黄绿色或淡紫红色，被短柔毛；体轻，质脆，断面类白色。叶对生，多已脱落，叶片 3 ~ 5 羽状分裂，裂片细长。穗状轮伞花序顶生，长 2 ~ 9 cm，直径约 0.7 cm；花冠多脱落，宿存萼钟状，先端 5 齿裂，淡棕色或黄绿色，被短柔毛。小坚果棕黑色。气芳香，味微涩而辛凉。

| **功能主治** | 辛，温。归肺、肝经。解表散风，透疹，消疮。用于感冒，头痛，麻疹，风疹，疮疡初起。

| **用法用量** | 内服煎汤，5 ~ 10 g。

| **附　　注** | 欧洲民间多用本种防治胃病、贫血以及其他疾病。本种的根还含有强烈刺激神经系统的成分。

唇形科 Labiatae 裂叶荆芥属 Schizonepeta

多裂叶荆芥

Schizonepeta multifida (L.) Briq.

| 植物别名 | 裂叶荆芥。

| 药 材 名 | 荆芥根（药用部位：根）。

| 形态特征 | 多年生草本。茎直立，可高达 40 cm，基部木质化，上部四棱形，被白色长柔毛，侧枝通常极短，极似数枚叶片丛生。叶对生，叶柄通常长约 1.5 cm；叶卵形，羽状深裂或分裂，有时浅裂至近全缘，长 2 ~ 3.4 cm，宽 1.5 ~ 2.1 cm，基部截形至心形，裂片线状披针形至卵形，全缘或具疏齿，上表面深绿色，微被柔毛，下表面白黄色，被白色短硬毛和黄色发亮腺点。多数轮伞花序组成顶生穗状花序，长 6 ~ 12 cm，连续，很少间断；苞片叶状，深裂或全缘，下部较大，约 10 mm，上部渐变小，卵形，先端骤尖，紫色；小苞片卵状披针

形或披针形，带紫色，与花等长或稍长；花萼紫色，管状，长约 5 mm，具 15 脉，外被稀疏的短柔毛，内部无毛，先端 5 齿裂，三角形；花冠紫色，长约 8 mm，外被柔毛，内面在喉部被极少柔毛；雄蕊 4，前对较短，花药浅紫色；花柱细长，柱头 2 裂，略粗，紫色。小坚果扁长圆形，腹部略具棱，长约 1.6 mm，褐色，平滑，基部渐狭。花期 7 ～ 9 月，果期 9 ～ 10 月。

| 生境分布 | 生于海拔 1 300 ～ 2 000 m 的松林林缘、山坡草丛或湿润的草原上。分布于河北赤城、承德、张北等。

| 资源情况 | 野生资源丰富。药材主要来源于野生。

| 采收加工 | 夏、秋季挖取根部，洗净，晒干，或鲜用。

| 功能主治 | 止血，止痛。用于吐血，崩漏，牙痛，瘰疬。

| 用法用量 | 内服研末，每次 3 ～ 5 g；或鲜品捣汁。

唇形科 Labiatae 裂叶荆芥属 Schizonepeta

裂叶荆芥

Schizonepeta tenuifolia (Benth.) Briq.

| 植物别名 | 香荆芥、四棱杆蒿、小茴香。

| 药 材 名 | 荆芥根（药用部位：根）。

| 形态特征 | 一年生草本。茎直立，有时带红色，多分枝，中上部四棱形，基部近圆柱形，高 0.3 ~ 1 m，具香气，全株疏被灰白色短柔毛。叶对生，指状 3 裂或羽状深裂，裂片线状披针形，宽 1.5 ~ 5 mm，中裂片较大，全缘，表面深绿色，被微柔毛，背面灰绿色，被短柔毛，皆具透明树脂状腺点，大小不等，长 1 ~ 3.5 cm，叶柄长 3 ~ 15 mm，有毛。多数轮伞花序顶生密集成穗状，长 2 ~ 13 cm；苞片叶状深裂，下部较大，上部渐小，小苞片线形，极小；花萼管状钟形，长约 3 mm，有灰色柔毛和腺点，萼齿为三角状披针形，先端渐尖，后

齿较长，具 15 条脉；花冠淡青紫色，长 3 ~ 5 mm，外被疏柔毛，花冠筒向上扩展，花冠檐二唇形，上唇 2 浅裂，下唇 3 裂，下唇中裂片最大，基部爪状变狭，先端微凹；雄蕊 4，内藏，后雄蕊较长，均不伸出花冠，花药蓝色；花柱伸出花冠，先端 2 裂，裂片近相等。小坚果长圆状三棱形，黄褐色，具小点。花期 7 ~ 9 月，果期 9 ~ 10 月。

| 生境分布 | 生于海拔 540 ~ 2 700 m 的山坡旁或山谷、林缘之间。分布于河北赤城、沽源、武安等。

| 资源情况 | 野生资源丰富，栽培资源丰富。药材主要来源于栽培。

| 采收加工 | 夏、秋季挖取根部，洗净，晒干，或鲜用。

| 功能主治 | 辛，温。归肺、肝经。止血，止痛。用于吐血，崩漏，牙痛，瘰疬。

| 用法用量 | 内服研末，每次 3 ~ 5 g；或鲜品捣汁。

| 附　注 | 目前学术界对本种的种质资源研究较少，仅对本种种质资源的形态学鉴定、资源分布、种子的萌发条件及鉴别等方面进行了研究，而在遗传多样性和种质的筛选等方面研究尚处于空白。

唇形科 Labiatae 青兰属 Dracocephalum

光萼青兰
Dracocephalum argunense Fisch. ex Link

| 药 材 名 | 光萼青兰（药用部位：全草）。

| 形态特征 | 茎多数自根茎生出，直立，高 35 ~ 57 cm，不分枝，在叶腋有具小型叶不发育短枝，上部四棱形，疏被倒向的小毛，中部以下钝四棱形或近圆柱形，几无毛。茎下部叶具短柄，柄长为叶片的 1/4 ~ 1/3，叶片长圆状披针形，长 2.2 ~ 4 cm，宽 5 ~ 6 mm，先端钝，基部楔形，在下面中脉上疏被短毛或几无毛；茎中部以上之叶无柄，披针状线形，长 4.5 ~ 6.8 cm，宽 3.2 ~ 6 mm；在花序上之叶变短，披针形或卵状披针形。轮伞花序生于茎顶 2 ~ 4 个节上，占长度 2 ~ 4.5 cm，多少密集，苞片长为萼之 1/2 或 2/3，绿色，椭圆形或匙状倒卵形，先端锐尖，边缘被睫毛；花萼长 1.4 ~ 1.8 cm，

下部密被倒向的小毛，中部变稀疏，上部几无毛，2裂近中部，齿锐尖，常带紫色，上唇3裂约至本身2/3处，中齿披针状卵形，较侧齿稍宽，侧齿披针形，下唇2裂几至本身基部，齿披针形；花冠蓝紫色，长3.3～4 cm，外面被短柔毛；花药密被柔毛，花丝疏被毛。花期6～8月。

| 生境分布 | 生于海拔180～750 m的山坡草地或草原，江岸沙质草甸或灌丛中。分布于河北沽源、平泉、围场等。

| 资源情况 | 野生资源一般。药材主要来源于野生。

| 采收加工 | 夏、秋季采收，切段，晒干。

| 功能主治 | 辛、苦，凉。疏风清热，凉血解毒。用于感冒头痛，咽喉肿痛，咳嗽，黄疸，痢疾。

| 用法用量 | 内服煎汤，9～15 g。

唇形科 Labiatae 青兰属 Dracocephalum

毛建草

Dracocephalum rupestre Hance

| 植物别名 | 毛尖、岩青兰、毛尖茶。

| 药 材 名 | 岩青兰（药用部位：全草）。

| 形态特征 | 根茎直，直径约 10 mm，生出多数茎。茎不分枝，渐升，长 15 ～ 42 cm，四棱形，疏被倒向的短柔毛，常带紫色。基生叶多数，花后仍多数存在，具常柄，柄长 3 ～ 14 cm，被不密的伸展白色长柔毛，叶片三角状卵形，先端钝，基部常为深心形，或为浅心形，长 1.4 ～ 5.5 cm，宽 1.2 ～ 4.5 cm，边缘具圆锯齿，两面疏被柔毛；茎中部叶具明显的叶柄，叶柄通常长过叶片，有时较叶片稍短，长 2 ～ 6 cm，叶片似基生叶，长 2.2 ～ 3.5 cm；花序处之叶变小，具鞘状短柄，柄长 4 ～ 8 mm，或几无柄。轮伞花序密集，通常呈头状，

稀疏离而长达 9 cm，呈穗状，此时茎的节数常增加，腋多具花轮甚至个别的有分枝花序；花具短梗；苞片大者倒卵形，长达 1.6 cm，疏被短柔毛及睫毛，每侧具 4 ～ 6 带长 1 ～ 2 mm 刺的小齿，小者倒披针形，长 7 ～ 10 mm，每侧有 2 ～ 3 带刺小齿；花萼长 2 ～ 2.4 cm，常带紫色，被短柔毛及睫毛，2 裂至 2/5 处，上唇 3 裂至本身基部，中齿倒卵状椭圆形，先端锐短渐尖，宽为侧齿的 2 倍，侧齿披针形，先端锐渐尖，下唇 2 裂稍超过本身基部，齿狭披针形；花冠紫蓝色，长 3.8 ～ 4 cm，最宽处 5 ～ 10 mm，外面被短毛，下唇中裂片较小，无深色斑点及白长柔毛；花丝疏被柔毛，先端具尖的突起。花期 7 ～ 9 月。

| **生境分布** | 生于海拔 650 ～ 2 400 m 的高山草原、草坡或疏林下阳处。分布于河北蔚县、涿鹿、涞源等。

| **资源情况** | 野生资源丰富。药材主要来源于野生。

| **采收加工** | 7 ～ 8 月采收，切段，晒干。

| **药材性状** | 本品茎呈方柱形，长 15 ～ 42 cm，直径 0.2 ～ 0.6 cm；表面略带紫色，节明显，节间长 2 ～ 6 cm；质脆，断面黄白色，髓部中空。叶对生，基生叶柄长 3 ～ 15 cm，茎生叶柄短或无；叶片多皱缩，展平后呈三角状卵形，先端钝，基部呈心形，边缘具圆锯齿，两面疏被柔毛。轮伞花序密集，呈头状或穗状；苞片倒卵形或倒披针形，两侧有带刺小齿；花萼呈倒卵状椭圆形，常带紫色。气微香，味微苦。

| **功能主治** | 辛、苦，凉。疏风清热，凉肝止血。用于风热感冒，头痛，咽喉肿痛，咳嗽，黄疸，痢疾，吐血，衄血。

| **用法用量** | 内服煎汤，9 ～ 15 g；或代茶饮。

唇形科 Labiatae　青兰属 Dracocephalum

香青兰
Dracocephalum moldavica L.

| 植物别名 |

青兰、青蓝、香花子。

| 药 材 名 |

山薄荷（药用部位：全草。别名：野薄荷、小兰花、香花花）。

| 形态特征 |

一年生草本，高（6～）22～40 cm；直根圆柱形，直径2～4.5 mm。茎数个，直立或渐升，常在中部以下具分枝，不明显四棱形，被倒向的小毛，常带紫色。基生叶卵圆状三角形，先端圆钝，基部心形，具疏圆齿，具长柄，很快枯萎；下部茎生叶与基生叶近似，具与叶片等长之柄，中部以上者具短柄，柄为叶片之1/4～1/2以下，叶片披针形至线状披针形，先端钝，基部圆形或宽楔形，长1.4～4 cm，宽0.4～1.2 cm，两面只在脉上疏被小毛及黄色小腺点，边缘通常具不规则至规则的三角形牙齿或疏锯齿，有时基部的牙齿成小裂片状，分裂较深，常具长刺。轮伞花序生于茎或分枝上部5～12节处，占长度3～11 cm，疏松，通常具4花；花梗长3～5 mm，花后平折；苞片长圆形，稍长或短于萼，疏被贴伏的小毛，每侧具

2 ～ 3 小齿，齿具长 2.5 ～ 3.5 mm 的长刺；花萼长 8 ～ 10 mm，被金黄色腺点及短毛，下部较密，脉常带紫色，2 裂近中部，上唇 3 浅裂至本身 1/4 ～ 1/3 处，3 齿近等大，三角状卵形，先端锐尖，下唇 2 裂近本身基部，裂片披针形；花冠淡蓝紫色，长 1.5 ～ 2.5（～ 3）cm，喉部以上宽展，外面被白色短柔毛，冠檐二唇形，上唇短舟形，长约为花冠筒的 1/4，先端微凹，下唇 3 裂，中裂片扁，2 裂，具深紫色斑点，有短柄，柄上有 2 突起，侧裂片平截；雄蕊微伸出，花丝无毛，先端尖细，花药平叉开；花柱无毛，先端 2 等裂。小坚果长约 2.5 mm，长圆形，顶平截，光滑。

| 生境分布 | 生于海拔 220 ～ 1 600 m 的干燥山地、河滩、荒地或草原。分布于河北围场、张北、沽源等。

| 资源情况 | 野生资源丰富。药材主要来源于野生。

| 采收加工 | 夏、秋季采用，鲜用或晒干。

| 药材性状 | 本品嫩茎方柱形，密被倒向短毛，老茎近圆柱形，较光滑，表面紫红色或黄绿色；质脆，易折断，断面中心有髓。叶对生；多皱缩破碎，完整者展平后呈披针形，边缘具三角形锯齿，有时基部的齿端具长刺毛，两面叶脉疏被细毛，下面有凹陷棕色腺点。轮伞花序顶生，苞片长圆形，每侧有 3 ～ 4 长刺齿，下面有腺点；花萼筒状，具 15 纵纹，先端 5 齿裂，齿间具小瘤；花冠唇形，淡蓝紫色。气香，味辛。

| 功能主治 | 辛、苦，凉。疏风清热，利咽止咳，凉肝止血。用于感冒发热，头痛，咽喉肿痛，咳嗽痰喘，痢疾，吐血，衄血，风疹，皮肤瘙痒。

| 用法用量 | 内服煎汤，9 ～ 15 g。外用适量，鲜品捣敷；或涂擦；或煎汤洗。

| 附　注 | （1）本种以身干、叶多色绿，花多，气香浓，无杂草，无霉变者为佳。可用显微鉴别、理化鉴别进行实验：显微鉴别应用显微镜观察茎横切面和叶横切面，应符合香青兰显微鉴别特征；理化鉴别用银镜反应检查其中的醛类成分。

（2）现代研究表明，本种含较多挥发油，主要成分有柠檬醛、香芽醇、百里香酚、牻牛儿醇、橙花醇等。具有抗菌消炎、改善心肌缺血、缓解心绞痛、止血等作用，临床上可用于上呼吸道感染、心脑血管等疾病的治疗。

唇形科 Labiatae 鼠尾草属 Salvia

丹参
Salvia miltiorrhiza Bunge

| 植物别名 | 大红袍、紫丹参、壬参。

| 药 材 名 | 丹参（药用部位：根及根茎。别名：赤参、木羊乳、逐马）。

| 形态特征 | 多年生草本。根圆柱形，肥厚，肉质，直径 4 ~ 14 mm，下有略弯曲细长分枝，有须，表面朱红色且有不规则纵皱纹。根茎短粗。茎直立，4 棱，具槽，密被长柔毛，上部分枝。叶对生，奇数羽状复叶；小叶 3 ~ 7，长 1.5 ~ 8 cm，宽 1 ~ 4 cm，卵形、倒卵形或宽披针形，叶尖锐尖或渐尖，叶缘圆锯齿形，叶基圆形或偏斜，网状脉序，两面有疏柔毛，草质；小叶柄长 2 ~ 14 mm；叶柄长 2 ~ 7 cm，被密长柔毛。轮伞花序组成顶生或腋生的 4.5 ~ 17 cm 的假总状花序，每轮有花 3 ~ 10，下部稀疏，上部密集；苞片披针形，长 2.5 ~

5 mm，全缘，上面无毛；花梗长 3 ~ 4 mm；花萼钟形，带紫色，幼时绿色带浅紫色，长约 1 cm，二唇形，上唇阔三角形，先端有 3 个短尖头，有 3 主脉，下唇长于上唇或等长深裂成 2 齿，齿三角形；花冠较大，二唇形，紫色或蓝紫色，长 2 ~ 2.7 cm，外被粘毛，上唇尤密，内面近花冠筒基部有斜生不完全柔毛毛环，冠沿二唇形，上唇长 1.2 ~ 1.5 cm，直立，呈镰状，先端微裂，下唇较上唇短，先端 3 裂，中央裂片较两侧裂片长且大；发育雄蕊 2，着生于下唇的中部，伸出花冠外至上唇片，花丝上臂长 1.4 ~ 1.7 cm，下臂短粗，退化雄蕊 2，长 0.4 cm，线形着生于上唇喉部的两侧，花药退化成花瓣状；花盘前方稍膨大；子房上位，4 深裂，花柱细长，外伸，长 4 cm，柱头 2 裂，裂片不等，前裂片线形，后裂片很短。小坚果长圆形或椭圆形，成熟时棕色或黑色，长约 3.2 mm，直径 1.5 mm，包于宿存萼中。花期 5 ~ 9 月，果期 6 ~ 10 月。

| 生境分布 | 生于海拔 120 ~ 1 300 m 的山坡、林下草地或沟边。分布于河北昌黎、乐亭、赞皇等。 |

| 资源情况 | 野生资源丰富,栽培资源丰富。药材主要来源于栽培。 |

| 采收加工 | 春、秋季采挖,除去泥沙,干燥。 |

| 药材性状 | 本品根茎短粗,先端有时残留茎基。根数条,长圆柱形,略弯曲,有的分枝并具须状细根,长 10 ~ 20 cm,直径 0.3 ~ 1 cm。表面棕红色或暗棕红色,粗糙,具纵皱纹。老根外皮疏松,多显紫棕色,常呈鳞片状剥落。质硬而脆,断面疏松,有裂隙或略平整而致密,皮部棕红色,木部灰黄色或紫褐色,导管束黄白色,呈放射状排列。气微,味微苦、涩。栽培品较粗壮,直径 0.5 ~ 1.5 cm。表面红棕色,具纵皱纹,外皮紧贴不易剥落。质坚实,断面较平整,略呈角质样。 |

| 功能主治 | 苦,微寒。归心、肝经。活血祛瘀,通经止痛,清心除烦,凉血消痈。用于胸痹心痛,脘腹胁痛,癥瘕积聚,热痹疼痛,心烦不眠,月经不调,痛经经闭,疮疡肿痛。 |

| 用法用量 | 内服煎汤,10 ~ 15 g。 |

| 附 注 | （1）丹参始载于《神农本草经》，被列为上品，以后历代本草均有记载。《吴普本草》云："茎华小，方如荏（即白苏），有毛，根赤，四月华紫，三月五月采根，阴干。"《本草图经》又云："二月生苗，高一尺许，茎干方棱，青色。叶生相对，如薄荷而有毛，三月开花，红紫色，似苏花。根赤大如指，长一尺余，一苗数根。"再根据《证类本草》所绘随州丹参药图，并结合产地及形态描述，及《本草纲目》记载："处处山中有之，一枝五叶，叶如野苏而尖，青色，皱皮，小花成穗如蛾形，中有细子，其根皮丹而肉紫。"综上历代本草所述，丹参品种古今变化不大，与今用丹参 *Salvia miltiorrhiza* Bunge 的形态特征完全符合。

（2）目前我国野生丹参资源紧缺，开发利用与其药效相当的同属野生资源具有一定的应用前景。药理研究表明，资源丰富的野生甘肃丹参（源于同科同属植物甘西鼠尾等的根及根茎）有与丹参的有效成分相同的总丹参酮、隐丹参酮、丹参酮ⅡA，药理作用强，可作为丹参的有效成分提取物，以减少野生丹参的使用量。

唇形科 Labiatae　鼠尾草属 Salvia

荔枝草
Salvia plebeia R.Br.

| **植物别名** | 皱皮葱、雪里青、过冬青。

| **药　材　名** | 荔枝草（药用部位：地上部分。别名：水羊耳、过冬青、天明精）。

| **形态特征** | 一年生或二年生直立草本，高 15 ~ 90 cm。主根肥厚，向下直伸，具多数须根。茎多分枝，四棱形，具槽，有倒向灰白色柔毛。叶对生，叶片长圆形或披针形，长 2 ~ 6 cm，宽 0.8 ~ 2.5 cm，先端钝或锐尖，基部楔形或圆形，边缘具锯齿，两面被柔毛，余部散布金黄色腺点；叶柄长 0.4 ~ 1.5 cm，密被短柔毛。轮伞花序通常具 2 ~ 6 花，在茎或枝先端集成假总状或圆锥花序；花梗长约 1 mm，与花序轴密被柔毛；苞片披针形，长或短于花萼；花萼钟形，长约 3 mm，外被疏柔毛，散布黄褐色腺点，内面喉部被微柔毛，上唇全缘，先

端有 3 个小尖头，下唇深裂为 2 齿，三角形齿，锐尖；花冠紫色或淡紫色，花冠筒外面无毛，内面有毛环，冠檐二唇形，上唇长圆形，先端微缺，下唇 3 裂，中裂片最大，阔倒心形，先端微凹或呈浅波状，侧裂片近半圆形；能育雄蕊 2，略伸出花冠外，花丝与药隔各长约 1.5 mm，药隔弯成弧形，上下臂等长，上臂具药室，下臂不育；花柱与花冠等长，先端不等 2 裂，子房 4 裂。小坚果倒卵圆形，褐色，光滑。花期 4 ~ 5 月，果期 6 ~ 7 月。

| 生境分布 | 生于海拔可达 2 800 m 的山坡、路旁、沟边。分布于河北唐山、邢台、邯郸等。

| 资源情况 | 野生资源丰富。药材主要来源于野生。

| 采收加工 | 夏季花开时采割，除去杂质，晒干。

| 药材性状 | 本品长 15 ~ 80 cm，多分枝。茎方柱形，直径 2 ~ 8 mm，表面灰绿色或棕褐色，被短柔毛，断面类白色，中空。叶对生，常脱落或破碎，完整者展开呈长椭圆形或披针形，长 1.5 ~ 6 cm，边缘有圆锯齿或钝齿，背面有金黄色腺点，两面被短毛；叶柄长 0.4 ~ 1.5 cm，密被短柔毛。轮伞花序顶生或腋生，花序具 2 ~ 6 花，集成多轮的假总状或穗状花序；花冠多脱落；宿存花萼钟状，长约 3 mm，灰绿色或灰棕色，背面有金黄色腺点及短柔毛，内藏棕褐色倒卵圆形的小坚果。

| 功能主治 | 苦、辛，凉。归肺、胃经。清热解毒，凉血散瘀，利水消肿。用于感冒发热，咽喉肿痛，肺热咳嗽，咯血，吐血，尿血，崩漏，痔疮出血，肾炎性水肿，白浊，痢疾，痈肿疮毒，湿疹瘙痒，跌打损伤，蛇虫咬伤。

| 用法用量 | 内服煎汤，9 ~ 30 g，鲜品 15 ~ 60 g；或捣绞汁饮。外用适量，捣敷；或绞汁含漱及滴耳；亦可煎汤外洗。

| 附　注 | 荔枝草见于《本草纲目》草部的有名未用类，但是并未描述植物的形态。《纲目拾遗》中提到："荔枝草，冬尽发苗，经霜雪不枯，三月抽茎，高近尺许，开花细紫成穗，五月枯，茎方中空，叶尖长，面有麻累，边有锯齿，三月采。"根据所描述的形态，可推断其所指即为本种。

鼠尾草 *Salvia japonica* Thunb.

| 植物别名 | 消炎草、水青、乌草。

| 药 材 名 | 鼠尾草（药用部位：全草。别名：坑苏、紫花丹）。

| 形态特征 | 一年生草本。须根密集。茎直立，高 40 ～ 60 cm，钝四棱形，具沟，沿棱上被疏长柔毛或近无毛。茎下部叶为二回羽状复叶，叶柄长 7 ～ 9 cm，腹凹背凸，被疏长柔毛或无毛，叶片长 6 ～ 10 cm，宽 5 ～ 9 cm，茎上部叶为一回羽状复叶，具短柄，顶生小叶披针形或菱形，长可达 10 cm，宽 3.5 cm，先端渐尖或尾状渐尖，基部长楔形，边缘具钝锯齿，被疏柔毛或两面无毛，草质，侧生小叶卵圆状披针形，长 1.5 ～ 5 cm，宽 0.8 ～ 2.5 cm，先端锐尖或短渐尖，基部偏斜近圆形，其余与顶生小叶同，近无柄。轮伞花序具

2 ～ 6 花，组成伸长的总状花序或分枝组成总状圆锥花序，花序顶生；苞片及小苞片披针形，长 2 ～ 5 mm，宽 0.5 ～ 1 mm，全缘，先端渐尖，基部楔形，两面无毛；花梗长 1 ～ 1.5 mm，被短柔毛；花序轴密被具腺或无腺疏柔毛；花萼筒形，长 4 ～ 6 mm，外面疏被具腺疏柔毛，内面在喉部有白色的长硬毛毛环，二唇形，唇裂达花萼长 1/3，上唇三角形或近半圆形，长约 2 mm，宽 3 mm，全缘，先端具 3 个小尖头，下唇与上唇近等长，宽约 3 mm，半裂成 2 齿，齿长三角形，长渐尖；花冠淡红色、淡紫色、淡蓝色至白色，长约 12 mm，外面密被长柔毛，内面离基部 2.5 ～ 4 mm 有斜生的疏柔毛环，花冠筒直伸，筒状，长约 9 mm，外伸，基部宽 2 mm，向上渐宽，至喉部宽达 3.5 mm，冠檐二唇形，上唇椭圆形或卵圆形，长 2.5 mm，宽 2 mm，先端微缺，下唇长 3 mm，宽 4 mm，3 裂，中裂片较大，倒心形，边缘有小圆齿，侧裂片卵圆形，较小。能育雄蕊 2，外伸，花丝长约 1 mm，药隔长约 6 mm，直伸或稍弯曲，上臂长，二下臂瘦小，不育，分离；花柱外伸，先端不相等 2 裂，前裂片较长；花盘前方略膨大。小坚果椭圆形，长约 1.7 mm，直径 0.5 mm，褐色，光滑。花期 6 ～ 9 月。

| **生境分布** | 生于海拔 220 ～ 1 100 m 的山坡、路旁、草丛背阴处、水边及林荫下。分布于河北滦平等。

| **资源情况** | 野生资源丰富。药材主要来源于野生。

| **采收加工** | 夏季采收，洗净，晒干。

| **功能主治** | 苦、辛，平。清热利湿，活血调经，解毒消肿。用于黄疸，赤白痢疾，湿热带下，月经不调，痛经，疮疡疖肿，跌打损伤。

| **用法用量** | 内服煎汤，15 ～ 30 g。

唇形科 Labiatae 鼠尾草属 Salvia

一串红

Salvia splendens Ker-Gawler

| 植物别名 | 爆仗红、西洋红、象牙红。

| 药 材 名 | 一串红（药用部位：全草）。

| 形态特征 | 亚灌木状草本，高可达 90 cm。茎钝四棱形，具浅槽，无毛。叶卵圆形或三角状卵圆形，长 2.5 ~ 7 cm，宽 2 ~ 4.5 cm，先端渐尖，基部截形或圆形，稀钝，边缘具锯齿，上面绿色，下面色较淡，两面无毛，下面具腺点；茎生叶叶柄长 3 ~ 4.5 cm，无毛。轮伞花序具 2 ~ 6 花，组成顶生总状花序，花序长达 20 cm 或以上；苞片卵圆形，红色，大，在花开前包裹着花蕾，先端尾状渐尖；花梗长 4 ~ 7 mm，密被染红的具腺柔毛，花序轴被微柔毛；花萼钟形，红色，开花时长约 1.6 cm，花后增大达 2 cm，外面沿脉上被染红

的具腺柔毛，内面在上半部被微硬伏毛，二唇形，唇裂达花萼长 1/3，上唇三角状卵圆形，长 5 ～ 6 mm，宽 10 mm，先端具小尖头，下唇比上唇略长，深 2 裂，裂片三角形，先端渐尖；花冠红色，长 4 ～ 4.2 cm，外被微柔毛，内面无毛，花冠筒呈筒状，直伸，在喉部略增大，冠檐二唇形，上唇直伸，略内弯，长圆形，长 8 ～ 9 mm，宽约 4 mm，先端微缺，下唇比上唇短，3 裂，中裂片半圆形，侧裂片长卵圆形，比中裂片长。能育雄蕊 2，近外伸，花丝长约 5 mm，药隔长约 1.3 cm，近伸直，上下臂近等长，上臂药室发育，下臂药室不育，下臂粗大，不联合，退化雄蕊短小；花柱与花冠近相等，先端不相等 2 裂，前裂片较长；花盘等大。小坚果椭圆形，长约 3.5 mm，暗褐色，先端具不规则极少数的折皱凸起，边缘或棱具狭翅，光滑。花期 3 ～ 10 月。

| **生境分布** | 生于温暖、阳光充足的环境。分布于河北滦平等。

| **资源情况** | 野生资源一般，栽培资源丰富。药材主要来源于栽培。

| **采收加工** | 夏季采收，洗净，晒干。

| **功能主治** | 苦、辛，平。清热利湿，活血调经，解毒消肿。用于黄疸，赤白痢疾，湿热带下，月经不调，痛经，疮疡疖肿，跌打损伤。

| **用法用量** | 内服煎汤，15 ～ 30 g。

| **附　注** | 本种喜光，也耐半阴，其培育要求疏松、肥沃和排水良好的砂壤土。而本种对用甲基溴化物处理土壤和碱性土壤反应非常敏感，适宜于 pH 5.5 ～ 6.0 的土壤中生长。耐寒性差，生长适温 20 ～ 25 ℃。15 ℃以下停止生长，10 ℃以下叶片枯黄脱落。

唇形科 Labiatae 鼠尾草属 Salvia

荫生鼠尾草 Salvia umbratica Hance

| 植物别名 | 山椒子、山苏子。

| 药 材 名 | 荫生鼠尾草（药用部位：全草）。

| 形态特征 | 一年生或二年生草本。根粗大，锥形，木质，褐色。茎直立，高可达 1.2 m，钝四棱形，被长柔毛，间有腺毛，分枝，枝锐四棱形。叶片三角形或卵圆状三角形，长 3 ~ 16 cm，宽 2.3 ~ 16 cm，先端渐尖或尾状渐尖，基部心形或戟形，间有近截形，基片卵圆形，先端锐尖或钝，边缘具重圆齿或牙齿，上面绿色，被长柔毛或短硬毛，下面淡绿色，沿脉被长柔毛，余部散布黄褐色腺点；叶柄长 1 ~ 9 cm，被疏或密的长柔毛。轮伞花序具 2 花，疏离，组成顶生及腋生总状花序；下部苞片叶状，具齿，较上部的披针形，长 3 ~ 6 mm，

宽 1 ~ 3 mm，先端渐尖，基部楔形，全缘，两面被短柔毛；花梗长约 2 mm，与花序轴被长柔毛及腺短柔毛；花萼钟形，长 7 ~ 10 mm，花后稍增大，外被长柔毛，内面被微硬伏毛，二唇形，唇裂至萼长的 1/3，上唇宽卵状三角形，长约 3 mm，宽 6 mm，先端有 3 个聚合的短尖头，下唇比上唇略长，半裂成 2 齿，齿斜三角形，先端锐尖；花冠蓝紫色或紫色，长 2.3 ~ 2.8 cm，外面略被短柔毛，内面离基部 3 ~ 3.5 mm 有斜向不完全的疏柔毛毛环，花冠筒基部狭长，圆筒形，伸出花萼外，向上突然膨大，并向上弯曲，呈喇叭状，宽达 7 mm，冠檐二唇形，上唇长圆状倒心形，长 8 mm，宽 6 ~ 7 mm，先端微缺，下唇较上唇短而宽，长 7 mm，宽达 12 mm，3 裂，中裂片阔扇形，长 4 mm，宽 8 mm，侧裂片新月形，宽 3 mm；能育雄蕊 2，伸至上唇片，不伸出，花丝长 5 mm，扁平，无毛，药隔长 7.5 mm，弧形，上臂长 4 mm，下臂长 3.5 mm，顶生横向的药室，药室先端联合，退化雄蕊短小，长约 1 mm；花柱外伸或与花冠上唇等长，先端不相等 2 浅裂，后裂片较短；花盘前方稍膨大。小坚果椭圆形。花期 8 ~ 10 月。

| **生境分布** | 生于海拔 600 ~ 2 000 m 的山坡、谷地或路旁。分布于河北赤城、丰宁、阜平等。

| **资源情况** | 野生资源丰富。药材主要来源于野生。

| **采收加工** | 夏季采收，洗净，晒干。

| **功能主治** | 苦、辛，平。清热利湿，活血调经，解毒消肿。用于黄疸，赤白痢疾，湿热带下，月经不调，痛经，疮疡疖肿，跌打损伤。

| **用法用量** | 内服煎汤，15 ~ 30 g。

唇形科 Labiatae 水棘针属 Amethystea

水棘针
Amethystea caerulea L.

| **植物别名** | 细叶山紫苏、土荆芥。 |

| **药材名** | 水棘针（药用部位：全草。别名：山油子、土荆芥、细叶山紫苏）。 |

| **形态特征** | 一年生草本。基部有时木质化，高 0.3 ~ 1 m，呈金字塔形分枝。茎四棱形，紫色、灰紫黑色或紫绿色，被疏柔毛或微柔毛，以节上较多。叶柄长 0.7 ~ 2 cm，紫色或紫绿色，有沟，具狭翅，被疏长硬毛；叶片纸质或近膜质，三角形或近卵形，3 深裂，稀不裂或 5 裂，裂片披针形，边缘具粗锯齿或重锯齿，中间的裂片长 2.5 ~ 4.7 cm，宽 0.8 ~ 1.5 cm，无柄，两侧的裂片长 2 ~ 3.5 cm，宽 0.7 ~ 1.2 cm，无柄或几无柄，基部不对称，下延，叶片上面绿色或紫绿色，被疏微柔毛或几无毛，下面色略淡，无毛，中肋隆起，明显。花序为由 |

松散具长梗的聚伞花序所组成的圆锥花序; 苞叶与茎叶同形, 变小; 小苞片微小, 线形, 长约 1 mm, 具缘毛; 花梗短, 长 1 ~ 2.5 mm, 与总梗被疏腺毛; 花萼钟形, 长约 2 mm, 外面被乳头状突起及腺毛, 内面无毛, 具 10 脉, 其中 5 肋明显隆起, 中间脉不明显, 萼齿 5, 近整齐, 三角形, 渐尖, 长约 1 mm 或略短, 边缘具缘毛, 果时花萼增大; 花冠蓝色或紫蓝色, 花冠筒内藏或略长于花萼, 外面无毛, 冠檐二唇形, 外面被腺毛, 上唇 2 裂, 长圆状卵形或卵形, 下唇略大, 3 裂, 中裂片近圆形, 侧裂片与上唇裂片近同形; 雄蕊 4, 前对能育, 着生于下唇基部, 花芽时内卷, 花时向后伸长, 自上唇裂片间伸出, 花丝细弱, 无毛, 伸出雄蕊约 1/2, 花药 2 室, 室叉开, 纵裂, 成熟后贯通为 1 室, 后对为退化雄蕊, 着生于上唇基部, 线形或几无; 花柱细弱, 略超出雄蕊, 先端不相等 2 浅裂, 前裂片细尖, 后裂片短或不明显; 花盘环状, 具相等浅裂片。小坚果倒卵状三棱形, 背面具网状皱纹, 腹面具棱, 两侧平滑, 合生面大, 高达果实长的 1/2 以上。花期 8 ~ 9 月, 果期 9 ~ 10 月。

| **生境分布** | 生于海拔 200 ~ 3 400 m 的田边旷野、河岸沙地、开阔路边或溪旁。分布于河北灵寿、张北等。

| **资源情况** | 野生资源丰富。药材主要来源于野生。

| **采收加工** | 夏、秋季采收, 切段, 晒干。

| **功能主治** | 辛, 平。归肺经。疏风解表, 宣肺平喘。用于感冒, 咳嗽气喘。

| **用法用量** | 内服煎汤, 3 ~ 9 g。

甘露子 *Stachys sieboldii* Miquel

植物别名

螺蛳菜、宝塔菜、地蚕。

药材名

甘露子（药用部位：全草或块茎。别名：宝塔菜、地蚕、土人参）。

形态特征

多年生草本，高 30 ~ 120 cm。茎基部数节上生有密集的须根及多数横走的根茎；根茎白色，节上有鳞状叶及须根，先端有膨大的念珠状或螺蛳形块茎。茎直立或基部倾斜，单一或多分枝，四棱形，茎棱及节上具平展硬毛。叶对生，叶片卵圆形或长椭圆状卵圆形，长 3 ~ 12 cm，宽 1.5 ~ 6 cm，先端微锐尖或渐尖，基部浅心形、宽楔形或近圆形，叶缘具规则的圆齿状锯齿，两面被或疏或密的平伏硬毛；叶柄长 1 ~ 3 cm，腹凹背平，被硬毛。轮伞花序一般具 6 花，排列成顶生的穗状花序，上部较密，下部较疏；上部苞叶披针形，下部苞叶卵状披针形，花梗极短或无，小苞片线形，具微柔毛；花萼狭钟形，长约 9 mm，外被腺柔毛，10 脉，萼齿 5，三角形，先端具刺尖，微反折；花冠粉红色至紫红色，二唇形，上唇长圆形，下唇 3 裂具紫斑，中裂片近圆形，侧裂片卵形，长约 1.3 cm，花冠筒长约 9 mm，近基部前方微囊状，被微柔毛；雄蕊 4，前对较长，花丝扁平，丝状，先端略膨大，被微柔毛，具紫斑，花药卵圆形，2 室，药室纵裂；花柱丝状，略超出雄蕊，先端近相等 2 浅裂。小坚果卵球形，黑褐色，具小瘤。花期 7 ~ 8 月，果期 9 ~ 10 月。

| 生境分布 | 生于海拔可达 3 200 m 的湿润地及积水处。分布于河北阜平、武安等。

| 资源情况 | 野生资源一般。药材主要来源于野生。

| 采收加工 | 夏、秋季采收全草，秋季采挖块茎，洗净，鲜用或晒干。

| 功能主治 | 甘，平。祛风热利湿，活血散瘀。用于黄疸，尿路感染，风热感冒，肺结核；外用于疮毒肿痛，蛇虫咬伤。

| 用法用量 | 内服煎汤，6 ~ 15 g。外用适量，鲜根茎捣敷。

| 附　注 | 《救荒本草》记载："甘露儿，人家园圃中多栽。叶似地瓜儿，叶甚阔，多有毛涩，其叶对节生，色微淡绿，又似薄荷叶，亦宽而皱。开红紫花。其根呼为甘露儿，形如小指，而纹节甚稠，皮色黵白"。与今所用甘露子相同，不同于地瓜儿苗。

唇形科 Labiatae 水苏属 Stachys

华水苏

Stachys chinensis Bunge ex Benth.

| **植物别名** | 水苏。

| **药 材 名** | 水苏（药用部位：全草或根。别名：芥蒩、鸡苏、香苏）。

| **形态特征** | 多年生直立草本，高约60 cm。茎单一，不分枝，或常于基部分枝，四棱形，具槽，在棱及节上疏被倒向柔毛状刚毛，其余部分无毛。叶对生，叶片长圆状披针形，长5.5 ~ 8.5 cm，宽1 ~ 1.5 cm，先端钝，基部近圆形，边缘具锯齿状圆齿，上面绿色，疏被小刚毛，下面灰绿色，无毛或沿脉上疏被小刚毛，叶柄长2 ~ 5 mm，或近无柄。轮伞花序通常具6花，远离而组成长假穗状花序；苞片披针形，边缘具刚毛；小苞片刺状，微小，长约1 mm；花梗极短或近无；花萼钟形，连齿长约1 cm，外面沿肋及齿缘被柔毛状刚毛，具10脉，

萼齿 5，披针形，等大，先端微急尖，具刺尖头；花冠紫色，长 1.5 cm，外面于上唇被微柔毛，内面有不明显的疏柔毛毛环，冠檐二唇形，上唇直立，长圆形，下唇平展，3 裂，中裂片最大，先端微缺，侧裂片卵圆形；雄蕊 4，前对较长，均延伸至上唇片稍下方或与其相等，花丝丝状，中部以下明显被柔毛，花药卵圆形，2 室，室极叉开；花柱丝状，先端相等 2 浅裂，裂片钻形，花盘平顶，子房黑褐色，无毛。小坚果卵圆状三棱形，无毛，褐色。花期 6 ~ 8 月，果期 7 ~ 9 月。

| **生境分布** | 生于海拔可达 1 000 m 的水沟旁及沙地上。分布于河北阜平、滦平等。

| **资源情况** | 野生资源丰富。药材主要来源于野生。

| **采收加工** | 7 ~ 8 月采收，鲜用或晒干。

| **药材性状** | 本品茎呈四棱形，长 15 ~ 40 cm，直径 0.1 ~ 0.3 cm；表面黄绿色至绿褐色；较粗糙，棱及节上疏生倒向柔毛状刚毛。叶对生，叶柄长 1 ~ 5 mm，叶展平后呈矩圆状披针形，长 1.5 ~ 8 cm，宽 0.6 ~ 1.5 cm，边缘锯齿明显。花通常 6 朵排列成轮伞花序，着生于茎枝上部叶腋内，花萼钟形，具 5 齿，齿端锐尖，表面具腺毛。小坚果卵圆状三棱形，黑色，较光滑。气微，味淡。

| **功能主治** | 辛，凉。归肺、胃经。清热解毒，止咳利咽，止血消肿。用于感冒，肺痿肺痈，痧症，头风目眩，咽痛失音，咯吐衄血，崩漏，痢疾，淋证，跌打肿痛。

| **用法用量** | 内服煎汤，9 ~ 15 g。外用适量，煎汤洗；或研末撒；或捣敷。

唇形科 Labiatae 水苏属 Stachys

毛水苏

Stachys baicalensis Fisch. ex Benth.

| **植物别名** | 水苏草。

| **药 材 名** | 水苏（药用部位：全草或根。别名：芥蒩、鸡苏、香苏）。

| **形态特征** | 多年生直立草本，高 50 ~ 100 cm，具在节上生须根的根茎。茎单一，或在上部具分枝，四棱形，沿棱及节上密被倒向至平伸的刚毛。叶对生，叶片长圆状线形，长 4 ~ 11 cm，宽 0.7 ~ 1.5 cm，先端钝或稍尖，基部近圆形或浅心形，边缘有小圆齿状锯齿，上面绿色，疏被刚毛，下面淡绿色，沿脉上被刚毛，叶柄长 1 ~ 2 mm，或近无柄；苞叶披针形，最下部与叶同形。轮伞花序通常具 6 花，多数于茎上部排列成假穗状花序；小苞片线形，刺尖，被刚毛，早落；花梗极短，长约 1 mm，有刚毛；花萼钟形，长约 7 mm，沿肋

及齿缘密被柔毛状具节刚毛，具 10 脉，明显，萼齿 5，披针状三角形，长约 3 mm，先端具黄白色刺尖；花冠淡紫色或紫色，长 1 ~ 5 cm，花冠筒直伸，外面无毛，内面中部稍下方具毛环，冠檐二唇形，上唇直伸，卵圆形，外面被刚毛，内面无毛，下唇 3 裂，外疏被微柔毛，内面无毛，中裂片近圆形，外被白色花纹，侧裂片卵圆形；雄蕊 4，前雄蕊花丝较长，花丝扁平，中部有毛，花药卵圆形，2 室，极叉开；花柱丝状，略超出雄蕊，先端相等 2 浅裂，裂片钻形，花盘边缘波状，子房黑褐色。小坚果大多褐色，卵珠状，光滑无毛。花期 7 月，果期 8 月。

| 生境分布 | 生于海拔 450 ~ 1 670 m 的丘陵、田边、湿草地、河岸沼泽草地及沟谷中，草甸中也常有分布。分布于河北围场、丰宁、沽源等。

| 资源情况 | 野生资源丰富。药材主要来源于野生。

| 采收加工 | 7 ~ 8 月采收，鲜用或晒干。

| 药材性状 | 本品茎呈四棱形，长 15 ~ 40 cm，直径 0.1 ~ 0.3 cm；表面黄绿色至绿褐色；较粗糙，棱及节上疏生倒向柔毛状刚毛。叶对生，叶柄长 1 ~ 5 mm，叶展平后呈矩圆状披针形，长 1.5 ~ 8 cm，宽 0.6 ~ 1.5 cm，边缘锯齿明显。花通常 6 朵排列成轮伞花序，着生于茎枝上部叶腋内，花萼钟形，具 5 齿，齿端锐尖，表面具腺毛。小坚果卵圆状三棱形，黑色，较光滑。气微，味淡。

| 功能主治 | 辛，凉。归肺、胃经。清热解毒，止咳利咽，止血消肿。用于感冒，肺痿肺痈，瘰症，头风目眩，咽痛失音，咯吐衄血，崩漏，痢疾，淋证，跌打肿痛。

| 用法用量 | 内服煎汤，9 ~ 15 g。外用适量，煎汤洗；或研末撒；或捣敷。

| 附　注 | 根据毛的疏密、叶的宽窄，本种可分为小刚毛水苏和狭叶毛水苏等。小刚毛水苏与本种的不同在于沿茎棱疏被小刚毛，上部较多，基部近无毛，节上有刚毛，叶两面疏生小刚毛，花萼疏被柔毛状刚毛。狭叶毛水苏与本种的不同在于叶线形或线状披针形，长 3 ~ 4.5 cm，宽 4 ~ 6 mm。

唇形科 Labiatae 水苏属 Stachys

水苏
Stachys japonica Miq.

| 植物别名 | 宽叶水苏、水鸡苏、芝麻草。

| 药 材 名 | 水苏（药用部位：全草或根。别名：香苏、鸡苏、劳葙）。

| 形态特征 | 多年生草本，高 20 ~ 80 cm，具横走根茎。茎单一，直立，四棱形，棱及节上被有小刚毛，其余部分无毛。叶对生，叶片长圆状宽披针形，长 5 ~ 10 cm，宽 1 ~ 2.3 cm，先端微急尖，基部圆形至微心形，边缘有圆齿状锯齿，上面绿色，下面灰绿色，叶两面无毛；叶柄长 3 ~ 17 mm，较明显，近基部者长，向上逐渐变短；苞片披针形，无柄，近全缘。轮伞花序通常具 6 ~ 8 花，下部远离，上部密集排列成长 5 ~ 13 cm 的假穗状花序；小苞片刺状，微小，无毛，长约 1 mm；花萼钟形，连齿长可达 7.5 mm，外被腺微柔毛，内面于萼齿上疏被

微柔毛，其余部分无毛，具 10 脉，不明显，5 齿等大，先端锐尖，边缘有缘毛；花冠粉红色或淡红紫色，长约 1.2 cm，花冠筒不超出花萼，外面无毛，内面在近基部 1/3 处有毛环，冠檐二唇形，上唇直立，长 4 mm，宽 2.5 mm，倒卵圆形，外被微柔毛，内面近无毛，下唇开张，长 7 mm，宽 6 mm，外被微柔毛，内面无毛，3 裂，中裂片近圆形，最大，先端微凹，侧裂片卵圆形；雄蕊 4，均伸至上唇片之下，花丝先端略增大，被微柔毛，花药卵圆形，2 室，极叉开；花柱丝状，稍超出雄蕊，先端有相等的 2 浅裂，花盘平顶，子房黑褐色，光滑。小坚果卵球形，棕褐色，光滑。花期 5 ~ 7 月，果期 7 月以后。

| **生境分布** | 生于海拔 230 m 以下的海岸等湿地上。分布于河北滦平、丰宁、隆化等。

| **资源情况** | 野生资源丰富。药材主要来源于野生。

| **采收加工** | 7 ~ 8 月采收，鲜用或晒干。

| **药材性状** | 本品茎呈四棱形，长 15 ~ 40 cm，直径 0.1 ~ 0.3 cm；表面黄绿色至绿褐色；较粗糙，棱及节上疏生倒向柔毛状刚毛。叶对生，叶柄长 1 ~ 5 mm，叶展平后呈矩圆状披针形，长 1.5 ~ 8 cm，宽 0.6 ~ 1.5 cm，边缘锯齿明显。花通常 6 朵排列成轮伞花序，着生于茎枝上部叶腋内，花萼钟形，具 5 齿，齿端锐尖，表面具腺毛。小坚果卵圆状三棱形，黑色，较光滑。气微，味淡。

| **功能主治** | 辛，凉。归肺、胃经。清热解毒，止咳利咽，止血消肿。用于感冒，肺痿肺痈，痧症，头风目眩，咽痛失音，咯吐衄血，崩漏，痢疾，淋证，跌打肿痛。

| **用法用量** | 内服煎汤，9 ~ 15 g。外用适量，煎汤洗；或研末撒；或捣敷。

| **附　注** | 民间用本种的全草或根入药，治百日咳、扁桃体炎、咽喉炎、痢疾等。另外，又用根治带状疱疹。

夏枯草

Prunella vulgaris L.

| **植物别名** | 夕句、麦夏枯、灯笼草。

| **药 材 名** | 夏枯草（药用部位：全株。别名：麦穗夏枯草、钱线夏枯草）。

| **形态特征** | 多年生草本。根茎匍匐，在节上生须根。茎高 20 ~ 30 cm，上升，下部伏地，自基部多分枝，钝四棱形，其浅槽，紫红色，被稀疏的糙毛或近于无毛。茎叶卵状长圆形或卵圆形，大小不等，长 1.5 ~ 6 cm，宽 0.7 ~ 2.5 cm，先端钝，基部圆形、截形至宽楔形，下延至叶柄成狭翅，边缘具不明显的波状齿或几近全缘，草质，上面橄榄绿色，具短硬毛或几无毛，下面淡绿色，几无毛，侧脉 3 ~ 4 对，在下面略凸出，叶柄长 0.7 ~ 2.5 cm，自下部向上渐变短；花序下方的 1 对苞叶似茎叶，近卵圆形，无柄或具不明显的短柄。轮伞花序密集组成顶生长 2 ~ 4 cm 的穗状花序，每一轮伞花序下承以苞片；苞片宽心形，通常长约 7 mm，宽约 11 mm，先端具长 1 ~ 2 mm 的

骤尖头，脉纹放射状，外面在中部以下沿脉上疏生刚毛，内面无毛，边缘具睫毛，膜质，浅紫色；花萼钟形，连齿长约 10 mm，筒长 4 mm，倒圆锥形，外面疏生刚毛，二唇形，上唇扁平，宽大，近扁圆形，先端几截平，具 3 个不很明显的短齿，中齿宽大，齿尖均呈刺状微尖，下唇较狭，2 深裂，裂片达唇片之半或以下，边缘具缘毛，先端渐尖，尖头微刺状；花冠紫色、蓝紫色或红紫色，长约 13 mm，略超出花萼，花冠筒长 7 mm，基部宽约 1.5 mm，其上向前方膨大，至喉部宽约 4 mm，外面无毛，内面约近基部 1/3 处具鳞毛毛环，冠檐二唇形，上唇近圆形，直径约 5.5 mm，内凹，多少呈盔状，先端微缺，下唇约为上唇 1/2，3 裂，中裂片较大，近倒心形，先端边缘具流苏状小裂片，侧裂片长圆形，垂向下方，细小；雄蕊 4，前对长很多，均上升至上唇片之下，彼此分离，花丝略扁平，无毛，前对花丝先端 2 裂，1 裂片能育具花药，另 1 裂片钻形，长过花药，稍弯曲或近直立，后对花丝的不育裂片微呈瘤状凸出，花药 2 室，室极叉开；花柱纤细，先端相等 2 裂，裂片钻形，外弯；花盘近平顶；子房无毛。小坚果黄褐色，长圆状卵珠形，长 1.8 mm，宽约 0.9 mm，微具沟纹。花期 4 ~ 6 月，果期 7 ~ 10 月。

| **生境分布** | 生于海拔高达 3 000 m 的荒坡、草地、溪边及路旁等湿润地上。分布于河北围场等。

| **资源情况** | 野生资源一般，栽培资源丰富。药材主要来源于栽培。

| **采收加工** | 夏季果穗呈棕红色时采收，除去杂质，晒干。

| **药材性状** | 本品呈圆柱形，略扁，长 1.5 ~ 8 cm，直径 0.8 ~ 1.5 cm；淡棕色至棕红色。全穗由数轮至十数轮宿存萼与苞片组成，每轮有对生苞片 2，呈扇形，先端尖尾状，脉纹明显，外表面有白毛。每一苞片内有花 3，花冠多已脱落，宿存萼二唇形。内有小坚果 4，卵圆形，棕色，尖端有白色突起。体轻。气微，味淡。

| **功能主治** | 辛、苦，寒。归肝、胆经。清肝泻火，明目，散结消肿。用于目赤肿痛，目珠夜痛，头痛眩晕，瘰疬，瘿瘤，乳痈，乳癖，乳房胀痛。

| **用法用量** | 内服煎汤，6 ~ 15 g，大剂量可用至 30 g；或熬膏；或入丸、散剂。外用适量，煎汤洗；或捣敷。

| **附　　注** | 本种的狭叶变种与原变种的不同在于狭叶变种叶全缘，披针形至长圆状披针形，长 1.5 ~ 4 cm，宽 6 ~ 10 mm，无毛或疏生柔毛。

唇形科 Labiatae　夏至草属 *Lagopsis*

夏至草
Lagopsis supina (Steph.) IK.-Gal.

| 植物别名 | 白花益母、夏枯草、灯笼棵。

| 药 材 名 | 夏至草（药用部位：全草。别名：夏枯草、白花益母、白花夏枯草）。

| 形态特征 | 多年生草本，披散于地面或上升，具圆锥形的主根。茎高 15 ~ 35 cm，四棱形，具沟槽，带紫红色，密被微柔毛，常在基部分枝。叶片圆形，长、宽均 1.5 ~ 2 cm，先端圆形，基部心形，3 深裂，裂片有圆齿或长圆形犬齿，有时叶片为卵圆形，3 浅裂或深裂，裂片无齿或有稀疏圆齿，通常基部越冬叶远较宽大，叶片两面均绿色，上面疏生微柔毛，下面沿脉上被长柔毛，余部具腺点，边缘具纤毛，脉掌状，3 ~ 5 出；叶柄长，基生叶的长 2 ~ 3 cm，上部叶的较短，通常约 1 cm，扁平，上面微具沟槽。轮伞花序疏花，直径约 1 cm，

在枝条上部者较密集，在下部者较疏松；小苞片长约 4 mm，稍短于萼筒，弯曲，刺状，密被微柔毛；花萼管状钟形，长约 4 mm，外密被微柔毛，内面无毛，脉 5，凸出，萼齿 5，不等大，长 1 ~ 1.5 mm，三角形，先端刺尖，边缘有细纤毛，在果时明显展开，且 2 齿稍大。花冠白色，稀粉红色，稍伸出萼筒，长约 7 mm，外面被绵状长柔毛，内面被微柔毛，在花丝基部有短柔毛；花冠筒长约 5 mm，直径约 1.5 mm，冠檐二唇形，上唇直伸，比下唇长，长圆形，全缘，下唇斜展，3 浅裂，中裂片扁圆形，两侧裂片椭圆形；雄蕊 4，着生于花冠筒中部稍下，不伸出，后对较短，花药卵圆形，2 室；花柱先端 2 浅裂；花盘平顶。小坚果长卵形，长约 1.5 mm，褐色，有鳞秕。花期 3 ~ 4 月，果期 5 ~ 6 月。

| 生境分布 | 生于低山的水边、路旁旷地、林缘、荒地。分布于河北磁县、定州、阜平等。

| 资源情况 | 野生资源丰富。药材主要来源于野生。

| 采收加工 | 夏至前盛花期采收，晒干或鲜用。

| 药材性状 | 本品茎呈类方柱形，有分枝，长 12 ~ 30 cm，被倒生细毛。叶对生，黄绿色至暗绿色，多皱缩，完整叶片展平后呈掌状 3 全裂，裂片具钝齿或小裂，两面密被细毛；叶柄长。轮伞花序腋生；花萼钟形，萼齿 5，齿端有尖刺；花冠钟状，白色。小坚果褐色，长卵形。质脆。气微，味微苦。

| 功能主治 | 辛、微苦，寒。归肝经。养血活血，清热利湿。用于月经不调，产后瘀滞腹痛，血虚头昏，半身不遂，跌打损伤，水肿，小便不利，目赤肿痛，疮痈，冻疮，牙痛，皮疹瘙痒。

| 用法用量 | 内服煎汤，9 ~ 12 g；或煎膏。

唇形科 Labiatae 香茶菜属 Isodon

蓝萼毛叶香茶菜 *Isodon japonicus* var. *glaucocalyx* (Maximowicz) H. W. Li.

| 植物别名 |

山苏子、蓝萼香茶菜。

| 药 材 名 |

蓝萼香茶菜（药用部位：全草。别名：香茶菜、山苏子、回菜花）。

| 形态特征 |

多年生草本。根茎木质，粗大，向下有细长的侧根。茎直立，高 0.4 ~ 1.5 m，钝四棱形，具四槽及细条纹，下部木质，几无毛，上部被微柔毛及腺点，多分枝，分枝具花序。茎生叶对生，卵形或阔卵形，长（4 ~）6.5 ~ 13 cm，宽（2.5 ~）3 ~ 7 cm，先端具卵形的顶齿或披针形而渐尖，锯齿较钝，基部阔楔形，边缘有粗大具硬尖头的钝锯齿，坚纸质，上面暗绿色，下面淡绿色，两面疏被短柔毛及腺点，侧脉约 5 对，斜上升，在叶缘之内网结，与中脉在上面微隆起下面十分凸起，平行细脉在上面明显可见而在下面隆起；叶柄长 1 ~ 3.5 cm，上部有狭而斜向上宽展的翅，腹凹背凸，被微柔毛。圆锥花序在茎及枝上顶生，疏松而开展，由具（3 ~）5 ~ 7 花的聚伞花序组成，聚伞花序具梗，总梗长（3 ~）6 ~ 15 mm，向上渐短，花

梗长约 3 mm，与总梗及序轴均被微柔毛及腺点；下部 1 对苞叶卵形，叶状，向上变小，呈苞片状，阔卵圆形，无柄，短于花序梗很多，小苞片微小，线形，长约 1 mm；花萼开花时钟形，长 1.5 ～ 2 mm，常带蓝色，外面密被贴生微柔毛，内面无毛，萼齿 5，三角形，锐尖，长约为花萼的 1/3，近等大，前 2 齿稍宽而长，果时花萼管状钟形，长达 4 mm，脉纹明显，略弯曲，下唇 2 齿稍长而宽，上唇 3 齿，中齿略小；花冠淡紫色、紫蓝色至蓝色，上唇具深色斑点，长约 5 mm，外被短柔毛，内面无毛，花冠筒长约 2.5 mm，基部上方浅囊状，冠檐二唇形，上唇反折，先端具 4 圆裂，下唇阔卵圆形，内凹；雄蕊 4，伸出，花丝扁平，中部以下具髯毛；花柱伸出，先端相等 2 浅裂；花盘环状。成熟小坚果卵状三棱形，长 1.5 mm，黄褐色，无毛，先端具疣状突起。花期 7 ～ 8 月，果期 9 ～ 10 月。

| **生境分布** | 生于海拔可达 1 800 m 的山坡、路旁、林缘、林下及草丛中。分布于河北丰宁、抚宁、沽源等。

| **资源情况** | 野生资源丰富。药材主要来源于野生。

| **采收加工** | 夏、秋季采收，除去杂质，晒干。

| **功能主治** | 苦、甘，凉。清热解毒，活血化瘀。用于感冒，咽喉肿痛，扁桃体炎，胃炎，肝炎，乳腺炎，恶性肿瘤（食管癌、贲门癌、肝癌、乳腺癌）初期，闭经，跌打损伤，关节痛，蛇虫咬伤。

| **用法用量** | 内服煎汤，6 ～ 15 g。

| **附 注** | 本种与原变种毛叶香茶菜的区别在于本种叶疏被短柔毛及腺点，顶齿卵形或披针形而渐尖，锯齿较钝；花萼常带蓝色，外面密被贴生微柔毛。

唇形科 Labiatae 香茶菜属 *Isodon*

内折香茶菜 *Isodon inflexus* (Thunberg) Kudô.

| **植物别名** | 山薄荷、山薄荷香茶菜。

| **药 材 名** | 内折香茶菜（药用部位：全草）。

| **形态特征** | 多年生草本。根茎木质，疙瘩状，直径达 3 cm 以上，向下密生纤维状须根。茎曲折，直立，高 0.4 ~ 1（~ 1.5）m，自下部多分枝，钝四棱形，具四槽，褐色，具细条纹，沿棱上密被下曲具节白色疏柔毛。茎生叶三角状阔卵形或阔卵形，长 3 ~ 5.5 cm，宽 2.5 ~ 5 cm，先端锐尖或钝，基部阔楔形，骤然渐狭下延，边缘在基部以上具粗大圆齿状锯齿，齿尖具硬尖，坚纸质，上面榄绿色，散布具节短柔毛，下面淡绿色，沿脉上被具节白色疏柔毛，侧脉约 4 对，与中脉在上面微凹陷下面隆起，平行细脉在下面明显；叶柄长 0.5 ~ 3.5 cm，

上部具宽翅，腹凹背凸，密被具节白色疏柔毛。狭圆锥花序长 6 ~ 10 cm，花茎及分枝先端及上部茎叶腋内着生，由于上部茎生叶变小呈苞叶状，因而整体常呈复合圆锥花序，花序由具 3 ~ 5 花的聚伞花序组成，聚伞花序具梗，总梗长达 5 mm，与较短的花梗及序轴密被短柔毛；苞叶卵圆形，变小，近无柄，边缘具疏齿至近全缘；小苞片线形或线状披针形，微小，长 1 ~ 1.5 mm，具缘毛；花萼钟形，长约 2 mm，外被斜上细毛，内面无毛，萼齿 5，近相等或微呈 3/2 式，果时花萼稍增大，长达 5 mm，脉纹显著；花冠淡红色至青紫色，长约 8 mm，外被短柔毛及腺点，内面无毛，花冠筒长约 3.5 mm，基部上方浅囊状，至喉部直径约 1.5 mm，冠檐二唇形，上唇外反，长约 3 mm，宽达 4 mm，先端具相等 4 圆裂，下唇阔卵圆形，长 4.5 mm，宽 3.5 mm，内凹，舟形；雄蕊 4，内藏，花丝扁平，中部以下具髯毛；花柱丝状，内藏，先端相等 2 浅裂；花盘环状。未见成熟小坚果。花期 8 ~ 10 月。

| **生境分布** | 生于海拔达 1 200 m 的山谷溪旁疏林中或阳处。分布于河北抚宁、内丘、兴隆等。

| **资源情况** | 野生资源丰富。药材主要来源于野生。

| **采收加工** | 夏、秋季采收，鲜用或晒干。

| **功能主治** | 辛、苦，凉。归肝、肾经。清热利湿，活血散瘀，解毒消肿。用于湿热黄疸，淋证，水肿，咽喉肿痛，关节痹痛，闭经，乳痈，痔疮，发背，跌打损伤，毒蛇咬伤。

| **用法用量** | 内服煎汤，9 ~ 15 g。外用适量，鲜品捣敷；或涂擦；或煎汤洗。

唇形科 Labiatae 香茶菜属 Isodon

碎米桠

Isodon rubescens (Hemsl.) H. Hara

植物别名

破血丹、冬凌草、野藿香花。

药材名

冬凌草（药用部位：地上部分。别名：山香草、破血丹、雪花草）。

形态特征

小灌木，高（0.3 ~ ）0.5 ~ 1（ ~ 1.2）m；根茎木质，有长纤维状须根。茎直立，多数，基部近圆柱形，灰褐色或褐色，无毛，皮层纵向剥落，上部多分枝，分枝具花序，茎上部及分枝均四棱形，具条纹，褐色或带紫红色，密被小疏柔毛，幼枝极密被绒毛，带紫红色。茎生叶对生，卵圆形或菱状卵圆形，长 2 ~ 6 cm，宽 1.3 ~ 3 cm，先端锐尖或渐尖，后一情况先端一齿较长，基部宽楔形，骤然渐狭下延成假翅，边缘具粗圆齿状锯齿，齿尖具胼胝体，膜质至坚纸质，上面榄绿色，疏被小疏柔毛及腺点，有时近无毛，下面淡绿色，密被灰白色短绒毛至近无毛，侧脉 3 ~ 4 对，两面十分明显，脉纹常带紫红色；叶柄连具翅假柄在内长 1 ~ 3.5 cm，向茎、枝顶部渐变短。聚伞花序具 3 ~ 5 花，最下部者有时多至 7 花，具长 2 ~ 5 mm

的总梗，在茎及分枝顶上排列成长 6 ～ 15 cm 狭圆锥花序，总梗与长 2 ～ 5 mm
的花梗及花序轴密被微柔毛，但常带紫红色；苞叶菱形或菱状卵圆形至披针形，
向上渐变小，在圆锥花序下部者十分超出聚伞花序，在上部者则往往短于聚伞
花序很多，先端急尖，基部宽楔形，边缘具疏齿至近全缘，具短柄至近无柄，
小苞片钻状线形或线形，长达 1.5 mm，被微柔毛；花萼钟形，长 2.5 ～ 3 mm，
外密被灰色微柔毛及腺点，明显带紫红色，内面无毛，10 脉，萼齿 5，微呈
3/2 式二唇形，齿均卵圆状三角形，近钝尖，约占花萼长之半，上唇 3 齿，中
齿略小，下唇 2 齿稍大而平伸，果时花萼增大，管状钟形，略弯曲，长 4 ～

5 mm，脉纹明显；花冠长约 7 mm，有时达 12 mm，但也有雄蕊退化的花冠变小，长仅 5 mm，外疏被微柔毛及腺点，内面无毛，花冠筒长 3.5 ~ 5 mm，基部上方浅囊状突起，至喉部直径 2 ~ 2.5 mm，冠檐二唇形，上唇长 2.5 ~ 4 mm，外反，先端具 4 圆齿，下唇宽卵圆形，长 3.5 ~ 7 mm，内凹；雄蕊 4，略伸出，或有时雄蕊退化而内藏，花丝扁平，中部以下具髯毛；花柱丝状，伸出，先端相等 2 浅裂；花盘环状。小坚果倒卵状三棱形，长 1.3 mm，淡褐色，无毛。花期 7 ~ 10 月，果期 8 ~ 11 月。

| 生境分布 | 生于海拔 100 ~ 2 800 m 的山坡、灌丛、林地、砾石地及路边等向阳处。分布于河北昌黎、赤城、磁县等。

| 资源情况 | 野生资源较少。药材主要来源于野生。

| 采收加工 | 夏、秋季茎叶茂盛时采割，晒干。

| 药材性状 | 本品茎基部近圆形，上部方柱形，长 30 ~ 70 cm。表面红紫色，有柔毛；质硬而脆，断面淡黄色。叶对生，有柄；叶片皱缩或破碎，完整者展平后呈卵形或菱状卵形，长 2 ~ 6 cm，宽 1.5 ~ 3 cm；先端锐尖或渐尖，基部宽楔形，急缩下延成假翅，边缘具粗锯齿；上表面棕绿色，下表面淡绿色，沿叶脉被疏柔毛。有时带花，聚伞状圆锥花序顶生，花小，花萼筒状钟形，5 裂齿，花冠二唇形。气微香，味苦、甘。

| 功能主治 | 苦、甘，微寒。归肺、胃、肝经。清热解毒，活血止痛。用于咽喉肿痛，癥瘕痞块，蛇虫咬伤。

| 用法用量 | 内服煎汤，30 ~ 60 g。外用适量，研末，浸油搽。

| 附　注 | （1）本种在古代本草中并无记载，但在民间经常使用，于 1977 年被收载于《中国药典》。广泛分布于黄河、长江流域，主要产地在河南济源太行山一带。贵州凤岗用全草入药，治疗感冒头痛、风湿筋骨痛、关节痛。河南民间用全草治疗急、慢性扁桃体炎、咽喉炎、气管炎、肝癌、食道癌、乳腺癌等已有 50 余年历史。

（2）经研究，本种有抗肿瘤、抗突变、抗菌消炎、抗氧化、轻度抑制食管张力、抑制中枢神经系统等作用。目前，本种被开发成的药物制剂有冬凌草含片、冬凌草片、冬凌草糖浆等；保健品如冬凌草茶等。随着对本种的深入研究，由碎

米桠等 7 味中药材组成的复方 PC-SPES 作为前列腺疾病治疗的代替制剂，广销海外。由于本种的使用量的增加，其野生资源受到严重破坏，产量急剧下降，市场已供不应求。

唇形科 Labiatae 香科科属 *Teucrium*

血见愁 *Teucrium viscidum* Bl.

| 植物别名 | 冲天泡、四棱香、蛇药。

| 药 材 名 | 山藿香(药用部位:全草。药材别名:血见愁、血芙蓉、野石蚕)。

| 形态特征 | 多年生草本,具匍匐茎。茎直立,高 30 ~ 70 cm,下部无毛或几近无毛,上部具夹生腺毛的短柔毛。叶柄长 1 ~ 3 cm,近无毛;叶片卵圆形至卵圆状长圆形,长 3 ~ 10 cm,先端急尖或短渐尖,基部圆形、阔楔形至楔形,下延,边缘为带重齿的圆齿,有时数齿间具深刻的齿弯,两面近无毛,或被极稀的微柔毛。假穗状花序生于茎及短枝上部,在茎上者由于下部有短的花枝因而俨如圆锥花序,长 3 ~ 7 cm,密被腺毛,由密集具 2 花的轮伞花序组成;苞片披针形,较开放的花稍短或等长;花梗短,长不及 2 mm,密被腺长柔

毛；花萼小，钟形，长 2.8 mm，宽 2.2 mm，外面密被腺长柔毛，内面在齿下被
稀疏微柔毛，齿缘具缘毛，10 脉，其中 5 副脉不甚明显，萼齿 5，直伸，近等
大，长不及萼筒长的 1/2，上 3 齿卵状三角形，先端钝，下 2 齿三角形，稍锐
尖，果时花萼呈圆球形，直径 3 mm，有时甚小；花冠白色、淡红色或淡紫色，
长 6.5 ~ 7.5 mm，花冠筒长 3 mm，稍伸出，唇片与花冠筒成大角度的钝角，中
裂片正圆形，侧裂片卵圆状三角形，先端钝；雄蕊伸出，前对与花冠等长；花
柱与雄蕊等长，花盘盘状，浅 4 裂，子房圆球形，先端被泡状毛。小坚果扁球形，
长 1.3 mm，黄棕色，合生面超过果长的 1/2。花期 8 ~ 9 月。

| **生境分布** | 生于海拔 120 ~ 1 530 m 的山地林下润湿处。分布于河北迁安等。

| **资源情况** | 野生资源丰富。药材主要来源于野生。

| **采收加工** | 夏、秋季采收，拔取全草，抖去泥沙，洗净，晒干。

| **药材性状** | 本品全草长 30 ~ 50 cm，根须状。茎方柱形，具分枝，表面黑褐色或灰褐色，
被毛，嫩枝毛较密；节处有多数灰白色须状根。叶对生，灰绿色或灰褐色，叶
片皱缩，易碎，完整者展平后呈卵形或矩圆形，长 3 ~ 6 cm，宽 1.5 ~ 3 cm，
先端短渐尖或短尖，基部圆形或阔楔形，下延，边缘具粗锯齿，叶面常皱缩，
两面均有毛，下面毛较密；叶柄长约 1.5 cm。间见枝顶或叶腋有淡红色小花，
花萼钟形。小坚果圆形，包于宿存萼中。花、叶以手搓之，微有香气，
味微辛、苦。

| **功能主治** | 辛、苦，凉。归肺、大
肠经。凉血止血，解毒
消肿。用于咯血，吐血，
衄血，肺痈，跌打损伤，
痈疽肿毒，痔疮肿痛，漆
疮，脚癣，狂犬咬伤，毒
蛇咬伤。

| **用法用量** | 内服煎汤，15 ~ 30 g，
鲜品加倍；或捣汁；或
研末。外用适量，捣敷；
或煎汤熏洗。

密花香薷 *Elsholtzia densa* Benth.

| 植物别名 | 蟋蟀巴、臭香茹、时紫苏。

| 药 材 名 | 咳嗽草（药用部位：全草。别名：土香薷、野香薷、野紫苏）。

| 形态特征 | 草本，高 20 ~ 60 cm，密生须根。茎直立，自基部多分枝，分枝细长，茎及枝均四棱形，具槽，被短柔毛。叶长圆状披针形至椭圆形，长 1 ~ 4 cm，宽 0.5 ~ 1.5 cm，先端急尖或微钝，基部宽楔形或近圆形，边缘在基部以上具锯齿，草质，上面绿色，下面色较淡，两面被短柔毛，侧脉 6 ~ 9 对，与中脉在上面下陷下面明显；叶柄长 0.3 ~ 1.3 cm，背腹扁平，被短柔毛。穗状花序长圆形或近圆形，长 2 ~ 6 cm，宽 1 cm，密被紫色串珠状长柔毛，由密集的轮伞花序组成；最下的 1 对苞叶与叶同形，向上呈苞片状，卵圆状圆形，长约

1.5 mm，先端圆，外面及边缘被具节长柔毛；花萼钟状，长约 1 mm，外面及边缘密被紫色串珠状长柔毛，萼齿 5，后 3 齿稍长，近三角形，果时花萼膨大，近球形，长 4 mm，宽达 3 mm，外面极密被串珠状紫色长柔毛；花冠小，淡紫色，长约 2.5 mm，外面及边缘密被紫色串珠状长柔毛，内面在花丝基部具不明显的小疏柔毛环，花冠筒向上渐宽大，冠檐二唇形，上唇直立，先端微缺，下唇稍开展，3 裂，中裂片较侧裂片短；雄蕊 4，前对较长，微露出，花药近圆形；花柱微伸出，先端近相等 2 裂。小坚果卵珠形，长 2 mm，宽 1.2 mm，暗褐色，被极细微柔毛，腹面略具棱，先端具小疣突起。花果期 7 ～ 10 月。

| 生境分布 | 生于海拔 1 800 ～ 4 100 m 的林缘、高山草甸、林下、山坡荒地或河边。分布于河北沽源、阜平、易县等。

| 资源情况 | 野生资源丰富。药材主要来源于野生。

| 采收加工 | 7 ～ 9 月采收，割取地上部分，阴干，扎把，切碎，或鲜用。

| 药材性状 | 本品茎呈方柱形，长 20 ～ 60 cm，基部分枝，被短柔毛；质脆。叶卷曲皱缩，展平后呈长圆形或椭圆形，长 1 ～ 4 cm，宽 0.5 ～ 1.5 cm，两面被柔毛。有时可见假穗状花序，花暗紫色。揉搓后有特异清香，味辛、凉。

| 功能主治 | 辛，微温。归肺、胃经。发汗解表，化湿和中，利水消肿。用于风寒感冒，水肿脚气。

| 用法用量 | 内服煎汤，3 ～ 9 g；或研末。外用捣敷；或研末敷。

唇形科 Labiatae 香薷属 Elsholtzia

木香薷 Elsholtzia stauntoni Benth.

| **植物别名** | 柴荆芥、香荆芥、臭荆芥。

| **药材名** | 木香薷（药用部位：全草）。

| **形态特征** | 直立半灌木，高 0.7 ～ 1.7 m。茎上部多分枝，小枝下部近圆柱形，上部钝四棱形，具槽及细条纹，带紫红色，被灰白色微柔毛。叶披针形至椭圆状披针形，长 8 ～ 12 cm，宽 2.5 ～ 4 cm，先端渐尖，基部渐狭至叶柄，边缘除基部及先端全缘外具锯齿状圆齿，上面绿色，除边缘及中脉被微柔毛外余部极无毛，下面白绿色，除中脉及侧脉略被微柔毛外余部无毛但密布细小腺点，侧脉 6 ～ 8 对，与中脉在上面明显凹陷下面明显隆起；叶柄长 4 ～ 6 mm，腹凹背凸，常带紫色，被微柔毛。穗状花序伸长，长 3 ～ 12 cm，生于茎枝及

侧生小花枝顶上，位于茎枝上者较长，因而在茎或枝上俨如圆锥状，由具 5 ~ 10 花、近偏向于一侧的轮伞花序所组成；苞叶除花序最下方 1 对叶状且十分超出轮伞花序外，均呈苞片状，披针形或线状披针形，长 2 ~ 3 mm，常染紫色；花梗长 0.5 mm，与总梗、序轴被灰白色微柔毛；花萼管状钟形，长约 2 mm，宽约 1 mm，外面密被灰白色绒毛，内面仅在萼齿上被灰白色绒毛，余部无毛，萼齿 5，卵状披针形，长约 0.5 mm，近等大，果时花萼伸长，明显管状，长达 4 mm，宽 1.5 mm；花冠玫瑰红紫色，长约 9 mm，外面被白色柔毛及稀疏腺点，内面约在花冠筒中部花丝基部有斜向间断髯毛毛环，花冠筒长约 6 mm，基部宽约 1 mm，向上渐宽，至喉部宽达 2.5 mm，冠檐二唇形，上唇直立，长约 2 mm，先端微缺，下唇开展，3 裂，中裂片近圆形，长约 3 mm，侧裂片近卵圆，先端圆，较中裂片稍短；雄蕊 4，前对较长，十分伸出，花丝丝状，无毛，花药卵圆形，2 室；花柱与雄蕊等长或略超出，先端近相等 2 深裂，裂片线形，子房无毛。小坚果椭圆形，光滑。花果期 7 ~ 10 月。

| **生境分布** | 生于海拔 700 ~ 1 600 m 的谷地溪边或河川沿岸，草坡及石山上。分布于河北沙河、武安等。

| **资源情况** | 野生资源丰富。药材主要来源于野生。

| **采收加工** | 夏季采集，洗净，晒干或鲜用。

| **功能主治** | 辛，凉。清热解毒，截疟。用于流行性脑脊髓膜炎，感冒，扁桃体炎，支气管炎，肺炎，疟疾；外用于乳腺炎，外伤感染。

| **用法用量** | 内服煎汤，10 ~ 20 g。外用适量，鲜品捣敷。

唇形科 Labiatae 香薷属 Elsholtzia

香薷

Elsholtzia ciliata (Thunb.) Hyland.

| **植物别名** | 五香、香草、少花香薷。

| **药 材 名** | 土香薷（药用部位：全草。别名：香草头、土薄荷、土藿香）。

| **形态特征** | 直立草本，高 0.3 ~ 0.5 m，具密集的须根。茎通常自中部以上分枝，钝四棱形，具槽，无毛或被疏柔毛，常呈麦秆黄色，老时变紫褐色。叶卵形或椭圆状披针形，长 3 ~ 9 cm，宽 1 ~ 4 cm，先端渐尖，基部楔状下延成狭翅，边缘具锯齿，上面绿色，疏被小硬毛，下面淡绿色，主沿脉上疏被小硬毛，余部散布松脂状腺点，侧脉 6 ~ 7 对，与中肋两面稍明显；叶柄长 0.5 ~ 3.5 cm，背平腹凸，边缘具狭翅，疏被小硬毛。穗状花序长 2 ~ 7 cm，宽达 1.3 cm，偏向一侧，由多花的轮伞花序组成；苞片宽卵圆形或扁圆形，长、宽均约 4 mm，先

端具芒状突尖，尖头长达 2 mm，多半褪色，外面近无毛，疏布松脂状腺点，内面无毛，边缘具缘毛；花梗纤细，长 1.2 mm，近无毛，花序轴密被白色短柔毛；花萼钟形，长约 1.5 mm，外面被疏柔毛，疏生腺点，内面无毛，萼齿 5，三角形，前 2 齿较长，先端具针状尖头，边缘具缘毛；花冠淡紫色，约为花萼长之 3 倍，外面被柔毛，上部夹生有稀疏腺点，喉部被疏柔毛，花冠筒自基部向上渐宽，至喉部宽约 1.2 mm，冠檐二唇形，上唇直立，先端微缺，下唇开展，3 裂，中裂片半圆形，侧裂片弧形，较中裂片短；雄蕊 4，前对较长，外伸，花丝无毛，花药紫黑色；花柱内藏，先端 2 浅裂。小坚果长圆形，长约 1 mm，棕黄色，光滑。花期 7 ~ 10 月，果期 10 月至翌年 1 月。

| **生境分布** | 生于海拔达 3 400 m 的高山草甸、林缘、山坡荒地及河岸。分布于河北武安、涿鹿等。

| **资源情况** | 野生资源丰富。药材主要来源于野生。

| **采收加工** | 夏、秋季采收，切段，晒干或鲜用。

| **药材性状** | 本品茎呈方柱形，多分枝，长 30 ~ 50 cm，表面紫褐色；质脆。叶卷曲皱缩，展平后呈卵形或椭圆状披针形，长 3 ~ 9 cm，宽 1 ~ 4 cm，上面暗绿色，有疏生硬毛，下面淡绿色，散生多数亮黄色腺点；叶柄长 0.5 ~ 3 cm，有小硬毛。顶生假穗状花序，稍偏向一侧，花淡紫色。揉搓后有特异清香，味辛、凉。

| **功能主治** | 辛，微温。归肺、胃经。发汗解暑，和中利湿。用于夏季感冒，恶寒发热，头痛无汗，中暑，急性肠胃炎，胸闷，口臭，水肿，脚气等。

| **用法用量** | 内服煎汤，9 ~ 15 g，鲜品加倍。外用适量，捣敷；或煎汤含漱；或熏洗。

唇形科 Labiatae 野芝麻属 Lamium

野芝麻 *Lamium barbatum* Sieb. et Zucc.

植物别名

龙脑薄荷、山苏子、山麦胡。

药材名

野芝麻（药用部位：全草。别名：白花益母草、续断、白花菜）、野芝麻根（药用部位：根。别名：土蚕子根）、野芝麻花（药用部位：花）。

形态特征

多年生草本。根茎长，具长地下匍匐枝。茎高达 1 m，单生，直立，四棱形，具浅槽，中空，几无毛。茎下部叶卵圆形或心形，先端尾状渐尖，基部心形，茎上部叶卵圆状披针形，草质，两面均被短硬毛，较茎下部叶长而狭，先端长尾状渐尖，边缘有微内弯的牙齿状锯齿，齿尖具胼胝体的小突尖；叶柄长达 7 cm，茎上部的渐变短，散生短毛。轮伞花序具 4 ~ 14 花，生于茎上部叶腋；苞片狭线形或丝状，锐尖，具缘毛；花萼钟形，5 裂，裂片三角形，近相等，外面疏被伏毛，膜质，萼齿披针形，具缘毛；花冠白色或浅黄色，花冠筒稍上方呈囊状膨大，外面在上部被疏硬毛或近绒毛状毛被，余部几无毛，内面近基部有毛环，冠檐二唇形，上唇直立，倒卵圆形或长圆形，先端圆形或微缺，边缘具缘毛及长柔毛，下唇 3 裂，中裂片倒肾形，先端深凹，基部急收缩，侧裂片宽，浅圆裂片状，先端有针状小齿；雄蕊 4，花丝扁平，被微柔毛，彼此粘连，花药深紫色，水平叉开；花柱丝状，先端近相等 2 浅裂，花盘杯状，子房裂片长圆形，无毛。小坚果倒卵圆形，先端截形，基部渐狭，淡褐色。花期 4 ～ 6 月，果期 7 ～ 8 月。

| **生境分布** | 生于海拔 2 600 m 以下的路边、溪旁、田埂及荒坡上。分布于河北内丘等。

| **资源情况** | 野生资源丰富。药材主要来源于野生。

| **采收加工** | **野芝麻：** 5 ～ 6 月采收，阴干或鲜用。
野芝麻根： 夏、秋季采收，洗净，晒干或鲜用。
野芝麻花： 4 ～ 6 月采收，阴干。

| **药材性状** | **野芝麻：** 本品茎呈类方柱形，长 25 ～ 50 cm。叶对生，叶柄长 1 ～ 5 cm，叶常皱缩甚至破碎，完整叶展平后呈心状卵形，边缘具粗齿，两面具伏毛，先端长尾状，基部心形或近截形。轮伞花序生于上部叶腋，苞片线形，具睫毛，花萼钟形，5 裂，花冠多皱缩，灰白色至灰黄色。质脆。气微香，味淡、微辛。

| **功能主治** | **野芝麻：** 辛、甘，平。凉血止血，活血止痛，利湿消肿。用于肺热咯血，血淋，月经不调，崩漏，水肿，带下，胃痛，小儿疳积，跌打损伤，肿毒。

野芝麻根： 微甘，平。清肝利湿，活血消肿。用于眩晕，肝炎，咳嗽咯血，水肿，带下，疳积，痔疮，肿毒。

野芝麻花： 甘、辛，平。活血调经，凉血清热。用于月经不调，痛经，赤白带下，肺热咯血，小便淋痛。

| **用法用量** | **野芝麻：** 内服煎汤，9 ～ 15 g；或研末。外用适量，鲜品捣敷；或研末调敷。
野芝麻根： 内服煎汤，9 ～ 15 g；或研末，3 ～ 9 g。外用适量，鲜品捣敷。
野芝麻花： 内服煎汤，10 ～ 25 g。

唇形科 Labiatae 益母草属 *Leonurus*

大花益母草 *Leonurus macranthus* Maxim.

| 药 材 名 | 大花益母草（药用部位：全草）。

| 形态特征 | 多年生草本。根茎木质，茎粗壮，直立，高 60 ~ 120 cm，茎、枝均呈四棱形，具槽，有贴生短而硬的倒向糙伏毛。叶形变化很大，最下部茎生叶心状圆形，长 7 ~ 12 cm，宽 6 ~ 9 cm，3 裂，裂片上常有深缺刻，先端锐尖，基部心形，上面绿色，下面淡绿色，两面均疏被短硬毛，茎中部叶通常为卵圆形，先端锐尖；苞片变小，卵圆形或卵状披针形，边缘有不等大的锯齿，或深裂，或近全缘。轮伞花序腋生，有 8 ~ 12 花，多数远离或组成长穗状，小苞片刺芒状，长约 1 cm；花萼管状钟形，长 7 ~ 9 mm，外被糙伏毛，具5 脉，明显凸出，具 5 齿，前 2 齿靠合，具刺状尖，长可达 1 cm，

后 3 齿较短，长约 5 mm，基部三角形，先端刺尖；花冠淡红色或淡红紫色，长 2.5 ~ 2.8 cm，花冠筒逐渐向上增大，长约为花冠的一半，内面近基部 1/3 具毛环，冠檐二唇形，上唇直伸，长圆形，长约 1.2 cm，宽 0.5 cm，全缘，外面密被短柔毛，内面无毛，下唇短于上唇 1/3，外面被短柔毛，3 裂；雄蕊 4，平行，前对较长；花柱丝状，略高于雄蕊。小坚果长圆状三棱形，长约 2.5 mm，黑褐色。花期 7 ~ 9 月，果期 9 月。

| 生境分布 | 生于海拔 400 m 以下的山坡灌丛间、林下、林缘及山坡草地。分布于河北丰宁、平泉等。

| 资源情况 | 野生资源丰富。药材主要来源于野生。

| 采收加工 | 夏季茎叶茂盛、花未开或初开时采割，晒干，或切段，晒干。

| 功能主治 | 甘、苦，凉。活血调经，利尿。用于痛经，闭经等。

| 用法用量 | 内服煎汤，9 ~ 30 g，鲜品 12 ~ 40 g。

唇形科 Labiatae 益母草属 *Leonurus*

细叶益母草 *Leonurus sibiricus* L.

| 植物别名 |

四美草、风葫芦草、龙串彩。

| 药 材 名 |

益母草花（药用部位：花。别名：茺蔚花）。

| 形态特征 |

一年生或二年生草本，高 60 ~ 100 cm。茎直立，四棱形，多分枝，被倒向糙伏毛。茎下部叶早落，中部以上具叶柄，叶卵圆形，掌状 3 裂，裂片再羽状 3 裂，小裂片线形，边缘反卷，宽 1 ~ 3 mm，先端渐尖，上面被糙伏毛，下面被短柔毛及腺点，两面异色；叶基部狭楔形；叶柄长 2 ~ 4 cm，最上面苞片无柄，稀不分裂。轮伞花序腋生，具多花，组成疏离的穗状花序，小苞片刺状，被柔毛；花无梗；花萼筒状钟形，长 8 ~ 9 mm，具 5 脉，萼齿 5，前 2 齿靠合、较长，后 3 齿等长、较短；花冠粉红色或紫红色，长约 1.8 cm，伸出萼筒部分的外面，冠檐二唇形，上唇长圆形，直伸，全缘，外被白色长柔毛，下唇 3 裂，比上唇略短，中裂片较大，倒心形，侧裂片为卵圆形；雄蕊 4，前对较长，花丝丝状，花丝中部被鳞状毛，花药卵圆形，2 室；花柱先端相等 2 浅裂；花盘平顶。小坚果长圆状三棱形，长约 2.5 mm，先端平截。基部楔形，褐色，光滑。花期 7 ~ 9 月，果期 9 ~ 10 月。

| **生境分布** | 生于海拔高达 1 500 m 的石质山坡、砂质草地或松林中。分布于河北怀安、平山等。

| **资源情况** | 野生资源一般。药材主要来源于野生。

| **采收加工** | 夏季花初开时采收，去净杂质，晒干。

| **药材性状** | 本品为干燥的花朵，花萼及雌蕊大多已脱落，长约 1.3 cm，淡紫色至淡棕色，花冠自先端向下渐次变细；基部联合成管，上部二唇形，上唇长圆形，全缘，背部密具细长白毛，也有缘毛；下唇 3 裂，中央裂片倒心形，背部具短绒毛，花冠管口处有毛环；雄蕊 4，二强，着生在花冠筒内，与残存的花柱常伸出花冠筒之外。气弱，味微甜。以干燥、无叶及杂质者为佳。

| **功能主治** | 甘、苦，凉。养血，活血，利水。用于贫血，疮疡肿毒，血滞经闭，痛经，产后瘀血腹痛，恶露不下。

| **用法用量** | 内服煎汤，6 ~ 9 g。

| **附　　注** | 野生细叶益母草中水苏碱的含量高达 0.56%，生物碱的质量分数明显高于 2000 年版《中国药典》中记载的益母草生物碱质量分数限度。由于本种的蕴藏量大幅减少，建议开展引种及栽培试验。

唇形科 Labiatae 益母草属 Leonurus

益母草

Leonurus japonicus Houttuyn

| 植物别名 | 益母蒿、坤草。

| 药 材 名 | 益母草（药用部位：地上部分。别名：益母、茺蔚、益明）。

| 形态特征 | 一年生或二年生草本。茎直立，高 30 ～ 120 cm，四棱形，茎被倒向短柔毛，多分枝。叶对生，叶形变化大，茎下部叶卵形，掌状 3 裂，裂片长圆状菱形至卵圆形，长 2.5 ～ 6 cm，宽 1.5 ～ 4 cm，裂片上再分裂；叶柄长 2 ～ 3 cm；中部叶掌状 3 半裂或全裂，裂片长圆状披针形，又羽状分裂。轮伞花序腋生，具 8 ～ 15 花；花序上部的苞片呈条形或披针形，长 3 ～ 12 cm，宽 2 ～ 8 mm，全缘或具稀少牙齿；小苞片刺状，具柔毛；花无梗，花萼钟形，长 6 ～ 8 mm，萼齿 5，外面密被短柔毛；花冠粉红色至淡紫红色，长 1 ～ 1.2 cm，

二唇形，上唇直伸，全缘，下唇略短或等长于上唇，3 裂；雄蕊 4，花丝中部有白色长柔毛，前对较长；花柱丝状，先端相等 2 裂，略超出雄蕊。小坚果长圆状三棱形，长 2.5 mm，淡褐色，光滑。花期 6 ~ 9 月，果期 9 ~ 10 月。

| **生境分布** | 生于海拔 3 400 m 以下的田埂、路旁、溪边或山坡草地等多种生境，尤以向阳地带为多。分布于河北昌黎、内丘、赞皇等。

| **资源情况** | 野生资源丰富。药材主要来源于野生。

| **采收加工** | 鲜品春季幼苗期至初夏花前期采割；干品夏季茎叶茂盛、花未开或初开时采割，晒干，或切段，晒干。

| **药材性状** | 本品鲜益母草幼苗期无茎，基生叶圆心形，5 ~ 9 浅裂，每裂片有 2 ~ 3 钝齿。花前期茎呈方柱形，上部多分枝，四面凹下成纵沟，长 30 ~ 60 cm，直径 0.2 ~ 0.5 cm；表面青绿色；质鲜嫩，断面中部有髓。叶交互对生，有柄；叶片青绿色，质鲜嫩，揉之有汁；下部茎生叶掌状 3 裂，上部叶羽状深裂或浅裂成 3 片，裂片全缘或具少数锯齿。气微，味微苦。干益母草茎表面灰绿色或黄绿色；体轻，质韧，断面中部有髓。叶片灰绿色，多皱缩、破碎，易脱落。轮伞花序腋生，小花淡紫色，花萼筒状，花冠二唇形。切段者长约 2 cm。

| **功能主治** | 苦、辛，微寒。归肝、心包、膀胱经。活血调经，利尿消肿，清热解毒。用于月经不调，痛经，经闭，恶露不尽，水肿尿少，疮疡肿毒。

| **用法用量** | 内服煎汤，9 ~ 30 g，鲜品 12 ~ 40 g。

| **附　注** | 益母草是妇科圣药，益母膏至今仍常用不衰。现代药理学研究发现，益母草对产后的妇女具有很好的补益作用。此外，其亦有很好的消痈散肿的功效，是中医外科的常用药之一。

唇形科 Labiatae 益母草属 Leonurus

錾菜

Leonurus pseudomacranthus Kitagawa

植物别名

山玉米膏。

药材名

錾菜（药用部位：全草。别名：楼台草）。

形态特征

多年生草本。主根圆锥形。茎直立，高 60 ～ 120 cm，单一，通常茎上部有分枝。叶片变异大，最下部的叶通常脱落；近基部的叶卵圆形，长 6 ～ 7 cm，宽 4 ～ 5 cm，3 裂，裂片几相等，边缘疏生粗锯齿状牙齿，先端锐尖，基部宽楔形，上面暗绿色，稍密被糙伏小硬毛，下面淡绿色，沿主脉上有贴生的小硬毛，其间有淡黄色腺点，叶柄长 1 ～ 2 cm；茎中部叶通常不裂，长圆形，边缘疏生 4 ～ 5 对齿，叶柄较短；花序上的苞叶最小，近线状长圆形，长约 3 cm，宽 1 cm。轮伞花序腋生，具多花，彼此远离而向顶密集组成穗状花序，小苞片刺状；花萼管状，长 7 ～ 8 mm，具 5 脉，沿脉上被有长硬毛，其间混有黄色腺点，萼齿 5，前 2 齿靠合，较长，后 3 齿较小；花冠白色，常带紫纹，长 1.8 cm，花冠筒长约 8 mm，外面中部以上被疏柔毛，内面上部被短柔毛，筒内有毛环，冠檐二唇形，上唇长圆状卵形，长达 1 cm，直伸，全缘，稍内凹，白色，外被疏柔毛，下唇卵形，3 裂，中裂片大，倒心形，先端微凹，有 2 明显小裂片，小裂片卵圆形；雄蕊 4，前对较长，花丝丝状，扁平，具紫斑，花药卵圆形，2 室；花柱先端相等 2 浅裂，丝状；花盘杯状；子房褐色，无毛。小坚果长圆状三棱形，黑褐色。花期 8 ～ 9 月，果期 9 ～ 10 月。

| **生境分布** | 生于海拔 100 ～ 1 200 m 的山坡、荒野、路旁及林下。分布于河北平泉、隆化、涉县等。

| **资源情况** | 野生资源丰富。药材主要来源于野生。

| **采收加工** | 8 ～ 10 月采收，割取地上部分，晒干。

| **药材性状** | 本品茎呈方柱形，长 40 ～ 95 cm，表面有纵槽，密被贴生的微柔毛，节间处尤密。叶对生，近革质，暗绿色，多已脱落或破碎，完整者展平后呈卵圆形，3 裂，边缘有疏粗锯齿，两面有小硬毛，下面散有黄色腺点，叶脉在上面下陷，在下面隆起，叶面具有皱纹，叶柄长 1 ～ 2 cm；中部以上的叶长圆形，边缘有疏锯齿，叶柄长不及 1 cm。轮伞花序腋生，花萼筒状，长 7 ～ 8 mm，萼齿长 3 ～ 5 mm，花冠唇形，灰白色，长约 1.8 cm。小坚果长圆状三棱形，黑色，表面光滑。气微，味淡。

| **功能主治** | 苦、辛，寒。活血调经，解毒消肿。用于月经不调，闭经，痛经，产后瘀血腹痛，崩漏，跌打伤痛，疮痈。

| **用法用量** | 内服煎汤，6 ～ 15 g；或研末。外用适量，捣敷；或研末敷。

| **附　注** | 《本草拾遗》云："䒱菜，生江南荫地。似益母，方茎对节，白花，花中甜汁，饮之如蜜。"《本草纲目》称本种为"此即益母之白花者"。可见本种与益母草极为相似，不同之处在于花色，白花者即为本种，而与益母草属的其他种，如大花䒱菜的形态特征不同。

白苏
Perilla frutescens (L.) Britt. var. *crispa* Decne.

| 植物别名 | 野苏麻、玉苏子、苏梗。

| 药材名 | 白苏子（药用部位：果实。别名：荏子、玉苏子）、白苏叶（药用部位：叶。别名：荏叶）、白苏梗（药用部位：茎）。

| 形态特征 | 一年生草本。茎直立，高 0.5 ~ 2 m，钝四棱形，具 4 槽，基部坚硬，光滑，上部密被长茸毛。叶对生，阔卵形或圆形，长 7 ~ 13 cm，宽 4.5 ~ 10 cm，基部圆形或阔楔形，边缘在基部以上有粗锯齿，两面绿色，有毛；叶柄长 3 ~ 5 cm，背腹扁平，密被长柔毛。轮伞花序具 2 花，密被长柔毛，组成长 1.5 ~ 15 cm、偏向一侧的顶生及腋生总状花序；苞片宽卵圆形或近圆形，长、宽均约 4 mm，外被红褐色腺点，边缘膜质；花梗长约 1.5 mm，密被柔毛；花萼钟形，长约

3 mm，具 10 脉，下部被长柔毛，夹有黄色腺点，内面喉部有疏柔毛环，结果时增大，萼齿 5，萼檐二唇形，上唇宽大，3 齿，中齿较小，下唇较上唇稍长，2 齿；花冠通常白色，长 3 ~ 4 mm，花冠筒短，长 2 ~ 2.5 mm，冠檐近二唇形，上唇微缺，下唇 3 裂，中裂片较大；雄蕊 4，前对稍长，离生，插生喉部，几不伸出花冠外，花药 2 室；花柱先端 2 浅裂，裂片相等；花盘前方呈指状膨大。小坚果近球形，具网纹。花期 8 ~ 11 月，果期 8 ~ 12 月。

| **生境分布** | 生于村边、路旁、山坡。分布于河北丰宁、平泉、武安等。

| 资源情况 | 野生资源较少，栽培资源较丰富。药材主要来源于栽培。

| 采收加工 | 白苏子：9 ~ 12 月果实成熟时，割取地上部分，打下果实，除去杂质，晒干。

白苏叶：6 ~ 10 月采收，放置于通风处阴干；或连嫩茎采收，切成小段，晾干。

白苏梗：8 ~ 10 月果实成熟时，割取老茎，除去果实及枝叶，晒干。

| 药材性状 | 白苏子：本品呈卵圆形或类球形，长径 2.5 ~ 3.5 mm，短径 2 ~ 2.5 mm。表面呈灰白色，有明显、微隆起的网纹，基部稍尖，有点状果柄痕。质脆。压碎后有香气，味微辛。

白苏叶：本品多皱缩、卷曲或破碎，完整者展平后呈卵圆形，长 7 ~ 13 cm，宽 4.5 ~ 10 cm，基部圆形或阔楔形，边缘具粗锯齿，两面均呈暗绿色，被毛。气清香，味微辛。

白苏梗：本品为干燥的茎，叶片大多脱落，常带有果穗。茎四方形，四边有槽。表面黄绿色，易折断；断面木质部黄白色，中心髓部白色，疏松。残存的叶片皱缩、卷曲或破碎不完整，黑绿色，背面较淡，两面均具白色毛。气微，味微苦、辛。

| 功能主治 | 白苏子：辛，温。归肺、胃、大肠经。降气祛痰，润肠通便。用于咳逆痰喘，气滞便秘。

白苏叶：辛，温。归肺、脾经。疏风宣肺，理气消食，解鱼蟹毒。用于风寒感冒，咳嗽气喘，脘腹胀闷，食积不化，吐泻，冷痢，中鱼蟹毒，男子阴肿，脚气肿毒，蛇虫咬伤。

白苏梗：辛，温。顺气消食，止痛，安胎。用于食滞不化，脘腹胀痛，感冒，胎动不安。

| 用法用量 | 白苏子：内服煎汤，5 ~ 10 g。

白苏叶：内服煎汤，5 ~ 10 g；或研末。外用适量，和醋捣敷。

白苏梗：内服煎汤，5 ~ 10 g。

| 附 注 | （1）本种与紫苏的药用部位一致，功能主治也大致相同。二者的不同之处在于：白苏叶片两面均为绿色，而紫苏叶片两面紫色或仅下面紫色。

（2）白苏子油也可作药用，其为果实压榨出的脂肪油。味辛，性温。可润肠，乌发。现代研究发现，白苏子油具有调节血脂、抑制肿瘤、抗血栓等作用。

紫苏
Perilla frutescens (L.) Britt.

植物别名

荏子、红苏、香苏。

药材名

紫苏子（药用部位：果实。别名：苏子、黑苏子、任子）、紫苏叶（药用部位：叶或带嫩枝的叶。别名：苏叶、紫菜）、紫苏梗（药用部位：茎。别名：紫苏茎、紫苏杆、紫苏草）。

形态特征

一年生直立草本，高 30 ~ 200 cm，具芳香气味。茎紫色或绿色，四棱形，多分枝，被长柔毛，节上较密。叶对生，阔卵形、卵状三角形或卵状圆形，长 4 ~ 11 cm，宽 2.5 ~ 10 cm，先端渐尖或尾状尖，基部阔楔形或圆形，边缘具锯齿，叶下面有油腺点。轮伞花序具 2 花，组成偏向一侧的假总状花序，长 2 ~ 15 cm，腋生或顶生；苞片被腺毛，卵圆形；花萼钟状，长约 3 mm，结果时增长至 1.1 cm，具 10 脉，有黄色腺点和长柔毛，内面喉部有疏毛环，萼二唇形，5 齿，上唇宽大，3 齿，下唇 2 齿，齿披针形，几不伸出，无毛；花梗长 1 ~ 1.5 mm，被柔毛；花冠唇形，白色或紫红色，冠檐二唇形，上唇微

缺，下唇 3 裂，花冠筒短，斜钟形；雄蕊 4，二强，几不伸出，无毛，花药 2 室，室平行；雌蕊 1，子房 4 裂，花柱先端 2 浅裂；花盘在前边膨大。小坚果近球形，灰棕色，直径约 1.5 mm，有网纹。花期 8 ~ 11 月，果期 8 ~ 12 月。

| 生境分布 | 生于山地、路旁、村边或荒地，亦有栽培。分布于河北丰宁、平泉、武安等。

| 资源情况 | 野生资源一般，栽培资源丰富。药材主要来源于栽培。

| 采收加工 | 紫苏子：秋季果实成熟时采收，除去杂质，晒干。

紫苏叶：夏季枝叶茂盛时采收，除去杂质，晒干。

紫苏梗：秋季果实成熟后采割，除去杂质，晒干，或趁鲜切片，晒干。

| 药材性状 | 紫苏子：本品呈卵圆形或类球形，直径约 1.5 mm。表面灰棕色或灰褐色，有微隆起的暗紫色网纹，基部稍尖，有灰白色点状果柄痕。果皮薄而脆，易压碎。种子黄白色，种皮膜质，子叶 2，类白色，有油性。压碎有香气，味微辛。

紫苏叶：本品多皱缩、卷曲或破碎，完整者展平后呈卵圆形，长 4 ~ 11 cm，宽 2.5 ~ 9 cm。先端长尖或急尖，基部圆形或宽楔形，边缘具圆锯齿。两面紫色或上表面绿色，下表面紫色，疏生灰白色毛，下表面有多数凹点状的腺鳞，叶柄长 2 ~ 5 cm，紫色或紫绿色。质脆。带嫩枝者，枝的直径为 2 ~ 7 mm，紫绿色，

断面中部有髓。气清香，味微辛。

紫苏梗：本品呈方柱形，四棱钝圆，长短不一，直径 0.5 ～ 1.5 cm。表面紫棕色或暗紫色，四面有纵沟和细纵纹，节部稍膨大，有对生的枝痕和叶痕。体轻，质硬，断面裂片状。切片厚 2 ～ 5 mm，常呈斜长方形，木质部黄白色，射线细密，呈放射状，髓部白色，疏松或脱落。气微香，味淡。

| 功能主治 | **紫苏子**：辛，温。归肺经。降气化痰，止咳平喘，润肠通便。用于痰壅气逆，咳嗽气喘，肠燥便秘。

紫苏叶：辛，温。归肺、脾经。解表散寒，行气和胃。用于风寒感冒，咳嗽呕吐，妊娠呕吐，鱼蟹中毒。

紫苏梗：辛，温。归肺、脾经。理气宽中，止痛，安胎。用于胸膈痞闷，胃脘疼痛，嗳气呕吐，胎动不安。

| 用法用量 | **紫苏子**：内服煎汤，3 ～ 10 g。

紫苏叶：内服煎汤，5 ～ 10 g。

紫苏梗：内服煎汤，5 ～ 10 g。

| 附　注 | （1）本种入药始载于《名医别录》。《本草经集注》曰："叶下紫色，而气甚香，其无紫色，不香似荏者，多野苏，不堪用。"《本草图经》曰："苏，紫苏也。旧不著所出州土，今处处有之。叶下紫色而气甚香。夏采茎叶，秋采实。"《本草衍义》曰："苏，此紫苏也，背面皆紫者佳。"李时珍曰："肥地者面背皆紫，瘠地者面青背紫，其面皆白者即白苏，乃荏也。""今有一种花紫苏，其叶细齿密纽如剪成之状，香色茎子并无异者，人称回回苏云。"《植物名实图考》曰："今处处有之，有面背具紫、面紫背青二种，湖南以为常茹，谓之紫菜，以烹鱼尤美。"又云"李时珍合苏、荏为一，但紫者入药作饮，白者充饥供用，性虽同而用异"，说明古代紫苏入药，而白苏不入药。根据以上文字叙述及历代本草著作的紫苏附图可知，古代所用紫苏与现今的紫苏品种相符。

（2）本种变异极大，我国古代本草著作中称叶全绿的为白苏，叶两面紫色或面青背紫的为紫苏。但近代分类学学者 E. D. Merrill 认为二者同属一种植物，其变异因栽培而起。又白苏与紫苏除叶的颜色不同外，其他可作为区别点的，即白苏的花通常为白色，而紫苏的花常为粉红色至紫红色；白苏被毛通常稍密（有时也有例外），果萼稍大，香气亦稍逊于紫苏，但差别微细，故将二者合并。

茄科 Solanaceae 枸杞属 Lycium

宁夏枸杞
Lycium barbarum L.

| 植物别名 | 山枸杞、津枸杞、中宁枸杞。

| 药 材 名 | 枸杞子（药用部位：果实。别名：苟起子、枸杞红实、甜菜子）、地骨皮（药用部位：根皮。别名：杞根、地骨、地辅）。

| 形态特征 | 灌木，或因栽培人工整枝而成大灌木，高 0.8 ~ 2 m，栽培者茎粗，直径达 10 ~ 20 cm；分枝细密，野生时多开展而略斜升或弓曲，栽培时小枝弓曲而树冠多呈圆形，有纵棱纹，灰白色或灰黄色，无毛而微有光泽，有不生叶的短棘刺和生叶、花的长棘刺。叶互生或簇生，披针形或长椭圆状披针形，先端短渐尖或急尖，基部楔形，野生时长 2 ~ 3 cm，宽 4 ~ 6 mm，栽培时长达 12 cm，宽 1.5 ~ 2 cm，略带肉质，叶脉不明显。花在长枝上 1 ~ 2 生于叶腋，在短枝上

2～6同叶簇生；花梗长1～2 cm，向先端渐增粗；花萼钟状，长4～5 mm，通常2中裂，裂片有小尖头或先端又2～3齿裂；花冠漏斗状，紫堇色，筒部长8～10 mm，自下部向上渐扩大，明显长于檐部裂片，裂片长5～6 mm，卵形，先端圆钝，基部有耳，边缘无缘毛，花开放时平展；雄蕊的花丝基部稍上处及花冠筒内壁生一圈密绒毛；花柱像雄蕊一样由于花冠裂片平展而稍伸出花冠。浆果红色或在栽培类型中也有橙色，果皮肉质，多汁液，由于经长期人工培育或因植株年龄、生境的不同，果实形状及大小多变，广椭圆状、矩圆状、卵状或近球状，先端有短尖头或平截，有时稍凹陷，长8～20 mm，直径5～10 mm；种子略呈肾形，扁压，棕黄色，长约2 mm。花果期较长，一般从5月到10月边开花边结果，采摘果实时，成熟一批，采摘一批。

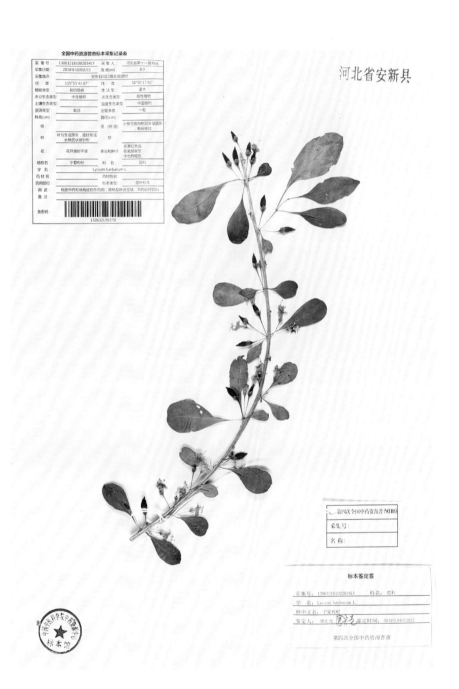

全国中药资源普查标本采集记录表

采 集 号:	130632181002034LY	采 集 人:	河北省第十一普查队
采 集 日 期:	2018年10月02日	海 拔(cm)	8.0
采集地点:	安新县同口镇北曲堤村		
经 度:	115°53'41.07"	纬 度:	38°50'17.92"
植被类型:	栽培植被	生 活 型:	灌木
水分生态类型:	中生植物	光生态类型:	阳性植物
土壤生态类型:	栽培	温度生态类型:	中温植物
资源类型:	栽培	出现多度:	一般
株高(cm):		直径(cm):	
根:		茎 (树 皮):	小枝弓曲内树冠多呈圆形有纵棱纹
叶:	叶互生或簇生,椭针形成长椭圆状披针形	芽:	
花:	花开腋时平展	果实和种子:	浆果红色或在栽培类型中也有橙色
植物名:	宁夏枸杞	科 名:	茄科
学 名:	Lycium barbarum L.		
药材名:		药材别名:	
药用部位:		标本类型:	腊叶标本
用 途:	根皮中药地骨皮也作入药用;果实及叶还是蔬 菜的良好原料		
备 注:			

130632LY0370

河北省安新具

第四次全国中药资源普查(HB)

| 采集号: | |
| 名 称: | |

标本鉴定签

采集号:	130632181002034LY	科名:	茄科
学 名:	Lycium barbarum L.		
种中文名:	宁夏枸杞		
鉴定人:	曹玉亮	鉴定时间:	2019年04月30日

第四次全国中药资源普查

| 生境分布 | 生于土层深厚的沟岸、山坡、田梗和宅旁。分布于河北沽源、隆化、平泉等。

| 资源情况 | 野生资源一般，栽培资源丰富。药材主要来源于栽培。

| 采收加工 | **枸杞子**：夏、秋季果实呈红色时采收，热风烘干，除去果柄，或晾至皮皱后，晒干，除去果柄。

地骨皮：春初或秋后采挖根部，洗净，剥取根皮，晒干。

| 药材性状 | **枸杞子**：本品呈类纺锤形或圆形，长 6 ~ 20 mm，直径 3 ~ 10 mm。表面红色或暗红色，先端有小突起状的花柱痕，基部有白色的果柄痕。果皮柔韧，皱缩；果肉肉质，柔润。种子 20 ~ 50，类肾形，扁而翘，长 1.5 ~ 1.9 mm，宽 1 ~ 1.7 mm，表面浅黄色或棕黄色。气微，味甜。

地骨皮：本品呈筒状或槽状，长 3 ~ 10 cm，宽 0.5 ~ 1.5 cm，厚 0.1 ~ 0.3 cm。外表面灰黄色至棕黄色，粗糙，有不规则的纵裂纹，易呈鳞片状剥落。内表面黄白色至灰黄色，较平坦，有细纵纹。体轻，质脆，易折断，断面不平坦，外层黄棕色，内层灰白色。气微，味微甘而后苦。

| 功能主治 | **枸杞子**：甘，平。归肝、肾经。滋补肝肾，益精明目。用于虚劳精亏，腰膝酸痛，眩晕耳鸣，阳痿遗精，内热消渴，血虚萎黄，目昏不明。

地骨皮：甘，寒。归肺、肝、肾经。凉血除蒸，清肺降火。用于阴虚潮热，骨蒸盗汗，肺热咳嗽，咯血，衄血，内热消渴。

| 用法用量 | **枸杞子**：内服煎汤，6 ~ 12 g。

地骨皮：内服煎汤，9 ~ 15 g。

| 附 注 | 本种和枸杞 *Lycium chinense* Mill. 在鉴定时容易发生混淆，二者的区别在于：本种的叶通常为披针形或长椭圆状披针形；花萼通常为 2 中裂，裂片先端常有胼胝质小尖头或每裂片先端有 2 ~ 3 小齿；花冠筒明显长于檐部裂片，裂片边缘无缘毛；果实甜，无苦味；种子较小，长约 2 mm。而枸杞的叶通常为卵形、卵状菱形、长椭圆形或卵状披针形；花萼通常为 3 裂或有时不规则 4 ~ 5 齿裂；花冠筒短于或几等于檐部裂片，裂片边缘有缘毛；果实味甜而后带微苦；种子较大，长约 3 mm。

茄科 Solanaceae 假酸浆属 Nicandra

假酸浆 *Nicandra physalodes* (L.) Gaertner

| 植物别名 | 冰粉、鞭打绣球。

| 药 材 名 | 假酸浆（药用部位：全草或果实、花）。

| 形态特征 | 茎直立，有棱条，无毛，高 0.4 ~ 1.5 m，上部交互不等地二歧分枝。叶卵形或椭圆形，草质，长 4 ~ 12 cm，宽 2 ~ 8 cm，先端急尖或短渐尖，基部楔形，边缘有具圆缺的粗齿或浅裂片，两面有稀疏毛；叶柄长为叶片的 1/4 ~ 1/3。花单生于枝腋而与叶对生，通常具较叶柄长的花梗，俯垂；花萼 5 深裂，裂片先端尖锐，基部心状箭形，有 2 尖锐的耳片，果时包围果实，直径 2.5 ~ 4 cm；花冠钟状，浅蓝色，直径达 4 cm，檐部有折襞，5 浅裂。浆果球状，直径 1.5 ~ 2 cm，黄色；种子淡褐色，直径约 1 mm。花果期夏、秋季。

| 生境分布 | 生于田边、荒地或住宅区。分布于河北涉县、磁县、兴隆等。

| 资源情况 | 野生资源丰富。药材主要来源于野生。

| 采收加工 | 秋季采集全草，分出果实，分别洗净，鲜用或晒干。夏季或秋季采摘花，阴干。

| 功能主治 | 甘、苦，平；有小毒。清热解毒，利尿，镇静。用于感冒发热，鼻渊，热淋，痈肿疮疖，癫痫，狂犬病。

| 用法用量 | 内服煎汤，全草或花 3 ~ 9 g，鲜品 15 ~ 30 g，果实 1.5 ~ 3 g。

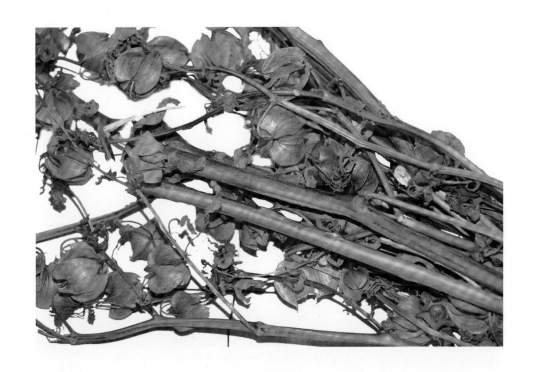

茄科 Solanaceae 辣椒属 Capsicum

辣椒 *Capsicum annuum* L.

| **植物别名** | 甜辣椒、柿子椒、彩椒。

| **药 材 名** | 辣椒（药用部位：果实。别名：番椒、辣茄、辣虎）。

| **形态特征** | 一年生草本或灌木状，高达 80 cm。茎近无毛或被微柔毛，分枝稍呈"之"字形折曲。叶长圆状卵形、卵形或卵状披针形，长 4 ~ 13 cm，全缘，先端短渐尖或急尖，基部窄楔形；叶柄长 4 ~ 7 cm。花单生或数朵簇生，俯垂；花萼杯状，齿不显著；花冠白色，长约 1 cm，裂片卵形；花药灰紫色。果柄较粗，俯垂；果形多变异，长达 15 cm，成熟前绿色，成熟后红色、橙色或紫红色，味辣；种子扁肾形，长 3 ~ 5 mm，淡黄色。花果期 5 ~ 11 月。

| **生境分布** | 生于山腰路旁。分布于河北井陉、平泉、永年等。

| **资源情况** | 野生资源一般，栽培资源丰富。药材主要来源于栽培。

| **采收加工** | 夏、秋季果皮变红色时采收，除去枝梗，晒干。

| **药材性状** | 本品呈圆锥形、类圆锥形，略弯曲。表面橙红色、红色或深红色，光滑或较皱缩，显油性，基部微圆，常有绿棕色、具5裂齿的宿萼及果柄。果肉薄；质较脆，横切面可见中轴胎座，有菲薄的隔膜将果实分为2～3室，内含多数种子。气特异，味辛、辣。

| **功能主治** | 辛，热。归心、脾经。温中散寒，开胃消食。用于寒滞腹痛，呕吐，泻痢，冻疮。

| **用法用量** | 内服煎汤，0.9～2.4 g。外用适量，研末撒；或用油调成糊剂局部外敷，每日1～2次。

| **附 注** | 本种不耐旱，也不耐涝。喜欢比较干爽的空气条件。
本种的根、茎、叶均可入药。
根：散寒除湿；活血消肿。主手足无力，肾囊肿胀，冻疮。
茎：散寒除湿；活血化瘀。主风湿冷痛，冻疮。叶：消肿涤络，杀虫止痒。主水肿，顽癣，疥疮，冻疮，痈肿。

茄科 Solanaceae　曼陀罗属 Datura

曼陀罗

Datura stramonium L.

| **植物别名** | 洋金花、万桃花、狗核桃。

| **药 材 名** | 曼陀罗子（药用部位：种子。别名：醉葡萄、天茄子、胡茄子）、风茄梗（药用部位：茎）、曼陀罗叶（药用部位：叶）。

| **形态特征** | 草本或半灌木状，高 0.5 ~ 1.5 m，全体近平滑或在幼嫩部分被短柔毛。茎粗壮，圆柱状，淡绿色或带紫色，下部木质化。叶广卵形，先端渐尖，基部楔形不对称，边缘不规则波状浅裂，裂片先端急尖，有时亦有波状牙齿，侧脉每边 3 ~ 5，直达裂片先端；叶柄长 3 ~ 5 cm。花单生于枝杈间或叶腋，直立，有短梗；花萼筒状，长 4 ~ 5 cm，筒部有 5 棱角，两棱间稍向内陷，基部稍膨大，先端紧围花冠筒，5 浅裂，裂片三角形，花后自近基部断裂，宿存部分随果

实而增大并向外反折；花冠漏斗状，下半部带绿色，上部白色或淡紫色，檐部5 浅裂，裂片有短尖头，长 6 ~ 10 cm，檐部直径 3 ~ 5 cm；雄蕊不伸出花冠，花丝长约 3 cm，花药长约 4 mm；子房密生柔针毛，花柱长约 6 cm。蒴果直立生，卵状，长 3 ~ 4.5 cm，直径 2 ~ 4 cm，表面生有坚硬针刺或有时无刺而近平滑，成熟后淡黄色，规则 4 瓣裂；种子卵圆形，稍扁，长约 4 mm，黑色。花期 6 ~ 10 月，果期 7 ~ 11 月。

| **生境分布** | 生于住宅旁、路边或草地上。分布于河北昌黎、赞皇、涿鹿等。

| **资源情况** | 野生资源丰富。药材主要来源于野生。

| **采收加工** | 曼陀罗子：夏、秋季果实成熟时采收。

风茄梗：秋季采摘果实的同时收集，除去杂质，晒干。

曼陀罗叶：7 ~ 8 月采摘，干燥。

| **药材性状** | 曼陀罗子：本品呈黑色或黑灰色，肾形或三角形，长约 3 mm，宽约 2.5 mm，两面略凹，表面有网状皱纹，遍布小凹点，种脐位于一侧，平坦。气微，味辛辣，刺舌。

风茄梗：本品呈长圆柱形，多分枝，长 50 ~ 100 cm，粗端直径 0.5 ~ 0.8 cm，表面淡黄色至棕黄色，光滑无毛；嫩茎常皱缩，形成纵向的沟槽。常见残留的皱缩叶，偶见花及果实。质地轻泡，易折断，断面不平坦，中央有白色的髓或呈中空状。无臭，味微苦。

曼陀罗叶：本品呈灰绿色至深绿色，多皱缩、破碎。完整叶片展平后呈菱状卵形，长 8 ~ 20 cm，宽 4 ~ 15 cm，先端渐尖，基部楔形不对称，边缘有不规则重锯齿，齿端渐尖，两面均无毛。质脆，易碎。气微，味苦、涩。

| **功能主治** | 曼陀罗子：辛、苦，温；有毒。平喘，祛风，止痛。用于喘咳，惊痫，风寒湿痹，脱肛，跌打损伤，疮疖。

风茄梗：辛，温；有毒。止痛，定喘。用于胃痛，风湿痹痛，寒哮气喘，冻疮。

曼陀罗叶：苦、辛，温；有毒。归肺、心经。平喘止咳，散寒止痛。用于喘咳，脘腹疼痛，痛经，寒湿痹痛。

| **用法用量** | 曼陀罗子：内服煎汤，0.15 ~ 0.3 g；或浸酒。外用适量，煎汤洗；或浸酒涂擦。

风茄梗：内服煎汤，50 g，外用适量，煎汤洗手足。

曼陀罗叶：内服煎汤，0.3 ~ 0.6 g；或浸酒。外用适量，煎汤洗；或捣汁涂。

茄科 Solanaceae 曼陀罗属 Datura

洋金花 *Datura metel* L.

| **植物别名** | 白曼陀罗、毛曼陀罗。

| **药 材 名** | 洋金花（药用部位：花。别名：曼罗花、蔓陀罗花、千叶蔓陀罗花）。

| **形态特征** | 一年生直立草本而呈半灌木状，高 0.5 ~ 1.5 m，全体近无毛。茎基部稍木质化。叶卵形或广卵形，先端渐尖，基部不对称圆形、截形或楔形，长 5 ~ 20 cm，宽 4 ~ 15 cm，边缘有不规则的短齿或浅裂片，或者全缘而波状，侧脉每边 4 ~ 6；叶柄长 2 ~ 5 cm。花单生于枝权间或叶腋，花梗长约 1 cm；花萼筒状，长 4 ~ 9 cm，直径 2 cm，裂片狭三角形或披针形，果时宿存部分增大成浅盘状；花冠长漏斗状，长 14 ~ 20 cm，檐部直径 6 ~ 10 cm，筒中部之下较细，向上扩大成喇叭状，裂片先端有小尖头，白色、黄 . 色

或浅紫色，单瓣，在栽培类型中有 2 重瓣或 3 重瓣；雄蕊 5，在重瓣类型中常变态成 15 左右，花药长约 1.2 cm；子房疏生短刺毛，花柱长 11 ~ 16 cm。蒴果近球状或扁球状，疏生粗短刺，直径约 3 cm，不规则 4 瓣裂；种子淡褐色，宽约 3 mm。花果期 3 ~ 12 月。

| **生境分布** | 生于向阳的山坡草地或住宅旁。分布于河北平山、邱县、涉县等。

| **资源情况** | 野生资源一般，栽培资源一般。药材主要来源于栽培。

| **采收加工** | 4 ~ 11 月花初开时采收，晒干或低温干燥。

| **药材性状** | 本品多皱缩成条状，完整者长 9 ~ 15 cm。花萼呈筒状，长为花冠的 2/5，灰绿色或灰黄色，先端 5 裂，基部具纵脉纹 5，表面微有茸毛；花冠呈喇叭状，淡黄色或黄棕色，先端 5 浅裂，裂片有短尖，短尖下有明显的纵脉纹 3，两裂片之间微凹；雄蕊 5，花丝贴生于花冠筒内，长为花冠的 3/4；雌蕊 1，柱头棒状。烘干品质柔韧，气特异；晒干品质脆，气微，味微苦。

| **功能主治** | 辛，温；有毒。归肺、肝经。平喘止咳，解痉定痛。用于哮喘咳嗽，脘腹冷痛，风湿痹痛，小儿慢惊，外科麻醉。

| **用法用量** | 0.3 ~ 0.6 g，宜入丸、散剂；亦可作卷烟分次燃吸（一日量不超过 1.5 g）。外用适量，煎汤洗；或研末调敷。

茄科 Solanaceae　茄属 Solanum

番茄 *Solanum lycopersicum* L.

| **植物别名** | 西红柿、番柿、小西红柿。 |

| **药 材 名** | 番茄（药用部位：果实。别名：小金瓜、番柿）。 |

| **形态特征** | 高 0.6 ~ 2 m，全体被黏质腺毛，有强烈气味。茎易倒伏。叶为羽状复叶或羽状深裂，长 10 ~ 40 cm，小叶极不规则，大小不等，常 5 ~ 9，卵形或矩圆形，长 5 ~ 7 cm，边缘有不规则锯齿或裂片。花序常 3 ~ 7 花，总梗长 2 ~ 5 cm；花梗长 1 ~ 1.5 cm；花萼辐状，裂片披针形，果时宿存；花冠辐状，直径约 2 cm，黄色。浆果扁球状或近球状，肉质而多汁液，橘黄色或鲜红色，光滑；种子黄色。花果期夏、秋季。 |

| **生境分布** | 生于土层深厚，排水良好，富含有机质的肥沃壤土生长良好。分布 |

于河北滦平、平泉等。

| **资源情况** | 野生资源一般，栽培资源丰富。药材主要来源于栽培。

| **采收加工** | 7 ~ 9 月果实成熟时采收，洗净，鲜用。

| **功能主治** | 酸、微甘，平。生津止渴，健胃消食。用于口渴，食欲不振。

| **用法用量** | 内服煎汤，适量；或生食。

| **附　　注** | 本种喜温，在正常条件下，同化作用的最适温度为 20 ~ 25 ℃，根系生长的最适土温为 20 ~ 22 ℃。

茄科 Solanaceae 茄属 Solanum

海桐叶白英 *Solanum pittosporifolium* Hemsley

| **植物别名** | 疏毛海桐叶白英。

| **药 材 名** | 海桐叶白英（药用部位：全草。别名：毛风藤、排风藤）。

| **形态特征** | 无刺蔓生灌木，长达 1 m，植株光滑无毛，小枝纤细，具棱角。叶互生，披针形至卵圆状披针形，长 3.5 ~ 10.5 cm，宽 1.6 ~ 3.5 cm，先端渐尖，基部圆或钝，或楔形，有时稍偏斜，全缘，两面均光滑无毛，侧脉每边 6 ~ 7，在两面均较明显；叶柄长 0.7 ~ 2 cm。聚伞花序腋外生，疏散，总花梗长 1 ~ 5.5 cm，花梗长约 1.1 cm；花萼小，浅杯状，直径约 3 mm，先端 5 浅裂，萼齿钝圆；花冠白色，少数为紫色，直径 7 ~ 9 mm，花冠筒隐于花萼内，长约 1 mm，冠檐长 5 ~ 6 mm，基部具斑点，先端深 5 裂，裂片长圆状披针形，长

4 ～ 5 mm，宽约 1.5 mm，具 1 脉，边缘被缘毛，开放时向外反折；花丝长约 1 mm，光滑，花药长约 3 mm，顶孔向内；子房卵形，直径约 0.8 mm，花柱丝状，长约 7 mm，柱头头状。浆果球状，成熟后红色，直径 0.8 ～ 1.2 cm；种子多数，扁平，直径 2 ～ 2.5 mm。花期 6 ～ 8 月，果期 9 ～ 12 月。

| 生境分布 | 生于海拔 500 ～ 2 500 m 的密林或疏林下。分布于河北抚宁、平山等。

| 资源情况 | 野生资源丰富。药材主要来源于野生。

| 采收加工 | 夏、秋季采收，洗净，晒干或鲜用。

| 功能主治 | 苦，微寒；有小毒。归肝、胃经。清热解毒，利湿消肿，抗癌。用于感冒发热，乳痈，恶疮，湿热黄疸，腹水，带下，肾炎性水肿；外用于痈疖肿毒，风湿痹痛。

| 用法用量 | 内服煎汤，2.5 ～ 5 g。外用适量，鲜全草捣敷。

茄科 Solanaceae 茄属 Solanum

龙葵
Solanum nigrum L.

| **植物别名** | 山辣椒。

| **药 材 名** | 龙葵（药用部位：地上部分。别名：苦菜、苦葵、老鸦眼睛草）。

| **形态特征** | 一年生直立草本，高 0.25 ~ 1 m。茎无棱或棱不明显，绿色或紫色，近无毛或被微柔毛。叶卵形，先端短尖，基部楔形至阔楔形而下延至叶柄，全缘或每边具不规则的波状粗齿，光滑或两面均被稀疏短柔毛，叶脉每边 5 ~ 6；叶柄长 1 ~ 2 cm。蝎尾状花序腋外生，由 3 ~ 6（~ 10）花组成，总花梗长 1 ~ 2.5 cm，花梗长约 5 mm，近无毛或具短柔毛；花萼小，浅杯状，直径 1.5 ~ 2 mm，齿卵圆形，先端圆，基部两齿间连接处成角度；花冠白色，花冠筒隐于花萼内，长不及 1 mm，冠檐长约 2.5 mm，5 深裂，裂片卵圆形，

长约 2 mm；花丝短，花药黄色，长约 1.2 mm，约为花丝长度的 4 倍，顶孔向内；子房卵形，直径约 0.5 mm，花柱长约 1.5 mm，中部以下被白色绒毛，柱头小，头状。浆果球形，直径约 8 mm，成熟时黑色；种子多数，近卵形，直径 1.5 ~ 2 mm，两侧压扁。

| 生境分布 | 生于田边、荒地及村庄附近。分布于河北昌黎、定州、乐亭等。

| 资源情况 | 野生资源丰富。药材主要来源于野生。

| 采收加工 | 夏、秋季采割，除去杂质，鲜用或晒干。

| 药材性状 | 本品茎呈圆柱形，有分枝，长 20 ~ 60 cm，直径 3 ~ 8 mm，表面绿褐色或黄绿色，光滑无毛或被极稀疏柔毛，质脆，易折断，断面纤维性，中空。叶互生，叶柄长 0.3 ~ 2.2 cm，叶片卷缩，展开后呈卵形或椭圆形，长 2 ~ 12 cm，宽 1 ~ 6 cm。果实黑色或绿色。气微，味苦。

| 功能主治 | 苦、微甘，寒；有小毒。清热解毒，活血消肿，利尿通淋。用于疮疔肿痛，丹毒，跌打扭伤，慢性气管炎，急性肾炎。

| 用法用量 | 内服煎汤，15 ~ 30 g。外用适量，捣敷；或煎汤洗。

茄科 Solanaceae 茄属 Solanum

茄 *Solanum melongena* L.

| 植物别名 | 白茄、茄子、紫茄。

| 药材名 | 茄根（药用部位：根。别名：茄母、茄子根）、茄花（药用部位：花。别名：紫茄子花）、茄叶（药用部位：叶）、茄子（药用部位：果实。别名：落苏、昆仑瓜、草鳖甲）、茄蒂（药用部位：宿萼）、白茄根（药用部位：根和茎基）。

| 形态特征 | 直立分枝草本至亚灌木，高可达 1 m，小枝、叶柄及花梗均被 6 ~ 8（~ 10）分枝、平贴或具短柄的星状绒毛，小枝多为紫色（野生的往往有皮刺），渐老则毛被逐渐脱落。叶大，卵形至长圆状卵形，长 8 ~ 18 cm 或更长，宽 5 ~ 11 cm 或更宽，先端钝，基部不相等，边缘浅波状或深波状圆裂，上面被 3 ~ 7（~ 8）分枝、短而平贴的

星状绒毛，下面密被 7 ~ 8 分枝、较长而平贴的星状绒毛，侧脉每边 4 ~ 5，在
上面疏被星状绒毛，在下面则较密，中脉的毛被与侧脉的相同（野生种的中脉
及侧脉在两面均具小皮刺），叶柄长 2 ~ 4.5 cm（野生的具皮刺）。能孕花单生，
花梗长 1 ~ 1.8 cm，毛被较密，花后常下垂，不孕花蝎尾状，与能孕花并出；
花萼近钟形，直径约 2.5 cm 或稍大，外面密被与花梗相似的星状绒毛及小皮刺，
皮刺长约 3 mm，萼裂片披针形，先端锐尖，内面疏被星状绒毛；花冠辐状，外
面星状毛被较密，内面仅裂片先端疏被星状绒毛，花冠筒长约 2 mm，冠檐长约
2.1 cm，裂片三角形，长约 1 cm；花丝长约 2.5 mm，花药长约 7.5 mm；子房圆
形，先端密被星状毛，花柱长 4 ~ 7 mm，中部以下被星状绒毛，柱头浅裂。果
实的形状、大小变异极大。

| 生境分布 | 生于温暖、长时间光照的环境中。分布于河北滦平等。

| 资源情况 | 野生资源一般,栽培资源丰富。药材主要来源于栽培。

| 采收加工 | 茄根:9 ~ 10 月植株枯萎时连根拔起,除去干叶和其他杂质,洗净,晒干。

茄花:夏、秋季采收,晒干。

茄叶:夏季采收,鲜用或晒干。

茄子:夏、秋季果实成熟时采收。

茄蒂:果实即将成熟时采收或从作蔬菜的茄果实上剥下,晒干。

白茄根:秋季采收,除去泥沙,干燥。

| 药材性状 | 茄根:本品呈圆柱形或短圆锥形,常弯曲,主根通常不明显,具侧根及多数错纵弯曲的须根。表面浅灰黄色。质坚实,不易折断,断面黄白色,中央松软或中空。气微,味淡。

茄子:本品呈不规则圆形或长圆形,大小不等。表面棕黄色,极皱缩,先端略凹陷,基部有宿存萼和果柄。宿存萼灰黑色,具不明显的 5 齿。果柄具纵直纹理,果皮革质,有光泽。种子多数,近肾形,稍扁,淡棕色,长 2 ~ 4 mm,宽 2 ~ 3 mm。气微,味苦。

茄蒂：本品大多不完整，完整者略呈浅钟状或星状，灰黑色，先端 5 裂，裂片宽三角形，略向内卷。萼筒喉部类圆形，直径 1.2 ～ 2 cm，内面灰白色，基部具长梗，有纵直纹。质坚脆。气微，味淡。

白茄根：本品根多为须根，通常弯曲交错。主根不甚明显，支根数条，圆柱形。表面土黄色，质坚硬，不易折断，断面黄白色。茎基呈圆柱形，长不超过 5 cm。表面灰黄色，具细密纵皱纹和点状凸起的皮孔。叶痕半月形，微隆起。质轻而坚硬，难折断，断面黄白色或淡黄色，纤维性，不平坦，皮层淡黄色或黄白色，中心有淡绿色或灰白色的髓。气微，味淡。

| **功能主治** | **茄根**：甘、辛，寒。祛风利湿，清热止血。用于风湿热痹，脚气，血痢，便血，痔血，血淋，妇女阴痒，皮肤瘙痒，冻疮。

茄花：甘，平。敛疮，止痛，利湿。用于创伤，牙痛，妇女白带过多。

茄叶：甘、辛，平。散血消肿。用于血淋，血痢，肠风下血，痈肿，冻伤。

茄子：甘，凉。归脾、胃、大肠经。清热，活血，消肿。用于肠风下血，热毒疮痈，皮肤溃疡。

茄蒂：甘，寒。祛风止血，解毒。用于肠风下血，痈肿疮毒，口疮，牙痛。

白茄根：甘、辛，寒。归胃、大肠经。散血，消肿，祛湿。用于风湿痹痛，冻疮。

| **用法用量** | **茄根**：内服煎汤，9 ～ 18 g；或入散剂。外用适量，煎汤洗；或捣汁；或烧存性研末调敷。

茄花：内服，烘干研末，2 ～ 3 g。外用适量，研末涂敷。

茄叶：内服研末，6 ～ 9 g。外用适量，煎汤浸洗；或捣敷；或烧存性研末调敷。

茄子：内服煎汤，15 ～ 30 g。外用适量，捣敷。

茄蒂：内服煎汤，6 ～ 9 g；或研末。外用适量，研末掺；或生擦。

白茄根：内服煎汤，9 ～ 12 g。外用适量，煎汤洗；或捣汁涂；或烧存性，研末调敷。

| **附　注** | 本种喜高温，种子发芽的适温为 25 ～ 30 ℃，幼苗期发育适温白天为 25 ～ 30 ℃，夜间为 15 ～ 20 ℃。对光照时间、强度的要求均较高。在日照长、强度高的条件下繁殖旺盛，花芽质量好，果实产量高，着色佳。适于在富含有机质、保水保肥能力强的土壤中栽培。

茄科 Solanaceae 茄属 Solanum

青杞

Solanum septemlobum Bunge

| 植物别名 | 蜀羊泉、野茄子、狗杞子。

| 药 材 名 | 青杞（药用部位：全草）。

| 形态特征 | 直立草本或灌木状。茎具棱角，被白色、具节、弯卷的短柔毛至近无毛。叶互生，卵形，长 3 ~ 7 cm，宽 2 ~ 5 cm，先端钝，基部楔形，通常 7 裂，有时 5 ~ 6 裂或上部的近全缘，裂片卵状长圆形至披针形，全缘或具尖齿，两面均疏被短柔毛，在中脉、侧脉及边缘上较密；叶柄长 1 ~ 2 cm，被有与茎相似的毛被。二歧聚伞花序，顶生或腋外生；总花梗长 1 ~ 2.5 cm，具微柔毛或近无毛，花梗纤细，长 5 ~ 8 mm，近无毛，基部具关节；花萼小，杯状，直径约 2 mm，外面被疏柔毛，5 裂，萼齿三角形，长不及 1 mm；花冠青

紫色，直径约 1 cm，花冠筒隐于花萼内，长约 1 mm，冠檐长约 7 mm，先端深 5 裂，裂片长圆形，长约 5 mm，开放时常向外反折；花丝长不及 1 mm，花药黄色，长圆形，长约 4 mm，顶孔向内；子房卵形，直径约 1.5 mm，花柱丝状，长约 7 mm，柱头头状，绿色。浆果近球状，成熟时红色，直径约 8 mm；种子扁圆形，直径 2 ～ 3 mm。花期夏、秋季间，果熟期秋末冬初。

| **生境分布** | 生于海拔 900 ～ 1 600 m 或 300 ～ 2 500 m 的山坡向阳处。分布于河北磁县、阜平、滦平等。

| **资源情况** | 野生资源丰富。药材主要来源于野生。

| **采收加工** | 夏、秋季割取全草，洗净，切段，鲜用或晒干。

| **功能主治** | 苦，寒；有小毒。清热解毒。用于咽喉肿痛，目昏赤，乳腺炎，腮腺炎，疥癣瘙痒。

| **用法用量** | 内服煎汤，15 ～ 30 g。外用适量，捣敷；或煎汤熏洗。

阳芋

Solanum tuberosum L.

| **植物别名** | 山药蛋。 |

| **药 材 名** | 阳芋（药用部位：块茎。别名：马铃薯、山药蛋、山洋芋）。 |

| **形态特征** | 草本，高 30 ～ 80 cm，无毛或被疏柔毛。地下茎块状，扁圆形或长圆形，直径 3 ～ 10 cm，外皮白色、淡红色或紫色。叶为奇数不相等的羽状复叶，小叶常大小相间，长 10 ～ 20 cm，叶柄长 2.5 ～ 5 cm；小叶 6 ～ 8 对，卵形至长圆形，最大者长可达 6 cm，宽达 3.2 cm，最小者长、宽均不及 1 cm，先端尖，基部稍不相等，全缘，两面均被白色疏柔毛，侧脉每边 6 ～ 7，先端略弯，小叶柄长 1 ～ 8 mm。伞房花序顶生，后侧生；花白色或蓝紫色；花萼钟形，直径约 1 cm，外面被疏柔毛，5 裂，裂片披针形，先端长渐尖；花 |

冠辐状，直径 2.5 ～ 3 cm，花冠筒隐于花萼内，长约 2 mm，冠檐长约 1.5 cm，裂片 5，三角形，长约 5 mm；雄蕊长约 6 mm，花药长为花丝的 5 倍；子房卵圆形，无毛，花柱长约 8 mm，柱头头状。浆果圆球状，光滑，直径约 1.5 cm。花期夏季。

| **生境分布** | 我国各地均有栽培。分布于河北隆化、滦平等。

| **资源情况** | 野生资源一般，栽培资源丰富。药材主要来源于栽培。

| **采收加工** | 4 ～ 5 月或 9 ～ 10 月挖取块茎，鲜用或晒干。

| **药材性状** | 本品呈扁球形或长圆形，直径 3 ～ 10 cm，表面白色或黄色，节间短或不明显，侧芽着生于凹陷的"芽眼"内，一端有短茎基或茎痕。质硬，富含淀粉。气微，味淡。

| **功能主治** | 甘，平。和胃健中，解毒消肿。用于胃痛，疟腮，痈肿，湿疹，烫伤。

| **用法用量** | 内服适量，煮食；或煎汤。外用适量，捣敷；或磨汁涂。

| **附　　注** | 本种原产于美洲热带地区的山地，现广泛种植于世界温带地区。在热带和亚热带国家，冬季或凉爽季节也可栽培并可获得较高产量。本种性喜冷凉，其地下块茎的形成和生长需要疏松透气、凉爽湿润的土壤环境。块茎生长的适温是 16 ～ 18 ℃，当温度高于 25 ℃时块茎停止生长；茎叶生长的适温是 15 ～ 25 ℃，当温度超过 39 ℃时茎叶停止生长。

茄科 Solanaceae 散血丹属 Physaliastrum

散血丹

Physaliastrum kweichouense Kuang et A. M. Lu

| 药 材 名 | 散血丹(药用部位:全草。别名:狗骨头)。

| 形态特征 | 植株高约30 cm。根多条簇生;茎稍密被细柔毛,枝条稍细瘦。叶连叶柄长7 ~ 12 cm,宽3 ~ 6 cm,叶片卵形、椭圆形或倒卵状椭圆形,先端急尖或渐尖,基部歪斜,变狭而成长1 ~ 2 cm的叶柄,全缘而波状,具细缘毛,上面被稍密的柔毛,下面仅沿脉有柔毛,侧脉5 ~ 7对。花俯垂,花梗弧状弯曲,有疏柔毛,长1 ~ 1.5 cm;花萼筒部几乎不到花冠长度的1/3,长约6 mm,直径7 mm,外面被稀疏柔毛,5深中裂,裂片极不相等,最长者阔条形,与花冠等高,最短者狭三角形,有缘毛;花冠钟状,长及直径各约2 cm,外面密被细柔毛,5浅裂,裂片扁三角形,有细缘毛;雄蕊长6 ~ 7 mm,约为花冠长的1/3,花丝无毛;子房圆锥状,花柱冠以膨大的2浅裂

柱头。5 月开花。

| **生境分布** | 生于海拔 750 m 左右的水旁。分布于河北内丘、沙河等。

| **资源情况** | 野生资源丰富。药材主要来源于野生。

| **采收加工** | 全年均可采收，洗净，晒干或鲜用。

| **功能主治** | 甘，凉。散瘀止血。用于胃出血，鼻衄。

| **用法用量** | 内服煎汤，5 g。

茄科 Solanaceae 酸浆属 Physalis

挂金灯 *Physalis alkekengi* L. var. *franchetii* (Masters) Makino

| 植物别名 |

红姑娘。

| 药 材 名 |

挂金灯（药用部位：果实。别名：酸浆实、灯笼儿、王母珠）、酸浆（药用部位：全草）、酸浆根（药用部位：根。别名：天灯笼草根）。

| 形态特征 |

多年生草本，基部常匍匐生根。茎高 40 ~ 80 cm，基部略带木质，分枝稀疏或不分枝，茎较粗壮，茎节不甚膨大；常被柔毛，尤以幼嫩部分较密。叶长 5 ~ 15 cm，宽 2 ~ 8 cm，长卵形至阔卵形，有时菱状卵形，先端渐尖，基部不对称狭楔形，下延至叶柄，全缘而波状或者有粗牙齿，有时每边具少数不等大的三角形大牙齿，叶仅叶缘有短毛；叶柄长 1 ~ 3 cm。花梗长 6 ~ 16 mm，开花时直立，后来向下弯曲，花梗近无毛或仅有稀疏柔毛，果时无毛；花萼阔钟状，长约 6 mm，除裂片密生毛外，筒部毛被稀疏，萼齿三角形，边缘有硬毛；花冠辐状，白色，直径 15 ~ 20 mm，裂片开展，阔而短，先端骤然狭窄成三角形尖头；雄蕊及花柱均短

于花冠。果柄长 2 ~ 3 cm，多少被宿存柔毛；果萼卵状，长 2.5 ~ 4 cm，直径 2 ~ 3.5 cm，薄革质，网脉显著，有 10 纵肋，橙色或火红色，果萼毛被脱落而光滑无毛，先端闭合，基部凹陷；浆果球状，橙红色，直径 10 ~ 15 mm，柔软多汁；种子肾形，淡黄色，长约 2 mm。花期 5 ~ 9 月，果期 6 ~ 10 月。

| **生境分布** | 生于田野、沟边、山坡草地、林下或路旁水边。分布于河北丰宁、抚宁、宽城等。

| **资源情况** | 野生资源一般，栽培资源丰富。药材主要来源于栽培。

| **采收加工** | **挂金灯**：秋季果实成熟、宿存萼呈橘红色时采摘，晒干。
酸浆：夏、秋季采收，鲜用或晒干。
酸浆根：夏、秋季采挖，洗净，鲜用或晒干。

| 药材性状 | **挂金灯**：本品宿存萼略呈灯笼状，多压扁，长 3 ～ 4.5 cm，宽 2.5 ～ 4 cm。表面橙红色或橙黄色，有 5 明显的纵棱，棱间有网状的细脉纹。先端渐尖，微 5 裂，基部略平截，中心凹陷有果柄。体轻，质柔韧，中空，或内有棕红色或橙红色的果实。果实球形，多压扁，直径 1 ～ 1.5 cm，果皮皱缩，内含种子多数。气微，宿萼味苦，果实味甘、微酸。

酸浆：本品根呈细圆柱形，有细须根。茎圆柱形，长 40 ～ 70 cm，基部略木质。叶互生，多皱缩，完整叶片展平后呈卵形或阔卵形，长 5 ～ 10 cm，宽 2 ～ 6 cm，先端尖，基部狭楔形，全缘而波状或有粗齿。宿存萼黄绿色，薄纸质。浆果圆球形，宿存萼膜大而薄，直径 2 ～ 4 cm，橘红色或淡绿色，有 5 明显的纵棱，果柄及萼均无毛。气微，味苦。

酸浆根：本品呈细长圆柱形，略扭曲，直径 1 ～ 2 mm，表面皱缩，土棕色，节明显。略具青草气，味甚苦而微辛。

| 功能主治 | **挂金灯**：酸、甘，寒。归肺、肾经。清肺利咽，化痰利水。用于肺热痰咳，咽喉肿痛，骨蒸劳热，小便淋涩，天疱疮。

酸浆：酸、苦，寒。归肺、脾经。清热毒，利咽喉，通利二便。用于咽喉肿痛，肺热咳嗽，黄疸，痢疾，水肿，小便淋涩，大便不通，黄水疮，湿疹，丹毒。

酸浆根：苦，寒。归肺、脾经。清热利湿。用于黄疸，疟疾，疝气。

| 用法用量 | **挂金灯**：内服煎汤，4.5 ～ 9 g。外用适量，捣敷；或煎汤洗。

酸浆：内服煎汤，9 ～ 15 g；或捣汁；或研末。外用适量，煎汤洗；或研末调敷；或捣敷。

酸浆根：内服煎汤，3 ～ 6 g，鲜品 24 ～ 30 g。

| 附 注 | 本种与酸浆的区别在于：本种茎较粗壮，茎节膨大；叶仅叶缘有短毛；花梗近无毛或仅有稀疏柔毛，果时无毛；花萼除裂片密生毛外，筒部毛被稀疏，果萼毛被脱落而光滑无毛。

▌茄科▌ Solanaceae ▌酸浆属▌ *Physalis*

苦蘵
Physalis angulata L.

| **植物别名** | 灯笼草、灯笼泡。

| **药 材 名** | 苦蘵（药用部位：全草。别名：蘵、黄蘵、蘵草）、苦蘵根（药用部位：根）、苦蘵果实（药用部位：果实。别名：苦蘵果）。

| **形态特征** | 一年生草本，被疏短柔毛或近无毛，高常 30 ~ 50 cm。茎多分枝，分枝纤细。叶柄长 1 ~ 5 cm，叶片卵形至卵状椭圆形，先端渐尖或急尖，基部阔楔形或楔形，全缘或有不等大的牙齿，两面近无毛，长 3 ~ 6 cm，宽 2 ~ 4 cm。花梗长 5 ~ 12 mm，纤细，和花萼一样生短柔毛，长 4 ~ 5 mm，5 中裂，裂片披针形，生缘毛；花冠淡黄色，喉部常有紫色斑纹，长 4 ~ 6 mm，直径 6 ~ 8 mm；花药蓝紫色或有时黄色，长约 1.5 mm。果萼卵球状，直径 1.5 ~ 2.5 cm，薄纸质，

浆果直径约 1.2 cm；种子圆盘状，长约 2 mm。花果期 5 ~ 12 月。

| 生境分布 | 生于海拔 500 ~ 1 500 m 的山谷林下及村边路旁。分布于河北涞源、内丘、涉县等。

| 资源情况 | 野生资源丰富。药材主要来源于野生。

| 采收加工 | **苦蘵：**夏、秋季采收，鲜用或晒干。

苦蘵根：夏、秋季采挖，洗净，鲜用或晒干。

苦蘵果实：秋季果实成熟时采收，鲜用或晒干。

| 药材性状 | **苦蘵：**本品茎有分枝，具细柔毛或近光滑。叶互生，黄绿色，多皱缩或脱落，完整者呈卵形，长 3 ~ 6 cm，宽 2 ~ 4 cm（用水泡开后展平），先端渐尖，基部偏斜，全缘或有疏锯齿。果实球形，橙红色，外包淡绿黄色、膨大的宿存萼，直径近 1 cm，有 5 较深的纵棱。气微，味苦。

苦蘵果实：本品球形，橙红色，直径约 1cm，外包淡绿黄色、膨大的宿存萼，长约 2.5 cm，有 5 较深的纵棱。气微，味酸。

| 功能主治 | **苦蘵：**苦、酸，寒。清热，利尿，解毒，消肿。用于感冒，肺热咳嗽，咽喉肿痛，牙龈肿痛，湿热黄疸，痢疾，水肿，热淋，天疱疮，疔疮。

苦蘵根：苦，寒。利水通淋。用于水肿腹胀，黄疸，热淋。

苦蘵果实：酸，平。解毒，利湿。用于牙痛，天疱疮，疔疮。

| 用法用量 | **苦蘵：**内服煎汤，15 ~ 30 g；或捣汁。外用适量，捣敷；或煎汤含漱；或煎汤熏洗。

苦蘵根：内服煎汤，15 ~ 30 g。

苦蘵果实：内服煎汤，6 ~ 9 g。外用适量，捣汁涂。

茄科 Solanaceae 酸浆属 Physalis

酸浆 *Physalis alkekengi* L.

| 植物别名 | 泡泡草、洛神珠、灯笼草。

| 药 材 名 | 挂金灯（药用部位：带宿存萼的果实。别名：酸浆实、灯笼儿、王母珠）、酸浆（药用部位：全草）、酸浆根（药用部位：根。别名：天灯笼草根）。

| 形态特征 | 多年生草本，基部常匍匐生根。茎高 40 ~ 80 cm，基部略带木质，分枝稀疏或不分枝，茎节不甚膨大，常被有柔毛，尤其以幼嫩部分较密。叶长 5 ~ 15 cm，宽 2 ~ 8 cm，长卵形至阔卵形、有时菱状卵形，先端渐尖，基部不对称狭楔形、下延至叶柄，全缘而波状或者有粗牙齿，有时每边具少数不等大的三角形大牙齿，两面被有柔毛，沿叶脉较密，上面的毛常不脱落，沿叶脉亦有短硬毛；叶柄长

1 ~ 3 cm。花梗长 6 ~ 16 mm，开花时直立，后来向下弯曲，密生柔毛而果时也不脱落；花萼阔钟状，长约 6 mm，密生柔毛，萼齿三角形，边缘有硬毛；花冠辐状，白色，直径 15 ~ 20 mm，裂片开展，阔而短，先端骤然狭窄呈三角形尖头，外面有短柔毛，边缘有缘毛；雄蕊及花柱均短于花冠。果柄长 2 ~ 3 cm，多少被宿存柔毛；果萼卵状，薄革质，网脉显著，有 10 纵肋，橙色或火红色，被宿存的柔毛，先端闭合，基部凹陷；浆果球状，橙红色，直径 10 ~ 15 mm，柔软多汁；种子肾形，淡黄色，长约 2 mm。花期 5 ~ 9 月，果期 6 ~ 10 月。

| **生境分布** | 生于空旷地或山坡。分布于河北涉县、武安、赞皇等。

| **资源情况** | 野生资源丰富。药材主要来源于野生。

| 采收加工 | 挂金灯：秋季果实成熟，宿存萼呈橘红色时采摘，晒干。
酸浆：夏、秋季采收，鲜用或晒干。
酸浆根：夏、秋季采挖，洗净，鲜用或晒干。 |

| 药材性状 | 挂金灯：本品略呈灯笼状，多压扁，长3～4.5 cm，宽2.5～4 cm。表面橙红色或橙黄色，有5明显的纵棱，棱间有网状的细脉纹。先端渐尖，微5裂，基部略平截，中心凹陷有果柄。体轻，质柔韧，中空，或内有棕红色或橙红色果实。果实球形，多压扁，直径1～1.5 cm，果皮皱缩，内含种子多数。气微，宿萼味苦，果实味甘、微酸。
酸浆：本品根呈细圆柱形，有细须根。茎圆柱形，长40～70 cm，基部略木质。叶互生，多皱缩，完整叶片展平后呈卵形或阔卵形，长5～10 cm，宽2～6 cm，先端尖，基部狭楔形，全缘、波状或有粗齿。宿存萼黄绿色，薄纸质。浆果圆球形，宿存萼膜大而薄，直径2～4 cm，橘红色或淡绿色，有5明显的纵棱，果柄及萼均无毛。气微，味苦。
酸浆根：本品根和根茎呈细长圆柱形，略扭曲，直径1～2 mm，表面皱缩，土棕色，节明显。略具青草气，味甚苦而微辛。 |

| 功能主治 | 挂金灯：酸、甘，寒。归肺、肾经。清肺利咽，化痰利水。用于肺热痰咳，咽喉肿痛，骨蒸劳热，小便淋涩，天疱湿疮。
酸浆：酸、苦，寒。归肺、脾经。清热毒，利咽喉，通利二便。用于咽喉肿痛，肺热咳嗽，黄疸，痢疾，水肿，小便淋涩，大便不通，黄水疮，湿疹，丹毒。 |

酸浆根：苦，寒。归肺、脾经。清热利湿。用于黄疸，疟疾，疝气。

|用法用量| 　**挂金灯**：内服煎汤，4.5 ~ 9 g。外用适量，捣敷；或煎汤洗。

酸浆：内服煎汤，9 ~ 15 g；或捣汁；或研末。外用适量，煎汤洗；或研末调敷；或捣敷。

酸浆根：内服煎汤，3 ~ 6 g，鲜品 24 ~ 30 g。

茄科 Solanaceae 酸浆属 Physalis

小酸浆 *Physalis minima* L.

植物别名

毛苦蘵。

药 材 名

天泡子（药用部位：全草或果实。别名：沙灯笼、灯笼草、水灯笼）。

形态特征

一年生草本。根细瘦。主轴短缩，先端多二歧分枝，分枝披散而卧于地上或斜升，生短柔毛。叶柄细弱，长 1 ~ 1.5 cm；叶片卵形或卵状披针形，先端渐尖，基部歪斜楔形，全缘而波状或有少数粗齿，两面脉上有柔毛。花具细弱的花梗，花梗长约 5 mm，生短柔毛；花萼钟状，长 2.5 ~ 3 mm，外面生短柔毛，裂片三角形，先端短渐尖，缘毛密；花冠黄色，长约 5 mm；花药黄白色，长约 1 mm。果柄细瘦，长不及 1 cm，俯垂；果萼近球状或卵球状，直径 1 ~ 1.5 cm；果实球状，直径约 6 mm。

生境分布

生于山坡、草丛中。分布于河北行唐、井陉、内丘等。

资源情况	野生资源丰富。药材来源于野生。
采收加工	6～7月采集果实或带果实的全草，洗净，鲜用或晒干。
药材性状	本品全草长 40～70 cm。茎呈圆柱形，多分枝，表面黄白色。叶互生，具柄；叶片灰绿色或灰黄绿色，干缩，展平后呈卵圆形或长圆形，长 2～6 cm，宽 1～5 cm，先端渐尖，基部渐狭，叶缘浅波状或具不规则粗齿，两面被短茸毛，下面较密。叶腋处有灯笼状宿萼，呈压扁状，薄膜质，黄白色，内有近球形浆果。气微，味苦。
功能主治	苦，凉。清热利湿，祛痰止咳，软坚散结。用于湿热黄疸，小便不利，慢性咳喘，疬疾，瘰疬，天疱疮，湿疹，疖肿。
用法用量	内服煎汤，15～30 g。外用适量，捣敷；煎汤洗；或研末调敷。
附　　注	本种与苦蘵 *Physalis angulata* L. 的区别在于本种植株较矮小，分枝横卧地上或稍斜升；花冠及花药黄色，花萼裂片三角形；宿存萼直径 1～1.5 cm。

茄科 Solanaceae 天仙子属 *Hyoscyamus*

天仙子
Hyoscyamus niger L.

| 植物别名 | 莨菪、牙痛子、牙痛草。

| 药 材 名 | 莨菪根（药用部位：根）、莨菪叶（药用部位：叶。别名：铃铛草、麻性草）。

| 形态特征 | 二年生草本，高达 1 m，全体被黏性腺毛。根较粗壮，肉质而后变纤维质，直径 2 ~ 3 cm。一年生的茎极短，自根茎发出莲座状叶丛，卵状披针形或长矩圆形，长可达 30 cm，宽达 10 cm，先端锐尖，边缘有粗牙齿或羽状浅裂，主脉扁宽，侧脉 5 ~ 6 直达裂片先端，有宽而扁平的翼状叶柄，基部半抱根茎；第二年春茎伸长而分枝，下部渐木质化，茎生叶卵形或三角状卵形，先端钝或渐尖，无叶柄而基部半抱茎或宽楔形，边缘羽状浅裂或深裂，向茎先端的叶成浅波状，裂片多为三角形，先端钝或锐尖，两面除生黏性腺毛外，沿

叶脉并生有柔毛，长 4 ～ 10 cm，宽 2 ～ 6 cm。花在茎中部以下单生于叶腋，在茎上端则单生于苞状叶腋内而聚集成蝎尾式总状花序，通常偏向一侧，近无梗或仅有极短的花梗；花萼筒状钟形，生细腺毛和长柔毛，长 1 ～ 1.5 cm，5 浅裂，裂片大小稍不等，花后增大呈坛状，基部圆形，长 2 ～ 2.5 cm，直径 1 ～ 1.5 cm，有 10 纵肋，裂片开张，先端针刺状；花冠钟状，长约为花萼的 1 倍，黄色而脉纹紫堇色；雄蕊稍伸出花冠；子房直径约 3 mm。蒴果包藏于宿存萼内，长卵圆状，长约 1.5 cm，直径约 1.2 cm；种子近圆盘形，直径约 1 mm，淡黄棕色。夏季开花、结果。

| **生境分布** | 生于村边宅旁多腐殖质的肥沃土壤中。分布于河北丰宁、青龙、涿鹿等。

| **资源情况** | 野生资源丰富。药材主要来源于野生。

| **采收加工** | 莨菪根：秋季拔取全株，切下根部，洗净，晒干或鲜用。

莨菪叶：秋播者于 6 月上旬，春播者 7 月中旬，北方在 8 ～ 9 月，当下部果皮呈黄色，上部种子充实呈淡黄色时，于分枝处割下，放通风处，1 个星期后脱粒晒干即成。

| **药材性状** | 莨菪叶：本品大多皱缩、破碎，完整者呈长卵形或三角状卵形，长约 26 cm，宽约 10 cm，叶端尖，叶缘不规则羽状分裂，裂片三角形，上面黑绿色，下面淡灰绿色，密具毛茸，主脉上毛茸更多。由腺毛分泌的物质在叶片不太干燥时带有黏着性。以叶片绿色、密生茸毛、干燥、无杂质者为佳。

| **功能主治** | 莨菪根：苦、辛，寒；有毒。截疟，攻癣，杀虫。用于疟疾，疥癣。

莨菪叶：苦，寒；有大毒。镇痛，解痉。用于脘腹疼痛，牙痛，咳嗽气喘。

| **用法用量** | 莨菪根：内服，烧存性研末，0.3 ～ 0.6 g。外用适量，捣敷。

莨菪叶：内服，烧存性研末，0.3 ～ 0.6 g。外用适量，捣敷。

烟草
Nicotiana tabacum L.

| **植物别名** | 烟叶。

| **药 材 名** | 烟草（药用部位：叶。别名：野烟、淡把姑、担不归）。

| **形态特征** | 一年生或有限多年生草本。全体被腺毛，根粗壮。茎高 0.7 ~ 2 m，基部稍木质化。叶矩圆状披针形、披针形、矩圆形或卵形，先端渐尖，基部渐狭至茎成耳状而半抱茎，长 10 ~ 30（~ 70）cm，宽 8 ~ 15（~ 30）cm，柄不明显或呈翅状柄。花序顶生，圆锥状，具多花；花梗长 5 ~ 20 mm；花萼筒状或筒状钟形，长 20 ~ 25 mm，裂片三角状披针形，长短不等；花冠漏斗状，淡红色，筒部色更淡，稍弓曲，长 3.5 ~ 5 cm，檐部宽 1 ~ 1.5 cm，裂片急尖；雄蕊中 1 显著较其余 4 短，不伸出花冠喉部，花丝基部有毛。蒴果卵状或矩圆状，

长约等于宿存萼。种子圆形或宽矩圆形，直径约 0.5 mm，褐色。夏、秋季开花、结果。

| **生境分布** | 生于温暖的环境，适宜生长温度在 25 ~ 28 ℃，光照充足而不十分强烈的地区。分布于河北涞源、涉县等。

| **资源情况** | 野生资源一般，栽培资源丰富。药材主要来源于栽培。

| **采收加工** | 常于 7 月间，当烟叶由深绿变成淡黄，叶尖下垂时，可按叶的成熟先后，分数次采摘。采后晒干或烘干，再经回潮、发酵、干燥后即可。亦可鲜用。

| **药材性状** | 本品完整叶片呈卵形或椭圆状披针形，长约 60 cm，宽约 25 cm，先端渐尖，基部稍下延呈翅状柄，全缘或带微波状，上面黄棕色，下面色较淡，主脉宽而凸出，具腺毛，稍经湿润则带黏性。气特异，味苦、辣，作呕性。

| **功能主治** | 辛，温；有毒。行气止痛，燥湿，消肿，解毒杀虫。用于食滞饱胀，气结疼痛，关节痹痛，痈疽，疔疮，疥癣，湿疹，毒蛇咬伤，扭挫伤。

| **用法用量** | 内服煎汤，鲜叶 9 ~ 15 g；或点燃吸烟。外用适量，煎汤洗；或捣敷；或研末调敷。

| **附　　注** | 全株也可作农药杀虫剂；亦可药用，作麻醉、发汗、镇静和催吐剂。

玄参科 Scrophulariaceae 芯芭属 Cymbaria

达乌里芯芭 *Cymbaria dahurica* Linnaeus

| 植物别名 | 大黄花。

| 药 材 名 | 大黄花（药用部位：全草。别名：白蒿茶、兴安芯芭、芯玛芭）。

| 形态特征 | 多年生草本，高 6 ~ 23 cm，密被白色绢毛，使植体成为银灰白色。根茎垂直或倾卧向下，少有地平伸展者，多少弯曲，表面片状脱落，向上常变多头而有宿存之隔年枯茎。茎多条自根茎分枝顶部发出，也偶自横行根茎的节上发出，成丛，基部为紧密的鳞片所覆盖，弯曲上升或直立，老时基部木质化。叶对生，无柄，线形至线状披针形，全缘或偶有稍稍分裂，具 2 ~ 3 裂片，通常长 10 ~ 20 mm，宽 2 ~ 3 mm，位于茎基部者较短，向上较细长，可达 23 mm，先端渐尖，末端有 1 小刺状尖头，两面均被白色丝状柔毛，尤以下面

为多。总状花序顶生，花少数，每茎 1～4，单生于苞腋，直立或斜伸，具长 2～5 mm 的短梗；梗与萼管基部连接处有 2 小苞片，小苞片长 11～20 mm，宽 2～4 mm，线形或披针形，全缘，或有时较宽，开裂而具 1～2 小齿，被毛，通常与萼管基部紧贴，有时多少分离，而在其间有长 0.5～1 mm 之节间；萼下部筒状，外部密被丝状柔毛，内面有短柔毛，通常有 11 脉，管长 5～10 mm，上部具枚线形或锥形萼齿，先端渐尖，有 1 小尖头，各齿近相等；花冠黄色，长 30～45 mm，二唇形，外被白色柔毛，内面有腺点，下唇 3 裂，在其 2 裂口后面有 2 褶襞，通至管的中部，喉部有长柔毛一撮，裂片长椭圆形，先端钝或略尖，中裂较两侧裂略长，通常长 10～16 mm，宽 7～13 mm，上唇先端 2 裂，略弯向前方；雄蕊 4，二强，微漏于花冠喉部，前方 1 对较长，均着生于花管的靠近子房上部处的内面，着生处凸起，质地坚韧，密生长柔毛，花丝基部被毛，花药背着，药室 2，纵裂，长倒卵形，长 4～4.5 mm，宽 1 mm，先端渐细，成 1 小尖头，有时可长达 1 mm，顶部钝圆，多少分离，被长柔毛；子房长圆形，花柱细长，自上唇先端伸出，弯向前方，柱头头状。蒴果革质，长卵圆形，长 10～13 mm，宽 8～9 mm，先端有嘴；种子卵形，长 3～4 mm，宽 2～2.5 mm，一面较扁平，一面微圆凸，而略带三棱形，周围有狭翅一环。花期 6～8 月，果期 7～9 月。

| **生境分布** | 生于海拔 620～1 100 m 的干山坡与砂砾草原上。分布于河北沽源、怀安、张北等。

| **资源情况** | 野生资源丰富。药材主要来源于野生。

| **采收加工** | 夏、秋季采收，切段，晒干。

| **药材性状** | 本品全株密被白色绢毛。茎丛生，基部为鳞片覆盖。叶无柄，条形至条状披针形，全缘，被灰白色毛茸。花皱缩呈喇叭状，长 4～6 cm，上部直径达 1 cm，表面棕黄色，密被丝状毛；花萼齿间常有 1～2 附加子齿；花冠二唇形，上唇 2 裂，下唇 3 裂；二强雄蕊。气微，味微苦。

| **功能主治** | 苦，凉。祛风除湿，利尿，止血。用于风湿痹痛，月经过多，吐血，衄血，便血，外伤出血，肾炎性水肿，黄水疮。

| **用法用量** | 内服煎汤，3～9 g；或研末，1.5～3 g。外用适量，煎汤洗。

玄参科 Scrophulariaceae 地黄属 Rehmannia

地黄

Rehmannia glutinosa (Gaert.) Libosch. ex Fisch. et Mey.

| **植物别名** | 糖葫芦、生地。

| **药 材 名** | 地黄（药用部位：新鲜或干燥块根。别名：生地黄、鲜生地）。

| **形态特征** | 体高 10 ~ 30 cm，密被灰白色多细胞长柔毛和腺毛。根茎肉质，鲜时黄色，在栽培条件下，直径可达 5.5 cm，茎紫红色。叶通常在茎基部集成莲座状，向上则强烈缩小成苞片，或逐渐缩小而在茎上互生；叶片卵形至长椭圆形，上面绿色，下面略带紫色或成紫红色，长 2 ~ 13 cm，宽 1 ~ 6 cm，边缘具不规则圆齿或钝锯齿以至牙齿；基部渐狭成柄，叶脉在上面凹陷，下面隆起。花具长 0.5 ~ 3 cm 的梗，梗细弱，弯曲而后上升，在茎顶部略排列成总状花序，或几全部单生叶腋而分散在茎上；萼长 1 ~ 1.5 cm，密被

多细胞长柔毛和白色长毛，具 10 隆起的脉，萼齿 5，矩圆状披针形或卵状披针形抑或多少三角形，长 0.5 ~ 0.6 cm，宽 0.2 ~ 0.3 cm，稀前方 2 各又开裂而使萼齿总数达 7 之多；花冠长 3 ~ 4.5 cm，花冠筒多少弓曲，外面紫红色，被多细胞长柔毛；花冠裂片 5，先端钝或微凹，内面黄紫色，外面紫红色，两面均被多细胞长柔毛，长 5 ~ 7 mm，宽 4 ~ 10 mm；雄蕊 4，药室矩圆形，长 2.5 mm，宽 1.5 mm，基部叉开，而使 2 药室常排成一直线；子房幼时 2 室，老时因隔膜撕裂而成 1 室，无毛，花柱顶部扩大成 2 片状柱头。蒴果卵形至长卵形，长 1 ~ 1.5 cm。花果期 4 ~ 7 月。

| **生境分布** | 生于海拔 50 ~ 1 100 m 的砂土、荒山坡、山脚、墙边、路旁等。分布于河北蠡县、灵寿、迁西等。

| **资源情况** | 野生资源一般，栽培资源丰富。药材主要来源于栽培。

| **采收加工** | **鲜地黄**：秋季采挖，除去芦头、须根及泥沙，鲜用。
生地黄：秋季采挖，除去芦头、须根及泥沙，将地黄缓缓烘焙至约八成干。

| **药材性状** | **鲜地黄**：本品呈纺锤形或条状，长 8 ~ 24 cm，直径 2 ~ 9 cm。外皮薄，表面浅红黄色，具弯曲的纵皱纹、芽痕、横长皮孔样突起及不规则疤痕。肉质，易断，断面皮部淡黄白色，可见橘红色油点，木部黄白色，导管呈放射状排列。气微，味微甜、微苦。

生地黄：本品多呈不规则的团块状或长圆形，中间膨大，两端稍细，有的细小，长条状，稍扁而扭曲，长 6 ~ 12 cm，直径 2 ~ 6 cm。表面棕黑色或棕灰色，极皱缩，具不规则的横曲纹。体重，质较软而韧，不易折断，断面棕黑色或乌黑色，有光泽，具黏性。气微，味微甜。

| **功能主治** | **鲜地黄**：甘、苦，寒。归心、肝、肾经。清热生津，凉血，止血。用于热病伤阴，舌绛烦渴，温毒发斑，吐血，衄血，咽喉肿痛。

生地黄：甘，寒。归心、肝、肾经。清热凉血，养阴生津。用于热入营血，温毒发斑，吐血衄血，热病伤阴，舌绛烦渴，津伤便秘，阴虚发热，骨蒸劳热，内热消渴。

| **用法用量** | **鲜地黄**：内服煎汤，15 ~ 30 g。
生地黄：内服煎汤，10 ~ 15 g。

草本威灵仙 *Veronicastrum sibiricum* (L.) Pennell

| 植物别名 | 轮叶婆婆纳。

| 药 材 名 | 草本威灵仙（药用部位：全草或根。别名：九盖草、狼尾巴花、九节草）。

| 形态特征 | 根茎横走，长达 13 cm，节间短，根多而须状。茎圆柱形，不分枝，无毛或多少被多细胞长柔毛。叶 4 ～ 6 轮生，矩圆形至宽条形，长 8 ～ 15 cm，宽 1.5 ～ 4.5 cm，无毛或两面疏被多细胞硬毛。花序顶生，长尾状，各部分无毛；花萼裂片不超过花冠半长，钻形；花冠红紫色、紫色或淡紫色，长 5 ～ 7 mm，裂片长 1.5 ～ 2 mm。蒴果卵状，长约 3.5 mm；种子椭圆形。花期 7 ～ 9 月。

| **生境分布** | 生于海拔 2 500 m 以下的路边、山坡草地及山坡灌丛内。分布于河北灵寿、滦平、平泉等。 |

| **资源情况** | 野生资源丰富。药材主要来源于野生。 |

| **采收加工** | 夏、秋季采收，除去泥土、杂质，根切片，全草切碎，晒干。 |

| **功能主治** | 辛、微苦，寒。祛风除湿，清热解毒。用于感冒风热，咽喉肿痛，腮腺炎，风湿痹痛，虫蛇所伤。 |

| **用法用量** | 内服煎汤，10 ~ 15 g，鲜品 30 ~ 60 g。外用适量，鲜品捣敷；或煎汤洗。 |

| **附 注** | 本种是宋代至清代药用威灵仙品种之一。《本草图经》在论述威灵仙时记载："今陕西州军等及河东、河北、京东、江湖州郡或有之。初生比众草最先，茎梗如钗股，四棱，叶似柳叶作层，每层六七叶如车轮，有六层至七层者，七层内生花，浅紫或碧白色，作穗似台子，亦有似菊花头者，实青，根稠密多须似谷，每年亦朽败。"上述记载及"并州威灵仙"图的形态与本种相符，但近代本种已不作威灵仙使用。 |

玄参科 Scrophulariaceae 疗齿草属 Odontites

疗齿草
Odontites serotina Moench

| **植物别名** | 齿叶草。

| **药材名** | 疗齿草（药用部位：全草。别名：哈拉他尔-其其格、宝如-巴沙嘎）。

| **形态特征** | 一年生草本。植株高 20 ~ 60 cm，全体被贴伏而倒生的白色细硬毛。茎常在中上部分枝，上部四棱形。叶无柄，披针形至条状披针形，长 1 ~ 4.5 cm，宽 0.3 ~ 1 cm，边缘疏生锯齿。穗状花序顶生；苞片下部的叶状；花萼长 4 ~ 7 mm，果期多少增大，裂片狭三角形；花冠紫色、紫红色或淡红色，长 8 ~ 10 mm，外被白色柔毛。蒴果长 4 ~ 7 mm，上部被细刚毛；种子椭圆形，长约 1.5 mm。花期 7 ~ 8 月。

生境分布	生于海拔 2 000 m 以下的湿草地。分布于河北围场、赤城等。
资源情况	野生资源丰富。药材主要来源于野生。
采收加工	夏季采收带花全草，除去杂质，晒干。
功能主治	苦，寒。清血热，止刺痛，解毒。用于血热，偏头痛，痧症，肝热。
用法用量	内服煮散剂，3 ~ 5 g；或入丸、散剂。
附　注	本种全草所含的桃叶珊瑚苷对小鼠有泻下作用，并有促进尿酸排泄的作用。

玄参科 Scrophulariaceae 柳穿鱼属 Linaria

柳穿鱼

Linaria vulgaris subsp. *chinensis* (Bunge ex Debeaux) D. Y. Hong

| 药 材 名 | 柳穿鱼（药用部位：全草）。

| 形态特征 | 多年生草本，植株高 20 ~ 80 cm，茎叶无毛。茎直立，常在上部分枝。叶通常多数而互生，少下部的轮生，上部的互生，更少全部叶都呈 4 轮生的，条形，常单脉，少 3 脉，长 2 ~ 6 cm，宽 2 ~ 4（~ 10）mm。总状花序，花期短而花密集，果期伸长而果疏离，花序轴及花梗无毛或有少数短腺毛；苞片条形至狭披针形，超过花梗；花梗长 2 ~ 8 mm；花萼裂片披针形，长约 4 mm，宽 1 ~ 1.5 mm，外面无毛，内面多少被腺毛；花冠黄色，除去距长 10 ~ 15 mm，上唇长于下唇，裂片长 2 mm，卵形，下唇侧裂片卵圆形，宽 3 ~ 4 mm，中裂片舌状，距稍弯曲，长 10 ~ 15 mm。蒴果卵球状，长约 8 mm；种子盘状，边缘有宽翅，成熟时中央常有瘤状突起。花期 6 ~ 9 月。

| **生境分布** | 生于山坡、路边、田边草地或多砂的草原。分布于河北丰宁、沽源、围场等。

| **资源情况** | 野生资源稀少。药材主要来源于野生。

| **采收加工** | 6～9月花盛开时采收，阴干。

| **功能主治** | 甘、微苦，寒。清热解毒，散瘀消肿。用于感冒，头痛头晕，黄疸，痔疮便秘，皮肤病，烫火伤。

| **用法用量** | 内服煎汤，10～15 g；或研末。外用适量，研末调敷；或煎汤洗。

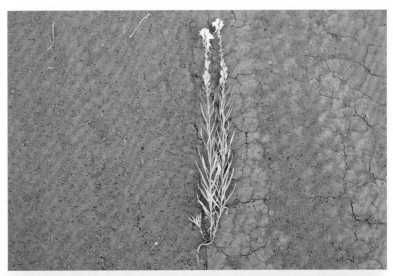

玄参科 Scrophulariaceae 马先蒿属 Pedicularis

返顾马先蒿 *Pedicularis resupinata* L.

| 药 材 名 | 马先蒿（药用部位：根。别名：马屎蒿、马新蒿、烂石草）。

| 形态特征 | 多年生草本，高 30 ～ 70 cm，直立，干时不变黑色。根多数丛生，细长而纤维状，长可达 10 cm。茎常单出，上部多分枝，粗壮而中空，多方形有棱，有疏毛或几无毛。叶密生，均茎生，互生或有时下部甚或中部者对生，叶柄短，长 2 ～ 12 mm，上部叶近无柄，无毛或有短毛；叶片膜质至纸质，卵形至长圆状披针形，前方渐狭，基部广楔形或圆形，边缘有钝圆的重齿，齿上有浅色的胼胝或刺状尖头，且常反卷，长 25 ～ 55 mm，宽 10 ～ 20 mm，渐上渐小而变为苞片，两面无毛或有疏毛。花单生于茎枝先端的叶腋中，无梗或有短梗；萼长 6 ～ 9 mm，长卵圆形，多少膜质，脉有网结，几无

毛，前方深裂，仅 2 齿，宽三角形，全缘或略有齿，光滑或有微缘毛；花冠长 20 ~ 25 mm，淡紫红色，管长 12 ~ 15 mm，伸直，近端处略扩大，自基部起即向右扭旋，其脉理清晰可见，此种扭旋使下唇及盔部成为回顾之状，盔的直立部分与花管同一指向，在此部分以上作 2 次多少膝盖状弓曲，第 1 次向前上方成为含有雄蕊的部分，其背部常多少有毛，第 2 次至额部再向前下方以形成长不超过 3 mm 的圆锥形短喙，下唇稍长于盔，以锐角开展，3 裂，中裂较小，略向前凸出，广卵形；雄蕊花丝前面 1 对有毛；柱头伸出喙端。蒴果斜长圆状披针形，长 11 ~ 16 mm，仅稍长于萼。花期 6 ~ 8 月，果期 7 ~ 9 月。

| **生境分布** | 生于海拔 300 ~ 2 000 m 的湿润草地及林缘。分布于河北磁县、丰宁、涞源等。

| **资源情况** | 野生资源丰富。药材主要来源于野生。

| **采收加工** | 秋季采挖，除去茎叶及泥土，晒干。

| **功能主治** | 苦，平。祛风湿，利小便。用于风湿关节疼痛，尿路结石，小便不利，带下，大风痢疾，疥疮。

| **用法用量** | 内服煎汤，6 ~ 9 g；或研末。外用适量，煎汤洗。

玄参科 Scrophulariaceae 马先蒿属 Pedicularis

红纹马先蒿 Pedicularis striata Pall.

| 药 材 名 | 红纹马先蒿（药用部位：全草。别名：鲁格如色日布、乌兰-苏得拉图-浩宁-额布尔-其其格、协日-浩宁-额布尔-其其格）。

| 形态特征 | 多年生草本，高达1 m。茎直立，密被短卷毛，老时近无毛。基生叶丛生，茎生叶多数，柄短，叶披针形，长达10 cm，宽3 ~ 4 cm，羽状深裂或全裂，裂片线形，有锯齿。花序穗状，长6 ~ 22 cm，轴被密毛；苞片短于花，无毛或被缘毛；花萼长1 ~ 1.3 cm，被疏毛，萼齿5，不等，卵状三角形，近全缘；花冠黄色，具绛红色脉纹，长2.5 ~ 3.3 cm，上唇镰形，先端下缘具2齿，下唇稍短于上唇，不甚张开，3浅裂，中裂片较小，叠置于侧裂片之下；花丝1对有毛。蒴果卵圆形，长0.9 ~ 1.6 cm，有短突尖。花期6 ~ 7月，果期7 ~ 8月。

生境分布	生于海拔 1 300 ～ 2 650 m 的高山草原中及疏林中。分布于河北灵寿、隆化、涉县等。
资源情况	野生资源丰富。药材主要来源于野生。
采收加工	6 ～ 7 月间采集带花全草，阴干。
功能主治	苦，凉。收扩散之毒，清热，固精。用于毒性扩散，中毒性遗精，关节筋骨疼痛。
用法用量	内服煮散剂，3 ～ 5 g；或入丸、散剂。

玄参科 Scrophulariaceae 马先蒿属 Pedicularis

轮叶马先蒿 *Pedicularis verticillata* L.

| **药 材 名** | 轮叶马先蒿（药用部位：根）。

| **形态特征** | 多年生草本，干时不变黑，高达 15 ～ 35 cm，有时极低矮。主根多少纺锤形，一般短细，极偶然在多年的植株中肉质变粗，直径达 6.5 mm，须状侧根不发达；根茎端有三角状卵形至长圆状卵形的膜质鳞片数对。茎直立，在当年生植株中常单条，多年者常自根颈成丛发出，多达 7 以上，中央者直立，外方者弯曲上升，下部圆形，上部多少四棱形，具毛线 4。叶基生者发达而长存，柄长 3 cm 左右，被疏密不等的白色长毛，叶片长圆形至线状披针形，下面微有短柔毛，羽状深裂至全裂，长 2.5 ～ 3 cm，裂片线状长圆形至三角状卵形，具不规则缺刻状齿，齿端常有多少白色胼胝；茎生叶下部者偶对生，一般 4 成轮，具较短之柄或几无柄，叶片较基生叶宽

短。花序总状，常稠密，仅最下 1、2 花轮多少疏远，仅极偶然有全部花轮均有间歇；苞片叶状，下部者甚长于花，有时变为长三角状卵形，上部者基部变宽，膜质，向前有锯齿，有白色长毛；萼球状卵圆形，常变红色，口多少狭缩，膜质，具 10 暗色脉纹，外面密被长柔毛，长 6 mm，前方深开裂，齿常不很明显而偏聚于后方，后方 1 多独立，较小，其前侧方者与后侧方者多合并成 1 三角形的大齿，顶有浅缺或无，缘无清晰的锯齿而多为全缘；花冠紫红色，长 13 mm，管红在距基部 3 mm 处以直角向前膝屈，使其上段由萼的裂口中伸出，上段长 5 ~ 6 mm，中部稍稍向下弓曲，喉部宽约 3 mm，下唇约与盔等长或稍长，中裂圆形而有柄，甚小于侧裂，裂片上有时红脉极显著，盔略镰状弓曲，长 5 mm 左右，额圆形，无明显的鸡冠状突起，下缘之端似微有凸尖，但不显著；雄蕊药对离开而不并生，花丝前方 1 对有毛；花柱稍稍伸出。蒴果形状大小多变，多少披针形，端渐尖，不弓曲，或偶然有全长向下弓曲者，或上线至近端处突然弯下成 1 钝尖，而后再在下基线前端成 1 小凸尖，长 10 ~ 15 mm，宽 4 ~ 5 mm；种子黑色，半圆形，长 1.8 mm，有极细而不显明的纵纹。花期 7 ~ 8 月。

| 生境分布 | 生于海拔 2 100 ~ 3 500 m 的湿润处。分布于河北阜平、沽源、武安等。

| 资源情况 | 野生资源丰富。药材来源于野生。

| 采收加工 | 秋季采收，洗净，晒干。

| 功能主治 | 甘、微苦，温。益气生津，养心安神。用于气血不足，体虚多汗，心悸怔忡。

| 用法用量 | 内服煎汤，6 ~ 9 g。

| 附　注 | 本种与万叶马先蒿紫色变种的区别在于后者花管较长，而花为紫色。产自蒙古国及我国河北小五台山。

玄参科 Scrophulariaceae 马先蒿属 Pedicularis

山萝花马先蒿

Pedicularis melampyriflora Franch. ex Maxim.

| 药材名 | 山萝花马先蒿（药用部位：根）。

| 形态特征 | 一年生草本，中等高低或相当高升，可达 1 m，干时多少变黑。茎至后变为木质，直径可达 4 mm，上部有沟纹，沟中有成行之毛，下部至后而无毛，上部较密；枝极多，4 ~ 6 轮生。叶 3 ~ 6 轮生，下部者早枯，中部者最大，长达 8 cm，叶柄长达 1.2 cm，叶片披针状长圆形，羽状全裂，裂片疏距，7 ~ 11 对，披针形到狭披针形，羽状深裂至中肋一半距离或有缺刻状重锯齿，面有疏毛，背几光滑。花序总状而长，可达 20 cm，花轮很疏而间断；苞片叶状，长于花或在花序顶部约等长；花有梗，长达 3 mm；花萼膜质，长约 6 mm，萼齿 5，后方 1 三角形全缘，其余 4 端稍膨大而具少数齿，多毛；花冠较小，长仅 16 mm，管在中部稍下处向前弓曲，长约

10 mm，下唇宽 7.5 mm，长 6 mm，中裂卵形，仅稍长于侧裂；盔长约 5.5 mm，伸直而不作镰状弓曲，无鸡冠状突起或几不能见，下缘近端处有齿 1 对；花丝 2 对均无毛。

| 生境分布 | 生于海拔 2 700 ～ 3 600 m 的山坡及疏林中。分布于河北滦平等。

| 资源情况 | 野生资源丰富。药材主要来源于野生。

| 采收加工 | 春、秋季采挖，洗净，晒干。

| 功能主治 | 清热解毒。用于痈肿疮毒。

| 用法用量 | 内服煎汤，2.5 ～ 5 g。

穗花马先蒿 *Pedicularis spicata* Pall.

| 药 材 名 | 穗花马先蒿（药用部位：根）。

| 形态特征 | 一年生草本，干时不变黑或微微变黑，老时尤其下部多少木质化。根圆锥形，常有分枝，长可达 8 cm，强烈木质化。茎有时单一而植株稀疏，或常自根颈发出多条而使植株显得丛杂，侧生者倾卧或弯曲上升，全不分枝或在更多的情况下上部多分枝。叶片椭圆状长圆形，长约 20 mm，两面被毛，羽状深裂，裂片长卵形，边多反卷，时有胖胝；茎生叶多 4 轮生，各茎 3 ~ 6 轮，中部者最大，柄短，约达 10 mm，扁平有狭翅，被毛，叶片多变，长圆状披针形至线状狭披针形，上面疏布短白毛，背面脉上有较长的白毛，基部广楔形，端渐细而顶尖微钝，缘边羽状浅裂至深裂，卵形至长圆形，多少带

三角形，后缘稍长于前缘而略偏指前方，缘有具刺尖的锯齿，有时极多胼胝。穗状花序生于茎枝之端，长可达 12 cm，仅下部花轮有时间断；苞片下部者叶状，中上部者为菱状卵形而有长尖头，基部宽，膜质，前方有齿，绿色，长于萼，有长白毛，齿常有胼胝；萼短，钟形，前方仅微微开裂，全部膜质透明，主脉 5 最粗，另外还有次脉 2 ~ 4，管部常在主脉近端处有网脉；花冠红色，长 12 ~ 18 mm，管在萼口向前方以直角或相近的角度膝屈，下段长约 3 mm，上段 6 ~ 7 mm，向喉稍稍扩大，盔指向前上方，长仅 3 ~ 4 mm，基部稍宽，额高凸，下唇长于盔 2 ~ 2.5 倍，长 6 ~ 10 mm，中裂较小，倒卵形，较斜卵形的侧裂小半倍；雄蕊花线 1 对有毛；柱头稍伸出。蒴果长 6 ~ 7 mm，狭卵形，下线稍弯，上线强烈向下弓曲，近端处突然斜下，斜截形，端有刺尖；种子仅 5 ~ 6，长达 2 mm，脐点明显凹陷，切面略三棱形，背面宽而圆，2 腹面狭而多少凹陷，端有尖，均有极细的蜂窝状网纹。花期 7 ~ 9 月，果期 8 ~ 10 月。

| **生境分布** | 生于海拔 1 500 ~ 2 600 m 的草地、溪流旁及灌丛中。分布于河北灵寿、平泉、武安等。 |

| **资源情况** | 野生资源丰富。药材主要来源于野生。 |

| **采收加工** | 秋季采挖，阴干。 |

| **功能主治** | 祛风，胜湿，利水。用于风湿关节疼痛，小便不利，尿路结石，带下，疥疮等。 |

| **用法用量** | 内服煎汤，10 ~ 15 g。 |

玄参科 Scrophulariaceae 马先蒿属 Pedicularis

中国马先蒿 *Pedicularis chinensis* Maxim.

| **药 材 名** | 中国马先蒿（药用部位：根）。

| **形态特征** | 一年生，低矮或多少升高，可达 30 cm，干时不变黑。主根圆锥形，有少数支根，长达 8 cm。茎单出或多条，直立或外方者弯曲上升或甚至倾卧，有深沟纹，有成行的毛或几光滑，有时上部偶有分枝。叶基生与茎生，均有柄，基生叶之柄长达 4 cm，近基的大半部有长毛，上部之柄较短；叶片披针状长圆形至线状长圆形，长达 7 cm，宽达 18 mm，羽状浅裂至半裂，裂片近端者靠近，向后较疏远，7 ~ 13 对，卵形，有时带方形，钝头，基部常多少全缘而连于轴翅，前半有重锯齿，齿常有胼胝，两面无毛，下面碎冰纹网脉明显。花序常占植株的大部分，有时近基处叶腋中亦有花；苞片叶状而较小，

柄近基处膨大，常有长而密的缘毛；花梗短，长者可达 10 mm，被短细毛；花萼管状，长 15 ～ 18 mm，生有白色长毛，下部较密，或有时无长毛而仅被密短毛，亦有具紫斑者，前方约开裂至 2/5，脉很多，达 20，其中仅 2 较粗，通入齿中，齿仅 2，基部有极短之柄，以上即膨大叶状，绿色，卵形至圆形，缘有缺刻状重锯齿；花冠黄色，管长 4.5 ～ 5 cm，外面有毛，端不扩大，盔直立部分稍向后仰，前缘高 3 ～ 4 mm，上端渐渐转向前上方成为合有雄蕊的部分，长约 4 mm，前端又渐细为端指向喉部的半环状长喙，长达 9 ～ 10 mm，下唇宽过于长，宽约 20 mm，长自盔的基部计仅 9 ～ 10 mm，有短而密的缘毛，侧裂强烈指向前外方（按其脉理而言），钝头，为不等的心形，其外侧的基部耳形很深，两边合成下唇的深心形基部，中裂宽过于长，宽约 6 mm，长仅 3 ～ 3.5 mm，截头至微圆头，完全不伸出侧裂之前；雄蕊花丝 2 对均被密毛。蒴果长圆状披针形，长 19 mm，宽 7 mm，不很偏斜，上背缝线较急剧地弯向下方，在近端处成 1 斜截头，端更有指向前下方的小凸尖。

| **生境分布** | 生于海拔 1 700 ～ 2 900 m 的高山草地中。分布于河北涞源、平山、涿鹿等。

| **资源情况** | 野生资源丰富。药材主要来源于野生。

| **采收加工** | 秋季采挖，除去茎叶及泥土，晒干。

| **功能主治** | 苦，平。祛风，胜湿，利水。用于风湿关节疼痛，小便不利，尿路结石，带下，疥疮。

| **用法用量** | 内服煎汤，10 ～ 15 g；或研末为散剂。外用适量，煎汤洗。

玄参科 Scrophulariaceae 泡桐属 Paulownia

兰考泡桐

Paulownia elongata S. Y. Hu

| 药 材 名 |

兰考泡桐（药用部位：花）。

| 形态特征 |

乔木高达 10 m 以上，树冠宽圆锥形，全体具星状绒毛；小枝褐色，有凸起的皮孔。叶片通常卵状心形，有时具不规则的角，长达 34 cm，先端渐狭长而锐头，基部心形或近圆形，上面毛不久脱落，下面密被无柄的树枝状毛。花序枝的侧枝不发达，故花序金字塔形或狭圆锥形，长约 30 cm，小聚伞花序的总花梗长 8 ~ 20 mm，几与花梗等长，有花 3 ~ 5，稀有单花；花萼倒圆锥形，长 16 ~ 20 mm，基部渐狭，分裂至 1/3 左右呈 5 卵状三角形的齿，管部的毛易脱落；花冠漏斗状钟形，紫色至粉白色，长 7 ~ 9.5 cm，管在基部以上稍弓曲，外面有腺毛和星状毛，内面无毛而有紫色细小斑点，檐部略二唇形，直径 4 ~ 5 cm；雄蕊长达 25 mm；子房和花柱有腺，花柱长 30 ~ 35 mm。蒴果卵形，稀卵状椭圆形，长 3.5 ~ 5 cm，有星状绒毛；宿存萼碟状，先端具长 4 ~ 5 mm 的喙，果皮厚 1 ~ 2.5 mm；种子连翅长 4 ~ 5 mm。花期 4 ~ 5 月，果期秋季。

| **生境分布** | 生于道路边。分布于河北永年等。

| **资源情况** | 野生资源丰富，栽培资源一般。药材主要来源于栽培。

| **采收加工** | 春季花开时采收，晒干或鲜用。

| **功能主治** | 苦，寒。散瘀消肿，止痛祛风，化腐生肌。

| **用法用量** | 内服煎汤，10 ~ 25 g。外用适量，鲜品捣敷；或制成膏剂搽。

| **附　　注** | 本种喜光，喜肥，怕旱，怕涝。

玄参科 Scrophulariaceae 泡桐属 Paulownia

毛泡桐

Paulownia tomentosa (Thunb.) Steud.

植物别名

紫花桐、绒叶泡桐。

药 材 名

泡桐根（药用部位：根或根皮）、泡桐果（药用部位：果实。别名：毛泡桐）、泡桐花（药用部位：花）、泡桐树皮（药用部位：树皮）、泡桐叶（药用部位：叶）。

形态特征

乔木高达 20 m，树冠宽大伞形，树皮褐灰色；小枝有明显皮孔，幼时常具黏质短腺毛。叶片心形，长达 40 cm，先端锐尖头，全缘或波状浅裂，上面毛稀疏，下面毛密或较疏，老叶下面的灰褐色树枝状毛常具柄和 3 ~ 12 细长丝状分枝，新枝上的叶较大，其毛常不分枝，有时具黏质腺毛；叶柄常有黏质短腺毛。花序枝的侧枝不发达，长约中央主枝之半或稍短，故花序为金字塔形或狭圆锥形，长一般在 50 cm 以下，少有更长，小聚伞花序的总花梗长 1 ~ 2 cm，几与花梗等长，具花 3 ~ 5；花萼浅钟形，长约 1.5 cm，外面绒毛不脱落，分裂至中部或裂过中部，萼齿卵状长圆形，在花中锐头或稍钝头至果中钝头；花冠紫色，漏斗状钟形，长 5 ~

7.5 cm，在离管基部约 5 mm 处弓曲，向上突然膨大，外面有腺毛，内面几无毛，檐部二唇形，直径约 5 cm；雄蕊长达 2.5 cm；子房卵圆形，有腺毛，花柱短于雄蕊。蒴果卵圆形，幼时密生黏质腺毛，长 3 ~ 4.5 cm，宿存萼不反卷，果皮厚约 1 mm；种子连翅长约 2.5 ~ 4 mm。花期 4 ~ 5 月，果期 8 ~ 9 月。

| 生境分布 | 生于海拔 1 800 m 的地带。分布于河北涉县、邢台、永年等。

| 资源情况 | 野生资源一般。药材主要来源于野生。

| 采收加工 | **泡桐根**：秋季采挖，洗净，鲜用或晒干。

河北省康保县

泡桐果：夏、秋季采摘，晒干。

泡桐花：春季花开时采收，晒干或鲜用。

泡桐树皮：全年均可采收，鲜用或晒干。

泡桐叶：夏、秋季采摘，鲜用或晒干。

| **药材性状** | 泡桐根：本品呈圆柱形，长短不等，直径约2 cm，表面灰褐色至棕褐色，粗糙，有明显的皱纹与纵沟，具横裂纹及凸起的侧根残痕。质坚硬，不易折断，断面不整齐，皮部棕色或淡棕色，木部宽广，黄白色，显纤维性，有多数孔洞（导管）及放射状纹理。气微，味微苦。

泡桐果：本品呈卵圆形，长 3 ～ 4.5 cm，直径 2 ～ 3 cm，表面红褐色至黑褐色，常有黏质腺毛，先端尖嘴状，长 6 ～ 8 mm，基部圆形，自顶至基部两侧各有棱线 1，常易沿棱线裂成 2 瓣；内表面淡棕色，光滑面有光泽，各有 1 纵隔。果皮革质，厚 0.5 ～ 1 mm；宿萼 5 中裂呈五角星形，裂片卵状三角形；果柄扭曲，长 2 ～ 3 cm。种子多数，着生在半圆形肥厚的中轴上，细小，扁而有翅，长 2.5 ～ 4 mm。气微，味微甘、苦。

泡桐花：本品长 4 ～ 7.5 cm。花萼较小，长约 1.2 cm；花冠紫红色，干者灰棕色，内面紫色斑点较多。气微香，味微苦。

泡桐树皮：本品表面灰褐色，有不规则纵裂；小枝有明显的皮孔，常具黏质短腺毛。味淡、微甜。

| 功能主治 | 泡桐根：微苦，微寒。祛风止痛，解毒活血。用于风湿热痹，筋骨疼痛，疮疡肿毒，跌打损伤。

泡桐果：苦，寒。化痰，止咳，平喘。用于慢性支气管炎，咳嗽咳痰。

泡桐花：苦，寒。清肺利咽，解毒消肿。用于肺热咳嗽，急性扁桃体炎，菌痢，急性肠炎，急性结膜炎，腮腺炎，疖肿，疮癣。

泡桐树皮：苦，寒。祛风除湿，消肿解毒。用于风湿热痹，淋病，丹毒，痔疮肿毒，肠风下血，外伤肿痛，骨折。

泡桐叶：苦，寒。清热解毒，止血消肿。用于痈疽，疔疮肿毒，创伤出血。

| 用法用量 | 泡桐根：内服煎汤，15 ～ 30 g。外用适量，鲜品捣敷。

泡桐果：内服煎汤，15 ～ 30 g。

泡桐花：内服煎汤，10 ～ 25 g。外用适量，鲜品捣敷；或制成膏剂搽。

泡桐树皮：内服煎汤，15 ～ 30 g。外用适量，鲜品捣敷；或煎汁涂。

泡桐叶：内服煎汤，15 ～ 30 g。外用适量，以醋蒸贴；或捣敷；或捣汁涂。

| 附　注 | 本种在被毛疏密、花枝及花冠大小、萼齿尖钝等方面常因生境和海拔高低的不同而有变异，生长在海拔较高处者，有花枝变小、萼齿在花期较钝、花冠稍短缩的趋势。本种较耐干旱与瘠薄，在北方较寒冷和干旱的地区生长尤为适宜。

玄参科 Scrophulariaceae 婆婆纳属 Veronica

北水苦荬

Veronica anagallis-aquatica Linnaeus

| **植物别名** | 仙桃草。

| **药 材 名** | 北水苦荬（药用部位：全草）。

| **形态特征** | 多年生（稀为一年生）草本，通常全体无毛，极少在花序轴、花梗、花萼和蒴果上有几根腺毛。根茎斜走。茎直立或基部倾斜，不分枝或分枝，高 10 ~ 100 cm。叶无柄，上部的半抱茎，多为椭圆形或长卵形，少为卵状矩圆形，更少为披针形，长 2 ~ 10 cm，宽 1 ~ 3.5 cm，全缘或有疏而小的锯齿。花序比叶长，具多花；花梗与苞片近等长，上升，与花序轴成锐角，果期弯曲向上，使蒴果靠近花序轴，花序通常不宽于 1 cm；花萼裂片卵状披针形，急尖，长约 3 mm，果期直立或叉开，不紧贴蒴果；花冠浅蓝色、浅紫色或白色，

直径 4 ~ 5 mm，裂片宽卵形；雄蕊短于花冠；花柱长约 2 mm（西藏产的植物的花柱常短至 1.5 mm）。蒴果近圆形，长、宽近相等，几与花萼等长，先端圆钝而微凹。花期 4 ~ 9 月。

| **生境分布** | 生于水边及沼地。分布于河北行唐、怀安、武安等。

| **资源情况** | 野生资源一般。药材主要来源于野生。

| **采收加工** | 夏季采收带虫瘿的全草，洗净，切碎，鲜用或晒干。

| **功能主治** | 苦，凉。归肺、肝、肾经。清热解毒，活血止血。用于感冒，咽痛，劳伤咯血，痢疾，血淋，月经不调，疮肿，跌打损伤。

| **用法用量** | 内服煎汤，10 ~ 30 g。外用适量，鲜品捣敷。

| **附　　注** | 本种的果实常因昆虫寄生而异常肿胀，这种具虫瘿的植株名为"仙桃草"，可药用，用于跌打损伤。

玄参科 Scrophulariaceae 婆婆纳属 *Veronica*

婆婆纳 *Veronica polita* Fries

药材名

婆婆纳（药用部位：全草。别名：狗卵草、双珠草、双铜锤）。

形态特征

一年生草本，高 10 ～ 25 cm。茎铺散多分枝，被长柔毛，纤细。叶对生，具短柄，叶片心形至卵形，长 5 ～ 10 mm，宽 6 ～ 7 mm，先端钝，基部圆形，边缘具深钝齿，两面被白色柔毛。总状花序顶生；苞片叶状，互生；花梗略短于苞片；花萼 4 裂，裂片卵形，先端急尖，疏被短硬毛；花冠淡紫色、蓝色、粉色或白色，直径 4 ～ 5 mm，筒部极短，裂片圆形至卵形；雄蕊 2，短于花冠；子房上位，2 室。蒴果近肾形，密被腺毛，略短于宿存萼，宽 4 ～ 5 mm；种子背面具横纹，长约 1.5 mm。花期 3 ～ 10 月。

生境分布

生于荒地。分布于河北阜平、武安、赞皇等。

资源情况

野生资源丰富。药材主要来源于野生。

| **采收加工** | 3 ~ 4 月采收，晒干或鲜用。 |

| **功能主治** | 甘、淡，凉。归肝、肾经。补肾强腰，解毒消肿。用于肾虚腰痛，疝气，睾丸肿痛，带下，痈肿。 |

| **用法用量** | 内服煎汤，15 ~ 30 g，鲜品 60 ~ 90 g；或捣汁饮。 |

玄参科 Scrophulariaceae 婆婆纳属 *Veronica*

水苦荬 *Veronica undulata* Wall.

| **植物别名** | 水菠菜、水莴苣、芒种草。

| **药材名** | 水苦荬（药用部位：带虫瘿的全草。别名：半边山、谢婆菜、水莴苣）。

| **形态特征** | 多年生（稀为一年生）草本，通常全体无毛，极少在花序轴、花梗、花萼和蒴果上有几根腺毛。根茎斜走。茎直立或基部倾斜，不分枝或分枝，高 10 ~ 80 cm。叶无柄，上部的半抱茎，多为椭圆形或长卵形，少为卵状矩圆形，有时为条状披针形，通常叶缘有尖锯齿。花序比叶长，具多花；花梗在果期挺直，横叉开，与花序轴几乎成直角，因而花序宽过 1 cm，可达 1.5 cm；花萼裂片卵状披针形，急尖，长约 3 mm，果期直立或叉开，不紧贴蒴果；花冠浅蓝色、

浅紫色或白色，直径 4 ～ 5 mm，裂片宽卵形；雄蕊短于花冠；花柱较短，长 1 ～ 1.5 mm。蒴果近圆形，长宽近相等，几乎与萼等长，先端圆钝而微凹。茎、花序轴、花萼和蒴果上多少有大头针状腺毛。花期 4 ～ 9 月。

| **生境分布** | 生于生水边及沼地。分布于河北井陉、宽城、张北等。

| **资源情况** | 野生资源一般。药材主要来源于野生。

| **采收加工** | 夏季果实中红虫未逸出前采收有虫瘿的全草，切碎，鲜用或晒干。

| **药材性状** | 本品长 20 ～ 50（～ 80）cm，根茎斜走。茎上部圆柱形，常皱缩而呈纵棱状，基部类四方形，具纵沟，表面浅黄绿色至浅棕黄色；质柔韧，不易折断，切面黄白色，中空。叶对生，皱缩，易破碎，完整叶展平后呈狭卵状矩圆形至条状披针形，长 2 ～ 5 cm，宽 0.5 ～ 2 cm，先端渐尖或钝尖，基部无柄而稍抱茎，脱落后留有环状残痕，两面均无毛。总状花序腋生，果柄与花序轴排列几乎成直角。蒴果近圆形，直径 2 ～ 3 mm，先端微凹。种子多数，细小。茎、花序轴、花梗、花萼和果实多少有大头针状腺毛。气微，味淡。

| **功能主治** | 苦，寒。清热解毒，活血止血。用于感冒，咽痛，劳伤咯血，痢疾，血淋，月经不调，疮肿，跌打损伤。

| **用法用量** | 内服煎汤，10 ～ 30 g；或研末。外用适量，鲜品捣敷。

玄参科 Scrophulariaceae 山罗花属 Melampyrum

山罗花
Melampyrum roseum Maxim.

| 药 材 名 | 山萝花（药用部位：全草。别名：绣球草）。

| 形态特征 | 直立草本，植株全体疏被鳞片状短毛，有时茎上还有 2 列多细胞柔毛。茎通常多分枝，少不分枝，近四棱形，高 15 ~ 80 cm。叶柄长约 5 mm，叶片披针形至卵状披针形，先端渐尖，基部圆钝或楔形，长 2 ~ 8 cm，宽 0.8 ~ 3 cm；苞叶绿色，仅基部具尖齿至整个边缘具多条刺毛状长齿，较少几乎全缘，先端急尖至长渐尖。花萼长约 4 mm，常被糙毛，脉上常生多细胞柔毛，萼齿长三角形至钻状三角形，生有短睫毛；花冠紫色、紫红色或红色，长 15 ~ 20 mm，筒部长为檐部长的 2 倍左右，上唇内面密被须毛。蒴果卵状渐尖，长 8 ~ 10 mm，直或先端稍向前偏，被鳞片状毛，少无毛；种子黑色，长 3 mm。花期夏、秋季。

| **生境分布** | 生于山坡灌丛及高草丛中。分布于河北青龙、涉县、围场等。

| **资源情况** | 野生资源丰富。药材主要来源于野生。

| **采收加工** | 7 ~ 8 月采收，鲜用或晾干。

| **功能主治** | 苦，凉。清热解毒。用于肠痈，肺痈，疮毒，疔肿，疮疡等。

| **用法用量** | 内服煎汤，15 ~ 30 g。外用适量，鲜品捣敷。

| **附　　注** | 本种的狭叶变种叶片狭长，条形至条状披针形，宽 3 ~ 8 mm，先端渐尖；苞叶紫红色或绿色，披针形，先端长渐尖，整个边缘具多条刺毛状长齿。

玄参科 Scrophulariaceae 松蒿属 Phtheirospermum

松蒿

Phtheirospermum japonicum (Thunb.) Kanitz

| 药 材 名 | 松蒿（药用部位：全草。别名：糯蒿、细绒蒿、土茵陈）。

| 形态特征 | 一年生草本，高可达 100 cm，但有时高仅 5 cm 即开花，植体被多细胞腺毛。茎直立或弯曲而后上升，通常多分枝。叶具长 5 ~ 12 mm 边缘有狭翅之柄，叶片长三角状卵形，长 15 ~ 55 mm，宽 8 ~ 30 mm，近基部的羽状全裂，向上则为羽状深裂；小裂片长卵形或卵圆形，多少歪斜，边缘具重锯齿或深裂，长 4 ~ 10 mm，宽 2 ~ 5 mm。花具长 2 ~ 7 mm 的梗，花萼长 4 ~ 10 mm，萼齿 5，叶状，披针形，长 2 ~ 6 mm，宽 1 ~ 3 mm，羽状浅裂至深裂，裂齿先端锐尖；花冠紫红色至淡紫红色，长 8 ~ 25 mm，外面被柔毛；上唇裂片三角状卵形，下唇裂片先端圆钝；花丝基部疏被长柔毛。蒴果卵珠形，长 6 ~ 10 mm；种子卵圆形，扁平，长约 1.2 mm。花果期

6 ~ 10 月。

| **生境分布** | 生于海拔 150 ~ 1 900 m 的山坡灌丛阴处。分布于河北蔚县、武安、涿鹿等。

| **资源情况** | 野生资源丰富。药材主要来源于野生。

| **采收加工** | 夏、秋季采收，鲜用或晒干。

| **药材性状** | 本品长 30 ~ 60 cm，茎直立，上部多分枝，具腺毛，有黏性。叶对生，多皱缩而破碎；完整叶片呈三角状卵形，羽状深裂，两侧裂片长圆形，先端裂片较大，卵圆形，边缘具细锯齿，叶两面均有腺毛。穗状花序顶生，花萼钟状，长约 6 mm，5 裂；花冠淡红紫色。味微辛。

| **功能主治** | 微辛，凉。归肺、脾、胃经。清热利湿，解毒。用于黄疸，水肿，风热感冒，口疮，鼻炎，疮疖肿毒。

| **用法用量** | 内服煎汤，15 ~ 30 g。外用适量，煎汤洗；或研末调敷。

大婆婆纳

Pseudolysimachion dauricum (Steven) Holub

| 药 材 名 | 大婆婆纳（药用部位：全草）。

| 形态特征 | 茎单生或数支丛生，直立，高可达 1 m，不分枝或稀少上部分枝，通常相当地被多细胞腺毛或柔毛。叶对生，在茎节上有 1 环连接叶柄基部，叶柄长 1 ~ 1.5 cm，少有较短的，叶片卵形、卵状披针形或披针形，基部常心形，先端常钝，少急尖，长 2 ~ 8 cm，宽 1 ~ 3.5 cm，两面被短腺毛，边缘具深刻的粗钝齿，常夹有重锯齿，基部羽状深裂过半，裂片外缘有粗齿，叶腋有不发育的分枝。总状花序长穗状，单生或因茎上部分枝而复出，各部分均被腺毛；花梗长 2 ~ 3 mm；花冠白色或粉色，长 8 mm，筒部占 1/3 长，檐部裂片开展，卵圆形至长卵形；雄蕊略伸出；花柱长近 1 cm。蒴果与花萼近等长。花期 7 ~ 8 月。

| **生境分布** | 生于草地、沙丘及疏林下。分布于河北赤城、沽源、围场等。

| **资源情况** | 野生资源丰富。药材主要来源于野生。

| **采收加工** | 3 ~ 4 月采收，晒干或鲜用。

| **功能主治** | 辛、苦、咸，平。祛风除湿，壮腰，截疟。用于肾虚，风湿，疟疾等。

| **用法用量** | 内服煎汤，5 ~ 15 g。外用适量，鲜品捣敷。

| **附　注** | FOC 已将本种修订为大穗花 *Pseudolysimachion dauricum* (Steven) Holub。

玄参科 Scrophulariaceae 穗花属 Pseudolysimachion

水蔓菁

Pseudolysimachion linariifolium subsp. *dilatatum* (Nakai & Kitagawa) D. Y. Hong

| 植物别名 |

追风草。

| 药 材 名 |

水蔓菁（药用部位：全草）。

| 形态特征 |

根茎短。茎直立，单生，少2丛生，常不分枝，高30～80 cm，通常有白色而多卷曲的柔毛。叶几对生，叶片宽条形至卵圆形，长2～6 cm，宽0.5～2 cm，下端全缘而中上端边缘有三角状锯齿，极少整片叶全缘，两面无毛或被白色柔毛。总状花序单支或数支复出，长穗状；花梗长2～4 mm，被柔毛；花冠蓝色、紫色，少白色，长5～6 mm，筒部长约2 mm，后方裂片卵圆形，其余3卵形；花丝无毛，伸出花冠。蒴果长2～3.5 mm，宽2～3.5 mm。花期6～9月。

| 生境分布 |

生于湿地或河岸。分布于河北涿鹿、蔚县等。

| 资源情况 |

野生资源丰富。药材主要来源于野生。

| 采收加工 | 夏、秋季茎叶繁茂时采收，除去杂质，切段，晒干或鲜用。

| 功能主治 | 苦，寒。清热解毒，化痰止咳。用于肺热咳嗽，肺脓肿，咯吐脓血，疮疖肿毒，皮肤湿疹，风疹瘙痒。

| 用法用量 | 内服煎汤，10 ～ 15 g。外用适量，煎汤洗。

玄参科 Scrophulariaceae 穗花属 Pseudolysimachion

兔儿尾苗 *Pseudolysimachion longifolium* (Linnaeus) Opiz

| 植物别名 |

长尾婆婆纳、长叶婆婆纳、长叶水苦荬。

| 药 材 名 |

兔儿尾苗（药用部位：全草）。

| 形态特征 |

茎单生或数支丛生，近直立，不分枝或上部分枝，高 0.4 ～ 1 m，无毛或上部有极疏的白色柔毛。叶对生，偶 3 ～ 4 轮生，节上有 1 个环连接叶柄基部，叶腋有不发育的分枝；叶柄长 2 ～ 4 mm，偶达 1 cm，叶片披针形，渐尖，基部圆钝至宽楔形，有时浅心形，长 4 ～ 15 cm，宽 1 ～ 3 cm，边缘为深刻的尖锯齿，常夹有重锯齿，两面无毛或有短曲毛。总状花序常单生，少复出，长穗状，各部分被白色短曲毛；花梗直，长约 2 mm；花冠紫色或蓝色，长 5 ～ 6 mm，筒部长占 2/5 ～ 1/2，裂片开展，后方 1 卵形，其余长卵形；雄蕊伸出；花柱长 7 mm。蒴果长约 3 mm，无毛。花期 6 ～ 8 月。

| 生境分布 |

生于海拔 1 500 m 左右的草甸、山坡草地、林缘草地、桦木林下。分布于河北宽城、

围场、张北等。

| **资源情况** | 野生资源丰富。药材主要来源于野生。

| **采收加工** | 夏、秋季茎叶繁茂时采收，除去杂质，切段，晒干或鲜用。

| **功能主治** | 微苦、辛，温。祛风除湿，解毒止痛。用于风湿腰腿痛，气管炎，膀胱炎。

| **用法用量** | 内服煎汤，10 ~ 15 g。

细叶婆婆纳

Pseudolysimachion linariifolium (Pallas ex Link) Holub

| 药 材 名 |

细叶婆婆纳（药用部位：全草）。

| 形态特征 |

根茎短。茎直立，单生，少2丛生，常不分枝，高30～80 cm，通常有白色而多卷曲的柔毛。叶全部互生或下部的对生，条形至条状长椭圆形，长2～6 cm，宽0.2～1 cm，下端全缘而中上端边缘有三角状锯齿，极少整片叶全缘，两面无毛或被白色柔毛。总状花序单支或数支复出，长穗状；花梗长2～4 mm，被柔毛；花冠蓝色、紫色，少白色，长5～6 mm，筒部长约2 mm，后方裂片卵圆形，其余3卵形；花丝无毛，伸出花冠。蒴果长2～3.5 mm，宽2～3.5 mm。花期6～9月。

| 生境分布 |

生于草甸、草地、灌丛及疏林下。分布于河北围场、蔚县、邢台等。

| 资源情况 |

野生资源丰富。药材主要来源于野生。

| 采收加工 | 夏、秋季茎叶繁茂时采收，除去杂质，切段，晒干或鲜用。

| 功能主治 | 苦，寒。清热解毒，化痰止咳。用于肺热咳嗽，肺脓肿，咯吐脓血，疮疖肿毒，皮肤湿疹，风疹瘙痒。

| 用法用量 | 内服煎汤，10～15 g。外用适量，煎汤洗。

| 附　　注 | FOC 已将本种修订为细叶穗花 *Pseudolysimachion linariifolium* (Pallas ex Link) Holub。

玄参科 Scrophulariaceae 通泉草属 *Mazus*

弹刀子菜
Mazus stachydifolius (Turcz.) Maxim.

| 药 材 名 | 弹刀子菜（药用部位：全草。别名：水苏叶通泉草、四叶细辛、地菊花）。

| 形态特征 | 多年生草本，高 10 ~ 50 cm，粗壮，全体被多细胞白色长柔毛。根茎短。茎直立，稀上升，圆柱形，不分枝或在基部分 2 ~ 5 枝，老时基部木质化。基生叶匙形，有短柄，常早枯萎；茎生叶对生，上部的常互生，无柄，长椭圆形至倒卵状披针形，纸质，长 2 ~ 4（~ 7）cm，以茎中部的较大，边缘具不规则锯齿。总状花序顶生，长 2 ~ 20 cm，有时稍短于茎，花稀疏；苞片三角状卵形，长约 1 mm；花萼漏斗状，长 5 ~ 10 mm，果时增长达 16 mm，直径超过 1 cm，比花梗长或近等长，萼齿略长于筒部，披针状三角形，先端长锐尖，10 脉纹明显；花冠蓝紫色，长 15 ~ 20 mm，花冠筒

与唇部近等长，上部稍扩大，上唇短，先端 2 裂，裂片狭长三角形，先端锐尖，下唇宽大，开展，3 裂，中裂较侧裂约小 1 倍，近圆形，稍凸出，褶襞 2 从喉部直通至上下唇裂口，被黄色斑点同稠密的乳头状腺毛；雄蕊 4，二强，着生于花冠筒的近基部；子房上部被长硬毛。蒴果扁卵球形，长 2 ～ 3.5 mm。花期 4 ～ 6 月，果期 7 ～ 9 月。

| **生境分布** | 生于海拔 1 500 m 以下较湿润的路旁、草坡及林缘。分布于河北抚宁、行唐、灵寿等。

| **资源情况** | 野生资源丰富。药材主要来源于野生。

| **采收加工** | 开花结果时采收，鲜用或晒干。

| **功能主治** | 微辛，凉。清热解毒，凉血散瘀。用于便秘下血，疮疖肿毒，毒蛇咬伤，跌打损伤。

| **用法用量** | 内服煎汤，15 ～ 30 g。外用适量，鲜品捣敷。

玄参科 Scrophulariaceae 通泉草属 Mazus

通泉草 *Mazus pumilus* (N. L. Burman) Steenis

| 药 材 名 | 绿兰花（药用部位：全草。别名：五瓣梅、野田菜、猪胡椒）。

| 形态特征 | 一年生草本，高 3 ~ 30 cm，无毛或疏生短柔毛。主根伸长，垂直向下或短缩，须根纤细，多数，散生或簇生。本种在体态上变化幅度很大，茎 1 ~ 5 或有时更多，直立，上升或倾卧状上升，着地部分节上常能长出不定根，分枝多而披散，少不分枝。基生叶少到多数，有时呈莲座状或早落，倒卵状匙形至卵状倒披针形，膜质至薄纸质，长 2 ~ 6 cm，先端全缘或有不明显的疏齿，基部楔形，下延成带翅的叶柄，边缘具不规则的粗齿或基部有 1 ~ 2 浅羽裂；茎生叶对生或互生，少数，与基生叶相似或几乎等大。总状花序生于茎、枝先端，常在近基部即生花，伸长或上部成束状，通常 3 ~ 20，花疏稀；花梗在果期长达 10 mm，上部的较短；花萼钟状，花期长约

6 mm，果期多少增大，萼片与萼筒近等长，卵形，端急尖，脉不明显；花冠白色、紫色或蓝色，长约10 mm，上唇裂片卵状三角形，下唇中裂片较小，稍凸出，倒卵圆形；子房无毛。蒴果球形；种子小而多数，黄色，种皮上有不规则的网纹。花果期4～10月。

| **生境分布** | 生于海拔2 500 m以下湿润的草坡、沟边、路旁及林缘。分布于河北昌黎、抚宁、行唐等。

| **资源情况** | 野生资源丰富。药材主要来源于野生。

| **采收加工** | 春、夏、秋季均可采收，洗净，鲜用或晒干。

| **功能主治** | 苦、微甘，凉。清热解毒，利湿通淋，健脾消积。用于热毒痈肿，脓疱疮，疔疮，烫火伤，尿路感染，腹水，黄疸性肝炎，消化不良，小儿疳积。

| **用法用量** | 内服煎汤，10～15 g。外用适量，鲜品捣敷。

玄参科 Scrophulariaceae 小米草属 Euphrasia

小米草
Euphrasia pectinata Tenore

| 药 材 名 | 小米草（药用部位：全草。别名：芒小米草、药用小米草）。

| 形态特征 | 植株直立，高 10 ～ 30（～ 45）cm，不分枝或下部分枝，被白色柔毛。叶与苞叶无柄，卵形至卵圆形，长 5 ～ 20 mm，基部楔形，每边有数枚稍钝、急尖的锯齿，两面脉上及叶缘多少被刚毛，无腺毛。花序长 3 ～ 15 cm，初花期短而花密集，逐渐伸长至果期果疏离；花萼管状，长 5 ～ 7 mm，被刚毛，裂片狭三角形，渐尖；花冠白色或淡紫色，背面长 5 ～ 10 mm，外面被柔毛，背部较密，其余部分较疏，下唇比上唇长约 1 mm，下唇裂片先端明显凹缺；花药棕色。蒴果长矩圆状，长 4 ～ 8 mm；种子白色，长 1 mm。花期 6 ～ 9 月。

| 生境分布 | 生于阴坡草地及灌丛中。分布于河北赤城、蔚县、武安等。

| **资源情况** | 野生资源丰富。药材主要来源于野生。

| **采收加工** | 夏、秋季采收，切段，晒干。

| **功能主治** | 苦，微寒。归膀胱经。清热解毒，利尿。用于热病口渴，头痛，肺热咳嗽，咽喉肿痛，热淋，小便不利，口疮，痈肿。

| **用法用量** | 内服煎汤，6 ~ 10 g。

| **附　注** | 本种的高枝亚种茎较高大，高（15 ~ ）25 ~ 50 cm，通常在中上部多分枝，叶及苞叶卵圆形至三角状圆形，基部近平截形，边缘锯齿急尖至渐尖，有时呈芒状。

玄参
Scrophularia ningpoensis Hemsl.

| 植物别名 | 黑参、元参、水萝卜。

| 药 材 名 | 玄参（药用部位：根。别名：重台、正马、玄台）。

| 形态特征 | 高大草本，高 1 m 余。支根数条，纺锤形或胡萝卜状膨大，直径 3 cm 以上。茎四棱形，有浅槽。叶在茎下部多对生而具柄，上部的有时互生而柄极短，柄长者达 4.5 cm，叶形多变，多为卵形，有时上部为卵状披针形或披针形，基部楔形、圆形或近心形，边缘具细锯齿，稀为不规则的细重锯齿，长 8 ～ 30 cm。花序由顶生和腋生的聚伞圆锥花序合成大型圆锥花序，长达 50 cm，在较小的植株中，仅有顶生聚伞圆锥花序，长不及 10 cm，聚伞花序常 2 ～ 4 回复出；花梗长 0.3 ～ 3 cm，有腺毛；花萼长 2 ～ 3 mm，裂片圆形，

边缘稍膜质；花冠褐紫色，长 8 ~ 9 mm，上唇较下唇长约 2.5 mm，裂片圆形，边缘相互重叠，下唇裂片多为卵形，中裂片稍短；雄蕊短于下唇，花丝肥厚，退化雄蕊大而近圆形；花柱长约 3 mm。蒴果卵圆形，连同短喙长 8 ~ 9 mm。花期 6 ~ 10 月，果期 9 ~ 11 月。

| **生境分布** | 生于海拔 1 700 m 以下的竹林、溪旁、丛林及高草丛中。分布于河北定州、阜平、涉县等。

| **资源情况** | 野生资源一般，栽培资源丰富。药材主要来源于栽培。

| **采收加工** | 冬季茎叶枯萎时采挖，除去根茎、幼芽、须根及泥沙，晒或烘至半干，堆放 3 ~ 6 天，反复数次至干燥。

| **药材性状** | 本品呈类圆柱形，中间略粗或上粗下细，有的微弯曲，长 6 ~ 20 cm，直径 1 ~ 3 cm。表面灰黄色或灰褐色，有不规则的纵沟、横长皮孔样突起和稀疏的横裂纹及须根痕。质坚实，不易折断，断面黑色，微有光泽。气特异似焦糖，味甘、微苦。

| **功能主治** | 甘、苦、咸，微寒。归肺、胃、肾经。清热凉血，滋阴降火，解毒散结。用于热入营血，温毒发斑，热病伤阴，舌绛烦渴，津伤便秘，骨蒸劳嗽，目赤，咽痛，白喉，瘰疬，痈肿疮毒。

| **用法用量** | 内服煎汤，9 ~ 15 g。

玄参科 Scrophulariaceae 阴行草属 Siphonostegia

阴行草
Siphonostegia chinensis Benth.

| 植物别名 |

刘寄奴。

| 药 材 名 |

北刘寄奴（药用部位：全草）。

| 形态特征 |

一年生草本，直立，高 30 ～ 60 cm，有时可达 80 cm，干时变为黑色，密被锈色短毛。主根不发达或稍稍伸长，木质，直径约 2 mm，有的增粗，直径可达 4 mm，很快即分为多数粗细不等的侧根而消失，侧根长 3 ～ 7 cm，纤维状，常水平开展，须根多数，散生。茎多单条，中空，基部常有少数宿存膜质鳞片，下部常不分枝，而上部多分枝；枝对生，1 ～ 6 对，细长，坚挺，多少以 45° 角叉分，稍具棱角，密被无腺短毛。叶对生，全部为茎生，下部者常早枯，上部者茂密，相距很近，仅 1 ～ 2 cm，无柄或有短柄，柄长可达 1 cm，叶片基部下延，扁平，密被短毛；叶片厚纸质，广卵形，长 8 ～ 55 mm，宽 4 ～ 60 mm，2 面皆密被短毛，中肋在上面微凹入，背面明显凸出，缘作疏远的 2 回羽状全裂，裂片仅约 3 对，仅下方 2 羽状开裂，小裂片 1 ～ 3，外侧者较

长，内侧裂片较短或无，线形或线状披针形，宽 1~2 mm，锐尖头，全缘。花对生于茎枝上部，或有时假对生，构成疏稀的总状花序；苞片叶状，较萼短，羽状深裂或全裂，密被短毛；花梗短，长 1~2 mm，纤细，密被短毛，有 1 对小苞片，线形，长约 10 mm；花萼管部很长，先端稍缩紧，长 10~15 mm，厚膜质，密被短毛，10 主脉质地厚而粗壮，显著凸出，使处于其间的膜质部分凹下成沟，无网纹，5 齿，绿色，质地较厚，密被短毛，长为萼管的 1/4~1/3，线状披针形或卵状长圆形，近相等，全缘，或偶有 1~2 锯齿；花冠上唇红紫色，下唇黄色，长 22~25 mm，外面密被长纤毛，内面被短毛，花管伸直，纤细，长 12~14 mm，先端略膨大，稍伸出萼管外，上唇镰状弓曲，先端截形，

额稍圆，下前方斜截形，有时略啮痕状，其上角有 1 对短齿，背部密被特长的纤毛，毛长 1 ~ 2 mm；下唇约与上唇等长或稍长，先端 3 裂，裂片卵形，端均具小凸尖，中裂与侧裂等宽而较短，向前凸出，褶襞的前部高凸并作袋状伸长，向前伸出与侧裂等长，向后方渐低而终止于管喉，不被长纤毛，沿褶缝边缘质地较薄，并有啮痕状齿；雄蕊二强，着生于花管的中上部，前方 1 对花丝较短，着生的部位较高，2 对花丝下部被短纤毛，花药 2 室，长椭圆形，背着，纵裂，开裂后常呈新月形弯曲；子房长卵形，长约 4 mm，柱头头状，常伸出盔外。蒴果被包于宿存萼内，约与萼管等长，披针状长圆形，长约 15 mm，直径约 2.5 mm，先端稍偏斜，有短尖头，黑褐色，稍具光泽，并有 10 不十分明显的纵沟纹；种子多数，黑色，长卵圆形，长约 0.8 mm，具微高的纵横凸起，横的 8 ~ 12，纵的约 8，将种皮隔成许多横长的网眼，纵凸中有 5 凸起较高成窄翅，一面有 1 龙骨状宽厚而肉质半透明之翅，其先端稍外卷。花期 6 ~ 8 月。

| **生境分布** | 生于海拔 800 ~ 3 400 m 的干山坡与草地中。分布于河北邢台及昌黎、赤城等。 |

| **资源情况** | 野生资源丰富。药材主要来源于野生。 |

| **采收加工** | 8 ~ 9 月采收，除去泥土、杂质，鲜用或晒干。 |

| **药材性状** | 本品长 30 ~ 80 cm，全体被短毛。根短而弯曲，稍有分枝。茎圆柱形，有棱，有的上部有分枝，表面棕褐色或黑棕色；质脆，易折断，断面黄白色，中空或有白色髓。叶对生，多脱落破碎，完整者羽状深裂，黑绿色。总状花序顶生，花有短梗；花萼长筒状，黄棕色至黑棕色，有明显 10 纵棱，先端 5 裂；花冠棕黄色，多脱落。蒴果狭卵状椭圆形，较萼稍短，棕黑色。种子细小。气微，味淡。 |

| **功能主治** | 苦，寒。活血祛瘀，通经止痛，凉血，止血，清热利湿。用于跌打损伤，外伤出血，瘀血经闭，月经不调，产后淋痛，癥瘕积聚，血痢，血淋，湿热黄疸，水肿腹胀，带下过多。 |

| **用法用量** | 内服煎汤，6 ~ 9 g。 |